Hierofania
O teatro segundo Antunes Filho

SESCSP

SERVIÇO SOCIAL DO COMÉRCIO – SESC SP
Administração Regional no Estado de São Paulo

Presidente do Conselho Regional
Abram Szajman

Diretor Regional
Danilo Santos de Miranda

Superintendentes
Comunicação Social Ivan Giannini
Técnico-social Joel Naimayer Padula
Administração Luiz Deoclécio Massaro Galina
Assessoria Técnica e de Planejamento Sérgio José Battistelli

edições
SESCSP

Gerente Marcos Lepiscopo
Adjunto Évelim Lúcia Moraes
Coordenação Editorial Clívia Ramiro
Produção Editorial Juliana Gardim, Ana Cristina F. Pinho
Colaboradores da Edição Marta Colabone, Iã Paulo Ribeiro

Sebastião Milaré

Hierofania
O teatro segundo Antunes Filho

edições
SESCSP

Preparação de texto
Adir de Lima

Revisão de provas
Adriane Gozzo, Adir de Lima

Capa
Moema Cavalcanti

Composição
Neili Dal Rovere

Ilustrações
Juliana Russo

Fotografias
Amílcar Claro, Carlos Rennó, Carlos Sanchez, Célia Thomé de Souza, Claudia Mifano, Derli Barroso, Emidio Luisi, Fred Mesquita, Gabriel Cabral, Paquito e Rafael Issa.

Ficha Catalográfica elaborada pelo Departamento Técnico do Sistema Integrado de Bibliotecas da USP

An89h Milaré, Sebastião
    Hierofania: o teatro segundo Antunes Filho / Sebastião Milaré. – São Paulo : Edições SESC SP, 2010. – 411 p.: il. Fotografias.

    Fontes e Bibliografia
    ISBN 978-85-7995-002-5

    1. Teatro. 2. Teatro – Método. 3. Antunes Filho, José Alves. I. Título. II. Subtítulo.
                    CDD 792

Copyright © 2010 Edições SESC SP
Todos os direitos reservados

SESC SÃO PAULO
Edições SESC SP
Av. Álvaro Ramos, 991
03331-000 – São Paulo – SP
Tel. (55 11) 2607-8000
edicoes@edicoes.sescsp.org.br
www.sescsp.org.br

Para

Eva Wilma
Laura Cardoso
Stênio Garcia
e

In memoriam
Raul Cortez

Primeiros artistas-discípulos do mestre, que o estimularam ao mergulho profundo na arte do ator.

Sumário

Apresentação. Um lugar para o sagrado, 9

Introdução. Origens do trabalho, 13

Parte I. O sistema

1. Questão de método, 23

2. Macunaíma, 43

3. Nelson Rodrigues, o eterno retorno, 59

4. Romeu e Julieta entre anjos e marinheiros, 79

5. O método anunciado, 95

6. Matraga & Xica da Silva, 115

7. O salto quântico e a melopeia, 129

8. Paraíso, zona norte, 147

9. Sinergia do Mal, 163

10. Realidades metafísicas e individuação, 177

11. Poética da imortalidade, 189

Parte II. O método

12. *Abertura*. Corpo e espírito, 207
13. Do esqueleto à alma: o sistema L, 219
14. A preparação do corpo I: como chegar ao estado *yin* e *yang* perfeito, 235
15. A preparação do corpo II: em busca de repertório expressivo, 247
16. A respiração, 261
17. No princípio era o Verbo, 273
18. Função das vogais e das consoantes, 285
19. A construção da fala, 297
20. A viagem I: programação e gênese, 309
21. A viagem II: *performance*, 323
22. *Prêt-à-porter* ou a outra volta do parafuso, 337

Epílogo. A estrada sem fim, 351
Anexo. Diário de bordo do CPT, 377
Fontes e bibliografia, 385

Um lugar para o sagrado

DANILO SANTOS DE MIRANDA
Diretor Regional do SESC São Paulo

> *A manifestação do sagrado funda ontologicamente o mundo. Na extensão homogênea e infinita onde não é possível nenhum ponto de referência, e onde, portanto, nenhuma orientação pode efetuar-se, a hierofania revela um "ponto fixo" absoluto, um "Centro".*
>
> MIRCEA ELIADE, O sagrado e o profano.

Quando assistimos à montagem de uma peça teatral sob a direção de Antunes Filho temos a impressão de que algum mistério nos ronda, algo que não podemos divisar com os simples olhos de ver. São estranhamentos que surgem de uma camada dentro de nós que parecia perdida, esquecida, de tão remota a ancestralidade que nos assalta. Por mais simples que seja a história dramatizada, elementos mitológicos nela surgem para nos lembrar de nossa condição humana de nos mantermos caminhando e nos situarmos no mundo.

Tais sensações não se justificam como meros acasos de roteiros ou disposições dos corpos sobre o palco; os sentimentos arraigados em nossas células captam algo que nos arrebata por ser extremamente íntimo, voltado às origens – seja de nosso próprio físico mortal, seja da grandeza incomensurável da humanidade.

Podemos dizer – e sentir – que o trabalho desenvolvido por Antunes Filho com seus atores não é feito de "achismos" ou como simples projeto na busca pela fama televisiva. Um caminho árduo se inicia ao artista que se aventura a seguir a complexa visão de mundo do diretor, tornando o fazer teatral uma profissão de fé e o palco, um lugar para o sagrado.

Sem a intenção de fazer um culto ou uma seita, Antunes Filho trabalha no campo da religião no instante em que coloca o palco como espaço de re-ligação (*religare-religio*-religião) com o que há de mais íntimo aos seres humanos e que, ao mesmo tempo, está além, sobre nós. Não necessariamente tem a pretensão de questões divinas declaradas, mas parece querer chegar à essência obscura de onde nascemos, retornar às raízes subterrâneas de nossa espécie para que ela surja novamente plena de conhecimento de sua existência. Para isso, utiliza-se de campos do conhecimento aparentemente díspares ou mesmo destituídos de qualquer conexão visível. Bebe nas mais diferentes fontes dos dramaturgos criadores, passa pelo estudo da física quântica, pela filosofia do Tao, desenvolve os arquétipos de Jung e refestela-se com as mitologias, para nos apresentar, de forma mágica e enigmática, espetáculos teatrais que, embora não possamos discernir as profundas filosofias que os regem, nos arrebatam com a densa simplicidade com que são realizados.

Talvez este enigma seja, para nós, o que há de sagrado no trabalho de Antunes: quando procura fazer com que tudo o que se revela no palco seja para a criação de um mundo, seja para o eterno retorno do homem a si mesmo, um espelho onde possa ver sua alma espalhada nas tantas almas que se juntam dentro e fora de cena.

Sebastião Milaré devia estar impregnado de luz, esclarecido, tomado pelos ares rarefeitos dos pensamentos de Antunes quando se dispôs a escrever o presente livro. O resultado é um produto fluido, lúcido e de uma cadência encantadora. Reflete-se na importância do método de trabalho que Antunes desenvolve para a formação dos atores para dar ao leitor seu método de apresentação.

Podemos imaginar Milaré com sua atenta antena captando as mais finas sintonias dos passos de Antunes para nos dar um resultado surpreendente à nossa própria formação. E se pudermos nos livrar das amarras pesadas que nos impedem de ver a vida como um tecido de muitos fios e intensidades, uma vida feita de retalhos que se juntam, em que se acumulam as existências e os saberes sem se anularem para poderem existir, então não precisamos ser atores para aprender muito com o método de Antunes.

Hierofania – O teatro segundo Antunes Filho consegue transmitir com limpidez a profundidade implícita na obra do encenador, tornando-a, antes de tudo, um aprendizado que vale para o cotidiano, para o trabalho, para o descanso, para a contemplação, para o questionamento. Desde a evolução do trabalho do diretor, em suas peças emblemáticas, até a reflexão sobre a respiração e a voz, tudo nos encaminha a um aprendizado que extrapola o teatro e que acaba como lição para a vida.

Antunes faz do palco teatral o Cosmos. Sem sabermos de sua intenção em fazer de sua obra uma soteriologia, ou de fazer transparecer no universo as inevitáveis escatologias, o que podemos apreender com o livro *Hierofania* é que dentro de nós ainda sempre grita o Mito, o que salva e o que acaba, o que retorna e o que funde, o nada que é tudo: o Centro do Mundo.

Uma obra de interstícios sagrados para os que querem seguir caminhando.

Origens do trabalho

Sebastião Milaré

O palco vazio é o caos. Sítio do não formado, do por vir, das imanências. A cena é um espaço onde se atualiza permanentemente o gesto mítico da criação. E, assim sendo, cada manifestação do teatro implica a volta ao caos, por meio de um ritual que religa a humanidade aos ancestrais *in illo tempore*.

Um pensamento dessa ordem se desenvolve nos trabalhos investigativos de Antunes Filho com seus discípulos no CPT – Centro de Pesquisa Teatral e é colocado em prática pelo diretor nas montagens do Grupo de Teatro Macunaíma. Por isso chamo *hierofania* ao teatro de Antunes Filho, no sentido que Mircea Eliade dá ao termo: espaço de manifestação do sagrado.

Pode-se argumentar que o ato teatral é sempre uma hierofania, assim como o espaço cênico é o centro ou o umbigo do mundo. Grande parte dos artistas cênicos, no entanto, não confere à sua obra significados transcendentais, confinando-a nos estreitos limites do gesto profano, das contingências sociais imediatas, do efêmero que dita as modas e as formas de conveniência estética. "O gesto modelado pela indústria do homem", afirma Eliade, "adquire sua realidade, sua identidade, mas apenas até o limite de sua participação numa realidade transcendental. O gesto se reveste de significado, de realidade [cósmica], unicamente até o ponto em que repete um ato primordial"[1].

O teatro – o edifício teatral – é um templo. Isto sempre se diz. Convém observar, no entanto, que nem todos o usam em *funções litúrgicas*;

[1]. Mircea Eliade, *Mito do eterno retorno*, p. 18.

muitos vão ali montar barracas onde se vende de tudo, desde *santinhos* até carne. Nesses casos, protagonizados pelos *mercadores do templo*, o conceito *hierofania* não se aplica, pois ele é reservado às verdadeiras criações do espírito, às que têm o poder de *revelar* em novas formas o ato primordial da criação. Fruto não de artistas *criativos*, mas *criadores*, capazes de dar existência a um mundo que tem o vislumbre da realidade e volta em seguida ao caos.

A exemplo dos grandes místicos e dos cientistas, o artista verdadeiramente criador é um predestinado, porém só consegue levar à plenitude seus dons mediante intensos trabalhos, que o preparam e o habilitam. Ao reatualizar gestos primais o artista verdadeiramente criador atualiza o teatro, regenerando-o como hierofania e como arte, se uma coisa não for o mesmo que a outra.

Não se pode negar a Antunes Filho, em vista da sua obra, a condição de "artista verdadeiramente criador". Como grandes artistas de qualquer área e de qualquer tempo ele expressa sua época por meios que estabelecem pontes entre o homem e as divindades recuperadas do pensamento arcaico. Cumpre, portanto, debruçar sobre a sua obra buscando entender-lhe tanto o significado histórico quanto o transcendental. Debruçar-se não munido dos velhos instrumentos, dos velhos conceitos, dos velhos paradigmas, e sim despojado, pronto para lidar com o novo, fruto do gesto criador.

Em estudo anterior[2] relatei e comentei a trajetória de Antunes Filho até a estreia de *Macunaíma* (1978). Esse espetáculo e outros que se seguiram poderiam ter sido incluídos naquele trabalho, entretanto preferi não fazê-lo porque na fase inaugurada com *Macunaíma* e a posterior instituição do CPT – Centro de Pesquisa Teatral alterava-se significativamente o encaminhamento das pesquisas estéticas de Antunes (conservando, embora, a ideologia) e sua obra alcançou maturidade e consequências que se reverteram em prestígio internacional. Considerei imprescindível dividir o estudo, deixando o período das prospecções estéticas do CPT para pesquisa e análise posteriores – das quais resultou este trabalho.

Ao tratar da primeira fase, abordando o período que vai do início dos anos 1950 ao fim dos 1970, examinei a consolidação do moderno teatro entre nós e seu florescimento em estéticas que convertiam a experiência histórica do homem brasileiro em matéria-prima da criação

2. Milaré, Sebastião, *Antunes Filho e a dimensão utópica*, Perspectiva, 1994.

dramática. Lançando o olhar para trás, voltando aos anos da I Guerra Mundial, observei a criação das companhias nacionais que levariam ao colapso o teatro luso-brasileiro, preparando a eclosão do teatro nacional. No período imediato, marcado por tentativas de nacionalização e modernização, o trabalho de Renato Vianna (que foi nosso primeiro encenador, no sentido moderno do ofício) catalisava agudas inquietações artísticas numa busca contínua de novos processos criativos e meios interpretativos, conectando o teatro ao movimento modernista e preparando o terreno para a efetiva modernização cênica. Com este estudo, comento o teatro destas últimas décadas por intermédio da história do CPT – Centro de Pesquisa Teatral, do SESC, posto avançado de prospecções estéticas, que supera dogmas *modernos* e se inclui entre as vanguardas contemporâneas no plano internacional.

A diferença básica deste trabalho em face do anterior reside no tempo mediando os acontecimentos examinados e o momento da reflexão. Se é maior a distância no tempo, mais elementos surgem possibilitando a comparação entre os modelos praticados no bojo daquele momento histórico. Quanto menor a distância, menor a possibilidade de uma reflexão crítica dessa ordem. Basta olhar o passado para constatar que a verdade de agora muitas vezes deixa de sê-lo pouco depois. Junta-se a isso o necessário envolvimento do crítico com tudo o que ocorre no instante de fruição do produto estético, prejudicando seriamente a sua *imparcialidade*. É mais fácil ser *imparcial* perante a obra ou atitude estética já cristalizada, com seus valores convencionados e aceitos, ou não aceitos, do que diante de um fato estético novo, que altera a gramática, implicando a dúvida: será erro ou transgressão de código? Muitos são os exemplos possíveis de se compilar o equívoco de críticos, elegendo o erro como transgressão e ignorando verdadeiras transgressões. O tempo é o implacável *tira-dúvidas*.

A despeito da seriedade com que encaro o problema, evitei fundamentais conflitos na elaboração deste estudo, tendo em vista seu tema e objeto. Quero dizer que, tratando-se da obra de Antunes Filho, um lastro histórico de relevante importância no desenvolvimento do moderno teatro brasileiro ampara e fornece os fundamentos da análise e, por conseguinte, da reflexão. Evitei um juízo de valor absoluto sobre cada produção examinada ao focá-la dentro do processo evolutivo do artista, porém sem prejuízo do conceito geral de que se trata de obra única, importante e transformadora.

Dispensei a falsa cautela que poderia relativizar o papel desempenhado por Antunes Filho no processo evolutivo do teatro brasileiro. Isso porque o exercício fecundo desse artista, desde o primeiro momento em que se envolveu com o teatro, há mais de meio século, lhe possibilita constante superação de códigos. Não pode, portanto, receber outro tratamento: é perseguindo a compreensão do seu pensamento transfigurado em manifestação cênica, culminando na criação de um método para o ator, que se poderá compreender o significado da sua obra.

Todavia, evitei contextualização semelhante à que fiz relativamente ao período anterior pela proximidade, por estar escrevendo no momento em que as transformações do panorama estão ocorrendo e nada se cristalizou ainda. Isso explica, igualmente, por que reduzi a pouca coisa a avaliação da crítica cotidiana às obras.

Interessei-me, especificamente, pela natureza do processo criativo desenvolvido no CPT, buscando nele identificar os pontos de ruptura e o significado de cada uma dessas rupturas na constituição da linguagem. Para isso, foi preciso ir à base do processo, que diz respeito à arte do ator, ali vasculhando os meios desenvolvidos, os exercícios, a bibliografia, a prática e a ideologia. Constato, de saída, meios e modos procedentes de experiências anteriores aglutinados na elaboração de *Macunaíma*. Ou seja, essa montagem, que marcou época (e não só no Brasil), não nasceu por acaso ou por uma vontade de Antunes em dia especialmente inspirado, mas do projeto que o artista já desenvolvia havia duas décadas; melhor dizendo, desde *O diário de Anne Frank*, em 1958. Foi, porém, a partir de *Macunaíma*, seguido pela instituição do CPT, que ele desenvolveria de modo sistemático um processo de criação artística extremamente contemporâneo e conectado com as mais avançadas tendências das artes cênicas de todo o mundo.

Comprovei que o desenvolvimento estético do CPT, revelado nas produções do Grupo de Teatro Macunaíma, não se prende unicamente a *mise-en-scène*, ou à *linguagem de diretor*. Pelo contrário, corresponde a novos conceitos de teatro e do fazer teatral, resultando em um novo método para o ator.

Indispensável consignar nesta Introdução a importância decisiva para o triunfo da ideia estética que foi a participação de centenas de atores, assim como a participação essencial do cenógrafo J. C. Serroni; do *designer* sonoro Raul Teixeira; e de outros encenadores, dramaturgos, cenógrafos, professores e técnicos de teatro que, estagiando no CPT, deram sua contribuição. Sobretudo, assinalar a suprema importância do apoio do SESC – Serviço Social do Comércio, que encampou a ideia, tornou o CPT um departamento da unidade Consolação e desde 1982 vem mantendo sua atividade, prestando com isso inestimável serviço à cultura brasileira, particularmente ao nosso teatro.

Por motivos óbvios a narrativa sobre o processo criativo do CPT, nesta *Hierofania*, gira em torno da figura de Antunes Filho. Seria impraticável mencionar passo a passo todos que nesse processo estiveram envolvidos por curtos ou longos períodos, porém não se pode esquecer que cada um deu sua contribuição, pois o método resultante, embora idealizado e gestado por Antunes, é fruto do trabalho de todos.

Registro aqui meus agradecimentos a atores e atrizes que, ao longo destas décadas e submetidos aos rigores da disciplina do CPT, com seus exercícios de classe e trabalhos no palco ampliaram-me a visão e a compreensão do processo. É uma multidão de pessoas e muitas delas seguiram carreira no teatro levando a marca dessa formação privilegiada. Outras tantas se retiraram da cena, porque os encaminhamentos da vida são inescrutáveis. Impossível, de qualquer modo, aqui registrar todos os nomes, no entanto quero consignar gratidão especialmente aos que deram depoimentos, desde a década de 1980, quando iniciei este trabalho, sem prazo certo para terminar. Muitos depoimentos destinaram-se à minissérie *O teatro segundo Antunes Filho*, que tive o prazer de realizar com o cineasta Amílcar Claro para a STV (atual SESCTV); outros se destinaram a publicações esporádicas além do livro *Antunes Filho e a dimensão utópica*; outros tantos tinham por objetivo fornecer dados especificamente para este estudo. Todos os depoimentos foram preciosos para a compreensão das ideias e do pensamento estético de Antunes Filho em seu constante desenvolvimento.

Registro, de início, agradecimentos a grandes nomes do teatro brasileiro, que com indisfarçável orgulho se colocam como primeiros discípulos de Antunes Filho: Eva Wilma, Laura Cardoso, Raul Cortez, Stênio Garcia. E aos que estiveram presentes nas primeiras fases do processo analisado nesta obra, um tempo heroico: Arciso Andreoni, Cacá Carvalho, Lígia Cortez, Marlene Fortuna, Walter Portella. E aos que chegaram logo depois, quando a constituição de um método já se anunciava, e deram-me depoimentos para uma matéria publicada na revista *artes:*, em 1985, primeiro módulo da imensa pesquisa que venho desenvolvendo: Giulia Gam, Luiz Antônio, Luiz Henrique, Márcia Regina, Salma Buzzar, Ulysses Cruz. Desse grupo, especial gratidão a Marco Antônio Pâmio, que generosamente cedeu cópia do primeiro compêndio do método, em início de gestação na época, documento de extrema importância para o estudo. E aos atores e atrizes que brilharam na fase seguinte, quando a mecânica quântica passou a influenciar decisivamente esse laboratório de pesquisas estéticas: Flávia Pucci, Geraldo Mário, Luis Melo, Rita Martins. Gratidão especial a Marcos Azevedo, de quem recebi uma joia rara: o segundo compêndio (de 1987) do método em desenvolvimento, que teve fundamental importância para este trabalho.

Aos atores e atrizes que nos últimos dez anos vêm auxiliando o mestre, em seu trabalho cotidiano, a sistematizar e aprimorar os procedimentos, que reunidos caracterizam o método, muito obrigado pelo apoio que sempre me deram, pelas informações sobre as técnicas repassadas em colóquios, tantas vezes orquestrados por Antunes Filho, ou pela prática constante dos exercícios, aos quais observei por incontáveis horas.

Também aqui é impossível nomear a todos, mas destaco os nomes de Daniela Nifussi, Emerson Danesi, Gabriela Flores, Sabrina Greve, Sílvia Lourenço, Suzan Damasceno. Especial gratidão a Juliana Galdino, que deu contribuições espontâneas e inestimáveis; a Lee Taylor e César Augusto, que na fase final de sistematização da técnica vocal, a pedido de Antunes, foram meus consultores dedicados e eficientes. A Rodrigo Audi, sempre disponível e colaborativo. Também especial gratidão a Valentina Lattuada, que escreveu o *Diário de bordo do* CPT, incluído neste volume como Anexo, sobre as discussões sistemáticas lá realizadas a respeito da descrição do método registrada nesta *Hierofania*.

Grato a J. C. Serroni e a Raul Teixeira, amigos generosos e sempre dispostos a conversas reveladoras, grupo ao qual se juntou Amílcar Claro. Grato à fonoaudióloga Célia Cruz, que orientou meus estudos sobre a técnica vocal, e também à professora de canto Mae Kathouni, por importantes observações.

Agradecimentos que estendo a funcionários do SESC, secretárias e assistentes do CPT, sempre tão atenciosos e solícitos. Por fim, porém não por último, minha gratidão a Danilo Santos de Miranda, diretor regional do SESC SP, por seu apoio constante, pelos vários depoimentos nos quais me esclareceu as relações da entidade com o Teatro, fornecendo-me inclusive o relatório da comissão de estudos, formada no início dos anos 1980, cujos trabalhos resultaram na instalação do Centro de Pesquisa Teatral.

Parte I
O sistema

1. Questão de método

Um bom viajante não sabe para onde vai.
O viajante perfeito, sequer sabe de onde vem.

Lin Yutang

Método é caminho. Tanto na arte quanto na vida é indispensável um caminho, ou método, para a feitura de qualquer trabalho, seja ele ato cotidiano ou obra de arte.

Os assuntos relatados e discutidos neste livro referem-se à sistematização de um método para o ator. Pode-se de imediato pensar em um caminho implicando conjuntos de regras, normas e fórmulas... Porém, é mais do que isso.

Muitos acreditam que os *caminhos estão traçados*, o que reduz a existência humana a algo monótono, pois quando o cidadão bota o pé no caminho já sabe em que resultará a caminhada. Essa ideia de caminho não serve para a definição do nosso método.

Nos *Proverbios y Cantares*, Antonio Machado dá outra visão de *caminho*:

Caminante, son tus huellas
el camino, y nada más;
caminante, no hay camino,
se hace camino al andar.

> Al andar se hace camino,
> y al volver la vista atrás
> se ve la senda que nunca
> se ha de volver a pisar.[1]

Eis a metáfora de *caminho* adequada à ideia do método em questão. Trata da inexistência de caminhos previamente traçados, sem excluir entretanto a necessidade de método para se "fazer caminho ao andar". O contrário disso seria a *caminhada cega*, em que não há método e o sujeito apenas deixa-se levar por impulsos, sem qualquer orientação nem rédeas. A cegueira, neste caso, é um convite à ação dos preconceitos, dos estereótipos, dos modismos – nunca espaço para a criação.

Todavia o indivíduo não vai em *caminhada cega* se estiver sempre ampliando o conhecimento de si mesmo e mantendo viva a imaginação. Então descobrirá caminhos *ao andar*. E a função do método é preparar o ator para essa viagem. Prepará-lo corporal, vocal e espiritualmente de modo que se encontre disponível no momento da criação.

Fruto de pesquisa sistemática dirigida por Antunes Filho no CPT – Centro de Pesquisa Teatral do SESC, ao longo de duas décadas e meia, este método para o ator tem história, é um *caminho feito ao andar* que deixou brilhante rastro de realizações cênicas: o repertório do CPT/Grupo de Teatro Macunaíma.

Não é possível desvincular o repertório do método, porque ambos se fizeram juntos. Cada espetáculo realizado pelo CPT/Grupo de Teatro Macunaíma reflete o estado do método na época da sua realização. Cada espetáculo apresentou necessidades conceituais e expressivas, impulsionando a pesquisa de meios para responder a essas necessidades. O vasto conhecimento que alicerça o método foi igualmente introduzido ao longo desse tempo para responder a necessidades. A exposição do método, consequentemente, passa pela análise do repertório, o que explica o planejamento do presente trabalho.

A primeira parte dá notícias da fundação do Grupo de Teatro Macunaíma e do Centro de Pesquisa Teatral, observando a organização interna e as alterações da estrutura ao longo do tempo, tudo circulando em torno da pesquisa de técnicas e de meios expressivos para o ator. Recorre a documentos publicados e inéditos, depoimentos de Antunes Filho e de atores, observação direta deste pesquisador que há décadas

---

1. Antonio Machado, *Poesias completas*, p. 158. Tradução livre: "Caminhante, são teus passos o caminho, e nada mais. Caminhante, não há caminho, faz-se o caminho ao andar. Ao andar se faz caminho e, ao olhar para trás, vê-se a senda que nunca se tornará a pisar".

acompanha sistematicamente o processo de trabalho do CPT, buscando apreender no núcleo dinâmico do processo as necessidades geradas e as soluções encontradas. Nessa trajetória, percebe a alteração de procedimentos, correspondendo a novos conceitos e levando às novas técnicas. O que de início era uma compilação aleatória adquire unidade e constitui um conjunto orgânico de ideias e imagens que, sistematizados, deram forma ao método.

A segunda parte trata do método sistematizado e, na medida do possível, faz sua descrição. O leitor que acompanhou o desenvolvimento do trabalho na primeira parte saberá que é inviável a descrição exata do método, como se tratasse de um punhado de exercícios que, uma vez aprendidos, habilitam tecnicamente o ator. Sem a ideologia, de nada valem os exercícios. E a ideologia, cimentada em questões humanas, envolve novo compromisso ético do ator com a sociedade e nova postura perante a vida. O método propõe que primeiro se transforme o ator, o ser humano, para que depois a transformação se manifeste em cena, gerando novas formas estéticas. Arte e Vida estão imbricadas. Não são a mesma coisa, mas se espelham e se condicionam mutuamente. Só depois de compreender a ideologia, que inclui uma concepção não cartesiana da realidade, o ator poderá praticar os exercícios com alguma possibilidade de êxito.

Por fim, o Epílogo lança um olhar sobre espetáculos realizados no processo de sistematização do método e após sua conclusão, buscando detectar nessa produção os efeitos do método sistematizado, assim como novos encaminhamentos estéticos do encenador.

Importante, já de início, é chamar a atenção do leitor interessado no conhecimento desse método para o conceito de *realidade* aplicado no CPT. O dado *concreto* interessa apenas à medida que se torna veículo para outras dimensões da *realidade*. São essas outras dimensões que devem ser reveladas na criação artística. O tradicional *realismo*, como escola, necessariamente sofre aqui enormes transformações.

O conhecimento do *Real* que nos interessa se constitui a partir das teorias da relatividade de Einstein, da interpretação de Copenhague da teoria quântica ou da psicologia analítica inaugurada por Jung. O sentido *oculto* do *Real* não depende de atitudes contemplativas e sonhadoras para ser revelado alegoricamente no palco ou nas ruas. Ele está aí, tangível, porém não passível de ser verbalizado, exceto numa ideia geral que o expressa como *pensamento não linear*, tema que abordaremos à frente.

O projeto artístico de Antunes Filho tem por meta a *encenação metafísica*. Entenda-se a metafísica como maneira mais profunda e complexa de ver a *realidade*, não como uma ruptura com o *real* ou o cotidiano. A encenação busca a realidade superior por meio do aprofundamento na realidade objetiva. E esse aprofundamento começa da maneira mais cartesiana possível, com a rigorosa análise de cada objeto, de cada situação proposta, de cada ambiente social ou histórico.

O método Antunes Filho procede do método Stanislavsky, sem qualquer dúvida. O exame do processo, a partir dessa base, revela como Antunes superou o realismo tradicional, chegando ao *falso naturalismo* do *Prêt-à-porter*, onde a realidade é integralmente desenhada pelo ator e se reproduz no nível artístico com viço e pulsação, mais fiel ao *modelo* do que possibilitam as técnicas naturalistas convencionais. O caminho, entretanto, começa sobre a plataforma instituída por Constantin Stanislavsky.

O método Stanislavsky parte do princípio de que a ação teatral é coisa orgânica, viva, dinâmica. Para criar uma realidade cênica (arte), o ator deve conhecer profundamente a realidade social (história, sociologia) e a natureza humana (psicologia) contidas na obra. Não aplica entretanto esses conhecimentos mecanicamente: neles estão os subsídios para examinar o *fora* e o *dentro* do personagem. Isto é, o ator deve desenvolver processos de *identificação* com o personagem tanto no âmbito interno, psicológico, quanto no externo, condição social, meio ambiente, etc. Em qualquer caso, usa as improvisações como meio de se colocar *em situação*, com a proposta *se fosse eu*, podendo assim explorar, no próprio corpo, as contradições do personagem. As improvisações são orientadas por uma análise prévia (e substantiva) da obra, tendo o ator selecionado os *objetivos* grandes e pequenos, assim como o *superobjetivo*, que contém os demais objetivos e revela o "complexo conteúdo espiritual de uma peça"[2].

O processo de identificação conduz a procedimentos certamente inspirados na psicanálise, como a *memória emotiva*, que ajuda o ator a conhecer a emoção específica do personagem, associando-a a uma emoção que ele mesmo tenha vivido. Procura, com a *memória emotiva*,

2. Constantin Stanislavsky, *A criação de um papel*, p. 268.

reconstituir no próprio corpo essa emoção, que deve manter presente, de modo que possa *recuperá-la* no momento necessário. É uma maneira de "trabalhar a partir da emoção despertada, retrocedendo até o seu estímulo original". Conforme Stanislavsky, "usando esse processo, o ator pode repetir à vontade qualquer sensação que ele queira, pois pode retraçar o caminho do sentimento acidental até o que o estimulou, para refazer seu caminho, voltando do estímulo ao próprio sentimento".[3]

A realidade se completa com o *fora*, unindo sujeito e objeto. Para isso, há o *método de ações físicas* e a *análise ativa*. Ambos os procedimentos implicam a improvisação, quando o ator se coloca no lugar do personagem, em situações semelhantes às do texto. Por meio das *ações físicas*, vai descobrindo em si mesmo – sentindo – o modo como o personagem se relaciona fisicamente com o entorno. Mantém despertos os *objetivos* em ambas as improvisações, sobretudo na de *análise ativa*, quando procura mergulhar no passado e no futuro do personagem utilizando os conteúdos do texto, recriando os diálogos. Identificar, buscar e recuperar a emoção: estas ações constituem os pilares do método Stanislavsky, quando organizadas em um sistema que sustenta e impulsiona a pesquisa do ator.

Bem cedo o método Stanislavsky foi contestado por criadores, especialmente pelos modernistas que, em sintonia com as artes plásticas, combatiam o naturalismo e o realismo em favor de novas formas e novas estruturas narrativas.

A *biomecânica* proposta por Meyerhold terá sido a mais clara e importante contestação ao *teatro de alma* stanislavskiano, à época do seu desenvolvimento. Em lugar da emoção, que acionava o processo de Stanislavsky, a *biomecânica* se fundava "na natureza *racional* e *natural* dos movimentos". Os gestos devem ser calculados, elaborados racionalmente, e quando o corpo assume um desenho preciso, acreditava Meyerhold, as emoções surgem espontâneas, as entonações são exatas, determinadas pela posição do corpo, "na condição de que o ator possua reflexos facilmente excitáveis, isto é, que aos estímulos que lhe são propostos do exterior saiba responder pela sensação, o movimento e a palavra", conforme esclarece Igor Ilinski no artigo *A biomecânica*[4]. Para representar o medo, por exemplo, no método Stanislavsky fazia-se necessário pesquisar a emoção na memória afetiva do ator, de modo que em cena ele pudesse *viver o medo*. Já para Meyerhold, o ator não devia primeiro *sentir* o medo e depois correr, e sim correr, movido pelo

3. Idem, *A preparação do ator*, p. 204.
4. Igor Ilinski, "A biomecânica", em Meyerhold, 1969, p. 158.

reflexo, para depois sentir o medo. Não era necessário, portanto, *viver* a emoção, apenas exprimi-la por uma ação física.

O ator Igor Ilinski, que foi discípulo de Meyerhold e depois se tornou realista, stanislavskiano, diz que a lida com a emoção na biomecânica se aproxima sensivelmente do método de ações físicas de Stanislavsky e conclui: "Penso que o estudo e o conhecimento prático deles enriquecem enormemente o ator e completam o seu equipamento técnico"[5]. A observação de Ilinski confirma tratar-se de linguagens complementares e não excludentes.

Bertolt Brecht foi outro monumento do teatro no século XX. Suas teorias e teses sacudiram o teatro burguês, condenado a ser o veículo das emoções egoístas, possibilitando-lhe vir a ser o instrumento de reflexão e de transformação social.

Parecia impossível conciliar o método Stanislavsky com o *teatro épico* teorizado por Bertolt Brecht. As teorias propunham a eliminação da *empatia* palco-plateia, pois o espectador não deve se entorpecer com a emoção criada no palco e sim manter uma posição crítica, ativa, em relação aos fatos narrados. O esquema de Brecht sobre a oposição do teatro épico ao dramático enfatiza a incompatibilidade. Desde a primeira oposição descrita – na *forma dramática* "o palco encarna um fato", enquanto na *forma épica* "o palco narra um fato"[6] – Brecht parece colocar um conceito do fazer teatral oposto ao de Stanislavsky. Todavia, apesar da ideia de *afastamento*, *estranhamento* ou *distanciamento*, que incidem diretamente sobre o ator, Brecht não construiu um método para o *ator épico*. Deixou recomendações de posturas, não as possíveis técnicas que tornassem viáveis tais posturas.

Certamente a difícil época em que Brecht começou a produzir sua obra teve fundamental importância para o encaminhamento da sua poética: o período entre as duas grandes guerras, quando crescia e tomava corpo o Nazismo na Alemanha. A facilidade com que seus contemporâneos se deixavam seduzir pelo sentimento de ódio racial o alarmava. A sociedade entorpecida é incapaz de julgamentos próprios, pensava Brecht, e o teatro reproduzia essa situação. A *empatia* e as ilusões naturalistas teriam efeitos entorpecentes sobre a plateia. E era preciso despertá-la por meio de um teatro que a induzisse a pensar criticamente a realidade. Pregava, por conta disso, a ideia de que "o teatro tem de se comprometer com a realidade, pois só assim lhe será possível e lícito realizar representações eficazes da realidade"[7].

5. Idem.
6. Bertolt Brecht, "Teatro de diversão ou Teatro pedagógico", em *Teatro dialético*, p. 96.
7. Idem, "Pequeno organon para o teatro", em *Teatro dialético*, p. 192.

Volta-se à *realidade* e, consequentemente, ao sentido do *Real*. Percebe-se que neste plano nenhuma diferença substancial afasta Brecht de Stanislavsky. Apesar de pertencerem a diferentes gerações, viveram o mesmo tempo e em países igualmente submersos nas crises sociais, em que pesem suas peculiares tradições e sistemas de governo. Ambos viam a realidade do mesmo modo, mas assumiam diferentes posturas diante dela: enquanto Stanislavsky queria que a realidade fosse *transplantada* para o palco, por meio de códigos artísticos, Brecht preferia que fosse *criticada* em cena. A realidade, porém, era a mesma, pensada pela noção materialista de mundo, vista cartesianamente. Até por isso as teorias e experiências teatrais de Stanislavsky e Brecht eram necessariamente complementares.

O *Pequeno organon*, escrito teórico de Brecht, sugere essa complementaridade. Consta que "mesmo se empatia, ou autoidentificação com o personagem, venha a ser utilizada durante os ensaios (sendo evitada nas representações), deverá ser empregada somente como um método de observação, entre muitos"[8]. Afirma, desse modo, um dos principais conceitos de Stanislavsky, que é a "autoidentificação com o personagem", como legítimo em um desempenho épico, apesar dos limites colocados ao uso desse instrumento.

Por outro lado, o método Stanislavsky deu origem a diferentes concepções de realismo. Pode-se ter ideia de como era a interpretação fundada no método, à sua época, no filme de Vsevolod I. Pudovkin, *A Mãe* (1926), especialmente pelo trabalho de Vera Baranovskaya, embora sejam perceptíveis características do método em todos os atores. As minúcias da preparação de cada gesto tornam visível o mecanismo dramático na busca da expressão. Os atores compõem personagens caminhando pelo *subtexto*, com *objetivos* extremamente bem definidos, estabelecendo o jogo entre si. Um realismo que se constrói da síntese naturalista de base; preocupa-se com as questões sociais, mas não dispensa a *magia*. Cada atitude de um ator manifesta o jogo de conflitos, inserindo detalhes em quantidade para enriquecer o discurso. Desse modo, sem escamotear a realidade, atinge a plateia pela emoção.

A vertente do realismo originado no método Stanislavsky que mais adeptos arrebanhou no mundo todo, entre as inúmeras vertentes que surgiram em vários países, é a do *Actors Studio*. Escola fundada por Elia Kazan, Robert Whitehead e Cheryl Crawford, que ficou sob controle de Lee Strasberg e logo formou uma geração de estrelas para o cinema.

8. Idem, p. 206.

A primeira estrela saída do *Actors Studio* foi Marlon Brando, que desde 1947 fulgurava na Broadway no papel de Kowalski em *Um bonde chamado desejo* (A streetcar named desire), de Tennessee Williams. Quatro anos depois fez o mesmo papel no cinema[9], na adaptação produzida e dirigida por Elia Kazan, seu professor no *Actors Studio*, que também o dirigira no teatro, tendo ainda no elenco Karl Malden e Kim Hunter, atores que, como Brando, frequentaram o *Actors Studio*. Assim foram registradas e nos chegam imagens colhidas no momento mesmo de eclosão do *realismo americano*, por intermédio do ator que o tornou célebre.

Marlon Brando era chamado *ator de método*, pela fidelidade aos princípios de Stanislavsky. Na longa temporada de *Um bonde chamado desejo*, conta Kim Hunter, a intérprete de Stella tanto no teatro quanto no cinema, que "na cena em que Brando mexia nos objetos sem valor de Blanche ele se concentrava mais em diferentes objetos a cada apresentação"[10], mantendo ativo, mesmo durante a temporada, o método de ações físicas.

Impressiona o acentuado naturalismo da escola americana, mais evidente do que o da escola russa. Talvez por ser o cinema o destino de grande parte dos seus alunos, o *Actors Studio* desenvolveu técnicas buscando dar ao ator o máximo de uma presumível *naturalidade*. Cada gesto e cada olhar são construídos linear e dinamicamente, sempre valorizando minúcias que desapareceriam no palco e que a câmera, ao contrário, capta e realça. Essa linguagem oriunda do método Stanislavsky deu forma ao modo naturalista norte-americano, que se cristalizou no cinema e é até hoje praticado. Radicando-se no naturalismo, sem a síntese realista dos russos, essa técnica despoja a teatralidade da ação dramática, dando continuidade *natural* (cinematográfica) a cada gesto, como se a cena fosse vida.

Outra vertente cinematográfica com óbvias influências do método Stanislavsky foi o neorrealismo italiano. A escola desponta em 1942, em plena guerra, com o país dominado pelo fascismo, no extraordinário filme que marcou a estreia de Luchino Visconti, *Obsessão* (Ossessione). Chegou a momentos de alta poesia com Vittorio de Sica, especialmente em *Ladrões de bicicletas* (Ladri di Biciclette, 1948) e *Umberto D.* (1952). O que se percebe no neorrealismo italiano desses mestres (aos quais se juntam necessariamente Alberto Lattuada e Roberto Rossellini) é uma visão crítica e poética de mundo, que não se congelaria num

9. A *streetcar named desire*, no Brasil, foi traduzida por *Uma rua chamada pecado*, quando já era conhecida no teatro como *Um bonde chamado desejo*.
10. René Jordan, *Marlon Brando*, p. 23.

modo, como o pragmático realismo norte-americano, mas evoluiria por diferentes vertentes realistas, cada qual marca de um desses mestres, servindo ainda de base à notável poética cinematográfica constituída por Federico Fellini.

Por intermédio do cinema, especialmente com o *Actors Studio*, o realismo stanislavskiano chegou ao Brasil, influenciando de modo decisivo toda a primeira geração de encenadores modernos, entre os quais Antunes Filho.

Já nos anos 1940 artistas amadores conheceram o método Stanislavsky, entretanto não se sabe se algum deles pesquisou a sério os meios interpretativos, aproveitando os seus ensinamentos. Os diretores contratados pelo TBC – Teatro Brasileiro de Comédia a partir de 1950, procedentes de escola neorrealista italiana, tinham familiaridade com *o método* e aplicavam alguns dos seus princípios na encenação. Para os nossos jovens criadores, no entanto, nada disso tinha fascínio comparável ao dos filmes americanos.

Antunes Filho diz que no início da sua carreira tomava por desafio realizar no palco, com qualidade igual à do cinema, peças cujas adaptações cinematográficas tiveram grande sucesso. Era a sua maneira de se exercitar no realismo e, em breve tempo, já o dominava perfeitamente. Surpreendeu o público e a crítica com a versão "elétrica" de *Plantão 21*[11] (1959), absolutamente realista e violenta, não deixando dúvidas de que tinha conquistado o domínio da linguagem. Seu trabalho, desde então, seria superar o realismo, utilizando as técnicas realistas na busca de outro conceito de realidade.

Não faltam indicações de que o berço criativo de Antunes Filho tem a estrutura e os conteúdos do sistema Stanislavsky. Embora não o tenha adotado integralmente, fez uso da *memória emotiva* e de inúmeros outros recursos do método. Instituiu verdadeiro laboratório para a montagem de *Vereda da salvação*, em 1964, onde procedimentos assemelhados aos do método de ações físicas eram postos em prática na busca da *verdade* cênica. Esses procedimentos continuaram ao longo do tempo, mas em constantes transformações. Junta-se a eles uma versão muito particular de *análise ativa*, à época da montagem de *Peer Gynt* (1971). E nesse âmbito Antunes desenvolve a prática da improvisação como meio de pesquisa do personagem e das situações dramáticas, a

11. *Plantão 21* ("Detective story"), de Sidney Kingsley, cuja adaptação cinematográfica foi dirigida por William Wyller.

ponto de criar, com as improvisações, a estrutura dramatúrgica para *Macunaíma* (1978).

Desde o início dos anos 1960 Antunes tentou superar o realismo a partir do próprio realismo. Isso faz lembrar que, segundo alguns estudiosos, Stanislavsky não pretendia que seu sistema se aplicasse apenas à elaboração de linguagens realistas. Acreditava ter municiado o ator de modo que lhe permitisse praticar todos os gêneros e estilos de teatro, o que implica um problema de difícil solução, dada a ideologia naturalista do método. A Antunes, porém, interessava achar solução para o problema. Jamais abriu mão da *constituição realista de base*, deixando clara a ação dramática sem desvios por abstrações, que tornam nebuloso ao espectador o fato narrado. O teatro se faz contando histórias e procurando chegar, por meio delas, a formas reveladoras. Necessário ir além da descrição prosaica da realidade para torná-la uma força viva em cena, dando sentido às metáforas do poeta.

Sonho antigo, que tem uma referência cinematográfica. Conta Antunes que, desde a adolescência, ia ao cinema quase todos os dias e geralmente via filmes norte-americanos. Frequentava também a Cinemateca, onde viu o surrealismo de Buñuel e alguns exemplares apreciáveis do expressionismo alemão. Certo dia assistiu a um filme que lhe abriu os olhos para as possibilidades artísticas do cinema e também do teatro: *A paixão de Joana D'Arc* (La Passion de Jeanne D'Arc, 1928), de Carl T. Dreyer, com Mlle. Falconetti. Confessa que saiu *transformado* do cinema. Primeiro, pela soberba performance de Falconetti, senhora de um realismo maduro, que transcende o próprio realismo e se manifesta em termos metafísicos. Depois, pela direção de Dreyer, que, em parceria com o fotógrafo Rudolph Maté, conta a história utilizando *closes* e primeiros planos, explorando as expressões fisionômicas e corporais dos atores como elementos de sintaxe. Abria-se a perspectiva de uma *encenação metafísica*, revelando novos meios de entender a realidade, que Antunes perseguiria no futuro. Naquele momento, porém, tratou de mergulhar no realismo, entendendo-o como linguagem básica, cujo manejo dependia de conhecimento e técnica.

Tendo já dominado o realismo, deu início a investigações sobre a linguagem cênica por meio das teorias de Bertolt Brecht, colocando-as intuitivamente em complementaridade ao sistema Stanislavsky. Fez a experiência sobre o texto de Arthur Miller, *As feiticeiras de Salem* (The

Crucible, 1960), aplicando recursos de distanciamento na luz que *esfriava* a ação dramática em momentos críticos e na cenografia que desvendava o jogo teatral. Depois disso, não mais voltou a uma proposta de *puro teatro épico*, ao modo de Brecht, mas conservou elementos teóricos e os aplicou em determinados trabalhos. Como em *Yerma* (1962), de Federico García Lorca, onde o jogo teatral era absolutamente desvendado não para estabelecer uma relação crítica com o espectador e sim para prender o espectador no faz de conta e levá-lo ao universo da heroína de Lorca, com todo o seu entorno de camponeses, ciganos, lavadeiras, romeiros, etc. Também desvendava o jogo teatral em *A falecida* (1965), de Nelson Rodrigues, que dirigiu com alunos da Escola de Arte Dramática num palco vazio, servindo-se apenas de um praticável, jornais e algumas cadeiras. Estava aí plantado o germe da *essencialidade* do teatro, que o leva a criar espetáculos vigorosos como *Macunaíma* (1978), *Nelson Rodrigues, o eterno retorno* (1981), *Romeu e Julieta* (1984) ou *A hora e vez de Augusto Matraga* (1986) em palcos completamente vazios de cenários construídos.

Justamente a radicalização no jogo teatral em busca da essencialidade vai exigir instrumentos que possibilitem ao ator alargar os limites desse jogo. E em Brecht encontra a indicação de um *estado* interpretativo adequado, que é o *afastamento*.

Antunes tornou central essa questão: sem o *afastamento ator/personagem* é impossível realizar qualquer coisa com o seu método. Porém, o seu conceito de *afastamento* pouco tem a ver com o de origem brechtiana, referindo-se não a um artifício provocado pela articulação de alguns elementos exteriores, que do ponto de vista de Brecht propiciava ao ator colocar-se em posição de crítico do personagem ou da situação em que este vivia, mas ao aprofundamento interno do ator, construindo um espaço entre ele e o personagem. E é nesse espaço que estão todos os elementos e instrumentos criativos para que o ator possa *desenhar* o personagem no seu próprio corpo.

A ideia de *afastamento* estava presente desde o início da pesquisa. Antunes nunca pretendeu que o ator usasse a própria emoção como matéria-prima. A emoção deve ser construída, como se faz em pintura, por exemplo. São muitos estudos, diferentes traços e diferentes tonalidades cromáticas, até se chegar à expressão que o artista pretende. Com o ator não deve ser diferente. Ele vai desenhar rascunhos até atingir o modo perfeito de expressar aquela emoção. Não precisa vasculhar a experiência pessoal em busca de emoção igual ou assemelhada. A vivência do ator ajuda muito, sem dúvida, e isso pode implicar a sua própria emoção, no entanto ele deve estar preparado para *controlar* a emoção, de modo que ela não interfira na programação. E isto é possível por meio do *afastamento*.

Antunes, portanto, caminhou e desenvolveu pesquisas tendo por base princípios stanislavskianos e brechtianos. A partir deles criou um sistema, depois de transformar-lhes os códigos e inseri-los em novos conceitos, correspondentes a uma nova visão de *realidade*. A mesma visão de *realidade* explica as diferenças entre o método organizado por ele no Centro de Pesquisa Teatral daqueles que foram seus primeiros paradigmas. Em Stanislavsky como em Brecht a visão da *realidade* é linear e nela os acontecimentos se processam num permanente jogo de causa e efeito; uma realidade plana, horizontal e determinista como tudo o que se constrói conforme a visão de mundo da física clássica.

Stanislavsky tinha o apoio de uma nova ciência para investigar meios e lidar com a emoção: a psicanálise. Uma ciência, entretanto, que limita ao indivíduo e às relações familiares e sociais as questões psicológicas inerentes. Ele fala da alma, o objetivo do intérprete seria revelar a alma do personagem, mas as referências com as quais trabalha pertencem à visão materialista e cartesiana de mundo.

Brecht proclama a necessidade do conhecimento científico ao artista, afirmando que "os processos mais complexos não podem ser suficientemente compreendidos por pessoas que não lançam mão de todos os meios auxiliares para a sua compreensão"[12]. Certamente em função disso, ou seja, do constante aprofundamento na realidade por meio do conhecimento, a poética brechtiana, fundada no materialismo dialético, num determinado momento apresenta algo metafísico, inefável, já nas fronteiras do mundo organizado com o turbilhão do inconsciente coletivo. Sua visão de realidade, porém, é ainda cartesiana. Exemplifica uma possibilidade de uso da ciência na criação artística com a seguinte suposição: "Suponhamos que um poeta *sinta* este impulso [de poder] e queira levar um homem ao poder – como pode ele chegar a conhecer os complicados mecanismos por meio dos quais o poder é conquistado? Sendo seu herói um político, como se faz política? Sendo um homem de negócios, como se fazem os negócios?". A ciência, neste caso, é ferramenta para a compreensão do mecanismo da realidade, não dos seus

12. Bertolt Brecht, "Teatro e ciência", em *Teatro dialético*, p. 100.

fundamentos. Tem por meta descrever criticamente a realidade e não torná-la a própria substância da obra.

Para Antunes Filho, em grande medida a realidade se transformou na "própria substância da obra". Começou a investigação de meios para reproduzir cenicamente a realidade por intermédio de Stanislavsky. Depois, Brecht lhe explicou que a cena *é uma realidade* e nela só cabem sínteses críticas, capazes de levar o espectador a ver de nova maneira a sua realidade. O marco de ambos os caminhos é a vida cotidiana, a noção que o ser humano tem de mundo a partir do que vê, dos seus sentidos e da sua razão.

Estimulado por Brecht, Antunes começa a explorar a própria cena como uma realidade. Evidentemente, realidade artística e, por isso, capaz de produzir conhecimento. Começa a elaborar essa realidade do ponto de vista zen-budista, imaginando o Universo em fluxo contínuo, onde passado, presente e futuro são abstrações destituídas de sentido. Não só movimento de *causa e efeito*, mas uma dinâmica alimentada por *yin* e *yang*, na qual a causa e o efeito têm conteúdos inacessíveis à percepção cotidiana dos nossos sentidos. Com o pensamento de Mircea Eliade, começa a perceber as matrizes arcaicas que a psicologia de Jung ambienta no inconsciente coletivo. E o inconsciente coletivo produz uma pulsação constante no interior da realidade comum, objetiva e concreta, impregnando-a de *irracionalismos* que a psicologia freudiana não alcança (ou reduz a um estereótipo). Por fim, a nova física, particularmente a interpretação de Copenhague da teoria quântica, lhe oferece novos instrumentos para a compreensão dessa realidade como um sistema cósmico, só possível de se captar pelo pensamento ou pela linguagem não linear.

Seguindo as ideias desses grandes artistas-teóricos, Antunes buscou meios para tornar o espetáculo teatral uma visão artística da realidade. Como eles, procurou se apoiar no conhecimento científico do seu tempo. E, evidentemente, o conhecimento humano sobre o Universo avançou muito desde a época de Stanislavsky e de Brecht.

"Não podemos ignorar que somos filhos de uma era Científica", advertia Brecht. "Nossa vida como seres humanos em sociedade – isto é, nossa vida – é determinada pela ciência, dentro de novas dimensões."[13] Sobre as novas ciências lamentava que, embora tenham possibilitado grandes alterações em todos os meios, "ainda assim não pode ser dito que estamos imbuídos de seu espírito e que este nos condicione"[14]. Afirmava que "a nova visão da natureza não foi aplicada na sociedade".

13. Idem, "Pequeno organon", *Teatro dialético*, p. 188.
14. Idem, p. 189.

De fato, Brecht falava como marxista, atribuindo culpa à burguesia pela não democratização da ciência, mas, é inegável que estivesse imaginando um tempo em que as descobertas da nova ciência se tornassem parte do dia a dia do cidadão, mudando-lhe tanto a realidade quanto as perspectivas. E isso ocorreu nas décadas que se seguiram à sua morte, até por força das fantásticas descobertas científicas, aplicadas à tecnologia, que terminaram revelando o planeta como autêntica "aldeia global", alterando completamente a noção de distância e de movimento, gerando uma nova consciência ecológica e carreando para as sociedades problemas inéditos, que envolvem moral e ética.

É sobre essa nova realidade que Antunes trabalha. Utilizando a linguagem não linear, avança na pesquisa da realidade e a torna substância dramática. Com isso, foi transformando códigos e conceitos de Stanislavsky e Brecht, criando seu próprio método. O seu caminho.

Completando este capítulo, cujo objetivo é abordar as fontes primárias da técnica Antunes Filho, para além dos mencionados métodos devem ser considerados os suportes teóricos constituídos por quatro obras: *Politzer – princípios fundamentais de Filosofia*, de Guy Besse e Maurice Caveing; *O teatro e seu duplo*, de Antonin Artaud; *Paradoxo sobre o comediante*, de Diderot; *A arte cavalheiresca do arqueiro zen*, de Eugen Herrigel. Os germes de tudo o que se construiria no CPT, como método e linguagem, estavam nelas contidos, embora de modo insuficiente, como veremos.

A adoção do manual marxista de Besse e Caveing limita-se à primeira parte do livro, que trata da dialética. Assim mesmo, Antunes o toma como instrumental técnico, dispensando os conteúdos ideológicos.

Interessam-lhe, na obra, as ferramentas que possibilitam ir ao fundo das contradições e acompanhar seu movimento dialético no percurso do personagem e no desenrolar das situações. Sem contradição não se pode falar em conflitos ou personagens dramáticos. No estudo de um texto, o primeiro passo é definir as contradições. *Definir* e não *inventar*. Elas devem estar no âmago de cada situação e de cada personagem, caso contrário o texto não serve para o teatro. Assim, o método dialético de Politzer, que expõe o relacionamento intrínseco das coisas da natureza – a transformação de tudo e o desenvolvimento universal, a mudança qualitativa e a luta dos contrários –, oferece subsídios importantes para a compreensão do conflito dramático.

1. Questão de método

O problema do manual para o poeta cênico é o repúdio absoluto à metafísica. O pensamento de Politzer entende a metafísica como coisa estratificada, imóvel, que "ignora ou desconhece a realidade do movimento e da transformação"[15]. Passa, dessa maneira, uma visão de mundo naturalista, determinista, cega aos movimentos sutis que, todavia, são fundamentais à vivência humana e constituem matéria-prima da manifestação poética.

A Antunes interessa o naturalismo como constituição para a representação da realidade, e neste sentido o método dialético de Politzer é excelente ferramenta, entretanto isso é apenas o preâmbulo da criação. A arte, verdadeiramente, reside no ato de transformar o realismo em veículo de dados metafísicos, abrindo em cena visões dos abismos, levando a narrativa para além do anedótico, falando através do corpo do ator e dos movimentos cênicos o que a palavra não consegue expressar. Vai encontrar paradigma adequado a essa concepção de teatro nos escritos de Antonin Artaud, reunidos em *O teatro e seu duplo*.

Toda gente mais ou menos letrada, que viveu as turbulências comportamentais e ideológicas dos anos 1960, encontrou nas ideias de Artaud um modelo de atitude e de manifestação estética. Antunes identificou nos escritos do poeta proposta de teatro parecida com suas intuições, assim como o desafio de descobrir meios que a viabilizassem. Pensava, como Artaud, que o teatro burguês, baseado no *bem dizer* e nos efeitos exteriores, estava morto. Imprescindível recuperar o teatro essencial, de imagens reveladoras, o teatro que "refaz os elos entre o que é e o que não é, entre a virtualidade do possível e aquilo que existe na natureza materializada"[16].

Ao contrário daqueles que viam nos escritos de Artaud mensagens de uma mente alucinada, Antunes o respeitava como teórico muito lúcido, que sabia exatamente o que estava propondo e consciente das dificuldades para a realização desse *teatro essencial*.

Ao examinar a obra de Antunes Filho, constatamos que muito do que propunha o poeta francês virou realidade. Um exemplo está no segundo manifesto do Teatro da Crueldade, quando Artaud fala da "necessidade que tem o teatro de beber nas fontes de uma poesia eternamente apaixonante [...] através do retorno aos velhos Mitos primitivos", pedindo que "a encenação e não o texto se encarregue de materializar e especialmente *atualizar* esses velhos conflitos, o que significa que esses temas serão transportados diretamente para o teatro e ma-

15. Guy Besse, Maurice Caveing, *Princípios fundamentais de Filosofia*, p. 26.
16. Antonin Artaud, "O teatro e a peste", em *O teatro e seu duplo*, p. 39.

terializados em movimentos, expressões e gestos antes de serem veiculados pelas palavras"[17]. Pois esta é a condição poética das criações de Antunes Filho com o CPT, trazendo à cena os *velhos mitos primitivos* (arquétipos) e executando uma ação dramática baseada na atualização dos mesmos *velhos conflitos*, mediante movimentos, expressões e gestos. Basta lembrar as cenas insólitas do *Paraíso, zona norte* (1989) ou o vigor com que materializou no palco o poema babilônico *Gilgamesh* (1994). Sem falar nas mais recentes *Medeia* e *Antígona*.

Percorreu longo caminho à procura de meios adequados a uma *encenação metafísica* que fosse elaborada não por mágicas de encenador, mas pelo elemento fundamental do teatro: o ator. Também aqui o trabalho de Antunes coincide com as visões estéticas de Artaud, quando este diz que "tudo no aspecto físico do ator, assim como no do pestilento, mostra que a vida reagiu ao paroxismo"[18], sem que se entenda a metáfora como um anátema ao ator, pois ele é quem "agita sombras nas quais a vida nunca deixou de tremular" e "alcança aquilo que sobrevive às formas e produz a continuação delas"[19], coisa que não ocorre casual e espontaneamente e sim por necessária *preparação*[20].

Que tipo de preparação? Artaud lançou a hipótese de *um atletismo afetivo*, traçando paralelo entre o ator (que, para ele, seria o atleta do coração) e o atleta físico, estabelecendo diferença entre um e outro pela respiração: "enquanto no ator o corpo é apoiado pela respiração, no lutador, no atleta físico é a respiração que se apoia no corpo"[21]. Veremos que a respiração foi objeto de muita pesquisa e reflexão no CPT, levando Antunes a concluir que "ator *é* respiração".

Estimulado pelas visões de Artaud, Antunes Filho lançou-se com os atores à aventura. Incontáveis percalços foram superados, muitas pistas falsas trilhadas. A ideia do ator-atleta também foi testada. Houve uma época que Antunes, levando ao pé da letra a ideia, determinou que os atores praticassem natação. Logo constatou que, se algum benefício trazia esse esporte, o enrijecimento dos ombros o anulava. Assim, a natação passou a ser contraindicada. O trabalho com o corpo, tão exaustivo quanto o de qualquer ginasta, se faz necessário, porém não para adquirir músculos ou superar limites físicos, e sim para habilitar o corpo à expressão de ideias, à manifestação do espírito, tornando-o *massinha*, que ao comando da sensibilidade do ator toma diferentes formas, expressa infinita gama de emoções.

---

17. Idem, "O teatro da crueldade (segundo manifesto)", em *O teatro e seu duplo*, p. 156.
18. Idem, "O teatro e a peste", em *O teatro e seu duplo*, p. 36.
19. Idem, "O teatro e a cultura", em *O teatro e seu duplo*, p. 21.
20. Idem, p. 22.
21. Idem, "Um atletismo afetivo", em *O teatro e seu duplo*, p. 163.

1. Questão de método

Antecede o trabalho de preparação do corpo e do espírito a reflexão sobre a natureza da arte do ator. A presença do *Paradoxo sobre o comediante*, de Diderot, na mesma bibliografia básica, não deixa qualquer dúvida. A Antunes nunca interessou o *ator de alma*, aquele que se alimenta de emoções e para o qual os ensinamentos de Stanislavsky são o início e o fim de tudo. Prefere o ator que finge a emoção.

Não é, evidentemente, um repúdio ao método Stanislavsky, que foi um dos seus primeiros instrumentos: Antunes tornou-se muito cedo criador de um realismo exemplar, que não se bastava, no entanto, com o psicologismo corriqueiro e cutucava uma esfera que está além do palpável. Embora não tivesse a mínima ideia, na época, suas preocupações já o levavam a perscrutar o inconsciente coletivo, não se continha no plano limitado da psicologia pessoal, do subconsciente ou do inconsciente da pessoa. E, mesmo usando recursos provenientes do método de Stanislavsky, inventava exercícios procurando meios para ir além das prerrogativas stanislavskianas.

O fato é que, desde aqueles tempos, Antunes andava às voltas com o *Paradoxo* de Diderot, estudando-o até impregnar-se de ideias expostas pelo pensador francês do século XVIII, como a de que "o comediante que representar com reflexão, com estudo da natureza humana, com imitação constante segundo algum modelo ideal, com imaginação, com memória, será um e o mesmo em todas as representações, sempre igualmente perfeito: tudo foi medido, combinado, apreendido, ordenado em sua cabeça"[22].

Aprofundando-se no pensamento de Diderot, Antunes passou a preferir ao termo *ator* a expressão *comediante*. Isso porque *ator* confunde-se com a função social que caracteriza cada cidadão como *empresário*, *sapateiro*, *padre*, *médico*, *padeiro*, e por aí vai, desfilando toda a gama de papéis que se entrecruzam na composição de uma sociedade. O comediante transcende a função social e ilumina as questões humanas.

O ator (de teatro) que permanece escravo da emoção e dessa realidade medíocre do dia a dia jamais vai transcender o estereótipo da função e exibir a alma; tentará *viver* cada personagem, buscando dentro de si mesmo as emoções que ele acredita sentir o personagem nesta ou naquela situação. O seu mundo está paralisado na superfície das coisas, cristalizado nas aparências, seus movimentos são mecânicos, sua humanidade reduzida aos rótulos, por mais que ele se emocione e esperneie no palco.

22. Denis Diderot, "Paradoxo sobre o comediante", em *Diderot*, p. 163.

Já o comediante não se deixa dominar pela emoção: domina-a; não se contenta em mostrar só os aspectos exteriores, interessa-lhe o espírito que anima todas as coisas e só nele encontra interesse dramático. Evita as emoções e permanece frio, equilibrado, observando tudo o que ocorre e o comportamento das pessoas; seu trabalho consiste em *imitar* a natureza – não para reproduzi-la *tal qual ela é*, mas para dar ao espectador novas maneiras de ver e entender a natureza humana. Ao representar o homem comum, o comediante não é o homem comum nem está vivendo sua miserável vida, todavia transcendendo a realidade cotidiana com os códigos da arte, tornando incomum aquele homem e exemplar a sua vida. Para isso, "não é seu coração, mas sua cabeça que faz tudo"[23].

A dicotomia *imitação calculada e emoção autêntica* tem raízes históricas no Naturalismo do século XIX. A ideia naturalista é de que o que ocorre em cena deve ser *autêntico*. Daí o fortalecimento da crença de que o ator deve *sentir* a emoção que representa. O triunfo de Stanislavsky foi tornar isso de certo modo possível. Não lhe escapava, é claro, o fato de que o ator precisa também dominar a emoção, pois se faz agora uma cena descabelada, de fartas lágrimas, e tudo *verdadeiramente sentido*, como poderá fazer, na sequência imediata, o personagem vivendo outro momento, marcado pela alegria e despreocupação? O intérprete deve, então, trabalhar com um fichário de emoções devidamente pesquisadas em si mesmo (*memória emotiva*), mudando as fichas conforme a necessidade da situação dramática, sendo sempre *verdadeiro*, entretanto, ao passar ao público emoções *autênticas*.

Embora potencializado pelo Naturalismo, esse debate o antecedia. É o que prova o *Paradoxo sobre o comediante*, onde Diderot defende o ponto de vista segundo o qual quanto mais frio e calculista for o comediante, mais convincente será para o espectador a emoção que representa, desde que trabalhe com a imaginação, a inteligência e profundo conhecimento da arte. Para surtir efeito sobre a plateia, a emoção deve ser produzida por meios interpretativos que revelam ao espectador a origem dessa emoção, seu desenvolvimento e sua eclosão. Coisa que só pode ser feita com arte, não com nervos, músculos e metabolismo alterados, descontrolados.

Antunes vê no *Paradoxo* o modelo do ator ideal e o usa como exemplo aos jovens discípulos que chegam poluídos por ideias pouco sérias

23. Idem, p. 164.

do ofício, quase sempre superestimando o *sentir* a ponto de entender como excelsa condição interpretativa ficar *tomado* pelo personagem. A obra de Diderot o auxilia a remover os entulhos naturalistas que sufocam o ator, mas não só isso: inspira-o na busca de meios que liberem o intérprete dramático das presas insinuantes da emoção bruta. E vai fundo nesse caminho. Para se ter a dimensão disso, lembremos o comentário de Diderot sobre Mlle. Clairon, uma das maiores atrizes do seu tempo: "Negligentemente estendida numa espreguiçadeira, com os braços cruzados, os olhos fechados, imóvel, ela pode, seguindo seu sonho de memória, ouvir-se, ver-se, julgar-se e julgar as impressões que provocará. Nesse momento é dupla: a pequena Clairon e a grande Agripina"[24]. Lutou Antunes para o ator desenvolver a capacidade de *se ver, se ouvir, se julgar* em cena e ser ele mesmo sendo o personagem, e que isso não ocorra posteriormente, mas no momento da cena, na hora mesmo em que atua.

Batalhando meios efetivos que propiciassem ao aspirante a ator a grandeza do comediante, Antunes transformou também em ferramenta teórica o livro de Eugen Herrigel, *A arte cavalheiresca do arqueiro zen*, quarta obra da bibliografia básica do CPT.

Alemão, doutor em Filosofia pela Universidade de Heidelberg, Eugen Herrigel tinha 39 anos de idade quando chegou ao Japão, em 1924, onde passou seis anos lecionando na Universidade de Tohoku. Animado pelo *misterioso impulso* que o induzia ao estudo do misticismo[25], quis dedicar-se a uma arte zen e foi instruído no tiro com arco pelo mestre Kenzo Awa. Em *A arte cavalheiresca do arqueiro zen*, publicada em 1948, narra com admirável clareza os passos desse penoso e fascinante aprendizado. O livro realça, de início, o choque do contato da pragmática cultura ocidental com a espiritualizada cultura oriental. O trabalho mais difícil para Herrigel consistiu em vencer as cidadelas do *eu* e compreender – não intelectualmente, porém na relação direta com arco, flecha e alvo – a inseparabilidade das coisas. "No tiro com arco, arqueiro e alvo deixam de ser entidades opostas, mas uma única e mesma realidade" [D. T. Suzuki][26].

"*Algo* dispara, *algo* acerta", dizia o mestre. Durante anos de treinamento, aprendendo na prática diária que não estava lidando com um esporte que se aperfeiçoa à custa de treinos, o discípulo chegava a momentos de desânimo: o que seria esse *algo*? E o que significaria a ne-

[24]. Idem, p. 163.
[25]. Eugen Herrigel, *A arte cavalheiresca do arqueiro zen*, p. 25.
[26]. Idem, "Introdução", p. 10.

cessária espiritualização da postura, que faz, independentemente do arqueiro, soltar-se a flecha em direção ao alvo, que é o próprio arqueiro? Vencendo etapa por etapa a cidadela dos conceitos e dos preconceitos ocidentais, para alegria do mestre o discípulo consegue o tiro perfeito. "Compreende agora o que quer dizer *algo* dispara, *algo* acerta?", pergunta o mestre, ao que Herrigel responde: "Temo que já não compreendo nada. Até o mais simples me parece o mais confuso. Sou eu quem estira o arco ou é o arco que me leva ao estado de máxima tensão? Sou eu quem acerta no alvo ou é o alvo que acerta em mim? O *algo* é espiritual, visto com os olhos do corpo, ou é corporal, visto com os do espírito? São as duas coisas ao mesmo tempo ou nenhuma? Todas essas coisas, o arco, a flecha, o alvo e eu, estão enredadas de tal maneira que não consigo separá-las. E até o desejo de fazê-lo desapareceu"[27].

Ao exigir a leitura de *A arte cavalheiresca do arqueiro zen*, Antunes não quer apenas exemplificar aos alunos a dificuldade do aprendizado. Interessa-lhe o processo estabelecido sobre a experiência direta, que pode conduzir à apreensão da *realidade última*. Construiu o seu método à imagem desse processo, lançando mão sem pudor e com absoluta pertinência das técnicas zen comentadas por Herrigel (aprofundando, é claro, o conhecimento mediante inúmeras obras zen-budistas), não em busca do *satori*[28], mas de meios que elevem o ator ao nível do comediante, com atuações fundadas não em convenções, mas na *espiritualização* das ações cênicas. Veremos, no decorrer do estudo, a importância do relato de Herrigel na estruturação do método.

Deve-se consignar a essas quatro obras, que já constavam da bibliografia básica de Antunes à época da criação de *Macunaíma*, a condição de *colunas mestras* do processo desenvolvido no CPT e, portanto, do método. Disse anteriormente que eram ainda insuficientes para cobrir todas as necessidades, o que é fato e explica os muitos outros conhecimentos que ao longo vão sendo agregados, preenchendo lacunas e consolidando o sistema.

Agora, reportando ao *Macunaíma*, tem início a história do método. Do caminho...

27. Idem, p. 74.
28. Iluminação suprema, que Suzuki define para o entendimento do ocidental: "Psicologicamente falando, o *satori* consiste numa transcendência dos limites do ego". Op. cit., p. 11.

2. Macunaíma

O Theatro São Pedro fica no bairro da Barra Funda, cuja paisagem tem vínculos com os tempos dos barões do café, que por lá espalharam casarões senhoriais. O antigo e o contemporâneo convivem como água e óleo nessas ruas onde viveu Mário de Andrade, onde transitaram e se reuniram os modernistas de 1922. As fachadas antigas evocam a época marcada pelos sonhos de transformação em luta com a índole conservadora do meio, e o próprio edifício do Theatro São Pedro, construído em 1917, é um resíduo desse tempo. Foi teatro e foi cinema e depois entrou em sólida decadência. Estava nesse desvão quando um milagre o tornou máquina do tempo, capaz de levar aos anos 1920 quem nele entrasse e, na mesma medida, projetar o visitante ao futuro. O fenômeno deu-se na noite de 15 de setembro de 1978, quando estreou a versão cênica de Antunes Filho e Grupo Pau-Brasil para a rapsódia literária de Mário de Andrade, *Macunaíma*.

Nesse momento, algo extremamente importante para o teatro brasileiro teve início. Foi o primeiro passo para a formação de uma escola dramática cujas ideias seriam pesquisadas, experimentadas e processadas, resultando produtos estéticos que são referência obrigatória das vanguardas artísticas latino-americanas: o CPT – Centro de Pesquisa Teatral.

Gerado no Theatro São Pedro, o CPT encontrou solo propício ao florescimento em moderno edifício no bairro de Higienópolis, próximo à Barra Funda. Registram-se nessas paisagens as memórias do apogeu e da queda da aristocracia cafeeira, bem como seu matrimônio com a burguesia industrial emergente, fato ferozmente retratado por Oswald de Andrade em *O rei da vela* e que inspirou Mario de Andrade na criação de *Macunaíma*.

O mesmo Macunaíma parido no palco, naquele dia de 1978, cujo grito primal soaria mundo afora, encantando plateias de diferentes idiomas e culturas. Consagrava, esse feito, a proposta mais audaciosa do modernismo paulista, que pregava a devoração ritual da estética estrangeira e sua devolução com a expressão brasileira.

O que encantava no espetáculo não era a aventura do nosso herói pelo que ela tem de pitoresco e sim pela forma como era contada, utilizando meios materialmente tão escassos que os elementos cênicos pareciam se resumir a folhas de jornal e longas extensões de tecido branco, que se transformavam em florestas, em rios, em tanta coisa. Na verdade, transitava pelo palco um número imenso de elementos cênicos (camas, galhos, escadas, objetos de uso doméstico, vestimentas), constituindo carga de aproximadamente três mil quilos. E em cena tudo parecia de uma simplicidade tão comovente, mas que estava longe de ser simples: tratava-se, obviamente, de um trabalho de arte.

O espetáculo rompia com o imobilismo a que o teatro brasileiro fora condenado pela ditadura militar. Gritava sua liberdade expressiva com o mesmo vigor que, logo depois, a sociedade civil iria às ruas exigir *diretas já* e mais tarde voltaria às ruas pelo *impeachment* do presidente que elegera. Nesse espetáculo convergiam visões recorrentes do nosso percurso econômico e cultural, com seus descaminhos. Visões integradas à busca histórica de expressão artística que afirmasse o Brasil como civilização.

Na gênese desse acontecimento, explicando-o não como *feliz acaso* e sim como projeto artístico, estavam as necessidades prementes do seu criador, Antunes Filho.

Já reconhecido entre os principais encenadores brasileiros, Antunes saía do recesso que deu a si mesmo por conta dos males causados pela ditadura ao teatro. Um recesso que não significou imobilismo. Pelo contrário, além de peças teatrais, dirigiu teleteatros na TV Cultura numa longa e importante pesquisa da linguagem do vídeo. Estava em recesso no que respeita à pesquisa cênica. Aplicava com parcimônia elementos técnicos e formais descobertos anteriormente, porém não levava adiante a pesquisa. A situação do teatro, sob o jugo de uma censura brutal e

2. Macunaíma

Macunaíma
Marcos Oliveira, Salma
Buzzar, Cissa Carvalho
Pinto e elenco.
Foto: **Carlos Sanchez**

voluntariosa, que se permitia dizer *não* hoje ao que dissera *sim* ontem, não propiciava espaço para experimentação[1]. Acontecimentos importantes, todavia, ocorreram em 1976, indicando reação da sociedade civil contra a ditadura. Era a primavera se anunciando.

Buscando meios de viabilizar a retomada das pesquisas estéticas, Antunes propôs a Amália Zeitel, então presidente da Comissão Estadual de Teatro, órgão da Secretaria de Cultura do Estado de São Paulo, realizar um curso para atores utilizando o *Macunaíma* como base para os exercícios, com a possibilidade de o curso resultar em montagem teatral da obra. Segundo Amália Zeitel[2], a verba solicitada era muito grande, do ponto de vista da Secretaria de Cultura, no entanto foi concedida "dado o seu [de Antunes] mérito como diretor", ficando a administração do dinheiro sob responsabilidade do Sindicato dos Atores. O curso e, posteriormente, a produção e estreia do espetáculo ocuparam o Theatro São Pedro, próprio da Secretaria Estadual de Cultura, o que possibilitou o desenvolvimento do trabalho na paisagem contaminada por memórias da época evocada pela rapsódia.

O curso revela-se prioritário aos objetivos, pois o que Antunes pretendia era reunir atores iniciantes e introduzi-los nos segredos da arte. A tática correspondia ao seu velho sonho de pesquisar meios adequados ao intérprete teatral brasileiro, sempre sujeito a técnicas importadas,

1. "... passamos por maus momentos, a começar com a censura [...] De fato não foi somente a censura... Houve uma soma de fatores, implicações político-econômicas... e também uma crise espiritual. Mas, nesse contexto, a censura pesa muito, faz fenecer o espírito criativo. A gente perde o referencial, não sente nada sob os pés. Então, é preciso ser um super-homem pra fazer alguma coisa. E minha posição nisso tudo foi de marasmo". Antunes em entrevista a Sebastião Milaré. "Macunaíma está aqui". *artes:*. S.l., n. 53, 1979.
2. Cf. entrevista concedida a David George, *Grupo Macunaíma: carnavalização e mito*, p. 19.

mal assimiladas e estranhas à sua realidade cultural. A primeira tentativa de estabelecer um núcleo dessa ordem deu-se alguns anos antes, quando montou *Peer Gynt* (1971), de Ibsen. Em face da conjuntura política adversa a tentativa não prosperou. Agora radicalizava e procurava formar o elenco só com gente nova.

Cerca de quarenta alunos foram selecionados por testes. Havia profissionais com alguma experiência, iniciantes, amadores e gente que nunca antes pisara um palco. Antunes envolveu-os no processo de aprendizagem recorrendo à prática, com improvisações sobre temas extraídos do livro de Mário de Andrade. Três meses passados, já no final do curso, falou-lhes do plano da montagem. Conforme Walter Portella, ele não garantiu que o espetáculo sairia: "É muito difícil, não sei se isso dá teatro, é uma linguagem especial"... e descrevia a estrutura que imaginava para a obra. Encantados, os atores começaram a trabalhar[3].

Trabalho duro, numa jornada nunca inferior a 12 horas. Juntaram-se à trupe Murilo Alvarenga e Naum Alves de Souza, cuidando o primeiro da parte musical e o segundo da direção de arte. A turma se separou em grupos e cada grupo trabalhava um trecho do livro, fazendo improvisações com vistas à adaptação. Depois, mostravam as improvisações para Antunes e com ele discutiam.

Respaldava e organizava as improvisações exaustivo estudo envolvendo a Semana de Arte Moderna, os índios, as lendas e os costumes. Historiadores, sociólogos e literatos faziam palestras ao elenco, abordando os temas. Somavam-se aos estudos teóricos aulas de *tai chi chuan* e de voz, técnica corporal, trabalho musical com Murilo Alvarenga, laboratórios de criação cenográfica com Naum Alves de Souza. Os estudos ampliavam a visão sobre a obra e se estendiam aos exercícios, que propiciavam meios de torná-la teatro. Alimentadas pelo conhecimento, as improvisações geravam cenas que eram selecionadas, desconstruídas e reconstruídas, ou simplesmente eliminadas. E nesse trabalho de fazer, desmanchar, refazer, a certa altura ficou pronto o *rascunho* da peça.

Trabalhava-se sobre o *rascunho*, aprimorando cenas e eliminando excessos, quando entrou Jacques Thiériot na equipe para dar forma dramatúrgica àquela massa de informações, onde as aventuras do herói se perdiam em tumultos criativos. Deu-lhe ordem, contribuindo para a fluência do discurso cênico, embora o espetáculo tenha ficado imenso: mesmo com a eliminação de inúmeras cenas, às vésperas da estreia du-

---

3. Depoimento ao autor. As demais citações de Walter Portella procedem da mesma fonte. Natural do Rio Grande do Sul, Walter Portella veio para São Paulo em 1966. Fazia cinema e ao saber do curso de teatro ministrado por Antunes Filho, em 1977, inscreveu-se, fez o teste e foi admitido. Desde então, até 1993 trabalhou com Antunes, sendo o único daquela primeira turma que acompanhou todo o processo até a constituição do método para o ator.

rava cerca de sete horas. Novos cortes foram feitos e estreou com quatro horas e meia. Seria ainda mais sintetizado, posteriormente, ficando com três horas.

A turma procedente do curso não era exatamente a mesma na estreia do espetáculo[4]. A convite de Antunes, a veterana Wanda Kosmos fez Vei, a Sol, enquanto os demais atores foram todos admitidos por testes. Constituía, no entanto, grupo homogêneo e muito especial. Em depoimento recente, assim Antunes se referiu a essa turma:

> Aquele pessoal sabia o instinto do que é arte. Hoje em dia as pessoas que vão fazer teatro não têm mais o instinto do que é arte, o significado interior do que é arte, o sentido espiritual da arte, da busca do desconhecido... Vivíamos naquele tempo o terror do Estado autoritário. Hoje em dia está tudo aberto, escancarado, mas as pessoas não se organizam, como se organizavam, na solidão. Havia muita solidão. A televisão não estava esse troço, o consumo não estava essa doideira que é hoje... no entanto, estávamos fechados politicamente. Então, quando eu via aqueles laboratórios... Um capítulo do *Macunaíma* era dado a diversas pessoas, pra fazer. Ficavam grupos de três ou quatro bolando aquilo. E bolavam coisas extraordinárias! Então... tinha um jogo no fundo do olho, que era legal! Não se comia direito, não se dormia direito, mas iam lá e trabalhavam que nem loucos. Comiam lá umas batatas e couves que a Amália Zeitel trazia do sítio, de vez em quando, umas laranjas... E as pessoas se contentavam com isso. Foi um momento heroico o desse pessoal, lá no Theatro São Pedro...[5]

Ante as dificuldades do processo, que exigia dedicação exclusiva dos atores, sem a contrapartida da remuneração acarretada pela falta de recursos, e também pelo rigor disciplinar, a turma procedente do curso logo ficou reduzida. Novos atores eram admitidos mediante testes. Há pelo menos um caso de ator que não se inscreveu para os testes, estava lá apenas para acompanhar uma amiga, mas resolveu dar palpites sobre a cena de um dos concorrentes e Antunes o desafiou a fazer o teste. Era Cacá Carvalho, que terminaria sendo o criador de Macunaíma.

Cacá Carvalho, naquele momento, estava para voltar a Belém do Pará, sua terra, porém Antunes o convenceu a ficar. Vendeu a passagem do ônibus, que sairia dois dias depois, e alugou quarto em uma pensão

[4]. O elenco do espetáculo, na estreia, era o seguinte: Ângela de Castro, Beto Ronchezel, Carlos Augusto de Carvalho (Cacá Carvalho), Clarita Sampaio, Deivi Rose, Guilherme Marbach, Ilona Filet, Isa Kopelman, Jair Assumpção, João Roberto Bonifácio, Luiz Henrique, Manfredo Bahia, Mirtes Mesquita, Nazeli Bandeira, Salma Buzzar, Theodora Ribeiro, Whalmyr Barros, Walter Portella, Wanda Kosmos.
[5]. Depoimento para o documentário *O teatro segundo Antunes Filho*, 2002.

do Largo da Batata. Lembra Cacá: "Antunes começou a cuidar de mim, pra que eu não fosse embora. Eu ia à feira com ele... E ele me levava ao MASP, pra me dizer isso é impressionismo, isso é expressionismo, a diferença entre isso e isso... Então, a minha relação com ele foi uma relação de mestre com discípulo, mas no sentido da formação inteira"[6].

O apego entre os integrantes do grupo era grande, segundo Cacá Carvalho. A turma de quarenta pessoas, dividida em dois grupos, fazia a adaptação a partir de improvisações, mas apenas vinte pessoas foram selecionadas para o elenco e foi muito dura a separação. "O bonito daquele trabalho", diz Cacá Carvalho,

> é que todos estavam na flor da juventude e tinham alguma coisa para fazer – não para dizer. Dizer, nós podíamos dizer tudo, porém algo para fazer, e nós nos mostrávamos muito. O Antunes não conseguiria fazer o *Macunaíma* sem aqueles atores. Sem aqueles atores, ele seria incompetente pra fazer. E sem aquele diretor nós não seríamos competentes pra fazer. É preciso olhar a importância do todo no indivíduo que fazia o coletivo. E a presença do Naum Alves de Souza. E a presença do Murilo Alvarenga. E a presença do Jacques Thiériot...

A experiência marcou a todos, porque todos se entregaram ao projeto com muita fé, entretanto o interessante é examinar, nesse estádio inicial do processo, a pesquisa de meios expressivos, dizendo respeito especificamente à preparação técnica do ator e aos procedimentos criativos.

A compreensão do sistema criativo do CPT obriga-nos à alternância constante da teoria à prática. Os recursos teóricos que aparecem nesse percurso são imediatamente endereçados à elaboração de exercícios, num processo de assimilação do que interessa e eliminação do excesso, formando aos poucos uma cadeia de procedimentos homogêneos. Cadeia que, por fim, deixou de ser simples *compilação de teorias* e tornou-se organismo autônomo. Nessa época, porém, o aparato teórico não fora ainda convertido em meios objetivos de criação, eram indicações, modelos e estímulos.

Até a estreia de *Macunaíma*, a prioridade era a organização do próprio grupo, em termos de cooperativa, lançado com o nome Grupo Pau-Brasil. O trabalho se destinava exclusivamente à criação do espetáculo, mas para suprir a precariedade de formação de muitos atores o

6. Depoimento para o documentário *O teatro segundo Antunes Filho*. As citações seguintes de Cacá Carvalho procedem da mesma fonte.

curso de teatro continuava. Conforme depoimento de Cacá Carvalho, "tinha trabalho de voz com a Maria do Carmo Bauer, maravilhosa, não se pode esquecer a importância dessa mulher... porque nós colocávamos a voz errada, então precisava domesticar, criar essa unidade, essa homogeneidade...". Também lá estava Paula Martins, ensinando dança. E, assim, o curso existia de fato e já começava a se tornar uma das faces mais significativas do grupo. Era o embrião do CPT.

De experiências anteriores, Antunes trazia uma série respeitável de exercícios, entretanto o conjunto não constituía um sistema. Os exercícios ocorriam apenas conforme a necessidade da criação cênica. Veremos que, na sequência, com a instituição do CPT, surge a preocupação em estabelecer um sistema criativo próprio, e o curso passa a centralizar o trabalho, garantindo a continuidade da pesquisa.

Um importante exercício, o *antigesto*, criado à época da montagem de *Vereda da salvação* (1964), se destaca nesse período. Segundo Walter Portella, o exercício consistia em dizer uma frase executando gesto oposto e foi muito útil nos intensos laboratórios sobre o universo indígena, nos quais, além do estudo das danças e dos hábitos de uma aldeia, procurava-se entender e adotar a noção de tempo do indígena.

Também se deve a Portela a informação sobre outro exercício, chamado *alavanca*, provavelmente criado por Antunes nessa época e hoje esquecido até pelo seu criador. Resumia-se a um movimento: o corpo era levado para trás e depois impulsionado para a frente. Está aí, com certeza, o embrião do mais polêmico exercício desenvolvido no CPT para a constituição do método: o desequilíbrio.

Outros exercícios de fases anteriores podem ter sido usados, mas, como não se definira ainda um conjunto de procedimentos, perderam-se em meio a outros, importados de diferentes autores e correspondentes a várias técnicas. Cacá Carvalho, por exemplo, falou de um exercício onde o ator entrava por uma porta fictícia e entregava uma flor. Parece ter raízes stanislavskianas; o objetivo, porém, segundo Cacá, era limpar os gestos, já que o *desenho* devia ser muito limpo e claro. O fato é que Antunes procurava meios, testava modos, cercava possibilidades, no entanto o *antigesto* e a *alavanca* evidenciam que trabalhava no sentido de desconstrução física e psicológica (a *alavanca* teria o efeito de produzir alteração de consciência), forçando o ator à reflexão sobre cada gesto ou atitude.

Predominavam os exercícios sobre a vivência indígena e eles eram realizados diariamente por horas seguidas. Procurava-se entender organicamente o *tempo* dos índios. Nas improvisações, especulavam sobre a vida na tribo, o cotidiano na aldeia, a maneira de caminhar, de dançar, de cantar. Tais exercícios constituíam uma autêntica *análise ativa*, como propunha Stanislavsky.

O processo exigia dos atores o estudo de vasta bibliografia, implicando o Modernismo, Mário de Andrade, os universos indígena e africano. Dois desses livros tiveram especial relevo como fonte: *Roteiro de Macunaíma*, de M. Cavalcanti Proença, e *O selvagem*, do General Couto de Magalhães.

Cavalcanti Proença afirma em seu estudo ser o herói "o que se chama, em Zoologia, um hipodigma. Não tem existência real. É um tipo imaginário no qual estão contidos todos os caracteres encontrados nos indivíduos da espécie até então conhecidos"[7]. Conduz o leitor ao avesso da obra, investigando as expressões idiomáticas, a sintaxe e as lendas contidas na narrativa, remetendo às fontes utilizadas por Mário de Andrade.

O selvagem, publicado em 1876, mereceu o desprezo da *intelligentsia* brasileira daquele tempo, que considerava estudos sobre índios frivolidades indignas de ocupar o tempo de gente séria[8], mas hoje é livro básico na bibliografia antropológica e etnográfica brasileira. O General Couto de Magalhães examinou documentos e efetuou pesquisas de campo tecendo um tratado que contempla as origens das nações indígenas perdidas nas brumas do tempo, incluindo um "curso de língua tupi viva ou nheengatu" e compilando 22 lendas, algumas delas incluídas por Mário de Andrade no *Macunaíma*. O estudo forneceu subsídios decisivos ao trabalho de transcrição cênica da rapsódia.

Não figurava ainda como instrumento teórico o conceito de *carnavalização* de Mikhail Bakhtin, como afirma um interessante estudo de David George[9], porém não deixa de ser pertinente a leitura do brasilianista. Mais do que pertinente: vem comprovar a fidelidade do espetáculo à obra em que se baseou.

A carnavalização é inerente a *Macunaíma* na forma cênica, como imagens, porque o é na forma escrita. Certamente por isso Antunes tornou a carnavalização essência do espetáculo. Carnavaliza ao conservar a construção intertextual da rapsódia, que bebe as mais diferentes

7. M. Cavalcanti Proença, *Roteiro de Macunaíma*, p. 15.
8. Couto de Magalhães, cf. prefácio de Vivaldi Moreira à edição comemorativa do centenário da obra. *O selvagem*, pp. 8 e 9.
9. David George, *Grupo Macunaíma: carnavalização e mito*.

2. Macunaíma

Macunaíma
Cacá Carvalho, Vera D'Agostino, Salma Buzzar e Zenayde Zen.
Foto: **Derli Barroso**

fontes folclóricas; carnavaliza ao fazer a síntese dos regionalismos, não fixando o personagem numa região específica e, dessa maneira, não lhe conferindo *um caráter*, como entende Cavalcanti Proença[10]. Macunaíma traz a carnavalização em si mesmo, na sua biografia, desde o seu nascimento, concebido como mito da nacionalidade em paródia à concepção clássica do herói, satirizando os valores oficiais.

Ao comentar o primeiro capítulo da rapsódia, que trata do nascimento do herói, surpreendentemente M. Cavalcanti Proença diz que, por não ter pai, Macunaíma "nasce, como os verdadeiros heróis, de mãe virgem"[11]. A esta afirmação falta fundamento perceptível na fábula, mesmo porque não é irrelevante o fato de Macunaíma ter dois irmãos mais velhos. A virgindade da mãe, todavia, não é requisito indispensável no nascimento do herói, mas sinais, prenúncios e agouros estão sempre presentes, e isso ocorre com Macunaíma. Já no início da rapsódia constam sinais: "No fundo do mato-virgem nasceu Macunaíma, herói da nossa gente. Era preto retinto e filho do medo da noite. Houve um momento em que o silêncio foi tão grande escutando o murmurejo do Uraricoera, que a índia tapanhumas pariu uma criança feia. Essa criança é que chamaram de Macunaíma"[12].

Otto Rank concebeu um esquema agrupando traços comuns à maioria das sagas do herói mítico. Adverte ocorrer "com este esque-

10. "É o 'herói sem nenhum caráter' ritmado em redondilha maior como convém a um título bem soante. Porque ele é a condensação das características brasileiras, todos nós somos um pouco Macunaíma." *Roteiro de Macunaíma*, p. 33.
11. Idem, *Roteiro de Macunaíma*, p. 160.
12. Mário de Andrade, *Macunaíma*, p. 9.

ma, comum aos diferentes mitos, mais ou menos o que sucede quando se observa, por meio de raios x, o esqueleto de indivíduos que diferem profundamente no aspecto exterior: a configuração visível é sempre a mesma, salvo alguns desvios secundários"[13]. A condição de herói mítico de Macunaíma ilumina-se nas peripécias do personagem, pois ele pertence de fato ao imaginário popular registrado num sem-número de lendas, contos, anedotas. E contém importantes *desvios secundários*, reveladores dos padrões míticos transcritos em termos de paródia.

Era ainda bebê, apesar da precocidade erótica, quando "numa pajelança Rei Nagô avisou que o herói era inteligente"[14]. Eis uma das muitas profecias (ainda que sob o aspecto de constatação) que o cercaram nos primeiros dias, quando "dandava pra ganhar vintém". E esse é um traço-padrão. São também traços-padrão da saga do herói a incidência de amores incestuosos (Macunaíma tomava as mulheres do seu irmão, Jiguê) e o parricídio ou o matricídio (por acidente Macunaíma mata a própria mãe). É padrão a incidência de meninos abandonados. Também a mãe de Macunaíma, por não suportar as *artes* do menino, "botou o curumim no campo onde ele podia crescer mais não..."[15]. Nas lendas, o herói é encontrado por pessoas de outra classe social ou de outra espécie, e é o que acontece com Macunaíma. Encontra primeiro o Currupira, que quer se banquetear com ele, mas é salvo da maldição materna pela cotia, que sobre ele derrama o caldo envenenado de aipim, fazendo com que "tomasse corpo", ficando "do tamanho de um homem taludo". No susto, quando a cotia atirou o caldo, afastou a cabeça, que permaneceu seca, "ficou pra sempre rombuda e com carinha enjoativa de piá"[16]. Está aí a paródia. A cada trecho encontram-se elementos míticos, até no luminoso uso de frases feitas, ditados populares, das crendices e da cosmogonia arcaica – neste sentido, é de se louvar a maravilha da rapsódia ao fazer o herói dar o nome de pessoas e de bichos do seu mundo terrestre às estrelas.

Da perfeita compreensão da verdadeira natureza da fábula nasce a carnavalização do espetáculo. Antunes transforma em matéria cênica os sinais, prenúncios e agouros do herói. Aprofunda-se no universo elaborado por Mário de Andrade navegando no imaginário popular, nele recolhendo, como fizera o poeta, o alimento para a criação de uma linguagem autônoma, contemporânea e requintada.

Isso significa que Mário de Andrade foi retomado por um artista visceralmente ligado à cultura brasileira, pesquisador de formas, como

13. Otto Rank, *El mito del nacimiento del heroe*, p. 79.
14. Mário de Andrade, *Macunaíma*, p. 10.
15. Idem, pp. 19/20.
16. Idem, p. 22.

o foi e fez o próprio Mário de Andrade. Mergulhou, esse artista, no universo da cultura popular e expressou seus conteúdos míticos numa linguagem absolutamente atual, universal e renovadora. Por isso o espetáculo triunfou mundo afora. O sonho da corrente antropofágica realizava-se plenamente: estávamos devolvendo com a nossa expressão as formas que nos chegavam, depois da sua devoração ritual.

Até pelo fato de entender a encenação no âmbito da *antropofagia*, impossível não observar as influências presentes na obra. Falava-se muito da influência de *A vida e a época de Dave Clark*[17], de Robert Wilson. Antunes não nega as influências, menos ainda a de Robert Wilson. "Influências existem porque a gente não fecha os portos", diz ele. "Esse diálogo de homem para homem, de sociedade para sociedade, deve sempre existir. O que importa é que o elemento de um autor, colocado em outro, adquire significado diverso, entretanto persistem todas as influências: é uma distribuição democrática de conhecimento."[18]

Não só de artistas e obras universalmente consagrados ele bebia. Nesse sentido, é significativa a informação dada por Cacá Carvalho sobre uma *apropriação estética* de Antunes. Conta que foram juntos ver um espetáculo de São Luís do Maranhão, dirigido por Tácito Borralho, apresentado em São Paulo no projeto Mambembão. A certa altura, numa cena aparece um barquinho de papel. Ao ver a cena, Antunes bateu na mão de Cacá e disse: "É isso!". Lembra Cacá: "No dia seguinte, nós estávamos fazendo a cena do bloco carnavalesco com o barquinho de papel. Essas coisas... você percebe onde nasceram. É muito bonito isso, porque não era uma cópia, era outra coisa!".

Não há *novo absoluto* ou forma estética pura e sem passado. A arte, em nossos dias, é um diálogo de formas, de escolas que se interpenetram, se alimentam mutuamente. Interessa, ao detectar na obra suas influências, buscar a percepção do olhar do artista sobre o conjunto da arte contemporânea; interessa perceber como o artista reelaborou a influência, transformando o dado estético; perceber, portanto, no que a obra é original.

Seria difícil relacionar tudo o que é *influência* ou apropriação estética presente no espetáculo. Falou-se de Fellini e realmente a combinação de tipos opostos, a caracterização de determinadas figuras, a

17. *The life and times of Joseph Stalin* teve o Stalin substituído por Dave Clark, na tradução brasileira, por causa da censura. O espetáculo foi apresentado no Teatro Municipal de São Paulo em 1974.
18. "Macunaíma está aqui", entrevista a Sebastião Milaré. *artes:* n. 53, 1979.

atmosfera delirante de inúmeras cenas podem ter por referência o genial cineasta. Além do teatro e do cinema, correntes como Arte Conceitual, Land Art, Body Art, Arte Povera, Minimalismo devem ser consideradas *agentes influenciadores*. Mesmo Javacheff Christo poderia ser invocado com pertinência, visto a função estética da imensa faixa de tecido branco que, envolvendo, revelava florestas, ocas, aldeias, etc. Todo e qualquer dado que se levante pode de fato estar lá, mas transformado. A grande originalidade da versão teatral do *Macunaíma* era a brilhante releitura da arte contemporânea possibilitando inusitadas relações poéticas.

A questão da *influência*, tratada apressadamente por alguns comentadores do espetáculo, às vezes com o propósito de diminuí-lo, na verdade é o que melhor define Antunes como *filho do seu tempo* e confere à obra absoluta contemporaneidade. Porque em nenhum momento o dado estético surge de modo artificial; está sempre reciclado e integrado aos conceitos da própria encenação.

Ao nascer no palco do velho Theatro São Pedro, *Macunaíma* produziu formidável impacto. No livro em que analisa a produção teatral nos anos da ditadura, Yan Michalski afirma:

> Bastaria um único espetáculo – *Macunaíma* – para conferir à temporada paulista [de 1978] o rótulo de excepcional: pela primeira vez em 11 anos (desde a estreia de *O rei da vela*) recebíamos um impacto difícil de ser avaliado de imediato, mas a respeito do qual se podia dizer logo na saída do teatro que se tratava de uma iniciativa destinada a figurar como um marco nos anais da cena brasileira[19].

A beleza do espetáculo, em quatro horas e meia de absoluta magia, numa estrutura dinâmica, em constante movimento, impressionava. A forma se impunha pela originalidade das imagens; pelo ritmo vário e rico, como convém a uma rapsódia; pela harmonia borbulhante da sua manifestação.

Macunaíma ganhou mundo a partir do Festival de Teatro Latino-Americano de Joseph Papp, em Nova York, do qual participou no ano seguinte ao da estreia. Daquele momento até encerrar a carreira em Atenas, a 5 de julho de 1987, fez novo giro pelos Estados Unidos;

19. Yan Michalski, *O teatro sob pressão*, p. 74.

esteve três vezes na Alemanha e na Espanha; duas na França, na Itália, na Holanda e na Inglaterra; uma vez em cada um de dez outros países, visitando 96 cidades do Brasil e do exterior, num total de 876 apresentações. E por todos os caminhos que andou ouviu aplausos do público e elogios da crítica. A começar pelo entusiasmo de Don Shirley, do *The Washington Post*, que afirmou ser a "espetacular comédia épica do Brasil [...] o mais empolgante evento teatral jamais visto no Kennedy Center Terrace Theater"[20].

O que fascinava, lá fora, era a brasilidade do espetáculo. Cores e formas nitidamente brasileiras, tropicais, não exibidas em termos de folclore, porém como expressão de uma arte muito nova. Afirmava John Larkin no *Sunday Press* de Melbourne (Austrália) que "o impacto de *Macunaíma* o equipara às grandes produções de Peter Brook e Pina Bausch. Por trás de sua extravagância há disciplina, compreensão, habilidade e tradição que vêm diretamente do coração da arte". E Michel Coveney dizia no *Financial Times* de Londres que "a grande virtude [...] é a de abrir os nossos olhos para uma nova e vibrante expressão teatral. Eu não tinha a mínima ideia de que esse tipo de trabalho [...] estivesse acontecendo no Terceiro Mundo". Enquanto Ugo Volli escrevia no *La Republica* de Milão que *Macunaíma* é "um teatro extraordinariamente solar, obtido com meios bastante simples", ao qual "a plateia aplaude freneticamente".

Tão acusado aqui de *europeu*, o espetáculo provocava nostalgias na Europa, como disse Gerhard Jörder, do *Badische Zeitung*, de Friburgo:

> Aplausos em cena aberta, júbilo em três intervalos e, no final, uma ovação estrondosa, na sala repleta na Grossen Haus de Friburgo: quatro horas de lição de como se pode, com meios comedidos e simples, fazer um grande teatro, diferente do nosso, na velha Europa, onde temos uma outra história, outra tradição e desenvolvimento teatral. Diante disso, ainda podemos sonhar – e chorar – para lamentar o nosso teatro atual. Para nós, só resta uma nostalgia desse tipo de teatro.

E a questão das *influências* é destacada como fator positivo por Ignacio Amestoy Eguigen, no *Cambio 16*, de Madri:

> *Macunaíma* é, para o teatro, o que *Cem anos de solidão* é para o romance. Tem uma modernidade formal que reúne todas as contribuições até

20. Esta e outras citações de críticos estrangeiros constantes deste capítulo procedem da seleção de trechos de críticas inserida no programa/catálogo de *Macunaíma*, publicado pelo SESC, 1984.

onde a arte (não só a cênica) conseguiu chegar. Na montagem de Antunes Filho estão desde o Fellini mais sofisticado ao Picasso de *Les Demoiselles d'Avignon*, de maneira explícita algumas vezes. Tentaram um monumento teatral, que é algo como a quadratura do círculo. E o conseguiram.

Durante as viagens de *Macunaíma*, imprescindível anotar dois encontros de Antunes com realidades que marcaram profundamente sua obra. O primeiro foi com Kazuo Ohno, no Festival de Nancy, em 1980.

Kazuo Ohno é um dos expoentes do butô, linguagem criada por Tatsumi Hijikata que, embora influenciada pela dança expressionista de Mary Wigman e de Harald Kreutzberg, constituiu-se na esfera das necessidades espirituais do homem japonês. "Dança das trevas", o butô foi gerado pela crise espiritual que se instalou no Japão após a II Guerra. Equivale à *arte catastrófica*, das artes plásticas, sendo a catástrofe o Vazio que guarda em si todas as possibilidades e virtualidades.

O pensamento estético de Antunes sempre revelou tendências ao orientalismo. E o contato com Kazuo Ohno fez que as intuições encontrassem seu paradigma ideal. Ali estava o corpo convertido em pura energia, o palco transformado em espaço de manifestações sagradas – a hierofania.

O que ocorre entre a estética de Antunes e a de Kazuo Ohno pode ser consignado à *sincronicidade*, na acepção junguiana, e não ao campo das influências. Embora Antunes nunca antes tivesse visto um espetáculo butô, fotos de cenas do *Macunaíma* foram inseridas no livro-catálogo *Butoh Zangue Roku Shusei* (Antologia das confissões de Butô), publicado por Nihon Bunka Zaidan, de Tóquio, por ocasião do Butoh Festival 85, em uma seção referente a linguagens cênicas ocidentais assemelhadas ao butô[21]. Ou seja, essa linguagem já estava configurada na estética antuniana, conforme o entendimento de especialistas. Depois, um reencaminhamento dos processos fez o trabalho se aproximar mais da corrente japonesa pelo aprofundamento na filosofia oriental.

A via é de mão dupla, em todo caso. Quando da sua primeira visita ao Brasil, em 1986, Kazuo Ohno incluiu na coreografia de *Mar Morto* a dança de *Macunaíma*, ao som do *Danúbio Azul*, música tema do espetáculo brasileiro, em homenagem a Antunes. Em outra visita ao Brasil, em 1997, Kazuo Ohno concedeu-nos um depoimento sobre Antunes, a quem chama *irmãozinho querido*. Disse que ao ver *Macunaíma*, em Nancy, também teve *revelações* e o espetáculo o fez repensar aspectos

21. Devo essa informação aos saudosos Felícia Ogawa e Takao Kusuno, que me mostraram a publicação e traduziram o texto.

do seu trabalho[22]. Não que Kazuo Ohno tenha recebido alguma influência estética de Antunes, mas apenas que ali se estabeleceu um diálogo seminal entre dois grandes artistas por meio das respectivas obras.

O segundo encontro aconteceu na histórica Guanajuato, México, berço e sede do Festival Cervantino, onde *Macunaíma* esteve em 1982.

Cidade pequena e perdida no sertão mexicano, Guanajuato mantém nas ruelas estreitas e nos antigos conjuntos arquitetônicos marcas do período heroico da colonização e das lutas pela independência do país. Nasceu em torno do *canteiro de obras* das minas de prata. E as ramificações de galerias das minas foram adaptadas, convertidas em vias subterrâneas para tráfego de veículos, dando à cidadezinha um toque metropolitano. Um ar de mistério emana da urbe e penetra o chão. Componentes químicos do solo atuam sobre corpos humanos ali enterrados, mumificando-os. São consumidas gorduras e carnes, enquanto a pele se transforma numa espécie de pergaminho sobre o esqueleto. Exumados, esses corpos provocam em quem os contempla estranha gama de sensações.

Pelas salas e corredores do Museu das Múmias, de pé em nichos ou vitrinas, acocorados nos cantos ou deitados sobre mesas, os corpos propõem sérias reflexões sobre o sentido da existência humana. Restos de indumentária indicam diferenças sociais: o luxo e a miséria que envolveram uns e outros a Morte dissipou. Os laços de Varuna, com seu poder de iludir e encantar, abandonou-os ao espanto de uma realidade maior do que esta a que chamamos *realidade* e é apenas *maya*.

Impregnado dos conceitos de Mircea Eliade e de Jung, seus instrumentos para a criação de *Nelson Rodrigues, o eterno retorno*, como veremos na sequência, Antunes encontrou no Museu das Múmias a expressão que buscava com os atores. Sem recheio de carnes e adorno da civilização, aqueles corpos revelavam nas posturas, nos rictos faciais, no gesto extremo a essência do homem com suas paixões e seus mistérios. As situações-limite colocadas por Nelson Rodrigues em suas peças, onde os arquétipos dançam como elétrons acelerados, achavam-se cristalizadas no acervo do Museu das Múmias.

Já foi dito que Antunes Filho capta as mais sutis emanações, extraindo de tudo alimento para suas criações cênicas, e o encontro com Kazuo Ohno e a visita ao Museu das Múmias foram elementos confirmadores de intuições e estímulos para prosseguir a pesquisa estética numa determinada vereda.

22. O depoimento, prestado a 5 de julho, depois do *workshop* de Kazuo Ohno, no CPT/SESC, foi gravado em vídeo com tradução de Felícia Ogawa. Faz parte do documentário *O teatro segundo Antunes Filho*.

3. Nelson Rodrigues, o eterno retorno

Apesar das andanças do Grupo Pau-Brasil pelo mundo, o ritmo de trabalho no Theatro São Pedro não diminuía. Admitidos por testes, novos atores animavam o velho edifício da Barra Funda, mesmo quando o núcleo principal estava em viagem.

Depois da estreia de *Macunaíma*, o grupo dedicou-se ao estudo de dois temas: a história da legendária Xica da Silva e o romance de Guimarães Rosa, *Grande sertão: veredas*. No início da adaptação do livro de Rosa, Antunes notou entretanto forte presença estética do primeiro espetáculo e decidiu mudar o rumo: foi vasculhar a obra de Nelson Rodrigues. Os projetos sobre Guimarães Rosa e Xica da Silva não saíram da pauta e mais tarde se converteriam em espetáculos. Naquele momento, porém, o grupo buscou meios para penetrar a poética de Nelson Rodrigues, autor ainda mal compreendido, de quem o trabalho que realizavam viria a demonstrar a grandeza, deslindando sua condição de maior poeta dramático de língua portuguesa desde Gil Vicente.

Consolidava-se o curso permanente de teatro com o nome de CPT – Centro Teatral de Pesquisas, que seria, de acordo com o artigo-manifesto *Método de Trabalho*[1], "um centro catalisador para desenvolver pesquisas e experimentações, sem se ater aos padrões estabelecidos pela maioria das escolas de teatro brasileiras":

> A formação dos elementos do grupo se daria levando em conta dois fatores fundamentais: os estudos teóricos e sua subsequente transferência para o pal-

[1]. Publicado no programa de mão de *Nelson Rodrigues, o eterno retorno*, assinado pelo Grupo de Teatro Macunaíma. As citações seguintes procedem da mesma fonte, salvo nota em contrário.

co sob a forma de exercícios, convergindo ambos para um objetivo comum, qual seja a persistência em desestruturar todo o trabalho concretizado em função das novas possibilidades que ele próprio despertaria. Aí residia uma das atribuições básicas segundo a qual o grupo se moveria e se transformaria num dos eixos fundamentais da sua filosofia: colocar-se em situação a cada instante da criação, fazendo *tabula rasa* do conhecimento anterior e jogando-se para os estágios futuros sem nenhuma espécie de pré-concepção.

Considerando que "para a realização do trabalho seria necessário abandonar os padrões conhecidos e iniciar por uma vereda onde não se poderia, de antemão, aferir concretamente o resultado", justifica-se a eleição de atores e atrizes jovens, a maioria sem experiência, porque "seria preciso entrar nesse universo despido dos vícios de uma longa carreira e com vitalidade e energia canalizadas para a elaboração de uma nova qualidade teatral, para um teatro novo". E os artistas adequados surgem nos concorridos testes.

Cada vez mais o curso atraía gente interessada em *fazer teatro*. Até a estreia de *O eterno retorno* somaram cerca de dois mil inscritos. Era o início de uma tradição no teatro brasileiro – os *testes com Antunes*, que ainda hoje, passadas três décadas, atraem pessoas do país inteiro e sobre os quais se ouvem muitas histórias. Um depoimento de Arciso Andreoni sobre sua admissão ao CPT, em 1979, dimensiona o fato.

Jovem advogado, Arciso nunca pisara o palco, mas teve notícia dos testes e resolveu se inscrever. Preparou um texto de Guimarães Rosa, que era obrigatório, e outro de Leilah Assumpção. "Fui de chapéu de palha, pra fazer o Guimarães Rosa", conta Arciso, "e não sabia nada de nada. Tentei dizer o texto, e não entendia por que o Antunes começou a falar, a falar, e a dizer está uma merda, uma bosta, que porcaria, tira o chapéu, fica sentado, fica de pé... e eu não conseguia abrir a boca. Então ele perguntou se eu tinha preparado outra coisa. Respondi que sim, mas precisava de uma moça para as réplicas. Gritou pra o Cassianinho Gabus Mendes, que era o seu assistente na época, trazer uma moça. Ele trouxe, mas a coitada estava terrivelmente nervosa. Tremia. E o estado dela me contaminou. Falei uns três segundos e ouvi o Antunes dizer que estava bom, podia sair. Fim de teste. Em seguida, outro candidato pediu-me que lhe desse as réplicas. Então, foi dando as réplicas que passei e fui admitido, não pelo teste propriamente dito"[2].

2. Depoimento de Arciso Andreoni ao autor, a 28/1/91. Pouco depois deste depoimento, ele deixou o Grupo de Teatro Macunaíma, no qual permanecera por 12 anos, como ator e administrador. Seu principal destaque foi o do Bailarino Solitário no *Eterno retorno*, espetáculo depois reeditado como *Nelson 2 Rodrigues*.

3. Nelson Rodrigues, o eterno retorno

Álbum de Família em
Nelson 2 Rodrigues
Giulia Gam, Marcos
Oliveira e elenco.
Foto: **Paquito**

Quase sempre o teste se resumia a uns poucos minutos. Muitos saíam indignados: como é que o Antunes pode tão rapidamente avaliar seu talento? Sentiam-se injustiçados. Por conta disso, engrossavam as fileiras de inimigos do diretor; somavam-se vozes ao coro que o acusava de tirano; na verdade, porém, ele não procurava talentos desenvolvidos e sim potencialidades. Se quisesse atores experientes poderia trabalhar com os mais importantes nomes da cena brasileira, como até então fizera. E a qualidade do trabalho dos atores, em todas as peças do CPT/Grupo de Teatro Macunaíma, atesta que de alguma forma sua avaliação dos testes funciona: quase todos esses atores chegaram ao palco a partir dos testes e depois de terem passado por estudos e treinamentos intensos. O propósito de Antunes era formar o novo intérprete; usar a matéria bruta, a potencialidade, para pesquisar novos meios. Trabalho

Hierofania

Toda Nudez Será Castigada em **Nelson 2 Rodrigues**
Marlene Fortuna, Maithê Alves, Luis Henrique e Lígia Cortez.
Foto: **Rafael Issa**

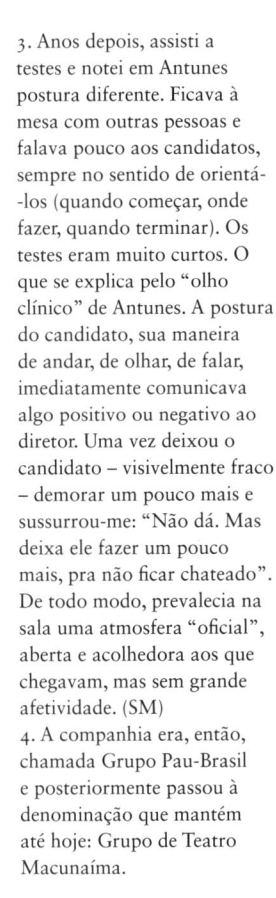

3. Anos depois, assisti a testes e notei em Antunes postura diferente. Ficava à mesa com outras pessoas e falava pouco aos candidatos, sempre no sentido de orientá-los (quando começar, onde fazer, quando terminar). Os testes eram muito curtos. O que se explica pelo "olho clínico" de Antunes. A postura do candidato, sua maneira de andar, de olhar, de falar, imediatamente comunicava algo positivo ou negativo ao diretor. Uma vez deixou o candidato – visivelmente fraco – demorar um pouco mais e sussurrou-me: "Não dá. Mas deixa ele fazer um pouco mais, pra não ficar chateado". De todo modo, prevalecia na sala uma atmosfera "oficial", aberta e acolhedora aos que chegavam, mas sem grande afetividade. (SM)
4. A companhia era, então, chamada Grupo Pau-Brasil e posteriormente passou à denominação que mantém até hoje: Grupo de Teatro Macunaíma.

que exigia a entrega dos participantes e nada de autopiedade nem sentimentalismo. Isso já se anunciava nas suas atitudes durante os testes[3].

Foram selecionadas trinta pessoas na turma de Arciso. O grupo dividiu-se em dois para trabalhar sobre a obra de Guimarães Rosa, sabendo que três meses depois o conjunto seria reduzido à metade. "Então, foi uma loucura", diz Arciso, "todo mundo se esforçando por fazer o melhor e mostrar ao Antunes". Cumpriu-se o estabelecido e iniciando a nova fase, com quinze participantes, o diretor comunicou sua intenção de pesquisar a obra de Nelson Rodrigues. Iniciaram-se os trabalhos, mas a turma logo se reduziu a oito pessoas e outras foram admitidas com a realização de novos testes, entre as quais Marlene Fortuna, atriz de talento incomum, que se destacaria nas futuras montagens do Grupo Macunaíma.

Esses novatos desenvolveram a fase inicial da pesquisa sobre Nelson Rodrigues, enquanto o elenco do *Macunaíma*[4] realizava sua primeira excursão pela Europa (1980). Os *antigos*, que se juntaram a eles, depois da excursão, foram apenas Salma Buzzar, Luiz Henrique e Walter Portella. O grupo estudou o teatro de Nelson Rodrigues, os seus romances, as suas crônicas, os seus artigos sobre futebol... tudo o que se recolhia da e sobre a obra de Nelson era lido, comentado, discutido. Por meio de improvisações, procurava-se vivenciar o mundo estranho e abissal do grande poeta. E desvendavam-se aspectos nucleares da obra, suas essencialidades.

Optou-se, por fim, realizar um espetáculo composto de várias peças do autor e, depois de muitas análises e discussões, seis textos foram selecionados: *Álbum de família*, *Toda nudez será castigada*, *Os sete gatinhos*, *Beijo no asfalto*, *A falecida* e *Boca de Ouro*. Os dois últimos seriam logo descartados, reunindo-se os quatro restantes no espetáculo que receberia o título *Nelson Rodrigues, o eterno retorno*. Na versão posterior, chamada *Nelson 2 Rodrigues*, apenas os dois primeiros foram apresentados.

A seleção das obras denota a leitura crítica da família patriarcal brasileira, plasmada no positivismo da República. Tal leitura justifica a prioridade que se deu ao longo do processo a *Álbum de família* (1945), peça que abriu o chamado ciclo mítico da obra rodriguiana e, na época, desencadeou reações adversas, conseguindo juntar à censura oficial a dos círculos intelectuais. Por isso o poeta classificou *desagradável* o seu teatro, constituído de obras "pestilentas, fétidas, capazes, por si sós, de produzir o tifo e a malária na plateia"[5] – ou seja, não é para burguês em busca só de entretenimento.

Situando a ação em uma propriedade rural, de 1900 a 1924, *Álbum de família* aborda por meios simbólicos a família patriarcal brasileira, instrumento do autoritarismo e dos desmandos da classe dominante. Não o faz entretanto no viés da sociologia nem assentando a narrativa no realismo: transcende o plano da *realidade histórica*, invade o território mítico e reinventa o mundo, *pensando* a família primordial.

A ação incestuosa dos membros da família aciona o drama e o eleva à dimensão das divindades arcaicas. No centro está o patriarca, Jonas, realizando por intermédio de adolescentes recolhidas na propriedade a paixão que sente pela filha, Glorinha. A mãe, Senhorinha, entregou-se sexualmente ao filho Nonô, que de tão maravilhado extrapolou a realidade aparente e, completamente nu, coberto de terra, vive orbitando a casa, qual satélite em torno do astro, soltando urros de felicidade. E no decorrer da peça ouvem-se os gritos da mulher em difícil trabalho de parto, culminando com o nascimento do filho e a morte da mãe. Dessa maneira, se na superfície o poema dramático traz uma crítica endereçada ao patriarcalismo, na substância poética afloram elementos ativos do inconsciente coletivo, perfazendo os ciclos vitais pelos mitos

[5]. Nelson Rodrigues, *Teatro completo*, vol. 2: peças míticas, p. 13.

solar e lunar, geradores das estações, da fertilidade e da decadência, do nascimento e da morte.

Álbum de família desdobra-se nas chamadas *tragédias cariocas*, onde a instituição familiar é constantemente minada por forças que transcendem a estrutura psicológica (psicologia pessoal) dos seus integrantes, num processo de perpétua liquidação da ordem instituída. Personagens como Geni de *Toda nudez será castigada*, Noronha de *Os sete gatinhos*, Zulmira de *A falecida*, Arandir de *O beijo no asfalto* ou o bandido *Boca de Ouro* são *entidades dramáticas* que em si mesmas catalisam a tragédia social.

Nessas peças Nelson Rodrigues foi implacável cronista da sociedade brasileira urbana, revelando aguda percepção do drama humano, mas a figura do cronista se sobrepõe à do *humanista*, aos olhos e à percepção de comentadores, dando origem ao discutível rótulo *comédias de costumes* para as suas peças. Rótulo que de algum modo se justifica pelo aparente *exagero* das situações, que transgride a descrição convencional (realista) das relações sociais numa aparente caricatura das mesmas.

Antunes nunca aceitou o confinamento do drama rodriguiano a esse rótulo. Suas incursões anteriores (*A falecida*, 1965, e *Bonitinha, mas ordinária*, 1973) atestam a busca de compreensão mais elevada. Sendo não um teórico ou ensaísta acadêmico, mas um criador, competia-lhe transformar em matéria cênica a *potência* que detectava na obra, não apenas defendê-la retoricamente. A obra dramática só pode ter sua qualidade poética desvelada ao se transformar em matéria cênica. Isso é o que ele procurava fazer.

A busca de meios foi decisiva para o encaminhamento do processo a determinada linha de pesquisa. A preparação e a montagem de *Nelson Rodrigues, o eterno retorno* constituíram o primeiro passo nessa estrada. A fase anterior, iluminada pela beleza e inteligência de *Macunaíma*, expressa a *tomada de posição* antes de começar a caminhada. Agora, o dinamismo interno do grupo possibilitou os primeiros avanços rumo a uma estética peculiar, com técnica interpretativa própria, revelando visão de mundo que se consolida enquanto se aprofunda e aprimora a técnica.

A bibliografia reunida no estudo inclui obras não diretamente relacionadas a Nelson Rodrigues, no entanto ajudavam o ator a chegar ao entendimento da realidade colocada pelo poeta. À primeira vista, uma miscelânea de títulos discrepantes, mas que reflete a característica elementar do trabalho de Antunes: a permanente ação dos contrários. Contrapunha-se, por exemplo, *A origem da família, da propriedade privada e do Estado*, de Engels, aos *Princípios de uma ciência nova*, de Vico. Se o primeiro examina as origens do homem na ótica materialista da história, o segundo as examina de um ponto de vista metafísico. O que um afirma, o outro nega.

No prefácio à quarta edição alemã de *A origem da família, da propriedade privada e do Estado* (1891) Engels se refere ao *Direito materno*, de Bachofen, como o trabalho que deu origem ao estudo da história da família, discordando radicalmente porém do ponto de vista metafísico a que se reduz a interpretação dada pelo pioneiro aos fatos históricos e propondo uma interpretação materialista. Concorda com Bachofen, quando este diz que a trilogia de Ésquilo, *Oréstia*, descreve "um quadro dramático da luta entre o direito materno agonizante e o direito paterno, que nasceu e conseguiu a vitória sobre o primeiro, na época das epopeias", porém observa:

> Essa nova e inteiramente correta interpretação da *Oréstia* é uma das melhores e mais belas passagens do livro, mas, ao mesmo tempo, é a prova de que Bachofen acredita, como outrora Ésquilo, nas Erínias [cuja missão era "punir homicídio entre consaguíneos"], em Apolo [defensor de Orestes, por tê-lo incitado ao crime através do seu oráculo] e Palas Athena [que absolve Orestes, fazendo assim triunfar o direito paterno], isto é, crê que foram essas divindades que realizaram, na época heroica da Grécia, o milagre de derrubar o direito materno e substituí-lo pelo paterno. É evidente que tal concepção, que considera a religião como a alavanca decisiva da história do mundo, conduz, afinal de contas, ao mais puro misticismo.⁶

No ensaio, Engels narra os mesmos fatos sob a visão materialista da História, observando a marcha da espécie pelos estádios *selvagem* e da *barbárie*, chegando ao *civilizado* por meio da luta pela sobrevivência, das necessidades criadas e das soluções encontradas; do trabalho, da produção, da organização social. A humanidade de Engels ignora o *divino*, ignora os deuses que se fizeram das lendas, os heróis.

Todo o contrário é a *Ciência nova*, de Vico, para quem foi "com as fábulas que universalmente se constituíram as nações gentílicas"⁷. A religião [a Providência Divina] foi "a alavanca decisiva para a história do

---

6. Friedrich Engels, *A origem da família, da propriedade privada e do Estado*, pp. 12/13.
7. Giambattista Vico, *Princípios de uma ciência nova*, p. 173.

mundo". E não emerge no "mais puro misticismo", mas na metafísica, considerando a imaginação poética instrumento da evolução do homem, pois "poetas teólogos... foram os primeiros sábios da gentilidade"[8]. No seu úmido e luxuriante discurso filosófico Vico procura demonstrar

> como os fundadores da humanidade gentílica, mediante sua teologia natural (ou seja, a metafísica), imaginativamente criaram os deuses. E com sua lógica inventaram as línguas. Com a moral, criaram seus heróis. Com a economia, constituíram suas famílias; com a política, as cidades. Assim também, com a sua física ficaram estabelecidos os princípios das coisas totalmente divinas, enquanto com a física particular do homem [o corpo humano] em um certo sentido a si próprios geraram. Com sua cosmografia forjaram-se ficcionalmente um seu universo repleto de deuses. Com sua astronomia alçaram da terra aos céus os planetas e as constelações. Com a cronologia deram princípios aos tempos. Já com a geografia os gregos, por exemplo, descreveram todo um mundo dentro da sua Grécia.[9]

As visões antagônicas constituíam campo e contracampo para a observação da primitiva vivência humana nos estudos do CPT. Isso demonstra que a pesquisa se endereçava ao desconhecido (universo mítico), porém com um pé solidamente apoiado no *conhecido*. Seu álibi para a busca era, exatamente, *Álbum de família*. A peça, por ser *mítica*, exigia conhecimento e reflexão sobre os conteúdos arcaicos, sem prejuízo no entanto da base sociológica em que se inscrevia. A razão sociológica, histórica, transforma-se em plataforma para o mergulho em realidades mais profundas, ocultas na obra.

Priorizava-se a busca de significados não no plano meramente intelectual, mas no físico do ator, no seu próprio corpo, orientado até então pelo pensamento "integrador" de Vico: ao se pensar as coisas, se reinventa o mundo. É claro que o pensamento materialista de Engels permanecia ali, na base, fornecendo referências históricas concretas sobre a formação da família e das sociedades, não permitindo que os intérpretes se perdessem em abstrações. Guiados por Vico, especulavam os significados metafísicos do drama rodriguiano, deslindando símbolos nele escondidos, e auxiliava essa especulação metafísica o estudo da fenomenologia proposto por Gaston Bachelard, para quem "numa pesquisa sobre a imaginação devemos ultrapassar o reino dos fatos"[10].

8. Idem, p. 176.
9. Idem.
10. Gaston Bachelard, *A poética do espaço*, p. 137.

3. Nelson Rodrigues, o eterno retorno

Apoiado nessa bibliografia e mediante palestras, discussões e laboratórios, Antunes conduzia os atores na busca de novo entendimento da obra teatral de Nelson Rodrigues. As visões opostas eram trabalhadas pela dialética, e sob esses estímulos teóricos os atores penetravam o denso universo rodriguiano, fazendo emergir dele formas estéticas apreciáveis, que se desdobravam em outras, se multiplicavam em possibilidades narrativas.

A despeito do prodigioso deslindamento de formas, alguma coisa porém não funcionava. Havia o desenvolvimento horizontal dos temas abordados, mas sua verticalização tinha um limite além do qual não se podia ir.

Em *Macunaíma*, Antunes trabalhou com maestria temas inerentes ao inconsciente coletivo, não só por correta interpretação da rapsódia andradiana, mas por estar na natureza da sua poética a lida com o universo mítico. A falta do competente suporte teórico era compensada pela intuição, entretanto quando encarou a natureza arquetípica da obra de Nelson Rodrigues a necessidade desse suporte teórico surgiu. Não se tratava da festa, da carnavalização, mas de substância densa e pulsação trágica.

Na busca de solução para o impasse, Antunes Filho chegou finalmente a dois autores que seriam fundamentais não só para a criação do espetáculo, mas também para a descoberta de meios criativos: Mircea Eliade e C. G. Jung. Vinham suprir generosamente as necessidades do processo, alimentando-o com ideias, imagens, conceitos que abriam caminho para a *encenação metafísica*.

O pensamento arcaico, universo dos arquétipos, formava o chão propício àquela investigação estética. Ao trabalhar com a filosofia da religião (Eliade) e a psicologia analítica (Jung), Antunes encontrou as ferramentas adequadas e decisivas. Até então trabalhara com princípios freudianos, que se mostravam insatisfatórios ou inadequados dada a natureza mítica da obra de Nelson Rodrigues.

Não se trata, evidentemente, de retomar, à moda cartesiana, a antiga discussão Freud *versus* Jung, como se estivéssemos às voltas com coisas absolutamente excludentes. Tal discussão, se ainda existe, compete aos especialistas da área e não ao leigo que busca na obra desses geniais pensadores instrumentos para o trabalho criativo. A inadequação dos princípios freudianos para a análise da obra de Nelson Rodrigues se limita aos conteúdos que têm por referência o inconsciente coletivo;

porém, como normalmente tais conteúdos se encontram no centro da ação dramática, os princípios freudianos os reduzem à esfera individual dos personagens, subtraindo seu poder expressivo e pulverizando seus significados míticos.

Indispensável ter claro tratar-se de duas concepções diferentes de inconsciente. Na concepção de Freud, os conteúdos inconscientes consistem de elementos de natureza pessoal. Foram *reprimidos* e esquecidos, mas, pela terapia, podem voltar a ser conscientes, porque pertencem à história do indivíduo. Já a concepção de Jung não elimina o inconsciente pessoal, em vez disso o revela, digamos, *envolvido* pelo inconsciente coletivo. Desse ponto de vista, o comportamento humano está permeado de sinais procedentes não só da história pessoal do sujeito que os apresenta, mas também da memória da espécie, que pode assumir proporções devastadoras na psique do indivíduo.

A manifestação do inconsciente coletivo ocorre por meio dos arquétipos, que são modelos ou padrões gerados nos primórdios da humanidade. Referindo-se ao arquétipo *anima*, Jung o descreve como "algo vivo em si, que nos faz viver; uma vida por trás da consciência, que não pode ser totalmente integrada nesta e da qual, a bem da verdade, procede a consciência"[11]. O mesmo se pode dizer de qualquer arquétipo. Também Freud reconheceu a "sobrevivência de restos arcaicos na qualidade de formas funcionais", lembra Jung, ponderando, no entanto, que esses *restos arcaicos* foram interpretados personalisticamente por Freud[12].

Recorrendo a Jung, Antunes encontrou ferramentas adequadas para lidar no plano da arte com a inflação de incestos de *Álbum de família*. E a diferença da abordagem freudiana para a junguiana, nesse caso, é expressa pelo próprio Jung:

> Para mim, o incesto só em casos extremamente raros constitui uma complicação pessoal. Na maior parte dos casos, representa um conteúdo altamente religioso e é por este motivo que desempenha um papel decisivo em quase todas as cosmogonias e em inúmeros mitos. Mas Freud, atendo-se ao sentido literal do termo, não podia compreender o significado psíquico do incesto como símbolo. E eu sabia que ele jamais o aceitaria[13].

A tessitura dramática nas peças de Nelson Rodrigues é permeada de imagens indefinidas, porém impactantes, semelhantes às ocorrências

---

11. Carl Gustav Jung, *Arquétipos e inconsciente colectivo*, p. 33.
12. Idem, p. 124.
13. Idem, *Memórias, sonhos, reflexões*, pp. 149/150.

oníricas que nos perturbam mais por seus significados ocultos do que pelo enredo em que se manifestam. Nas peças do chamado *ciclo mítico* tais imagens imperam; assim como as chamadas *tragédias cariocas* e *peças psicológicas* contêm essas imagens e as fazem aflorar na reinvenção poética da fala cotidiana ou nos traços contrastantes e na *irracionalidade* dos personagens. São imanências arquetípicas, substância de que são feitos os sonhos. Neste caso, igualmente, o instrumental freudiano é insuficiente como orientador, por confinar toda e qualquer imagem psíquica à experiência individual. A certo passo, diz Freud:

> Para meu grande assombro, descobri um dia que não era a concepção médica do sonho, e sim a popular, meio arraigada ainda na superstição, a mais próxima à verdade. Tais conclusões sobre os sonhos foram o resultado de aplicar a eles um novo método de investigação psicológica que me havia prestado excelentes serviços na solução das fobias, obsessões e delírios, e que desde então havia sido aceito com o nome de psicanálise por toda uma escola de investigadores[14].

A grande originalidade da doutrina freudiana reside na descoberta de que o sonho é linguagem psíquica e não efeito de distúrbios físicos. Embora essa descoberta tenha sido reveladora para Jung, suas conclusões divergem radicalmente das de Freud. Mais uma vez, é o próprio Jung quem esclarece as diferenças:

> Nunca pude concordar com Freud que o sonho é uma *fachada* atrás da qual seu significado se dissimula, significado já existente, mas que se oculta quase maliciosamente à consciência. Para mim os sonhos são natureza, e não encerram a menor intenção de enganar; dizem o que podem dizer e tão bem quanto o podem, como faz uma planta que nasce ou um animal que procura pasto. [...] Muito antes de conhecer Freud, eu considerava o inconsciente – da mesma forma que os sonhos, sua expressão imediata – como um processo natural, desprovido de qualquer arbitrariedade e, acima de tudo, de qualquer intenção de prestidigitação. Não tinha qualquer motivo para supor que as malícias da consciência se estendessem também aos processos naturais do inconsciente. Pelo contrário, a experiência cotidiana me ensinou com que resistência encarniçada o inconsciente se opõe às tendências do consciente.[15]

14. Sigmund Freud, "Los Sueños", em *Los textos fundamentales del psicoanálisis*, p. 115.
15. Carl Gustav Jung, *Memórias, sonhos, reflexões*, p. 145.

O entendimento do sonho como *umbral* do inconsciente coletivo teve extrema importância no trabalho de Antunes Filho, o que se revelava na própria *mise-en-scène* de *Nelson Rodrigues, o eterno retorno* – mergulhava a plateia numa atmosfera onírica, com imagens de extraordinário poder, nascidas das relações cênicas. Não só na elaboração do espetáculo teve importância o estudo do sonho, pois trouxe perspectivas inéditas também aos exercícios para a preparação do ator. Os conceitos junguianos abriam admirável mundo novo, propiciador da renovação dos processos de criação dramática, por revelarem um universo integral e contínuo, de realidades que se interpenetram no tempo e no espaço, onde a consciência não é parte de um mecanismo contido no próprio indivíduo, mas um receptor de emanações cósmicas, dos códigos ancestrais. Abria-se a porta do *Real*.

Simultaneamente, passou a compor o suporte teórico o livro de Mircea Eliade, *Mito do eterno retorno*, respondendo à nova necessidade: para se lidar com o inconsciente coletivo é indispensável bom conhecimento de mitologia e a aproximação com o pensamento arcaico. Autores como Alan Watts (*Tao – o curso do rio*), Richard Wilhelm, Joseph Campbell e outros especialistas em mitos e sistemas religiosos de sociedades tradicionais aos poucos seriam agregados à bibliografia do CPT, saga que tem início com Mircea Eliade. E tanta importância assumiu o livro[16] no processo que o próprio espetáculo adotou o seu nome: *Nelson Rodrigues, o eterno retorno*.

Dois conceitos discutidos no livro tiveram extrema importância na interpretação da obra de Nelson Rodrigues: o *eterno retorno* e o *simbolismo do centro*. Ou seja, os dois aspectos nucleares do estudo, que abrem canais para inúmeros outros aspectos da ontologia arcaica, onde a "realidade é alcançada unicamente por intermédio da repetição ou da participação" e em que "tudo o que carece de um modelo exemplar é insignificante, isto é, está destituído de realidade"[17].

Para o homem arcaico, objetos do mundo externo e atos humanos não têm valor autônomo – só adquirem valor e se tornam *reais* quando participam de uma realidade que os transcende[18]. Significado e valor do ato humano "não estão vinculados a seus rudes dados físicos, mas sim à sua propriedade de reproduzir um ato primordial, de repetição de um exemplo mítico"[19]. O caos está sempre muito próximo e o que distingue um ambiente já constituído do caos que o rodeia são os rituais. Neles se

---

16. Além de *O mito do eterno retorno*, constavam da bibliografia dessa fase três outros livros de Mircea Eliade: *Mito e realidade, Tratado da história das religiões* e *Ferreiros e alquimistas*.
17. Mircea Eliade, *Mito do eterno retorno*, p. 38.
18. Idem, p.18.
19. Idem, p.19.

3. Nelson Rodrigues, o eterno retorno

Toda Nudez Será Castigada em **Nelson 2 Rodrigues**
Marlene Fortuna, Cristina Bouzan, Cissa Carvalho Pinto, Marilia Castello Branco, Vera Zimmermann e Washington Lasmar.
Foto: **Rafael Issa**

atualizam atos e gestos primordiais. E este renascer constante da mesma coisa se efetua com a *atualização* do gesto divino. É o *eterno retorno*.

O homem arcaico, ensina Eliade, abolia o tempo profano para se projetar no tempo mítico. Isto ocorria tanto na execução de atos importantes, como alimentação, cópula, caça, pesca, guerra, quanto nos rituais. No caso dos rituais, o próprio local da sua realização torna-se sagrado (hierofania) pelo simbolismo do centro. Ou seja, "o espaço profano é abolido pelo simbolismo do centro", onde qualquer ato real (significando "qualquer repetição de um gesto arquetípico") "suspende a duração, apaga o tempo profano, e participa no tempo mítico"[20]. O simbolismo do centro é um ponto sagrado (um templo, um altar, uma montanha, uma pedra, uma cidade) que, em si, configura o encontro do céu, da terra e do inferno. Montanha sagrada, Árvore da Vida e outras expressões de igual valor simbólico se referem ao simbolismo do centro.

Por mais que o homem moderno, histórico, iluminista tente sufocar os arquétipos, os modelos primais, escudando-se na lógica, na razão e na ciência, eles permanecem atuantes no cotidiano. Está aí o fundamento da psicologia junguiana. E também o fundamento do teatro de Antunes Filho, que encontrou em Jung e Eliade o necessário suporte para demolir as estruturas cartesianas, que eram um permanente estorvo ao desenvolvimento da sua linguagem e contra as quais sempre reagiu.

20. Idem, p.20.

Na elaboração do espetáculo as teorias e os conceitos até o momento comentados, que fundamentam a pesquisa do CPT, se justapõem em complementaridade. O pensamento materialista, radicado na dialética de Politzer e no ensaio de Engels, contribui para a formação da estrutura narrativa, estabelecendo claramente os conflitos presentes em cada personagem e no conjunto dos grupos sociais implicados; caracteriza sociologicamente cada grupo e acompanha sua relação dialética no decorrer da trama. Isto resultaria numa estética realista, caso os procedimentos criativos não contemplassem a perfeita interseção do pensamento metafísico.

A primeira abordagem metafísica é devida a Vico, para quem o homem primitivo ao nomear as coisas *cria* o mundo; ou seja, faz emergir os significados concretos a partir do amorfo, do caos. Ao descrever a importância da experiência mística nas sociedades tradicionais, Mircea Eliade dá, entretanto, as chaves do sistema, e este se completa com os conceitos de arquétipos e inconsciente coletivo de Jung.

O processo realça a natureza mítica da obra, mas não sem alguns problemas na lida com os novos conhecimentos. O mais agudo desses problemas estava na definição do que é o arquétipo, já que cada um dos pensadores o aplica em diferente sentido, como adverte Mircea Eliade no prefácio do *Mito do eterno retorno*:

> Ao usar a palavra *arquétipo*, deixei de esclarecer que não me referia aos arquétipos descritos pelo professor C. G. Jung. Foi um erro lamentável. [...] Nem seria preciso dizer que, para o professor Jung, os arquétipos são estruturas do inconsciente coletivo. Mas, no meu livro, não chego sequer a tocar nos problemas da psicologia de profundidade, nem faço qualquer uso do conceito de inconsciente coletivo.[21]

Arquétipo, para Eliade, refere-se a coisas específicas, elementos constitutivos dos mitos que aparecem conscientemente elaborados nos rituais das sociedades arcaicas. Já para Jung, "o arquétipo representa essencialmente um conteúdo inconsciente, que ao se conscientizar e ser percebido muda de acordo com cada consciência individual em que surge"[22]. E mais, conforme Jung, "os arquétipos só aparecem na observação e na experiência como *ordenadores* de representações, e isto sempre ocorre de modo inconsciente, portanto só podem ser reconhecidos *a posteriori*"[23].

21. Idem, p.12.
22. Carl Gustav Jung, *Arquétipos e inconsciente coletivo*, p. 11.
23. Idem, p. 178.

Ambos os conceitos seriam extremamente úteis; porém, nesse primeiro momento, usa-se o arquétipo com o significado que lhe confere Mircea Eliade. Ou seja, como representação ritualística que remete ao pensamento arcaico, o que é possível elaborar intelectualmente através da *mise-en-scène*. A aproximação ao conceito junguiano de arquétipo é mais complicada e só pode ser feita por intermédio do ator, desde que se encontrem meios apropriados para tornar o corpo um receptor de emanações arquetípicas. Só assim seria possível sair da *representação do arquétipo* (cf. o conceito de Eliade) e chegar à *atuação arquetípica*, com formas emergindo e se manifestando no corpo do ator. Definem-se dessa maneira a ideologia e o objetivo estético das pesquisas que Antunes Filho desenvolveria com seus atores no CPT por toda a década de 1980.

O artigo *Método de trabalho* comenta a dificuldade da leitura arquetípica em peça de contornos realistas, com "cor local", como *Os sete gatinhos*. Explica que "o impasse levou o grupo a materializar os espíritos citados referencialmente no texto, na tentativa de criar uma atmosfera *estranha* que, sem deslocar a obra de seu referencial, a transportasse a outra dimensão cênica, fugindo assim do falso naturalismo, tônica das produções que visam à obra do dramaturgo".

Ou seja, o impasse foi resolvido com recursos cênicos, com artifícios visando à *atmosfera estranha*, não naturalista. Continuava sendo a *cópia da realidade* e não manifestação dessa realidade, ela mesma, como se imagina que venha a ser a ação de arquétipos em cena.

Anos mais tarde, em *Paraíso, zona norte*, a mesma peça foi apresentada nessa outra visão de realidade. E um espírito "citado referencialmente no texto" surge em cena sem qualquer problema de *atmosfera*: na realidade em que se manifestava, era corriqueiro ele se manifestar. Isto é, a cena como um todo já havia superado o *realismo*, não precisava de recursos descritivos: cada evento cênico tinha um destino, transitava por ali e se relacionava com outros eventos, *fazendo a sua realidade;* isso só foi possível no entanto depois de resolver a questão de âmbito técnico no corpo do ator.

Registre-se que a elaboração de *Nelson Rodrigues, o eterno retorno* deu início a uma característica marcante da criação cênica antuniana no CPT: é feita uma *cirurgia* nos textos, eliminando o acessório e revelando a obra no que ela tem de essencial. Dizer que corta os textos é uma tola simplificação, pois a obra permanece inteira e eloquente no que realmente interessa, na sua condição poética intrínseca.

Álbum de Família em
Nelson 2 Rodrigues
Marcos Oliveira,
Marlene Fortuna e elenco.
Foto: **Rafael Issa**

Os conteúdos são selecionados, dispensando tudo o que é acessório, como diálogos que justificam acontecimentos ou cenas de observação ao pitoresco... Chega-se, desse modo, à estrutura básica, e, assim, a ação dos personagens passa a ser direta, em si mesma *reveladora*.

Esse mesmo artigo, *Método de trabalho*, se estende sobre o processo de criação mediante o emprego de improvisações, ou *workshops*, em que se buscavam traduzir "ideias, sonhos, imagens, enfim, tudo o que o universo de Nelson pudesse suscitar nos atores". Fase que reiterou a postura do ator-poeta, tendo Vico e Diderot como "autores básicos para o desenvolvimento dessa atitude estética". Acrescenta que na "busca de uma filosofia de arte utilizaram-se técnicas stanislavskianas, prevalecendo, porém, Diderot".

Percebe-se um momento de crise no processo, quando o código estético realista proposto movia-se em relação ao seu modelo stanislavskiano, dele se afastando. A nova visão de mundo propiciada pelo inconsciente coletivo e arquétipos fez que o processo se deslocasse da matriz original, mudando o valor do realismo psicológico. Mudava a concepção de *realidade* ao se contemplar os princípios arcaicos do *Real*. Estava claro que os atores se viam a braços com uma coisa inusitada para todos eles: lidar com arquétipos.

Lígia Cortez diz ter brigado muito no começo, quando Antunes passou a trabalhar com os arquétipos. "Achava que a visão dele tinha que ser freudiana", lembra ela.

> Se a Geni falava 28 *dias que estou te esperando*, não era por causa da lua, de nada, era por causa da menstruação. Eu tinha uma certa briga com isso. Depois, entrei no mundo dele e vi... enfim, com o mito do eterno retorno... que aquilo tinha uma dimensão maravilhosa no Nelson Rodrigues, que a leitura dele era perfeita. E até hoje não encontrei outra leitura que me fizesse ver o Nelson com a profundidade e com a amplitude que ele deu[24].

Marlene Fortuna, por seu lado, não hesita em dizer que "a coisa mais linda que aconteceu em minha vida, com o Antunes, foi entender a diferença dos estereótipos para os arquétipos". E explica:

> Eu vim do circo e no circo só se fazem estereótipos. E o que são estereótipos? São as marcas exteriores, o grito 24, a lágrima 32, a pancada 25... É o modelo de fora, são os carimbos exteriores. Quando entrei no grupo do Antunes fui fazer carimbos. Tomei o maior pau. Ele me disse *não é nada de estereótipo, é arquétipo*. E o que são arquétipos? São matrizes existenciais que se encontram no mais profundo do ser de todos os homens e mulheres. Segundo Jung, todos os homens e todas as mulheres têm em si marcas e registros profundos, muito profundos, desde o nascimento, e isso existe há muito tempo, desde que o homem existe[25].

E no mesmo depoimento Marlene Fortuna relata sua primeira improvisação da Geni, de *Toda nudez será castigada*. Apesar dos três anos na Escola de Arte Dramática, era ainda no circo, no *cheiro da serragem*, que ia buscar a técnica. Então, porque Geni era prostituta, recorreu "a muito batom vermelho, muito peito de fora, saia curta, mostrando a calcinha... isto é, estereótipo, a fotografia, o perfil da prostituta. Eu achava que estava agradando, mas o Antunes parou o ensaio e liqui-

---

24. Lígia Cortez, depoimento para o documentário *O teatro segundo Antunes Filho*.
25. Marlene Fortuna, depoimento para o documentário *O teatro segundo Antunes Filho*. As próximas citações de Marlene Fortuna procedem da mesma fonte.

dou comigo". Conscientizou-se então que "não é o batom vermelho, não é o decote com os peitos de fora, não é a bunda rebolando que vai construir o personagem, e sim eu muito simples, com roupas normais, sair à procura de elementos pelos quais eu possa entender o arquétipo, o de dentro".

A técnica utilizada na pesquisa é bem stanislavskiana: Marlene foi fazer *reconhecimento* em uma casa de baixo meretrício da rua Mauá. Antunes a preparou, alertando para que não perdesse tempo com a roupa das prostitutas, nem com os sapatos, nada disso: "converse com elas, leia a alma delas. Quem são? De onde vieram? Por que estão ali? Que fizeram de suas vidas? Por que essa opção? Como se chamam? Os pais sabem que são prostitutas? Têm filhos? Não têm? Ou seja, são estratégias, porque como vou pegar o arquétipo se é uma matriz interior? Tem que ter caminhos. Esse é um dos caminhos, que eu aprendi com o Antunes, para mexer nessa matriz original chamada arquétipo".

A estratégia fazia também buscar o equilíbrio, realizando improvisação com o oposto: Geni interpretada como uma santa, embora com o mesmo texto e as mesmas situações da prostituta. "É um outro exercício para ir fundo e tentar ler os arquétipos, porque não é uma coisa de fora, é de dentro."

Na preparação dos atores para a pesquisa de personagens e situações, usando o espírito do aprendizado do arqueiro zen, agora em conexão com o conceito de arquétipo, tomou forma o exercício que seria a coluna mestra de todo o sistema e sobre o qual voltaremos muitas vezes: o *desequilíbrio*.

Marlene Fortuna assim o explica e descreve:

> Dadas nossas perdas, danos, medos, rejeições, somos seres duros, com couraças. A primeira célula do trabalho é quebrar essa pedra que somos, que a vida nos fez. Nós não somos o que vemos de nós mesmos. Temos máscaras, colunas... e, para quebrar essas colunas, exercício de desequilíbrio. Você fica de pé, se balançando, meio como uma alga, e fica, e fica, se lança para o primeiro passo, se lança para o segundo passo, para o terceiro. Isso, na ideologia do Antunes, é uma maneira de ir quebrando o bloco de pedra que somos nós. E aí você vai ficando soltinho. Ficando soltinho com o corpo, você fica solto com a voz. E aí você dá para o diretor algum elemento de trabalho. Porque você quebra o seu tijolo. O próprio tijolo que a vida te fez...

3. Nelson Rodrigues, o eterno retorno

Estava lançado o exercício fundamental e o sistema começou a tomar forma.

Ao estrear no Theatro São Pedro[26], a 6 de maio de 1981, *Nelson Rodrigues, o eterno retorno* mergulhou a plateia numa atmosfera onírica de comovente beleza. Reinava o ator no palco despojado. Figuras imobilizadas, gestos congelados, movimentos lentos e frenesi coletivo conduziam a narrativa ao centro do universo rodriguiano, revelando-o numa dimensão nunca antes manifestada, à altura da dignidade artística do original.

O confronto desse espetáculo com a abordagem que Antunes e Grupo Macunaíma fariam à obra de Nelson Rodrigues, em *Paraíso, zona norte*, evidencia que em *O eterno retorno* atuava uma forma embrionária da ideia. Não estando ainda solucionada a questão dos arquétipos no plano do ator, o pensamento mítico não se estabelecia organicamente na linguagem. Era uma *interpretação* sujeita a dúvidas quanto à sua natureza. É anotada a defasagem entre ideia e realização, por exemplo, na apreciação crítica de Yan Michalski:

> A fusão desses elementos [...] cria imagens de uma insólita beleza [...]. Explicitamente, elas não *significam* os mitos e arquétipos que se pretendia traduzir cenicamente. Mas o impacto estético é de tal ordem que coloca o espectador num estado emocional favorável à reprodução, na sua memória afetiva, de sensações profundas, possivelmente ligadas àquelas remotas e ocultas raízes, que se queria desencavar, por intermédio do turbilhão de paixões que impulsionam os personagens rodriguianos.[27]

Para as imagens cênicas *significarem* mitos e arquétipos muita pesquisa e experimentação seriam feitas. Aquele foi o primeiro passo. Um passo que, se no confronto com resultados posteriores do trabalho do Grupo, parece tímido, naquele momento foi um respeitável avanço, revelando estética surpreendente, nova e renovadora.

Sábato Magaldi receava que "a possível imposição de um modelo comprometesse a gritante individualidade das criaturas rodriguianas", mas constatou que o "aparato *científico* não sobrecarregou de intenções doutrinárias a montagem, que flui movida apenas pela magia poética das palavras, das situações e das personagens", concluindo ser "uma realização feliz, de dramaturgo e encenador na plena maturidade criativa".[28]

26. O elenco, na estreia: Arciso Andreoni, Ary França, Cissa Carvalho Pinto, Cristina Bouzan, Francisco Dias Pagliaro, Isabel Ortega, José Ferro, Lígia Cortez, Luiz Henrique, Maithê Alves, Manuel Paulino, Marcos Oliveira, Marilia Valença, Marlene Fortuna, Ricardo Hoflin, Roberto Francisco, Salma Buzzar, Vera Zimmermann, Walter Portella, Whalmir Barros.
27. Citado por Sábato Magaldi, em *Nelson Rodrigues: dramaturgia e encenações*, p. 182. Publicada originalmente no *Jornal do Brasil*, a 12/5/81.
28. *Nelson Rodrigues: dramaturgia e encenações*, p. 179. Publicado originalmente no *Jornal da Tarde*, a 13/5/81.

Ilka Marinho Zanotto afirmava que, "se a genialidade de Nelson Rodrigues é incontestável, dificilmente sua obra terá equivalência cênica tão adequada quanto a montagem do Grupo Macunaíma"[29].

O espetáculo estreava cinco meses após o falecimento de Nelson Rodrigues e contribuía para erradicar o estigma de *autor pornográfico* que o acompanhava, colocando novos desafios a futuras montagens de suas peças. Cresceu enormemente, a partir daí, o número de intelectuais que se dedicaram ao estudo do teatro de Nelson Rodrigues, enfocando-o pelos mais variados ângulos, em incontáveis ensaios.

Para o CPT, o êxito sinalizava o acerto do processo. O espetáculo, reelaborado e reduzido a duas peças – *Álbum de família* e *Toda nudez será castigada* – foi apresentado, em 1982, na Alemanha e na Inglaterra e, mais tarde, na Espanha (onde encerrou a carreira, a 13 de março de 1985), recebendo em toda parte elogios da crítica e aplauso irrestrito do público. No *Suddeutsche Zeitung*, de Munique, Thomas Thieringer afirmou que

> poderia ser modelo exemplar também para o teatro alemão a maneira como Antunes Filho e seu grupo enriquecem o seu "teatro pobre" com refinado e expressivo estilo imaginativo, como desenvolvem, apenas com poucas cadeiras e mesas, espaços cênicos. Com o Grupo de Teatro Macunaíma, o teatro da América do Sul desenvolveu uma linguagem teatral própria e única, em meio à necessidade e à miséria[30].

"Desde os primeiros momentos [...] ficou patente que o diretor Antunes Filho e seu elenco talentoso estavam registrando outro triunfo", disse Richard Gott no *The Guardian*, de Londres. Enquanto Malcolm Hay falava, no *Time Out*, também de Londres, que "a disciplina e a produção visivelmente divertida do Grupo de Teatro Macunaíma é um deleite constante; a elegância suntuosa e o detalhe social perspicaz aproximam-se muito do efeito de um filme de Visconti, que você terá a oportunidade de ver num palco".

A seriedade do trabalho do grupo e o reconhecimento da crítica internacional aos espetáculos contribuíram para a continuidade do projeto. Havia incerteza quanto a sua viabilidade futura, no entanto ela era neutralizada ou minimizada pelas vitórias do presente. E graças à sua própria vitalidade o projeto logo encontrou seu porto seguro.

---

29. Citada por Sábato Magaldi, idem, p. 180.
30. Cf. reprodução no programa/catálogo de *Nelson Rodrigues* (1984). As citações seguintes procedem da mesma fonte.

4. Romeu e Julieta entre anjos e marinheiros

O projeto de Antunes Filho corria sério risco com as eleições para o governo do Estado, em 1982. As verbas procedentes da Secretaria Estadual de Cultura eram mínimas, porém cedendo o Theatro São Pedro a Secretaria fornecia indispensável suporte à continuidade do grupo. Com a mudança de governo esse suporte poderia ser retirado para atender a outras possíveis *prioridades* da futura administração.

O processo, no entanto, ganhara importantes dimensões para ficar ao sabor das contingências. Intelectuais e artistas, simpatizantes do Macunaíma, transformaram a simpatia em uma busca de alternativas para sua continuidade. E assim criou-se a ponte que viria ligar a realidade em arrebentação no Theatro São Pedro à política que se desejava adotar no SESC – Serviço Social do Comércio em favor do teatro.

Tradicional fomentador da cultura dramática, o SESC constituiu uma comissão para examinar a produção teatral no momento de redemocratização do país e avaliar o papel que a instituição poderia desempenhar nessa realidade, propondo nova orientação para trabalhos *com* teatro, tendo em vista as necessidades dos novos tempos.

O documento que consubstancia as conclusões do grupo de trabalho, assinado pelos integrantes da comissão[1] a 14 de março de 1982, começa examinando a produção teatral e suas dificuldades, dada a falta de recursos financeiros. Faz notar que os escassos patrocínios normalmente procedem de órgãos governamentais e se destinam à montagem

1. Formaram a comissão: Carlos Alberto Rampone, Carlos Lupinacci Pinto, Domingos Barbosa da Rocha, Erivelto Busto Garcia, Liliana de Fiori Pereira de Mello, Maria Theodora Arantes e Jesus Vazquez Pereira.

Hierofania

Os Anjos
Foto: **Claudia Mifano**

de espetáculos, beneficiando um número reduzido das peças produzidas e colocadas em cartaz.

Os produtores escolhem textos para elencos de no máximo quatro intérpretes e de autores consagrados, acreditando assim diminuir os riscos; pela mesma razão, sempre que possível, incluem no elenco um nome conhecido das telenovelas. Em contraposição a essa situação, a comissão vê nas cooperativas uma tendência mais realista de produção teatral, com os lucros e prejuízos divididos entre os participantes. Ao tornar viáveis as produções, as cooperativas possibilitam aos jovens profissionais do palco a experimentação e o aprendizado no exercício de várias funções, assimilando simultaneamente teoria e prática.

O relatório da comissão descreve o teatro que emerge de uma realidade sufocante, procurando reafirmar seu espaço. Os movimentos civis – primeiro pela Anistia, depois pelas Diretas Já – disseminaram a necessidade de novas posturas do cidadão. Isso ocorre em todos os campos de atividade, mas a desorientação se evidencia nesse teatro que já não reflete as questões sociais e se perde no *esteticismo de diretor*. Às dificuldades econômicas mesclavam-se carências ideológicas e a falta de técnica. Isso legitimava o *vale-tudo* como oposição ao pseudonaturalismo televisivo, que na realidade era o que mais se via em cena.

Nesse cenário ruinoso, entretanto, nem tudo parece irremediável. O documento realça a busca de recursos econômicos e também a busca de meios que ajudem cultural e tecnicamente aos profissionais. Um teatro arruinado, mas não imóvel nem conformado. A partir desse enfoque, a comissão sugere um plano de política cultural para o SESC.

O ponto mais importante do plano era o "Espaço para Discussão Teatral", a ser instalado no SESC Consolação, que seria "um centro formador de recursos humanos, irradiador e produtor de atividades culturais que tenham o teatro como conteúdo e forma de expressão"[2]. Propõem-se, como segue, atividades contínuas e sistemáticas de modo que formem no seu conjunto um programa de ação pedagógica aplicado ao teatro:

1. Fazer com que o SESC passe a produzir espetáculos teatrais, comprometendo-se com produções de baixo custo financeiro e elevado nível cultural.
2. Estabelecer novas formas de ligação entre as Instituições e os artistas, estimulando e orientando a formação de cooperativas de atores para teatro.
3. Formar atores e técnicos para teatro.
4. Pesquisar textos e autores e inovar na concepção e na montagem dos espetáculos que produzir.[3]

Isso vinha ao encontro do projeto desenvolvido no Theatro São Pedro por Antunes e o Grupo de Teatro Macunaíma. A afinidade de ideias e propósitos facilitou a negociação. O SESC encampou o projeto e instituiu o CPT – Centro de Pesquisa Teatral, na unidade Consolação, coordenado desde logo por Antunes Filho e tendo como núcleo principal o Grupo de Teatro Macunaíma, que permanecia cooperativa independente.

O Centro de Pesquisa Teatral ampliava as propostas do anterior Centro Teatral de Pesquisas, abrindo diferentes núcleos, que poderiam se converter em novas cooperativas. Uma vez estruturadas e com um espetáculo produzido, essas cooperativas ganhariam autonomia, desvinculando-se do CPT/SESC. Era a ideia.

[2]. Cf. cópia do documento original, p. 15.
[3]. Idem, p. 16.

Os frequentes e concorridos testes de admissão alimentavam os núcleos com gente nova, de modo que iniciada uma pesquisa, fosse no núcleo principal (o Macunaíma) ou em qualquer outro, ela continuaria ininterrupta mesmo com o inevitável rodízio de atores. Assim é que, enquanto o Grupo Macunaíma trabalhou sobre o romance de Ariano Suassuna, *A pedra do reino*; fez nova versão de *O eterno retorno*, que passou a se chamar *Nelson 2 Rodrigues*; montou *Romeu e Julieta* e constituiu o repertório apresentado de abril a dezembro de 1984, no Teatro SESC Anchieta, outros núcleos se formaram e trabalharam com diferentes temas, monitorados por assistentes de Antunes.

O núcleo Jorge Amado adaptou e montou *Os velhos marinheiros*; o núcleo Alice desenvolveu a adaptação do romance *Alice*, do pintor *naïf* José Antônio da Silva, que resultou no espetáculo *Rosa de Cabriúna*; o núcleo Xica da Silva desenvolveu as pesquisas sobre a legendária escrava que virou rainha do Tijuco.

Os núcleos correspondiam e honravam a ideia da formação de cooperativas, todavia apenas dois cumpriram todas as etapas: o Grupo de Arte Boi Voador e o Grupo Forrobodó. O primeiro teve importante atuação no panorama artístico paulista, nos anos 1980; o segundo encerrou suas atividades com a peça de estreia. Os núcleos Marcelo Rubens Paiva, monitorado por Ricardo Karman, e de ficção científica, monitorado por Maucir Campagnoli, prosseguiram, porém, com vida independente, mesmo sem o lançamento oficial pelo CPT/SESC.

No caso específico do Grupo Novo Horizonte, a atividade que o criou não tinha por meta a formação de profissionais e sim "proporcionar condições de integração entre os participantes e propiciar-lhes os meios para produzir um trabalho útil e criativo"[4]. Era um grupo de terceira idade, que fez viver no palco o espetáculo-poema *Os anjos*, do qual participaram "23 atores estreantes, com a idade média de 60 anos".

Inicialmente Antunes dirigia o Grupo Novo Horizonte, assistido por Luiz Henrique e Ulysses Cruz, que orientavam os atores nos exercícios. Fascinado pelo trabalho de Kazuo Ohno, que vira na Europa, Luiz Henrique passou às tentativas de introduzir nos procedimentos peculiares do CPT alguns elementos importados do processo criativo daquele grande artista. Isso logo se revelou bastante positivo, e Luiz Henrique assumiu a direção do Grupo, ficando Ulysses Cruz à frente do *núcleo Jorge Amado*.

4. Teatro SESC Anchieta, p. 120.

4. Romeu e Julieta entre anjos e marinheiros

Os modos de preparação do elenco aplicados no CPT exigiam muito do ator em termos físicos e, naturalmente, sofriam restrições num grupo de terceira idade, mas a limitação da performance corporal era altamente compensada pela carga de vivência dos integrantes. Por aí caminhou Luiz Henrique na direção do Grupo Novo Horizonte, criando o espetáculo *Os anjos*, que tornou personagens os próprios atores.

As memórias, as fantasias, as expectativas dos participantes constituíram matéria-prima da narrativa. Basicamente nisso, ou seja, na maneira de aproveitar a energia psíquica do ator para a expressão dramática, é que incidem conceitos provenientes de Kazuo Ohno.

Velhos Marinheiros
Hélio Cícero, Antonio Calloni, Luiz Thomas e Charles Lopes.
Foto: **Célia Thomé de Souza**

As memórias não foram usadas como *assuntos*, no sentido de se montar o enredo por intermédio delas; também não surgiam nos termos stanislavskianos, para reavivar emoções a serviço da estética realista; eram trilhas para a descoberta de particularidades do *eu* e para o aprofundamento na própria cultura. As fantasias e as expectativas de cada um são decorrentes de fatos passados, conscientes ou não, que geralmente se movem em atrito dialético com o meio. Do permanente confronto do sonho (a realidade transcendente) com o cotidiano (a realidade objetiva) surge o *drama* – um *drama* que não se define no plano do enredo, mas por imagens nascidas da carga energética dos intérpretes e da interação das diferentes vivências. Por meio de exercícios, os atores se concentravam nos elementos essenciais da sua experiência de vida. Os movimentos ganhavam plasticidade: tudo executado com lentidão, porém o gesto, carregado de significados, desvelava conteúdos mágicos do palco aparente ou materialmente vazio.

A estreia de *Os anjos* no Teatro SESC Anchieta, em agosto de 1984, foi recebida com desnecessária benevolência. Por ser trabalho de amadores idosos, não se procurou o entendimento da natureza estética do espetáculo – ignorância imbuída de simpatia com os *velhinhos*. Para a pesquisa em curso no CPT, *Os anjos* forneceram, no entanto, subsídios relevantes. Era outra forma de mergulhar no plano de imanências: mais pela vivência do que pela técnica dos atores – como um olhar pelo avesso do processo criativo.

O Grupo Novo Horizonte teve vinculação especial com o CPT; não foi um dos núcleos, rigorosamente falando. Seus integrantes não eram submetidos ao duro regime disciplinar nem à exaustiva carga horária dos demais núcleos. Ao integrante destes competia trabalhar intensamente, exercitar o corpo e a voz, estudar uma respeitável bibliografia, estar disponível de dez a quatorze horas diárias e não sair da linha.

O encenador Ulysses Cruz é um exemplo do interesse que despertava nos novos profissionais o processo criativo do CPT: embora tivesse realizado duas bem-sucedidas direções, quis ser assistente de Antunes. Disse em uma entrevista: "Vim ao CPT para aprender com o Antunes um pouco dessa receita que, na minha ingenuidade, acreditava existir. Comecei a vê-lo trabalhar e percebi que não existia receita. Tudo é fruto do homem superpreparado que ele é"[5]. E sob os estímulos do aprendizado Ulysses Cruz criou um dos mais belos espetáculos daquela época, *Os velhos marinheiros*.

No começo foi estudada toda a obra de Jorge Amado. Por fim, optou-se por *Os velhos marinheiros*, concentrando-se o trabalho nas aventuras do comandante Vasco Moscoso de Aragão, capitão de longo curso, e nos desafios que a vida e os invejosos do subúrbio de Periperi lançaram-lhe. E tantas coisas aconteceram no reino da imaginação e na modorra de Periperi, nessa história "por vezes salafrária e chula" a que o núcleo Jorge Amado se entregou por muito tempo para manifestar em imagens cênicas a indagação do poeta – "Como se elevou o homem em sua caminhada pelo mundo: através do dia a dia de miséria e futricas ou pelo livre sonho, sem fronteiras nem limitações?"[6].

A adaptação se realizava nos *workshops*, como era norma desde *Macunaíma*, sendo finalizada por Carlos Szlak. Resultou em um espetáculo de onze horas. Sobre esse farto material o grupo trabalhou até o espetáculo ficar com menos de três horas.

Ulysses Cruz confessa sua relação afetiva com o universo meio cafona, um tanto *kitsch*, de Jorge Amado. Em casa ficava pensando, elaborando cenas, buscando modos para que elas saíssem *ao sabor*, mas,

[5]. Em Sebastião Milaré: "Antunes & o teatro", *artes:*, n. 59, dezembro de 1984. As citações seguintes de Ulysses Cruz procedem da mesma fonte.
[6]. *Os velhos marinheiros*, p. 295.

no ensaio, as cenas tomavam rumos diferentes, viravam outra coisa. "Hoje em dia desisti dessa preparação. Por isso trabalhar no CPT é maravilhoso. Faço tudo seguindo o meu impulso, obrigo as pessoas a fazerem, executarem aquele impulso. Depois discutimos e a coisa vai se modificando, se transformando. Não há nada de preconcebido, nenhuma receita, nenhuma maneira de fazer, nenhuma regra."

Era uma *criação coletiva*: o diretor orientava e organizava as cenas, determinava o seu encaminhamento, mas os atores participavam ativamente da criação. Também a realidade econômica interferia. Ao começar o trabalho, Ulysses viu que não podia se sentar e dizer: "Vamos chamar o cenógrafo?". Precisava encontrar os recursos ali mesmo. Conta ele:

> A gente vive desdobrando materiais. O que eu tinha para começar o trabalho eram as caixas de madeira que serviam para transportar o material do *Macunaíma* para o exterior; e tambores que estavam guardados no porão; e pneus usados pela turma do esporte e que ficam guardados aqui. [...] Fui desdobrando as caixas. Saquei que não era uma solução arbitrária. O livro começa com a chegada de Vasco a uma cidade no interior da Bahia. De repente essas caixas são a bagagem que ele traz no trem. Mas o trem já é uma pilha de caixas que viram bagagem... e tudo começa a girar em torno delas. É o faz de conta. É o teatralismo.

Com caixas, tambores e pneus foi-se construindo o universo dos velhos marinheiros em desbordamento de maravilhas, numa absoluta e brilhante teatralidade.

Ao estrear a peça no Teatro SESC Anchieta, em abril de 1985, nascia o Grupo de Arte Boi Voador, uma cooperativa que se desligava do CPT para seguir vida independente. Ainda sob direção de Ulysses Cruz, o Boi Voador apresentaria na sequência *O despertar da primavera*, de Frank Wedkind, e uma bela adaptação do *Corpo de baile*, de João Guimarães Rosa, que observava o mesmo processo de criação de *Os velhos marinheiros*. Agregando jovens atores, sob direção de Jayme Compri, o Grupo de Arte Boi Voador enveredou pelo puro experimentalismo, e sua trajetória, embora não muito longa, deixou marcas no teatro paulista.

Já o núcleo *Alice* continuou trabalhando sobre o romance de José Antônio da Silva, com a interferência do dramaturgo Luís Alberto de

Abreu, que assinaria a adaptação do romance, com o nome de *Rosa de Cabriúna*.

A presença do dramaturgo correspondia ao esforço pela criação de um núcleo de dramaturgia no CPT. O material produzido pelos atores nos *workshops* subsidiava os estudos dramatúrgicos e, dessa maneira, a adaptação das obras se desdobrava em dois processos: o de criação estética e o pedagógico.

Era uma boa ideia, que poderia frutificar, mas não passou dessas adaptações. A incompatibilidade de Luís Alberto de Abreu com o sistema elaborado e estabelecido por Antunes Filho surgiria à época da montagem de *Xica da Silva*. O escritor se afastou e essa primeira tentativa de estabelecer o núcleo de dramaturgia morreu aí, porém não a ideia. Ao longo do tempo, Antunes foi tentando novos modos de incluir o estudo da dramaturgia e, finalmente, com as performances *prêt-à-porter*, a criação dramatúrgica voltaria a se apresentar como uma das áreas de pesquisa no CPT.

O imaginário do caipira paulista aciona as situações do romance *Alice*, que no teatro virou *Rosa de Cabriúna*, discorrendo sobre uma família cheia de filhas. A mais velha das filhas, sendo casadoira, acabou caindo de amores por uma figura diabólica e arrastou todas as irmãs ao "inferno", na sua ânsia de participar dos *jogos de sedução* propostos pela dita figura.

A direção de Márcia Medina logra conduzir o elenco na atmosfera *naïf*, como deve ser interpretada uma obra do Silva. Os atores jogam com a ingenuidade e a malícia dos personagens, dando credibilidade a esse universo por não ficarem na caricatura, no estereótipo: todos os personagens e as situações são profundamente humanizados, estabelecendo pontos de identificação entre os roceiros da ficção e o homem da cidade grande, que os observa e neles vislumbra o plano telúrico de sua própria cultura.

A estreia do espetáculo em setembro de 1986 lançava o Grupo de Teatro Forrobodó, segunda cooperativa formada dentro do CPT/SESC. A peça cumpriu temporada no Teatro SESC Anchieta, viajou pelo Brasil, foi elogiada pela crítica, aplaudida pelo público, mas a cooperativa não vingou: ficou apenas nessa montagem.

A atuação dos diversos núcleos dava ao Centro de Pesquisa Teatral um jeito de colmeia. Todos se movimentando, discutindo, desfazendo e refazendo trabalhos. Com a ideia de transformar a precariedade de cada um em potencialidade estética, valorizava-se a habilidade individual em determinadas disciplinas. Por exemplo, este sabe dançar, então vai ensinar dança aos demais; aquele sabe lutar caratê, o outro tem a técnica vocal, e assim por diante: as habilidades pessoais entram na roda, tanto para o aperfeiçoamento de quem as possui quanto para a iniciação e o treinamento dos demais. Sem prejuízo, é claro, dos exercícios normais do CPT, que em 1984 eram listados numa primeira tentativa de sistematização.

E outras rédeas mantinham dentro do controle a reunião de egos, sonhos e utopias que animavam o CPT. Eram rédeas disciplinares e éticas, cuja severidade era vista externamente como evidências do autoritarismo de Antunes. De fato, só tenho notícia de um outro conjunto teatral brasileiro regido por normas disciplinares tão severas quanto o CPT do Antunes: o Teatro-escola de Renato Vianna, que existiu em 1934/35, onde atores recebiam multas por infrações como fofocar, chegar atrasado ou abandonar a sala durante o ensaio "por não ter papel na cena", ou não tirar o chapéu da cabeça quando a boa educação mandava tirar. O próprio Antunes fala dos objetivos da disciplina:

> As pessoas aí fora estão acostumadas a chegar tarde... a pessoa não vai. Aqui não: o tempo é precioso. Aqui não é caserna, aqui não é convento. Não é isso, mas temos que respeitar um ao outro. Existe até uma moral rígida do grupo [porque] queremos passar a imagem de que o artista não é um marginal. De que o artista, realmente, é um cara importante, um cientista quase, que ele poderá dar muitos bens à comunidade. [...] Esse respeito mútuo eu solicito de cara. Outra coisa pela qual brigo muito é para descolonizar as cabeças. O ator que chega, que até aqui cumpria ordens, vai obedecer a esse princípio: tem que se descolonizar. Ele tem que saber que é um criador, um poeta, que não está para marcar passo, apenas desfilar coisas[7].

O paradoxo da liberdade é a responsabilidade. Ser livre, dizia Antunes, não é ficar no bem-bom: é ter responsabilidade com a comunidade. Não é lavagem cerebral, mas um esforço para que o ator se compenetre de que é um artista, um criador, não simples funcionário. "Se compenetre da importância de cada um, da responsabilidade de cada um com sua própria vida." Era específico sobre o que pretendia com os atores:

7. "Antunes & o Teatro", entrevista a Sebastião Milaré, *artes:*, n. 60, 1985.

"Tento formá-los para que sejam pessoas que saibam das coisas, que sejam livres e independentes. Saibam que, se amanhã não criarem uma obra artística, serão eles mesmos culpados disso".

A agitação dos diversos núcleos era bem organizada e hierarquizada. No topo da hierarquia estava Antunes Filho, com a certeza da sua própria honestidade: "Só sei que me oriento com honestidade. Por mais que digam que sou isso ou aquilo, o que me norteia na decisão é sempre a honestidade. Comigo e com os outros. É fundamental isso. Porque para liderar um grupo, como lidero, e ter o respeito dele... se eu fosse um mentiroso, um jogador maquiavélico, os atores já teriam me destruído, não acreditariam mais em mim".

E por que continuavam acreditando, a despeito das alas contrárias? Porque o CPT de Antunes Filho constituía para o jovem ator uma escola, um desafio e também um espaço de liberdade, que se ampliava do indivíduo para o coletivo e vice-versa.

O ritmo do trabalho não diminuía jamais. Havia sempre um novo projeto em perspectiva. Logo após *Nelson Rodrigues, o eterno retorno*, Antunes cogitou voltar a trabalhar sobre *Grande sertão: veredas*. Já nas sendas sertanejas, porém, desviou-se para o romance de Ariano Suassuna, *A pedra do reino*. Alteração de rota que se explica pela densidade mítica da obra de Suassuna. O grupo trabalhou um ano e o espetáculo ficou inacabado, porque o autor não aprovou a adaptação. A despeito disso, vale a pena examinar o romance pelos traços que certamente fascinavam Antunes: ele ilustra a busca de elementos míticos que corria junto à pesquisa de meios interpretativos no CPT.

Como um romance de cavalaria, *A pedra do reino* aborda fatos históricos, descrevendo-os pela ótica mística nordestina, última instância da cultura medieval ibérica. Narra aventuras e desventuras do cronista-fidalgo, rapsodo-acadêmico e poeta-escrivão dom Pedro Diniz Ferreira-Quaderna, que, na década de 1930, assume atitudes de cavaleiro andante e *príncipe destronado*. A ação transcorre em território encantado do Sertão da Paraíba, do qual Quaderna se supõe legítimo Imperador.

Na trama, o faz de conta adquire realidade concreta dos fatos corriqueiros e as personagens compõem uma sociedade que resume o mundo. Condição explicitada pelo humor genial de Suassuna quando Tia Filipa tenta responder a Quaderna "onde eram aqueles lugares maravilhosos, chamados Lorena, Alemanha, Baviera, Gênova e Bruxelas", dos quais falava a *A história de Carlos Magno e os Doze pares da França*:

> Não sei direito não, Diniz, mas deve ser longe como o diabo, ali por perto da Turquia, já quase na beira do mundo! Em Serra Talhada, existe uma família Lorena: portanto esses lugares devem ser pra lá do Sertão do Pajeú, de Serra Talhada pra cima, mais de sessenta léguas! Ou então é pr'os lados do Piauí, entre a Turquia e a Alemanha! A guerra do Doutor Santa Cruz contra o governo da Paraíba parece que foi pr'aquelas bandas, em 1912: mas o que eu me admiro é que alguns chamam ela de A Guerra do Doze, e outros de A Guerra de Catorze, e a gente fica sem saber quantos reis se meteram nela, se foram doze ou catorze! Meteram-se nela um tal de Togo do Japão, o Caisalamão, Antônio Silvino, os Pereiras, Dom Sebastião, Carlos Magno, os Viriatos, esse pessoal guerreiro todo![8]

O que orienta essa geografia é a noção arcaica do planeta, que seria de superfície plana, onde as terras cultivadas, as regiões povoadas, as montanhas escaladas, os rios navegados, as cidades, os santuários, como diz Mircea Eliade, "tudo isso tem um arquétipo extraterreno, seja ele concebido como um plano, como uma forma, ou pura e simplesmente uma cópia [do] que existe em um nível cósmico mais elevado". Para além da região civilizada – ou seja, pra lá da beira do mundo –, os sítios habitados por monstros, as terras não cultivadas, os mares não navegados "têm semelhança com o caos; e ainda assim participam da modalidade não diferenciada e disforme da pré-Criação"[9].

A visão de Tia Filipa torna heróis míticos os personagens históricos, como era prática nas sociedades tradicionais. Nesse mesmo universo nordestino, resumo do mundo, ao lado do cangaceiro Antônio Silvino, dos Pereiras (cujo chefe, Luis Pereira, é versão poética do *coronel* José Pereira, chefe do Levante de Princesa, no interior paraibano, em 1930, contra o governo de João Pessoa) e de outros heróis regionais, comparecem o *Caisalamão*, Carlos Magno e até um Togo do Japão. Acima de todos, o El-rei dom Sebastião I, o Desejado, rei de Portugal, do Brasil e do Sertão, desaparecido na Batalha de Alcácer-Quibir, cuja lenda afirma que ressurgiria no sertão para livrar o povo da miséria e do sofrimento. Essa reunião estapafúrdia de personagens históricos se explica na abolição do espaço-tempo concreto em favor do mítico. Une a rebelião

8. Ariano Suassuna, *A pedra do reino*, p. 71.
9. Mircea Eliade, *Mito do eterno retorno*, p. 21.

nordestina de 1912 à I Guerra Mundial, iniciada em 1914, levando Tia Filipa a entender o 12 e o 14 não como designações de calendário, e sim como números de reis envolvidos no conflito. Conflito que, a essa altura, só pode ser percebido no plano metafísico.

Algumas versões das lendas sobre o Império da Pedra do Reino dão Quaderna como herdeiro direto de d. Sebastião. Se não o for, em todo o caso, pertence-lhe igualmente o Império, já que é descendente de El-rei dom João Ferreira-Quaderna, o Execrável, que banhou as Pedras do Reino com sangue inocente, em orgias sanguinárias que poriam invejoso o próprio Vlad Tapes, da Valáquia. O empenho de Quaderna é da reconquista de seus domínios, onde há um castelo formado por duas gigantescas pedras.

Imagem significativa. "Entre tantas pedras", diz Eliade, "uma torna-se sagrada – e instantaneamente satura-se do ser – porque constitui uma hierofania, ou possui maná, ou porque comemora um ato mítico, e assim por diante. O objeto surge como receptáculo de uma força exterior que o diferencia do seu próprio meio e lhe dá significado e valor. [...] Ela resiste ao tempo; sua realidade combina-se com a perenidade"[10].

As discussões políticas, abundantes no romance, são determinadas pelas posturas discrepantes de dois intelectuais, um comunista e o outro integralista, cujos discursos brotam do caos desse sítio de reis, princesas, castelos, cavaleiros, beatos, cangaceiros, e atuam na imaginação de Quaderna sequencialmente, como *yin* e *yang*. As discussões culminam no longo depoimento de Quaderna ao corregedor, estabelecendo a distância entre dois mundos: o *oficial*, que tenta impor uma ordem à sociedade primitiva, e o *mítico*, que ordena a vida sertaneja por intermédio dos mitos e dos arquétipos.

O romance de Suassuna contém o manancial arquetípico que Antunes procurava. Entretecido de imagens do inconsciente e de fatos históricos, é campo perfeito para as pesquisas do CPT. Foram feitos exaustivos estudos sobre o Nordeste, abrangendo a cultura popular e a própria família de Ariano Suassuna. Dos dados históricos, folclóricos, religiosos vinham os subsídios para a adaptação. Afirma Walter Portella que não se definiu uma forma, não se chegou a uma linguagem específica para o espetáculo: "Se continuássemos, teríamos descoberto, já que o trabalho se encaminhava para isso". E acrescenta: "Era um espetáculo muito descritivo, narrativo. Chegamos a montar

---

10. Idem, p. 18.

um *copião*, mas o trabalho se interrompeu quando Suassuna desautorizou a adaptação".

Impossível avaliar em que aspectos a montagem significaria novo passo dessa busca, já que o espetáculo não foi terminado nem visto. Um quarto de século depois o CPT/Grupo de Teatro Macunaíma, com plena anuência de Suassuna, voltou a trabalhar sobre o romance, estreando o espetáculo em 2006 – portanto mais de vinte anos depois dessa primeira tentativa. A interpretação que Antunes dá agora ao romance é, necessariamente, diversa à daquele tempo, e sobre ela voltaremos a falar no epílogo deste livro. Mas, em vista do desenvolvimento do grupo naquela época, por certo o trabalho sobre tema mítico-sertanejo abria espaço para o mergulho na obra de Guimarães Rosa, que se daria logo mais com *A hora e vez de Augusto Matraga*. Antes, porém, Antunes levou seus atores das veredas do Sertão para Verona, lá reencontrando *Romeu e Julieta*.

A pátria da obra clássica é o homem. A obra de Shakespeare transcende os limites da Inglaterra e do século XVI: fala ao ser humano de qualquer latitude e de qualquer época. Assim é a questão entendida por Antunes Filho, e isso explica por que nesse repertório extremamente voltado para a nacionalidade surgem, num repente, *Romeu e Julieta*. Surge o discurso amoroso, nessa época, como o indispensável contraponto ao discurso do poder. Por isso é em Roland Barthes que Antunes vai buscar ferramentas conceituais.

O *discurso do poder* se alterava sensivelmente no Brasil. Os grandes movimentos civis contra a ditadura militar esbarravam na *transição* inventada pelos próprios militares para *arrumar a casa*, de modo que mais tarde não fossem pegos por conta dos desmandos praticados quando podiam tudo. Seria o drama shakespeariano um antídoto contra o discurso do poder, cuja preocupação era anunciar os *salvadores* da pátria e da democracia. Muita água turva rolaria ainda por baixo da ponte, mas o importante era evitar o domínio do ódio e recuperar na alma do cidadão o discurso amoroso. Talvez, naquele momento, o nosso encenador pudesse recorrer a obras de Shakespeare mais explícitas sobre as questões do poder e às quais, com sua genialidade reveladora, o bardo inglês tantas vezes se dedicou, entretanto isso levaria ao con-

Hierofania

Romeu e Julieta
Giulia Gam e Marco
Antônio Pâmio.
Foto: **Paquito**

11. Roland Barthes, *Fragmentos de um discurso amoroso*, p. 85.
12. Idem, p. 4.
13. Mariângela Alves de Lima: "Uma história de amor", programa de mão de *Romeu e Julieta*.
14. Sebastião Milaré, *Antunes Filho e a dimensão utópica*, p. 247.

fronto político-ideológico e nosso encenador-poeta queria, naquele momento, substituir o *discurso do poder* pelo *discurso amoroso*.

"O amor pertence à ordem dionisíaca do lance de dados"[11], afirma Barthes. Por aí caminhou Antunes, certo de que "a história de amor é o tributo que o namorado deve pagar ao mundo para se reconciliar com ele"[12]. E o tempo era de reconciliação por meio do amor, para que o país se levantasse das ruínas morais a que fora reduzido pela ditadura dos militares. O drama de Shakespeare vai ao fundo do coração humano e levanta a bandeira do amor contra preconceitos, autoritarismo, repressão. Esse roteiro inspirado em Roland Barthes se estabeleceu para narrar a história do *amor impossível* de Romeu e Julieta.

"As ações que se desencadeiam em cena", observa Mariângela Alves de Lima, "têm como núcleo gerador o impulso amoroso considerado aqui como força vital. É esse impulso que deve prevalecer na composição estética do espetáculo". E depois: "Uma das impressões que o espetáculo dá é de que não há uma ideia posta em cena, mas uma energia que se refere a Eros e não pode ser entendida como analogia. Aparentemente há uma afirmação do impulso amoroso como alguma coisa associada à criação cênica e que pode comunicar-se aquém ou além da consciência"[13].

No auge da ditadura, em 1973, ao montar *Bodas de sangue*, de Lorca, Antunes Filho colocou em cena crianças como "elementos de resistência e mensagem de alento: as crianças simbolizam o renascer, a continuação, a permanência do homem e seu triunfo sobre as adversidades"[14]. A mesma simbologia flui em *Romeu e Julieta*, com seu elenco formado majoritariamente por adolescentes – mocidade radiante que materializava em cena o "discurso amoroso".

4. Romeu e Julieta entre anjos e marinheiros

A juventude do elenco, por outro lado, trazia a inconveniente falta de experiência, agravada pelo fato de se estar às voltas com a grande poesia. As buscas, então, abrangeram modos de interpretar Shakespeare mesmo sem dispor, como se referiu Alves de Lima, "de uma tradição de explorar na fala as nuanças do verso shakespeariano".

"A encenação recorreu antes ao dramaturgo do que ao literato", disse a crítica, acentuando que o elenco conseguiu "adentrar a poesia e resolver a narrativa sem sucumbir ao peso das metáforas verbais". E prossegue: "Em todos os momentos em que a poesia é invocada pela ação há uma ação identificando os impulsos que geram essa forma de linguagem. Nas falas que cantam o amor e a excelência do amante é possível perceber a origem irmanada da poesia e da dança. São frases que a encenação traduz por movimentos de aproximação, sedução e finalmente pelo deleite do encontro amoroso".

O espetáculo era todo invenção, destruindo qualquer traço das velhas concepções de "como encenar Shakespeare". Em linguagem juve-

Romeu e Julieta
Marco Antônio Pâmio, Giulia Gam, Lúcia de Souza, Adriana Abujamra, Flávia Pucci, Cissa Carvalho Pinto e elenco.
Foto: **Paquito**

nil, sublinhada por músicas dos Beatles, com sua energia e natural rebeldia os atores narravam a história de amor, porém a aparente espontaneidade estava solidamente apoiada na rigorosa preparação técnica. Podia faltar experiência, tanto artística quanto de vida aos atores que se encarregaram dos principais papéis, mas não faltava técnica nem consciência do fazer artístico.

Assim é que em abril de 1984, quando o CPT e o Grupo de Teatro Macunaíma estrearam *Romeu e Julieta*[15] e estabeleceram no Teatro SESC Anchieta o sistema de repertório, a proposta de "Espaço para Discussão Teatral", constante do documento da comissão formada no SESC, mostrava-se vitoriosa: o CPT era esse espaço. As atividades dos vários núcleos correspondiam precisamente ao que fora proposto no documento.

Aos poucos, os diversos setores se organizavam e equacionavam seus problemas, transformando-se. As pesquisas sobre meios interpretativos deslindavam soluções e o processo ia se descomplicando. O apoio à constituição de cooperativas de teatro voltava-se agora para a formação do ator, do cenógrafo, do iluminador, do *designer* sonoro, enfim: do profissional do palco. A esta forma – a mesma em que o CPT/SESC se encontra hoje – foi-se chegando aos poucos, pela depuração e pelas descobertas.

No ano de 1984, o processo deslanchou. Atendendo à rígida disciplina do CPT, os atores participavam de *Romeu e Julieta* e das outras peças que compunham o repertório: *Macunaíma* e *Nelson 2 Rodrigues*. Um regime de trabalho intenso que, ao mesmo tempo, era de aprendizagem, pesquisa e criação.

Os espetáculos constituíam a face pública, ou publicamente visível, do CPT, enquanto os exercícios e as pesquisas interpretativas também ficariam documentados em uma apostila, escrita por eles. Foi a primeira tentativa de se descrever o método então em pleno desenvolvimento.

15. Formavam o elenco, na estreia: Adriana Abujamra Aith, Arciso Andreoni, Cecília Homem de Mello, Cida Rodrigues, Cissa Carvalho Pinto, Cláudio Saltini, Darci Figueiredo, Evaldo Brito, Flávia Steward Pucci, Francisco José., Giulia Gam, João Bosco Cunha, Kiko Guerra, Lígia Cortez, Lúcia de Souza, Luiz Henrique, Malu Pessin, Marco Antônio Pâmio, Marcos Oliveira, Marlene Fortuna, Olair Coan, Oswaldo Boaretto Jr., Salma Buzzar, Ulisses Cohn, Walter Portella.

5. O método anunciado

Enquanto no Teatro SESC Anchieta era apresentado o repertório do Grupo de Teatro Macunaíma, de abril a dezembro de 1984, os atores dedicaram-se à elaboração de pequeno compêndio sobre o método do trabalho. O resultado é uma apostila de 20 páginas, datilografada, onde se resumem os procedimentos vigentes para a preparação do ator. A leitura desse compêndio surpreende pela clareza com que Antunes Filho colocava suas ideias da arte do ator. As diferenças entre os conceitos daquela época e os atuais são irrelevantes.

Havia um projeto com estrutura desenhada, alicerce e bibliografia de referência. Na estrutura evidencia-se o pensamento de Diderot: os meios pesquisados têm em vista propiciar ao ator a lida com a emoção sem se deixar dominar por ela. Já se delineia o espaço entre o ator e o personagem, propiciando o *afastamento*, que assumiria primordial importância no método. Aí está, também, *A arte cavalheiresca do arqueiro zen* ilustrando a maneira nada cartesiana e toda zen de entender a relação sujeito/objeto. O ator em cena é *yin/yang*, acionado por contradições. Para cercar as contradições e dar-lhes unidade, o método dialético de Politzer é excelente instrumento. Como o endereço final é a criação de um fenômeno artístico, Artaud interfere para caracterizar a natureza e o destino da pesquisa, segundo uma ideia de *encenação metafísica*.

O compêndio foi dividido em três capítulos – *O preparo técnico do ator*, *O preparo espiritual do ator* e *A construção do personagem*. Interessa examinar esse escrito, porque ele reflete com fidelidade o estado inicial da teorização do método, cuja construção é o objeto de nosso trabalho.

O preparo técnico do ator

Desequilíbrio

O primeiro capítulo começa pelo *desequilíbrio*, exercício que tem antecedência no *antigesto* e no *alavanca*, adquirindo contornos próprios em ideias zen-budistas. A sua importância, já nessa época, é patente. Diz a apresentação que "o exercício do *desequilíbrio* é o princípio básico para a formação do ator e com sua prática constante pode-se tomar consciência dos músculos e desbloquear o corpo"[1].

Em poucas linhas é descrito o movimento físico do *desequilíbrio*: "Deslocar-se de um ponto a outro no espaço com o menor número possível de músculos tensos, deixando o corpo à mercê da força gravitacional, num relaxamento harmonioso, tornando esse deslocamento absolutamente agradável e natural".

O *desequilíbrio* estabelece um conjunto de condições "para que não haja nenhum tipo de tensão ou contração muscular além das necessárias e suficientes". Trata-se de "um processo dinâmico, onde o ator deve massagear os músculos e ter controle do corpo, para que este fique apto a responder a qualquer estímulo". Isto porque "toda tensão desnecessária é um obstáculo intransponível para a expressão artística. O corpo só reage ou percebe os estímulos se estiver desbloqueado e à mercê da situação proposta".

O *desequilíbrio* busca um estado físico e mental que se assemelha ao do arqueiro zen no momento da prática do tiro com arco. Conforme Herrigel, seu mestre orientava os alunos no sentido de que não estirassem a corda "aplicando todas as suas forças, mas procurando dar trabalho unicamente às mãos, enquanto os músculos dos braços e dos ombros ficam relaxados, *como se estivessem contemplando a ação*, sem nela intervir. Somente quando tiverem aprendido isso é que cumprirão uma das condições para que o tiro se *espiritualize*"[2].

Também o *desequilíbrio* se dá com os músculos dos braços, dos ombros e das pernas relaxados e *contemplativos*, numa atitude de *não ação*, na tentativa da *espiritualização* do gesto, do movimento, o que demanda um trabalho árduo contra o ego, que ataca com suas fanta-

1. Apostila do método, 1984. Cópia cedida ao autor por Marco Antônio Pâmio. As citações seguintes procedem da mesma fonte, salvo nota em contrário.
2. Eugen Herrigel, *A arte cavalheiresca do arqueiro zen*, p. 30.

sias e ansiedades. É necessário acalmar o ego, dominá-lo, para que não interfira no fluxo de energia.

Respiração

O segundo item do primeiro capítulo trata da respiração. Afirma que "cada indivíduo tem a sua própria pulsação respiratória", devendo o ator "conscientizar-se dessa respiração e buscar, por intermédio da sua pulsação, a maneira de respirar do personagem".

Desenvolve o raciocínio sobre as propriedades da respiração do ator, mas não traz uma definição técnica mais concreta. Percebe-se que Antunes tinha clareza do problema e sinalizava forte tendência a abandonar os conceitos vigentes de técnicas respiratórias. Não havia, no entanto, encontrado novos conceitos com a necessária fundamentação que substituíssem os antigos. Então, o velho e o novo conviviam pacificamente, mas num movimento ininterrupto do velho buscando sua própria superação para renascer no novo.

Expressão vocal

A precariedade dos conceitos de respiração fica mais evidente no terceiro item do capítulo, que trata da "expressão vocal". Ali consta que a respiração "deve ser diafragmática e não torácica", afirmação justificada com o argumento de que esta última, "limitada apenas ao tórax superior, diminui a capacidade respiratória, enquanto que aquela, dado o movimento do diafragma, permite um aumento da capacidade respiratória".

Repetia, portanto, os conceitos vigentes de colocação da voz, projeção e articulação. Nesse aspecto, o método em 1984 pouco ou nada avançara, e, realmente, a *expressão vocal* custou a encontrar técnicas que a incluíssem no sistema, porém a atenção que recebeu no compêndio indica a seriedade com que era encarada a questão.

O preparo espiritual do ator

Banco aéreo

O segundo capítulo tem início pelo *banco aéreo* – estado ao qual o ator chega depois de ter "conquistado organicamente o *desequilíbrio* e se conscientizado de sua respiração". O *banco aéreo* seria o patamar em que o ator "não possui controle consciente dos estímulos mais sutis que lhe emergem do subconsciente, entrando num estado gasoso, onde as suas emoções fluem não mais de forma racional, promovendo a integração de si mesmo com a natureza e o Cosmo".

Esse texto observa também que normalmente

> o ator entra em cena munido de certas tensões que lhe possam dar alguma garantia de estar representando, ou seja, preconceitos captados aleatoriamente a partir daquilo que ele *imagina* ser a cena. A maioria dos atores possui uma visão idealista da ação teatral, pois concebe aprioristicamente todo o trajeto de uma cena, como se estivesse predestinado a ela. Com isso, é inevitável a mecanização da cena, pois o seu desenrolar está resumido em pequenos *clichês*, ou *cofrinhos*, dos quais o ator lança mão para resolver de maneira simplista a complexidade da alma humana. As emoções e sensações estão compartimentadas, congeladas, de modo que, em nome de uma suposta segurança, tudo já esteja sabido e armado antecipadamente.

O *banco aéreo* é o primeiro passo no propósito de romper com as tensões que fazem o ator *acreditar* que está representando. Pressupõe, no entanto, que ele tenha conquistado o *desequilíbrio* e, assim, acalmado e dominado o ego, para que este não interfira no fluxo de energia com fantasias e ansiedade. O *banco aéreo* depende não apenas de o ator dominar o *desequilíbrio*, mas também de ter concluído boa análise intelectual do personagem e estabelecido a programação, deixando claras as diversas fases da evolução do drama. Estará, desse modo, lidando com os contrários: na estrutura racional, cartesiana, abre espaço para o inesperado e o surpreendente por meio do *desequilíbrio*. Estará receptivo e pronto para "captar a verdadeira chuva de átomos de estímulos que partem do exterior à sua volta ou do seu próprio interior".

Descreve-se, desse modo, os primeiros passos da ideia motora do processo criativo de Antunes Filho. Na verdade, tais passos parecem discrepantes em face da proposta do novo ator. Isto porque a faculdade de trabalhar com a *chuva de átomos de estímulos* parece se contrapor à matriz proveniente de Diderot, que o quer – a ele, o ator – calculista e senhor da ação, jamais perdendo o controle dos estímulos recebidos, por mais sutis que sejam. Discrepante também em relação às premissas sacadas das leituras taoístas e zen-budistas, de onde vem a ideia de emoções fluindo e da integração do ator com a natureza. Seriam necessários, evidentemente, outros respaldos teóricos para eliminar a discrepância do conceito e elevar sua ambiguidade à esfera da criação artística.

Visualização dos estímulos

O segundo item ocupa-se dos *estímulos corretos* de uma cena, que podem ser descobertos tanto na análise do texto quanto no *banco aéreo*. "A partir do momento em que há um estímulo, este é levado em frações de segundo pelos nervos ao nosso sistema de comando central, que envia resposta dos músculos e da respiração, fazendo com que todo o corpo reaja." A visualização dos estímulos exige capacidade perceptiva bem desenvolvida e muita sensibilidade, pois a ocorrência é extremamente rápida, dá-se de forma quase imperceptível, mas são esses estímulos que tornam orgânica a interpretação.

A ideia é captar elementos de ordem subjetiva ou espiritual do personagem e mantê-los sob controle. "Ao visualizar o estímulo e a maneira como o organismo reage a ele, é necessário que haja a incorporação imediata dessa manifestação, para que em cena não seja preciso pensar nela, pois já está *pensada*. Ou seja, ela flui naturalmente sem que o ator tenha que se preocupar com a forma de reagir", mas, "para que isso se torne inteiramente parte do nosso organismo, cabe num primeiro momento a *visualização* desses estímulos recebidos e das respostas que o organismo mandará".

Jogador/desequilibrado

A proposta básica do *desequilíbrio* é propiciar ao ator um estado de alteração de consciência, tornando-o capaz de receber e irradiar, na forma expressiva, os "átomos de estímulos" produzidos pela ação dramática. Se ficasse nisso, haveria grande risco de o ator deixar-se levar pela emoção; porém, sendo ao mesmo tempo desequilibrado e jogador, recupera o equilíbrio. Desse modo, o terceiro item, "Jogador/desequilibrado", introduz o indispensável oposto, para dar sentido e função ao *desequilíbrio*.

Ao jogador compete o domínio da programação e arbitrar ocorrências incidentais, mantendo sempre limpo e desimpedido o fluxo. É ele quem comanda e orienta o desequilibrado sobre "cada passo que deve tomar em cena". Assim, o ator desdobra-se "em duas formas que lhe permitem ao mesmo tempo controlar e deixar-se levar pelos estímulos. É como uma sombra dotada de vontade ou como a marionete e o manipulador".

A construção do personagem

Defasagem ator/personagem

O *desequilíbrio* e o *banco aéreo* compõem a estrutura básica do método, e o *jogador/desequilibrado* é seu principal agente. No terceiro capítulo esse *agente* é colocado em questão, a começar pela *defasagem ator/personagem*, que institui um espaço entre ambos e estabelece o plano de ação dramática dinamizador da estrutura. Esse espaço nasce da ideia de que o ator não irá *ser* o personagem e sim *imitá-lo*. A proposta é, portanto, de *não identificação* ator/personagem.

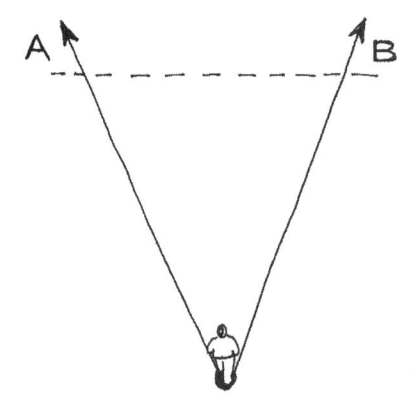

O gráfico acima propõe esclarecer o raciocínio: a base comum entre ator e personagem é a vida, representada pelo ponto do qual partem duas retas perpendiculares, que se afastam. A reta A é o ator e a reta B o personagem. São as características de um e do outro que as afastam. Ou seja, o ator deve estudar as características do personagem, confrontando-as com as suas. Assim, constata a defasagem entre ele mesmo e o ser fictício ao qual deverá dar vida. Coloca-se na situação do personagem e se questiona. As respostas ao seu questionamento devem vir organicamente. Ele deve achar respostas condizentes com a *sua verdade*. Estará, desse modo, *suprimindo* as diferenças psicológicas, sociológicas e biológicas que o afastam do personagem e, portanto, identificando-se.

A essa fase é dado o nome de *definição*, pois é necessário definir precisamente o caráter do personagem para que a imitação seja perfeita. "Com a precisão em todas as etapas do trabalho, em cena quem falará é o organismo do próprio ator, que estará dessa forma mais disponível para imitar um personagem."

Sem dúvida, há consideráveis resíduos do realismo stanislavskiano, apesar dos esforços para romper seus limites. E de certo modo os rompe, mas servindo-se de conceitos que ainda não amadureceram nem encontraram meios adequados, embora estejam presentes e sejam fundamentais para o desenvolvimento do método.

Os novos conceitos se iluminam em três aspectos do trabalho: na postura do ator ao lidar com atitudes contrárias à sua índole; na *definição*; e no espaço criado graficamente pelas retas que se afastam ao descreverem características do ator e do personagem.

Jogo de contradições

Consta ser necessário "justificar as atitudes [do personagem] contrárias à nossa índole e os valores diametralmente opostos aos nossos" para dar ao personagem "a plena dimensão da existência de um ser humano".

Como abrir uma discussão íntima e profunda sobre personagens como Hitler ou Stalin, se for o caso de *imitar* um ou outro em cena, sem recorrer aos clichês que o consenso sobre os mesmos cristalizaram? Torna-se indispensável remover os clichês e, lá no fundo, descobrir nesses personagens históricos os seres humanos que foram. Mostrando-os mediante clichês, serão os *monstros* já conhecidos e nada mais. Porém, ao humanizá-los, os resultados monstruosos dos seus atos terão um novo sentido e, embora já conhecidos pela plateia, parecerão mais *reveladores*, como se fossem informações inéditas. Está aqui implícito o jogo de contradições para o qual o ator deve estar preparado: vai procurá-las no personagem, depois confrontá-las com suas próprias contradições, obtendo assim os opostos que darão vida à sua performance.

Definição

A *definição* implica a eleição de aspectos do personagem que melhor definem o seu caráter e que possibilitam a imitação perfeita. A *definição* deve conduzir ao plano de dados reais, concretos, rechaçando tudo o que for mera elucubração e que incida no abstrato, no óbvio ou no clichê. Trata-se de propiciar a máxima nitidez ao personagem, como em uma foto: jamais deve ficar *desfocado*, com contornos imprecisos, que se diluem. Ter o personagem bem definido é meio caminho andado para sua perfeita realização em cena.

Afastamento

Finalmente, nesse conjunto de conceitos surge o gráfico representando a defasagem ator/personagem, desenhando (ou melhor: construindo) um espaço entre ambos que, ao mesmo tempo, os diferencia e identifica. Naquela época, a ideia não era clara e, talvez, o espaço nem tivesse surgido como um autêntico *espaço sagrado*, que propicia o *afastamento* ator/personagem. A ideia de Antunes foi demonstrar numa imagem gráfica diferenças fundamentais entre ator e personagem já por suas características, embora ambos tenham em comum a vida. E a distância entre os dois (representada no gráfico por uma linha pontilhada que liga as duas retas já afastadas) deveria ser *suprimida*. A imagem estava correta, mas a interpretação falha: as diferenças não devem ser suprimidas – são matéria-prima para a criação. O importante é que o espaço entre ator e personagem vai se concretizando, tornando-se um dos aspectos mais importantes do método.

Texto

O segundo item, abordando o texto, traz uma visão particular e bela do poder revelador da palavra. Vale a pena reproduzi-lo:

> Por intermédio da *fala* (texto), o ator estabelece o primeiro contato com o personagem. O estudo profundo, desvendando o porquê de cada palavra, é a condição primeira para se inteirar do universo do personagem em questão. Ele se define pela palavra, posto que a palavra é o próprio pensamento.

Por meio dessa análise, pode-se conhecer desde as características mais visíveis, por exemplo, as condições socioculturais do personagem, até características mais complexas, como a sua estrutura de pensamento. A fala é um ato de autoconhecimento. A palavra define: a impressão transforma-se em pensamento real à medida que falamos. A *fala* do personagem é gerada por um estímulo e tem a carga desse estímulo. A palavra nasce de uma necessidade interior e disso decorre a maneira como é dita. Pode-se afirmar que não há *inflexão*, ou que não existe *uma forma de dizer*. O ator não pensa para falar: a palavra é inédita. Não é gerada por qualquer pensamento, mas por um estímulo. O que precede à palavra é apenas uma sensação. O ator deve se preocupar em seus estudos com esse impulso: a palavra vem como decorrência dele. Decorar o texto de um ponto de vista que não seja este é incorrer no grave erro da recitação sem nenhum conteúdo.

O valor fenomenológico da palavra está evidente, denunciando a influência de Vico e de Bachelard. Este tema logo evoluirá para a reflexão sobre a dualidade *significado/significante*. Explica, também, a cirurgia que Antunes faz no texto, eliminando o acessório ou ilustrativo. A palavra deve ser reveladora do objeto e sempre gerada por impulsos interiores, não comandada pelo cérebro ou pelo intelecto.

Esse entendimento elimina um antigo dogma do teatro que é a inflexão elaborada, muitas vezes determinada pelo diretor e copiada pelo intérprete. A justa inflexão o ator vai encontrar naturalmente, com o profundo conhecimento do personagem e do seu contexto, jamais será convencionada e ensaiada visando apenas a *efeitos dramáticos*.

Programação

Pode-se dizer que o personagem é *pego pela palavra*. O ator deve invadi-lo metodicamente, desmontando frases, procurando no que é dito os sentidos ocultos. Não apenas isso, porém: a análise do texto leva ao conhecimento do personagem e do seu meio ambiente, mediante o uso do instrumental teórico possível, a começar pela dialética, incluindo psicologia, sociologia, história e qualquer outra disciplina e/ou literatura que possa contribuir. Além, evidentemente, de um profundo estudo do autor e da sua obra. Disso resultará a *Programação*, a que se refere o terceiro item do capítulo.

Todos os dados recolhidos, seja no plano interior do personagem, dizendo respeito às suas motivações e à sua história pessoal, seja no ambiente em que ele se move, devem estar presentes na *programação*. Especial importância é dada ao passado do personagem, obtido por indicações fornecidas direta ou indiretamente pelo texto, porém jamais perdendo de vista a realidade, já que a vivência do personagem tem seus fundamentos no *real*. E, "quanto mais passado o personagem tiver, mais claro e objetivo o ator estará em cena".

Daí a insistência na necessidade de se conhecer pormenorizadamente todos os detalhes da vida e do ambiente, sem esquecer qualquer detalhe: "o dado vago resultará num fotograma em branco na cena" e "a suposição é inviável nesse universo teatral".

Depois de dominar a programação, o ator deve "automatizá-la, tornando-a organicamente sua, para, em seguida, esquecê-la". Isto é, se a programação for bem-feita, todos os dados, desejos e objetivos do personagem estarão introjetados no ator. Não é necessário mais pensar neles. "O ator não pensa, tudo foi previamente pensado na programação."

Ensaios

Chega-se às *fases do ensaio*, quarto item do capítulo, em que se afirma que o ator se coloca como *cobaia de si mesmo*. Torna-se o *desequilibrado*, "livre para captar todas as relações e nuances emocionais da cena, sem que tenha determinado previamente nenhuma atitude, pois tudo está por acontecer".

Há aqui uma séria advertência no sentido de que o ator deve ter "um comprometimento absoluto com a realidade, buscando o cotidiano, a vida, sem ter qualquer noção de estar fazendo teatro". A semelhança com o real estende-se às roupas, aos objetos e a todos os detalhes da cena que convergem à proposta do ator e o ajudam na recriação da vida. A partir disso, ele passa a definir o caráter do personagem, transformando-se no *jogador*, que "torna cada vez mais claro para o público o caráter do personagem".

Desse modo, conhecendo "todas as regras do jogo e de posse de todas as peças, o ator revela sua habilidade de iludir e criar a sensação do real, mediante a volúpia do prazer".

Construindo a expressão

Ao capítulo da *Construção do personagem* foi acrescentado o quinto item para reforçar que a expressão dos sentimentos de um personagem em cena é *construída* pelo ator e não imposta mediante a força bruta do sistema nervoso e muscular (fiação interna). Lembra ainda que o relaxamento e a atenção são fundamentais, e não se deve entender o relaxamento como um estado de *pasmaceira*, mas de pulsação.

O *desequilibrado* deixa-se levar pela imaginação, atualizando gestos e sentimentos sob o comando do *jogador*, que projeta para o público esses gestos e sentimentos. O contrário disso é a ilusão de sentir e expressar o sentimento no ato, usando músculos tensionados, em lugar de construí-lo. Essa orientação é mais bem explicada com o exemplo: "contraímos os músculos da face para mostrar que estamos com ódio". Um erro: no lugar da expressão verdadeira do sentimento, temos uma bela careta.

> Já está mais do que provado que o problema está dentro de nós e não fora. Podemos estar mortos de ódio e ao mesmo tempo completamente relaxados. Se nos contrairmos por inteiro para sentir ódio, não vamos conseguir fazê-lo e ficaremos cegos ao que se passa à nossa frente. Em outras palavras, ficamos *cegos de ódio*. Se, em vez disso, tivermos o problema concretamente dentro de nós, não precisamos contrair nenhum músculo: a expressão acontecerá por consequência.

Conclusão

"Para se estar pleno no palco é preciso conquistar a liberdade" por meio da reflexão, do estudo e do autoconhecimento, que levam à solidão. Não retraimento ou alienação, nem egoísmo: solidão é espaço para posicionamentos interiores e percepção de si mesmo; para se tomar atitudes responsáveis e intransferíveis. "Não existe tempo nem espaço definido para o exercício da solidão, que deve ser compreendida como uma questão moral."

Para que o ator seja independente e livre não pode "se esconder atrás de suas tensões, manifestadas como excesso de relaxamento, defasagem no tempo das falas, etc. Toda ausência de precisão deve ser evitada, sem que o ator se sujeite às informações recebidas, mas as transforme em fatores orgânicos, só então as colocando em prática".

É fundamental que o ator tenha consciência do seu papel social, como artista, e sinta a necessidade do aperfeiçoamento constante. "O *desequilíbrio* e outras técnicas o ajudarão na conquista da independência, pois o preparo técnico favorece o artista que busca autonomia para criar livremente, sem a necessidade das mãos paternalistas da direção."

A leitura da apostila produzida pelos atores do CPT em 1984 não deixa dúvidas de que já nessa época o método Antunes Filho tinha as propostas básicas estabelecidas, mesmo que ainda não estivesse resolvido, apenas anunciado. A estrutura e a mecânica solicitavam procedimentos que as tornassem eficientes no objetivo de dar ao ator verdadeira autonomia, torná-lo um artista, um criador autêntico, livre e não prisioneiro dos vícios e de dogmas falidos da arte de representar.

Os três conceitos essenciais do método – *desequilíbrio, jogador/desequilibrado, banco aéreo* – permaneceriam válidos, por muito tempo, sendo por fim transformados ou distribuídos entre novos recursos técnicos e conceitos agregados ao plano original, que vinham a dinamizar e unificar a ação criativa. De qualquer maneira, mesmo sob diferentes nomenclaturas, inseridos ou sintetizados em outros exercícios, permanecem válidos e atuantes até hoje. Daí a importância de examinar as ideias que os inspiraram e as teorias que os respaldaram para compreender seus fundamentos e sua lógica interna.

Taoísmo e zen-budismo são os principais orientadores da pesquisa realizada no período entre as montagens de *Romeu e Julieta* e *A hora e vez de Augusto Matraga*. Não se deve inferir, contudo, que Antunes tenha deixado de lidar com as teorias junguianas, com os arquétipos e o inconsciente coletivo, ou com elementos da filosofia das religiões, como o simbolismo do centro, referido por Mircea Eliade, que tão grande valia tiveram na realização anterior. Tudo caminhava junto, mas a ênfase ao zen-budismo denota o encontro com uma disciplina primordial na construção da estrutura do método.

Uso o termo *disciplina* em vez de *filosofia* (ou *não filosofia*) porque os elementos do taoísmo e do zen-budismo, aplicados ao trabalho criativo, instalaram um conjunto de regras de uso prático no exercício do ator, implicando de fato uma disciplina. Não que o CPT tenha se trans-

5. O método anunciado

formado numa espécie de mosteiro, onde Antunes, no papel de mestre zen, distribuía *koans* para a meditação dos discípulos, até estes atingirem a duras penas o *satori*. Não é isso... embora, por se tratar de zen, a negação abriga a afirmação e, portanto, talvez seja também isso, mas num tipo bastante peculiar de manifestação.

A questão de base é a guerra sem tréguas ao determinismo a que estamos culturalmente condicionados. Vemos o mundo como espectadores, isolando o *eu* de todo o resto e ignorando a relação intrínseca das coisas que nos rodeiam – cada coisa é uma coisa. Ou seja, nossa visão de mundo é horizontal e analítica: para tudo existe uma explicação racional. A realidade é apenas o que vemos, ou o que pode ser verificado em laboratórios, ou o que pode ser medido, pesado, quantificado, etc. Embora a nova física tenha demonstrado que a realidade é um tanto diferente do que diz a nossa percepção cotidiana, é esta a que impera. Somos prisioneiros dos sentidos e da *razão*.

As correntes filosóficas orientais conduzem a outra noção do real, onde tudo é interdependente e a realidade explícita é só a fachada de realidades implícitas. Nelas, sujeito e objeto constituem uma unidade em permanente tensão de contrários, do qual a polaridade arquetípica *yin/yang* é a expressão máxima. No zen-budismo, quanto mais o *eu* tenta ser o centro, mais se afasta do centro do Ser. E todas as coisas – seres humanos, animais, plantas, pedras, terra, água, ar, fogo –, tudo o que existe, existe no centro do Ser. A visão de mundo, neste caso, é vertical, e a percepção da realidade só se realiza plenamente quando o observador deixa de ser observador e eleva seu contato com as coisas à mais completa integração de si mesmo com elas. Como o arqueiro, o arco, a flecha e o alvo.

O zen-budismo (como o Tao) não admite definições ou conceitos que o descrevam, porque está além das palavras[3]. Se tentamos explicá-lo racionalmente, ele já é outra coisa, porque só pode ser compreendido pela experiência. Não se trata de *prática mágica*, pelo contrário: o zen-budista tem compromisso tácito com a realidade e seu objetivo é nela aprofundar-se na tentativa de alcançar a *realidade última*, e, quem sabe, o *satori* (iluminação). O caminho para a *realidade última* entretanto, não é feito de conceitos nem de teorias, e também não há um deus, como nós ocidentais judaico-cristãos o concebemos: um ser que comanda a vida e decide o destino último do ser humano, premiando-o com o céu ou castigando-o com o inferno. Nem há divindades simbóli-

---

3. "O budismo é a religião-filosofia criada em resultado dos ensinamentos de Gautama, o Buda. O zen-budismo é uma seita do Maaiana, a Escola de Budismo do Norte. Zen, derivado do chinês antigo ch'an, por sua vez corruptela da palavra sânscrita Dhyana, é um termo japonês para Sabedoria-Poder-Compaixão, que jaz além de todas as palavras, não podendo ser confinado no mais amplo dos 'ismos'". Christmas Humphreys, *O zen-budismo*, p. 15.

cas, como em outras religiões orientais. O zen-budista não tem qualquer apoio desse tipo. É ele, a natureza e a vida, que não são três coisas diferentes, mas uma e a mesma coisa. Nada separa o ser humano de tudo o que existe, nem ele é o centro, apenas uma parte, um tipo de manifestação do Cosmo, assim como as florestas, as nuvens, o vento, o tempo, que retornam incessantemente à origem, ao indiferenciado.

Narrando seu aprendizado de tiro com arco, Eugen Herrigel descreve a batalha terrível entre o *eu* ocidental, europeu, e o *não eu* zen, que lhe consumiu seis anos de vida. Filósofo kantiano, de boa reputação no seu tempo, Herrigel não encontra outra maneira para descrever a experiência senão a de contar, passo a passo, como se deu o aprendizado, sem explicitar conceitos ou teorias que pretendam defini-la[4].

Não é a angústia do europeu em choque com a sabedoria oriental que seduz o leitor no relato do tiro com arco e sim o esquivo e calado mestre que o orienta. E, sobretudo, a maneira como o orienta, sem explicações, censurando-o quando sentimentos egoístas afloram e dizendo frases incompreensíveis como *algo dispara, algo acerta*.

Aos poucos, as atitudes do mestre evidenciam um método, um caminho. Também aos poucos se torna clara a impossibilidade de se alcançar esse caminho e percorrê-lo, recorrendo a palavras e conceitos. Trata-se de romper couraças culturais que nos protegem com a orgulhosa ignorância da razão e ver a realidade para além de conceitos e códigos com os quais tentamos decrevê-la e dos quais ela foge.

O exercício do tiro com arco dispensa explicações. Manifesta-se num movimento corporal em busca do equilíbrio entre tensão e relaxamento. O equilíbrio é alcançado quando o praticante abandona as amarras do ego e não tenta comandar o próprio corpo.

Aqui encontramos, finalmente, o modelo que inspirou o *desequilíbrio* e a estrutura básica do método de Antunes Filho. Ao iniciar o *desequilíbrio* o ator tem instantânea alteração da consciência, mas só conseguirá manter-se desequilibrado se não sofrer nenhuma interferência da vontade nem se abalar pelos medos e desejos do ego. Poderá então romper as couraças e se aproximar de realidades profundas; torna-se receptivo a estímulos sutis, que chegam não se sabe de onde (*banco aéreo*) e lhe propiciam a expressão de coisas inefáveis.

Na prática, muitos atores não conseguiam qualquer avanço, colocando todo tipo de resistência. Outros logravam o *desequilíbrio*, po-

---

[4]. Em outro livro, falando do *satori*, Herrigel resume a situação que perpassa toda a experiência: "Não há nada que se possa tomar como conteúdo palpável de uma realidade passível de expressão. O *satori* não contém verdades que possa intuir e recitar, mas apenas um modo de ver, de compreender". *O caminho zen*, p. 49.

rém a alto custo: sofriam abalos psíquicos, tinham insônia ou pesadelos, descontrolavam-se. Qualquer pessoa que se coloque em experiência de *desequilíbrio* logo percebe que, na verdade, não está às voltas com exercício meramente físico, dependente de habilidade, músculos treinados e controle motor, mas com uma ação física de imediata repercussão na esfera psíquica. Aquele que consegue vencer as dificuldades iniciais, no entanto, atinge um estado confortável, aquieta o espírito como numa meditação profunda. Pensamentos chegam e passam. Ele não se fixa em nenhum pensamento, seu corpo é onda que flutua no espaço. Quando atinge esse nível, está capacitado a *espiritualizar* o gesto, o movimento, a ação dramática.

Há, portanto, evidente paralelo entre o *desequilíbrio* e o aprendizado do tiro com arco. Em ambos a respiração tem importância fundamental. Realmente, nesses primeiros tempos não se encontrara no CPT uma técnica de respiração adequada e levaria muito tempo para Antunes superar o impasse e proclamar: "O ator *é* respiração". O modelo que estava sendo pesquisado tinha precedência em *A arte cavalheiresca do arqueiro zen*: não respiração apenas *funcional*, e sim respiração capaz de conectar o corpo com o Cosmo.

Discorre Herrigel sobre a dificuldade para estirar o arco. O mestre o advertia quanto à tensão, colocando os dedos em pontos doloridos do seu corpo. Até que ele se confessou incapaz de estirar o arco da maneira indicada. Ao que o mestre respondeu:

> Se o senhor não consegue, é porque respira de maneira inadequada. Depois de inspirar, solte o ar livremente, até que a parede abdominal esteja moderadamente tensa, retendo-o por alguns segundos. Em seguida, expire da maneira mais lenta e uniforme possível e, depois de um breve intervalo, volte a aspirar com um ritmo que pouco a pouco se instalará por si só. Se fizer isso de maneira correta, sentirá que o tiro se torna cada vez mais fácil, pois essa respiração não só lhe permitirá descobrir a origem de toda força espiritual, mas fará brotá-la como um manancial cada vez mais abundante, irradiando-se pelos seus membros.[5]

Nota Herrigel que as posturas na ação de estirar o arco e disparar a flecha tornam-se possíveis com a respiração correta, que acentua os movimentos e os entrelaça ritmicamente. Contudo, nessa fase do seu aprendizado, braços e ombros relaxaram-se logo, mas a musculatura das pernas permaneceu tensa. Esforçava-se para descontraí-la e não conseguia.

5. Eugen Herrigel, *A arte cavalheiresca do arqueiro zen*, p. 32.

Queixou-se com o mestre e dele ouviu: "Este é o seu maior erro: o senhor se *esforça*, só pensa nisso. Concentre-se apenas na respiração, como se não tivesse de fazer mais nada!". Tarefa difícil, entretanto, depois de dias praticando, conseguiu: "Aprendi a deter-me na respiração tão despreocupadamente que às vezes tinha a sensação de não respirar, mas de *ser respirado*"[6]. E descontraíram-se, finalmente, os músculos das pernas.

Observando os atores em *desequilíbrio*, Antunes via confirmar a incidência da tensão nos ombros, nos braços e nas pernas, em prejuízo do fluxo de energia, levando o ator à ansiedade. Ao aparecer a ansiedade, anulavam-se todas as possibilidades de expressão artística, restando estereótipos. Natural, portanto, que se tornasse prioridade da pesquisa a busca de meios para combater as tensões físicas desnecessárias, geradoras da ansiedade.

Qualquer modelo desportivo é inútil, neste caso, porque o atleta se exercita para melhorar o desempenho, e isso se dá normalmente ao custo de tensão em alguma parte do corpo. Para a performance teatral o relaxamento deve prevalecer sobre as tensões, que acodem na medida da necessidade, voltando em seguida os órgãos tensionados à condição relaxada. É um *relaxamento ativo*, ou a permanente *ionização*, que se alcança pela alternância de tensão e relaxamento, sempre este prevalecendo sobre aquela.

Também pensamentos, imagens mentais e pulsões emotivas provocam tensões que precisam ser imediatamente controladas. O par tensão/relaxamento envolve, além do esforço físico, questões psíquicas e espirituais. A própria respiração, como nota Herrigel na arte do tiro com arco, é elemento organizador das energias físicas, emocionais e espirituais. Nada é mecânico. Não é possível dizer "faça assim ou assim e terá o corpo relaxado", ou "respire desse ou daquele jeito e tudo se resolverá". Não há fórmulas, apenas um caminho que, sendo sempre o mesmo, é diferente para cada pessoa.

Não adianta trabalhar sobre *hipóteses* ignorando dados reais ou buscar o caminho fantasiando os dados. Cada objeto tem forma, volume, textura, cor, etc., e assim deve ser visto. Com a disciplina esse objeto, sem deixar de ser o que é, será outra coisa aos olhos do observador. Nesse momento, deixa de existir objeto observado e observador, assim como o entorno e o que está além do entorno, pois tudo pertence ao *campo unificado*. Então a respiração será correta e o corpo estará relaxado.

6. Idem, p. 34.

Isso é o que se busca no tiro com o arco: no momento em que arqueiro, arco, flecha e alvo se tornam uma unidade, *algo dispara, algo acerta*. Igualmente, é o que se busca com o *desequilíbrio*: no momento em que o ator se desvencilha das preocupações de como fazer, entregando-se sem resistência ao movimento *desequilibrado*, converte-se numa onda de energia, sensível aos estímulos que surgem e que, independente da sua vontade consciente, são imediatamente transformados em expressão.

A tática de Antunes era cercar os problemas, buscando transformar a percepção do ator sobre a realidade, levando-o a romper com as concepções cartesianas e se familiarizar com a ideia do *universo unificado*, a interdependência de todas as coisas, pois é dessa noção do real que nasce a linguagem estética proposta.

Intensificaram-se as leituras de autores zen-budistas, de vez que por inspiração do zen-budismo é que se abriram perspectivas à investigação. Assim, fatalmente se chegou ao taoísmo, de cuja esfera procede outro livro incorporado à bibliografia básica do CPT: *Tao – o curso do rio*, de Alan Watts.

Para lidar com ideias filosóficas orientais é preciso eliminar preconceitos que as tornam, aos olhos ocidentais, coisas exóticas do *oriente misterioso*. De nada servirão se permanecerem veladas por fumaça de incenso, neblinas cartesianas ou maniqueísmos judaico-cristãos. A obra de Alan Watts é uma bela interpretação do pensamento oriental para ocidentais, demonstrando que essa milenar sabedoria nada tem de exótico e interessa ao nosso cotidiano. Seu livro, *Tao – o curso do rio*, torna acessível ao entendimento ocidental princípios que, à primeira vista, parecem enigmas impenetráveis. E o faz sem trair o espírito do taoísmo, sem o *explicar* mecanicamente. Lido e discutido exaustivamente no CPT, o livro demoliu preconceitos, ajudou os atores a lidar naturalmente com esses princípios, que se tornaram ferramentas úteis à investigação de meios e à criação estética.

Falando da *língua escrita chinesa*, Watts introduz a questão do *pensamento não linear*, que é a maneira chinesa de pensar o mundo, fornecendo importante paradigma da concepção de *realidade* desenvolvida no CPT. Lembra o provérbio chinês de que uma imagem vale por mil palavras e justifica a lembrança por estar se referindo à única escrita que não usa um alfabeto, mas caracteres (ideogramas) que originalmente eram imagens.

A escrita por ideogramas poderia, conforme Watts, "comunicar relações ou configurações complexas muito mais rapidamente do que longas frases alfabéticas"[7]. O Universo "não é um sistema linear, mas envolve uma infinidade de variáveis que interagem simultaneamente, de forma que seria preciso uma eternidade para traduzir até mesmo um momento de sua ação em linguagem linear e alfabética"[8]. Nossa compreensão do Universo corresponde ao sistema linear, por isso pensamos linearmente o mundo. A *não linearidade* diz respeito às incontáveis variáveis de um objeto ou um acontecimento, de uma gota de orvalho ou um sistema. E cada variável corresponde a um processo:

> Como reconhecemos *uma* variável, ou *um* processo? Por exemplo, podemos pensar no coração separado das veias, ou nos galhos de uma árvore? Exatamente o que distingue o processo da abelha do processo da flor? Tais distinções, de certa forma, são arbitrárias e convencionais, mesmo quando descritas em linguagem bastante exata, pois residem mais na linguagem do que naquilo que descrevem.[9]

O objeto não está isolado do seu entorno, e só mediante as relações do todo poderia ser descrito em linguagem não linear. Sendo imagem, o ideograma diz muito mais coisas do que a nomeação do objeto e sua classificação em linguagem linear podem dizer.

Por meio do ideograma chinês, Watts nos aproxima do pensamento e da linguagem não lineares, que se convertem em preceitos básicos do método de Antunes Filho: o ator deve fugir ao pensamento cartesiano e recorrer às imagens para se dar conta da realidade e a transformar em manifestação cênica.

O pensamento não linear exprime a essência do que se busca com o *desequilíbrio*. Não se fixando em qualquer imagem particular, o ator fica perpassado por todas as imagens, e sua expressão, como a do ideograma chinês, é uma coisa que contém todas as outras. Nada se cristaliza na ação: deve-se manter o fluxo de imagens e ocorrências subjetivas que produzem a autêntica expressão da vida. E isto impõe outra reflexão, que diz respeito ao fluxo e que no CPT passou a ser nomeado pelo termo chinês *li*.

Discorrendo sobre o ideograma, Alan Watts fala da sua beleza formal e lembra que no Extremo Oriente "a prática da caligrafia é considerada

---

7. Alan Watts, *Tao – o curso do rio*, p. 32.
8. Idem, p. 33
9. Idem, p. 42.

uma arte das mais refinadas, junto com a pintura e a escultura"[10]. Quem a pratica é artista capaz de controlar o fluxo da água, contida na tinta, com o pincel macio sobre o papel ou a seda. Se há uma hesitação ou indecisão, a água se acumula naquele ponto, borrando a superfície. Mas...

> ... se você escreve bem, existe ao mesmo tempo a sensação de que o trabalho acontece por si mesmo, que o pincel está escrevendo sozinho – como um rio, seguindo a linha de menor resistência, traça curvas elegantes. A beleza da caligrafia chinesa, assim, é a mesma beleza que reconhecemos na água em movimento, na espuma, nos borrifos, redemoinhos e ondas, bem como nas nuvens, na chama e no entrelaçamento da fumaça ao sol. Os chineses chamam a este tipo de beleza o resultado de *li*, ideograma que originalmente referia-se à pintura em jade e madeira, e que Needham traduz como *padrão orgânico*, embora seja mais bem compreendido como *razão* ou *princípio* das coisas. *Li* é o padrão de comportamento que ocorre quando se está de acordo com o Tao, o curso d'água da natureza.[11]

Também o ator deve alcançar esse padrão orgânico, desenvolvendo toda a ação dramática sem hesitações ou indecisões, mantendo-se no fluxo *Li*. A esse princípio junta-se outro de capital importância e sem o qual *li* inexiste: a polaridade *yin/yang*.

Adverte Watts que não se deve confundir essa polaridade com as ideias de oposição ou conflito, pois são os dois polos da energia cósmica, sendo o *yang* positivo e o *yin* negativo, como na corrente elétrica, estando associados ao masculino e ao feminino, à terra e ao céu, ao firme e ao dócil. São como os dois lados da moeda, "uma dualidade explícita que expressa uma unidade implícita"[12]. Do ponto de vista chinês, ensina Watts, "a arte de viver não é encarada como a manutenção do *yang* e o banimento do *yin*, mas como o equilíbrio de ambos, porque um não existe sem o outro"[13]. E ambos estão presentes em toda ação humana, assim como em tudo o que constitui o Universo.

Ao pisar o chão ou mover os braços, o ator tem consciência de *yin/yang* implícito no movimento. Trabalha com relaxamento/tensão/relaxamento, numa alternância de sólido e gasoso, de terra e ar. Por exemplo: o primeiro contato da planta do pé com o solo é *yang*, inteiro, duro, mas imediatamente *yin* desfaz a dureza do movimento, dando-lhe graça e leveza, para em seguida agir *yang*... Evidentemente a polarida-

10. Idem, p. 43.
11. Idem, p. 44.
12. Idem, p. 54.
13. Idem, p. 48.

de não é trabalhada apenas no pisar e no mover dos braços, porém em todo o corpo, especialmente nas articulações, nos quadris, nos joelhos, nos ombros e nos cotovelos. Exercitando-se com frequência e afinco, o ator não pensará mais em *yin/yang*: a consciência da polaridade já se instalou e lhe possibilita enorme gama de expressões físicas, mantendo-o sempre no fluxo *li*.

Outros princípios taoístas tiveram grande importância como orientadores e organizadores dos exercícios do CPT. Porém, o pensamento não linear, *li,* e a polaridade *yin/yang* propiciaram de fato os fundamentos ao sistema. A eles pode-se acrescentar o *wu-wei*, a condição básica do método de Antunes Filho, implicando o princípio de *não ação* que, enfatiza Watts, "não deve ser considerado como inércia, preguiça, *laissez-faire* ou simples passividade"[14], mas como *sem coação*, no sentido de seguir a natureza, fluir com a energia. O melhor exemplo de *wu-wei*, diz Watts, talvez sejam as artes japonesas do *judô* e do *aikidô*, "onde o adversário é derrotado pela força do seu próprio ataque"[15].

O compêndio escrito pelos atores do CPT em 1984 não contemplava ainda todas as implicações zen e taoístas do método, porque esses conhecimentos estavam sendo introduzidos e testados naquele momento. Na montagem de *A hora e vez de Augusto Matraga*, iniciada àquela época, as questões estavam em grande parte resolvidas, e Antunes, encantado com as descobertas, proclamava: "Eu sou Tao".

---

14. Idem, p. 110.
15. Idem.

6. Matraga & Xica da Silva

Finalmente Antunes realizou o sonho de adaptar João Guimarães Rosa para o teatro. Não *Grande sertão: veredas*, o velho projeto, mas *A hora e vez de Augusto Matraga*, último dos nove contos que compõem *Sagarana*. A mudança do original em nada alterou o espírito do projeto. Mais do que a fábula de Diadorim, luminoso herói do *Grande sertão: veredas*, interessava a Antunes o que Alfredo Bosi chamou extrema originalidade de Guimarães Rosa, a rara conjugação do "diálogo de uma solerte cultura linguística e literária com as mais caudalosas fontes da psique e da mitologia sertaneja"[1].

Na obra de Guimarães Rosa *Sagarana* representa o marco, o ponto de partida para o desbravamento do mundo-Sertão. Dentre os contos do livro, o autor destaca *A hora e vez de Augusto Matraga*, afirmando ser "história mais séria, de certo modo síntese e chave de todas as outras"[2]. Nessa novela registrou-se o triunfo do poeta em seu *mergulho metafísico* na realidade sertaneja. Uma realidade tecida de irrealidades, fermentada pela miséria material e extrema religiosidade, verdadeira arena onde Deus e Diabo disputam a alma humana a cada passo dos caminhos inventados pelo caminhar dos homens.

Com os instrumentos da sua poética, Rosa transmutou essa realidade e suas gentes em pura arte. Acariciando com o olhar e a inteligência a vida sertaneja, no cenário em que coisas e criaturas se fundem, desceu ao caos, à região do indiferenciado, onde tudo começa a ser. Desse território só acessível aos místicos e poetas reinterpretou o mundo. Eis

[1]. De "O conto brasileiro contemporâneo", citado no programa de mão de *A hora e vez de Augusto Matraga*.
[2]. Guimarães Rosa, *Sagarana*, p. 11.

o material que verdadeiramente interessava a Antunes Filho trabalhar na esfera cênica.

O exercício sobre *A pedra do reino* possibilitou introduzir nas prospecções do CPT a visão mítica sertaneja. Quaderna, o Decifrador, entretanto, remete a fábula ao imaginário ibérico incrustado no Sertão, onde reina El-rei d. Sebastião. O romance rastreia a religiosidade popular medieval, que saltou das terras de Castela e das feiras lusitanas para o Nordeste brasileiro, durante séculos permaneceu isolada da civilização e, no chão crestado das caatingas, estruturou e cristalizou um universo cheio de beatos e profetas apocalípticos, além de cangaceiros, rapsodos, fidalgos deserdados, cantadores... Só em fins do século XIX, por causa da Guerra de Canudos, essa sociedade perdida no tempo e no espaço deu-se a conhecer ao homem do litoral. Por isso, ecoam nas peripécias de Quaderna reminiscências dos cavaleiros andantes, das cruzadas, das guerras contra os mouros.

Diversa a qualidade mítica de Matraga, herói solar que vindo das trevas ilumina as veredas do Sertão até anoitecer de novo. As regiões geográficas e históricas de ambos os heróis são contíguas, confundindo-se tantas vezes, mas distantes entre si os territórios poéticos que habitam.

Navegando para dentro do idioma, Guimarães Rosa rompe os tecidos da religiosidade sertaneja, nela desvelando, para além do maniqueísmo judaico-cristão, a perpétua ação dos opostos que caracteriza as filosofias e místicas orientais. Sertão, para ele, significava *Ser Tao*, como Antunes gostava de dizer, maravilhado por descobrir a condição taoísta da obra quanto mais nela se aprofundava.

Com o prazer das descobertas, que o levavam a avançar na compreensão do próprio taoísmo, Antunes enxertava na adaptação pensamentos e imagens garimpados em outros livros de João Guimarães Rosa, sobretudo em *Grande sertão: veredas*. Fazia-o com engenho e arte, de modo que, em vez de transformar a obra numa compilação de excertos, dava mais vigor ao pensamento mítico do autor e clareava o entendimento da história de Nhô Augusto Esteves das Pindaíbas e do Saco da Embira.

Walter Portella fora enviado à região de Montes Claros e de lá trouxe fotografias de sertanejos, de paisagens, de aglomerados urbanos e minúsculos comércios. Trouxe objetos típicos, ferramentas de trabalho do vaqueiro, raízes. Também trouxe gravações da fala sertaneja. Tudo material

6. Matraga & Xica da Silva

A hora e vez de Augusto Matraga
José Rosa, Walter Portella, Dario Uzam, Marlene Fortuna, Marcos Oliveira, Ailton Graça e Arciso Andreoni.
Foto: **Emidio Luisi**

de referência, e o que era de se ver não ficava guardado, mas exposto nas paredes, no chão, onde fosse possível – sempre estrategicamente colocado, de modo que fosse visto cotidianamente por todos até se tornar familiar.

O espaço ocupado pelo CPT no prédio do SESC Consolação, à época, não eram ainda as confortáveis salas do sétimo andar onde se instalaria logo depois e permanece até hoje. Ficava alguns andares abaixo, numa área ampla, mas escura, por causa das divisórias em tecido preto. Alguns locais foram divididos em dois pisos, com madeira. O resultado era uma estrutura arquitetônica obviamente improvisada, cheia de desvãos, nichos, cantinhos em torno da grande arena, que era a sala de ensaios propriamente dita. Usava-se cada palmo para abrigar grupos de estudos e de trabalhos dos diversos núcleos. Depois da estreia de *Os velhos marinheiros* e consequente desvinculação do núcleo Jorge Amado, que virou Grupo de Arte Boi Voador e seguiu seu destino sob liderança de Ulysses Cruz, o espaço foi dominado por imagens do Sertão dos gerais. Outros núcleos desenvolviam diferentes trabalhos, porém a prioridade do espaço era para o *Matraga*.

Estudar a estética, a psicologia, a peculiar prosódia, a sociologia da região do Rio São Francisco, os costumes populares era a ordem. Além, é claro, da leitura de toda a obra de Guimarães Rosa e de ensaios sobre a mesma. E se estudava com afinco. Nos esconsos daquele espaço havia sempre dois ou três atores articulando modos de melhor apreender o significado de cada coisa. Em determinados momentos, que na verdade eram horas inteiras, ouviam as preleções de Antunes e dúvidas sobre este ou aquele aspecto se dissolviam. Desse modo, cada ator ia se impregnando do universo roseano por todos os meios: fossem os estudos nos livros ou as discussões sobre os conteúdos, do ponto de vista da leitura dada pelo diretor-adaptador; fossem as imagens que tornavam aquele universo estranho muito próximo, quase tangível. Tudo concorria para apurar a percepção do ator, fornecendo-lhe os impulsos adequados à criação dos personagens.

O entendimento da obra roseana, do ponto de vista de Antunes Filho, passa pelo entendimento taoísta do Universo. Concebe o real sob o ângulo da polaridade, descendo às camadas profundas para captar o movimento permanente das coisas no plano insondável, no fundo da imanência, *yin/yang*, onde se processa a contínua renovação do mundo.

Na obra de Guimarães Rosa, o homem não está dissociado do entorno. Forma com as pedras, a vegetação, os rios, os bichos, os fenômenos da natureza uma totalidade indivisível e em perpétuo movimento. Nesse continente em que a realidade cotidiana é apenas a aparência que ilude o homem, tendendo a afastá-lo da sua natureza divina, Antunes encontrava o material apropriado à investigação metafísica, assim como na obra de Nelson Rodrigues descobrira a ação arquetípica – miasmas das sociedades arcaicas atuando na psique do homem contemporâneo. Isso fechava um ciclo e o colocava em face das duas concepções de arquétipo: aquela pertinente à psicologia analítica de Jung (em Nelson Rodrigues) e a da filosofia das religiões, de Mircea Eliade (em Guimarães Rosa).

Movia-se no interior do processo do CPT a visão voltada ao pensamento arcaico como forma de conhecimento. Existia atmosfera propícia à busca baseada na ação dos contrários e na impermanência, dada a grande quantidade de jovens que acorriam aos testes com suas expectativas e ilusões. Muitos dos escolhidos em pouco tempo viam ruírem as ilusões, saíam, dando lugar a outros, e assim alimentavam o fluxo constante de caras, de humores, de sonhos... Tudo atestava a impermanência, até a estrutura arquitetônica improvisada do espaço. O feito logo desfeito; o construído, desconstruído. A pulsação contínua, nervosa, e os lampejos de novas ideias formavam a massa transformadora.

Antunes era o mestre, ou uma espécie de demiurgo, do ponto de vista do ator. E assim se comportava perante o elenco. Na solidão, porém, confrontava-se com a *dúvida* e em casa não ficava articulando meios de tornar essa ou aquela cena mais saborosa ou brilhante: debruçava-se em livros, buscando respostas às dúvidas que o processo gerava. Sabia que os meios para concretizar uma nova estética estavam distantes da realidade do grupo, por mais que tivesse avançado. Os instrumentos usados – zen-budismo, taoísmo, psicologia analítica – contribuíam na alteração e no desenvolvimento dos procedimentos criativos e das técnicas interpretativas, mas evidenciavam limites além dos quais não se podia avançar. Alguma coisa travava o processo.

Isso se refletia na sua postura como encenador. Já nessa época afirmava que o encenador ideal deveria ser como o técnico de futebol, que estabelece a estratégia do jogo, prepara os jogadores e os deixa jogar. Ocorria, porém, que seus atores-jogadores ainda não estavam aptos a armar as próprias jogadas – precisavam ser conduzidos. A imaginação não fluía no curso estabelecido, o que obrigava o diretor a ficar horas inteiras sobre uma cena, instruindo a maneira de se chegar ao gesto ou à expressão desejável e competente para a transmissão do pensamento. Não que fizesse o gesto e mandasse o ator repeti-lo. Isso jamais. Forçava a cabeça do ator para que este encontrasse o gesto ou expressão condizente, e quase sempre dava certo, mas, de algum modo, *fraturava* a interpretação, pois representava interferência no fluxo narrativo do ator. Era preciso que esses recursos estivessem nele, ator, e brotassem naturalmente no desenho do personagem. Questão técnica e ao mesmo tempo ideológica que o atormentava. Seu método só poderia estar completo quando facultasse meios para que o ator fosse capaz de manter o curso narrativo por meio da própria imaginação e de recursos expressivos próprios.

A necessidade de interferir constantemente refletia na encenação. A *mão* do diretor estava evidente na construção da cena. Mão de gênio, é verdade, capaz de outorgar beleza e significados a cada movimento, porém não deixava de ser uma visão externa conduzindo a ação. O encenador, para Antunes, devia *desaparecer* do palco e toda a ação ser gerada pelo elemento nuclear do teatro, que é o ator.

Hierofania

**A hora e a vez de
Augusto Matraga**
Raul Cortez
Foto: **Emidio Luisi**

Essa proposta o colocava na contracorrente do teatro em moda – e que em moda permaneceria até os primeiros anos da década de 1990 –, onde brilhava o encenador sobre todas as coisas, inclusive ao ator e ao autor. O palco cheio de efeitos, badulaques, luzinhas; os atores se expressando quase sempre por uma gestualidade inventada e sem muito sentido, ou movidos pela *inspiração e garra*, sob ordens de encenadores que reduziam o texto a simples pretexto para elucubrações cênicas. E não lhes faltavam estímulos: a imprensa os elogiava, os críticos os premiavam abundantemente...

Antunes não se colocava na contracorrente só para contrariar. Permanecia fiel aos princípios e à ideologia do seu processo criativo. A moda de então inflacionava o discurso cênico com uma retórica excessiva, mirabolantes efeitos que fascinavam os olhos, mas nada acrescentavam ao conhecimento. E Antunes pregava a drástica redução da retórica. Assim como eliminava partes do texto para chegar às essencialidades, queria que o discurso cênico também se limitasse ao essencial, ao pensamento central, de modo expressivo e poético, porém sempre econômico. Sua tendência estética estava absolutamente contaminada pelo pensamento oriental num aspecto básico: o da economia expressiva, buscando sempre essencialidades. O gosto pelos discursos literários ou plásticos é da tradição ocidental.

O procedimento estava muito claro: economia de palavras e elaboração estética centrada em dados concretos. Nada – nem palavras nem gestos nem elementos cênicos – podia ilustrar ou comentar retoricamente a ação dramática[3].

Um exemplo de economia na transmutação do Real em arte está num fato ocorrido após a estreia de *A hora e vez de Augusto Matraga*. No final da peça, quando se dá a luta de morte entre Matraga e Joãozinho Bem-Bem, Antunes construíra uma cena descritiva: entravam atores fingindo-se em manada de gado, os antagonistas lutavam entre os bois. Havia, portanto, uma preocupação excessiva com o *cenário* da luta, em prejuízo do verdadeiro sentido dessa luta, que é de opostos e de complementaridade. Ao trazer a cena para a superfície da realidade (simbolizada pelo gado), incidia o maniqueísmo judaico-cristão: Matraga é o Bem, Joãozinho é o Mal. Desse modo, apesar de toda leitura taoísta, a obra terminava com a retórica ocidental. Isso incomodava Antunes. Alguns dias depois da estreia, conversávamos no saguão do teatro e ele falava dessa insatisfação. Sua ideia era de algo muito mais simples: um círculo de monges sussurrando mantras. Porém, seria completamente absurdo inserir tais monges nesse contexto. *Um círculo de monges como um círculo de luz*. Deu-se a *revelação*: luz era a essência procurada. Imediatamente chamou o Davi de Brito, iluminador do espetáculo, e fez a importante alteração. No dia seguinte, ao entrar na sala o espectador via no palco absolutamente despojado um círculo de luz. E no final da peça já não se via a manada, apenas o mesmo círculo de luz. Matraga e Joãozinho se digladiavam nas trevas, caíam no limite entre trevas e luz, para finalmente morrerem no centro do círculo. Desse modo, eliminava-se o maniqueísmo e o Real florescia na cena em sua forma pura, metafísica.

As ideias que animavam a cena apareceriam de modo recorrente em outros espetáculos, sendo tema em *Nova velha estória* (o Bem e o Mal como opostos complementares) e estabelecendo a forma estética de *Gilgamesh* (o círculo de monges conduzindo a narrativa). As ideias *legítimas* se encontram na raiz da ação dramática e não se impõem por um *arranjo* arbitrário do encenador. A descoberta que deu solução à cena final do *Matraga* marcou na verdade um novo horizonte à criação antuniana, que passaria a dominar a partir de *Paraíso, zona norte*.

3. J. C. Serroni, em depoimento sobre seu trabalho junto com Antunes no CPT para o documentário *O teatro segundo Antunes Filho*, realça a questão da economia: "Por consciência e por opção existia a proposta de se fazer um trabalho econômico. Não por imposição, mas porque Antunes sempre pensou o teatro de uma maneira econômica, simples, de síntese, de lidar só com os elementos extremamente necessários para a montagem. [...] Isso é bacana no trabalho com Antunes: ele não deixa você se perder no supérfluo, não deixa você se perder naquilo que ultrapassa os limites da necessidade".

Pela primeira vez, depois de muitos anos, Antunes trabalhava com um nome consagrado do teatro: Raul Cortez. Sua presença possibilitou o confronto entre um ator de vasta experiência e os jovens atores do CPT, confirmando a alta qualidade artística destes. Especialmente no que respeita à participação de Marlene Fortuna e de Luis Melo, que estreava no Grupo como o cangaceiro Joãozinho Bem-Bem.

Embora não tenha se submetido às exaustivas jornadas de exercícios, Raul Cortez assimilou rapidamente elementos básicos do processo, harmonizando-se com o conjunto. Confessava ter voltado a trabalhar com Antunes para se reciclar e levou às últimas consequências essa intenção.

Mas a via é de mão dupla: também o Grupo, nesse momento, precisava de contato direto com um ator veterano, de grande experiência. E a criação do Matraga necessitava de tal experiência de vida e de palco, pois o método não facultava ainda ao jovem ator meios de suprir sua ausência. Com seu admirável talento, Raul Cortez deu à trajetória de Matraga o tom poético, a expressão de uma vida marcada por desmandos, tornando sublimes a queda e o período de meditação de Nhô Augusto, que o levam da perversão à santificação.

Também Marlene Fortuna apresentou performance extraordinária como a Mãe Quitéria. Em um depoimento, anos mais tarde, a atriz falou das dificuldades que teve na criação do personagem que, pela condição social e existencial, "deveria ter uma coluna torta, um corpo deformado":

> Meu primeiro impulso [...] foi estereotipar uma velha torta, recorrendo a um modelo que eu havia estocado em minha própria consciência. Quando fiz a velha resultante dos meus preconceitos, Antunes *acabou comigo*. Fez-me atentar para o fato de que eu estava estereotipando um corpo, concebendo-o como um mero exterior. Fez-me ver que eu estava dando um corpo à minha personagem de fora para fora ou de fora para dentro e que, portanto, eu a investia de uma corporalidade que não era a sua. Apontou para o fato de que o corpo que eu levava à cena não era um corpo e sim uma imitação de um referencial escolhido pela minha fantasia. Mostrou-me que esse referencial deveria ser apagado e que, antes de fazer o corpo que eu me propunha levar ao palco, eu deveria estudar a dona de tal corpo – a personagem –, as nascentes de seu corpo, o porquê deste ser ou estar

deformado. Um corpo não fica torto à toa. Há defesas, há dores, há inseguranças, há sofrimento, há rejeições que levam uma pessoa a se curvar. Antunes mostrou-me que me seria muito mais gratificante dar a corcunda à minha personagem a partir de um estudo de sua psique e de sua história que a partir dos meus sonhos.[4]

Há, necessariamente, um *artesanato* na composição do personagem, embora os elementos constitutivos do mesmo sejam pesquisados nas suas condições de vida. Conhecendo-o o ator ou a atriz pode desenhá-lo no corpo, porém a pesquisa não deve ser meio para eleição de estereótipos *mais ou menos* aproximados daquela realidade:

> Aliás, com Antunes, todos os estereótipos são dinamitados. Antunes nos leva a começar o processo de transformação em nossa personagem a partir do contrário do que nossos modelos preestabelecem. Para ele, lidar com o antagonismo é uma maneira de quebrar o estereótipo, aumentando a gama de possibilidades implicadas em cada papel. A fim de minar o estereótipo, Antunes sugere que nos voltemos à fonte inesgotável de referências – à vida. Sobretudo, ele não permite que fiquemos no exterior de nenhum fato. Leva-nos a buscar o porquê de cada ocorrência...[5]

Falar de *método*, nessa ocasião, era referir-se às potencialidades. Havia grande distância entre conceber o personagem por intermédio de seus movimentos internos e os meios de tornar essa ideia uma realidade. O personagem era concebido como um fluxo de energia, mas faltavam meios adequados à sua realização. Atores como Marlene Fortuna e Luis Melo conseguiam, assim mesmo, mergulhar na *verdade* dos seus personagens e revelá-los no fluxo, assim como Raul Cortez, graças ao seu talento e grande experiência, no entanto outros se perdiam em estereótipos, o que desesperava Antunes. Forçava cada ator à expressão ideal e isso o tornava muito presente na cena. E mais presente ao transformar em poesia os dados colhidos nas pesquisas sobre a vida sertaneja, desde a vivência comunitária, sujeita aos humores dos *coronéis*, até a solidão das veredas, onde caminham os cangaceiros, personagens saídos do lado mais convulso da alma sertaneja.

Nas trilhas de Matraga abrem-se campos em semeadura como sinfonia visual. No campo a mulher grávida e a criança que nasce com a ajuda

[4]. O método de Antunes Filho, entrevista de Marlene Fortuna a Silvia Simone Anspach. *Face – Revista de Semiótica e Comunicação*, v. 3, n. 2, FAPESP/PUC-SP, julho/dezembro 1990.
[5]. Idem.

Hierofania

A hora e vez de Augusto Matraga
Walter Portella, Francisco Carvalho, Geraldo Mário, Jefferson Primo, Carlos Gomes, Luis Melo, Dario Uzam, Arciso Andreoni, Warney Paulo, José Rosa e Raul Cortez.
Foto: **Célia Thomé de Souza**

6. Daisetz Teitaro Suzuki, *A doutrina zen da não mente*, p. 22.
7. *A hora e vez de Augusto Matraga* estreou no Teatro SESC Anchieta no dia 6 de maio de 1986. O elenco era formado por Arciso Andreoni, Carlos Gomes, Cláudia Cavalheiro, Dario Uzam, Elias Batista, Francisco Carvalho, Geraldo Mário, Giovanna Gold, Jefferson Primo, José Rosa, Kátia Regina, Lazinho Pereira, Luiz Fernando de Rezende, Luis Melo, Malu Pessin, Marlene Fortuna, Raul Cortez, Regina Remencius, Valdir Ramos, Walter Portella, Warney Paulo.
8. O espetáculo foi apresentado também na Áustria e na Grécia. No impedimento de Raul Cortez, que não podia viajar em função de outros compromissos, o ator Luis Carlos Bicceli o substituiu nessas excursões.

de Matraga explicitam o permanente renascimento do mundo. Tudo surge em cena como resultado do mergulho aos abismos, no ato de observar o Real. Resultou uma narrativa realista, mas não no sentido convencional do realismo e sim gerada pelas polaridades desse ambiente, na concepção zen-budista *do mundo do ser e do não ser*, como *espelho da Mente Original*. Coerente com a indagação de D. T. Suzuki, "se o mundo brota da Mente, por que não deixar que brote à vontade?"[6], e com a poética de Guimarães Rosa, que vai ao miolo do drama sertanejo, desmontando-o para nele deslindar o drama humano, Antunes parte da observação da realidade (ou realidades: histórica, sociológica, étnica, topográfica) para o núcleo do Real e deixa o mundo brotar livremente em formas cênicas que se manifestam luxuriantemente, num rigor estético exemplar.

O espetáculo marcou um passo no sentido evolutivo da sua arte, embora não um salto, ainda, pois permaneciam pendentes meios adequados a que o ator fosse de fato o senhor da cena[7]. Porém, a cena como espaço metafísico estava desenhada. Era obra de mestre. Valeu a Antunes Filho o prêmio de *Melhor Diretor* (Poeta de Cena) do II Festival de Théâtre Dês Amériques, em Montreal (Canadá, 1987).

E foi durante as viagens pelo Exterior[8] que Antunes, após a leitura de *O Tao da Física*, estabeleceu novos paradigmas para o processo criativo, que viriam a implicar o salto na evolução estética do CPT. Voltou das viagens empolgado pelas novas teorias, já articulando as maneiras de aplicá-

-las e com elas solucionar os impasses observados no método durante a criação do *Matraga*. Porém, enquanto experimentava a aplicação dessas teorias com os atores, finalizou a encenação de *Xica da Silva*.

Projeto dos mais antigos do CPT, *Xica da Silva* foi espetáculo de inauguração e de transição. Inaugurava a fusão dos núcleos de Cenografia, orientado por J. C. Serroni, ao de Interpretação, orientado por Antunes Filho, diretor de todo o conjunto. De transição, por marcar o final de uma fase, em muitos aspectos remetendo às soluções estéticas do início do processo, como se fosse um balanço do período que se encerrava.

Já reconhecido entre os melhores cenógrafos da nova geração, Serroni estruturou o Núcleo de Cenografia com visão contemporânea, voltada para pesquisas de materiais e de formas. Trabalhando junto ao Núcleo de Interpretação, estabeleceu pontes entre os criadores, inseriu a cenografia na escrita cênica, na linguagem, não mais a concebendo como ofício de gabinete, cuja função é criar *ambiente* para o espetáculo. Periodicamente abriam-se inscrições para o curso de Cenografia, que passou a ser bastante concorrido.

Dessa maneira, o CPT/Grupo de Teatro Macunaíma incluía de fato a cenografia como elemento de linguagem. Não mais só o corpo do ator no espaço vazio: surge uma estrutura que não visa descrever realisticamente o espaço da ação dramática, mas atua como elemento potenciador de significados, estando em permanente diálogo com o ator.

Em *Xica da Silva*, o desenho cenográfico não se restringia à estrutura – envolvia o corpo dos atores: os figurinos eram *cenográficos*, como os de escolas de samba. "O belo trabalho artesanal das roupas", escreveu Mariângela Alves de Lima, "é semelhante ao trabalho de Xica, que emula o mundo europeu com a sua inteligência e a sua vontade, mas sem instrumentos para dominar a cultura europeia". Observação que aponta, de modo concreto, os elementos visuais concebidos pelo cenógrafo como função narrativa:

> A forma como se combinam os materiais cenográficos insinua que o mundo de Xica [...] é uma precária associação de fragmentos. E há aqui uma ligação levemente irônica entre a criação teatral, que às vezes se delicia com o simulacro, e o fantasioso império de Xica da Silva. Integrada à narrativa

Xica da Silva
Dirce Thomaz e Sueli Penha
Foto: **Célia Thomé de Souza**

9. Mariângela Alves de Lima, "O CPT e a cenografia de J. C. Serroni", catálogo *Uma experiência cenográfica*, publicado por ocasião da XX Bienal Internacional de São Paulo, SESC, 1989.
10. Mikhail Bakhtin, *A cultura popular na Idade Média e no Renascimento*, p. 7.
11. *Xica da Silva* estreou no Teatro SESC Anchieta, a 26 de março de 1988, com o seguinte elenco: Ailton Graça, Arciso Andreoni, Dirce Thomaz, Edna Ferri, Geraldo Mário, Jefferson Primo, João Carlos Luiz, Joca Santos, José Rosa, Luis Melo, Luis Baccelli, Marlene Fortuna, Ricardo Karman, Roberta Nunes, Rubens Teixeira, Sandra Damas, Sueli Penha, Tânia Moura, Walter Portella.

e à interpretação dos atores, a concepção da cenografia e dos figurinos lança uma luz cruel sobre o autoengano e, ao mesmo tempo, reafirma sua função de desvendar, função que a cenografia pode cumprir com a mesma eficiência do texto.[9]

A cenografia e os figurinos correspondiam ao conceito de carnavalização, que passava a ser estudado no CPT com base em *A cultura popular na Idade Média e no Renascimento*, de Mikhail Bakhtin. Estava em questão, sim, o simulacro, a fantasia, o autoengano, mas numa carnavalização em que "a própria vida representa e por um certo tempo o jogo se transforma em vida real"[10], como foi a realidade de Xica da Silva. A maneira de expressar visualmente essa ideia, recorrendo às técnicas e táticas alegóricas das escolas de samba, realçou o conteúdo crítico da narrativa.

A montagem de *Xica da Silva*[11] comemorava três efemérides: o décimo aniversário do Grupo de Teatro Macunaíma, o vigésimo do Teatro SESC Anchieta e o centenário da Abolição dos escravos no Brasil. Revelava não serem acontecimentos estranhos uns aos outros: ligava-os o desejo de libertação do homem brasileiro. O Teatro SESC Anchieta sempre abrigou espetáculos que pensavam criticamente aspectos da vida social brasileira e é, nesse momento, sede do CPT/Grupo de Teatro Macunaíma, cujo trabalho se baseia em estudo e reflexão sobre o homem brasileiro; a própria pesquisa estética que realiza constitui efetiva procura de meios para combater e superar heranças colonialistas.

Xica da Silva, a Xica que manda, possibilita a volta a um importante capítulo da formação da sociedade brasileira, colocando em pauta a relação dos negros escravos com os colonizadores portugueses, na primeira metade do século XVIII – relação que sublinha vícios entranhados na vida nacional.

Escrava no arraial do Tijuco, atual Diamantina, na época das grandes minerações de ouro, Xica mostrou-se pragmática na busca de alforria e a conquistou fornecendo aos senhores brancos informações sobre novas lavras descobertas por negros. Depois, valeu-se da exuberante sexualidade para conseguir a ascensão social, tornando-se a mulher mais poderosa da Colônia. Iludiu-se com esse poder, só muito tarde vindo a perceber que era manipulada pelos colonizadores, e seu reinado desmoronou do dia para a noite. Foi uma rainha de carnaval. Comenta o autor do texto, Luís Alberto de Abreu, que a queda de Xica "não dependeu da intervenção dos deuses ou do imponderável da vida, mas [...] da inabilidade do ser humano em compreender o que o cerca. Em mirar a própria imagem num espelho distorcido e rir das feições disformes refletidas. E não tentar refletir se é a imagem dentro ou fora do espelho que mais se aproxima do real"[12].

O riso de Xica da Silva foi tratado na peça segundo os valores da carnavalização teorizada por Bakhtin – um riso ambivalente, que não recusa o *sério*, antes o purifica:

> Purifica-o do dogmatismo, do caráter unilateral, da esclerose, do fanatismo e do espírito categórico, dos elementos de medo ou intimidação, do didatismo, da ingenuidade e das ilusões, de uma nefasta fixação sobre um plano único, do esgotamento estúpido. O riso impede que o sério se fixe e se isole da integridade inacabada da existência cotidiana. Ele restabelece essa integridade ambivalente[13].

É o riso carnavalesco, da rainha que só o é naquele momento, da caricatura ampliada dos costumes dos poderosos, da heresia legitimada pela necessidade de restaurar a própria divindade. Ao carnavalizar o tema, a encenação desvia a história de Xica da Silva do meramente pitoresco ou do folclore e a eleva ao nível da reflexão crítica.

Apesar disso tudo, o espetáculo não merece especial realce no conjunto do trabalho do CPT. Era, realmente, obra de transição. Foi construída com recursos expressivos já conhecidos, sem que em nada evidenciasse avanço no plano estético, como aconteceu com *A hora e vez de Augusto Matraga*. Isso se explica, primeiro, por se tratar de um trabalho iniciado

Xica da Silva
João Carlos Luz, Jefferson Primo, Yunes Chami, José Rosa, Rita Martins, Arciso Andreoni e Ailton Graça.
Foto: **Emidio Luisi**

12. *Xica da Silva*, uma outra abordagem, programa de mão do espetáculo.
13. Mikhail Bakhtin, *A cultura popular na Idade Média e no Renascimento*, p.105.

anos antes e sobre propostas já superadas na dinâmica do grupo; segundo, porque enquanto a dirigia, com o compromisso de estreia comemorativa, Antunes realizava à parte, com os atores, experimentos de uma estética com o respaldo de novas ferramentas teóricas e de novos paradigmas.

Mesmo assim, *Xica da Silva* correu mundo: foi para Seul, representando o Brasil em mostra de teatro paralela às Olimpíadas, e depois para o Japão.

O salto estético do CPT estava sendo preparado, enquanto isso. E deu-se com a nova produção do Grupo: *Paraíso, zona norte*.

7. O salto quântico e a melopeia

Com *A hora e vez de Augusto Matraga* Antunes Filho consolidou as linhas básicas do sistema em desenvolvimento no CPT sob princípios zen-budistas e taoístas que estimulam a visão do Universo em movimento de opostos. Também a psicologia analítica tem base na ação dos opostos – ou contrários –, como afirmou Jung, lembrando que Heráclito descobriu "a mais fantástica lei da psicologia: *a função reguladora dos contrários*. Deu-lhe o nome de *enantiodromia* (correr em direção contrária), advertindo que um dia tudo reverte em seu contrário"[1].

A lida com os contrários ou opostos no Centro de Pesquisa Teatral avançou muito desde a época em que a dialética materialista era o principal instrumento teórico. As místicas orientais levaram a contradição ao âmbito da metafísica. O místico busca, pela meditação, transcender o intelecto e os sentidos físicos; no CPT, o ator segue o mesmo caminho, porém revertendo a experiência para o plano da criação artística. De todo modo, sentia-se a necessidade de tornar dialética a óbvia discrepância de utilizar místicas orientais, que repudiam aparatos conceituais, na elaboração de novos conceitos estéticos.

O Grupo de Teatro Macunaíma viajava pelo exterior com *A hora e vez de Augusto Matraga* quando Antunes descobriu a chave que faltava, a ferramenta adequada ao trabalho com os opostos. Isto aconteceu com a leitura de *O Tao da Física*, de Fritjof Capra, livro que faz "um paralelo entre a física moderna e o misticismo oriental":

[1]. Carl Gustav Jung, *Psicologia do inconsciente*, p. 64.

> No nível atômico os objetos materiais sólidos da física clássica dissolvem-se em padrões de probabilidades, e esses padrões não representam probabilidades de coisas, mas probabilidades de interconexões. [...] A teoria quântica força-nos a encarar o Universo não sob a forma de uma coleção de objetos físicos, mas sob a forma de *uma complexa teia de relações entre as diferentes partes de um todo unificado*. Essa, entretanto, é a forma pela qual os místicos orientais expressaram sua experiência em palavras quase idênticas às utilizadas pelos físicos atômicos[2].

Historiando os caminhos da Física, Capra volta à Grécia do século VI a.C., quando "a ciência, a filosofia e a religião não se encontravam separadas"[3] e os sábios da escola de Mileto viam todas as formas como "manifestações da *physis*, dotadas de vida e espiritualidade". O Universo era um "organismo mantido pelo *pneuma*, a respiração cósmica, à semelhança do corpo humano mantido pelo ar".

A visão orgânica da escola de Mileto aproximava-se das filosofias chinesa e indiana, anota Capra, acentuando que "os paralelos em face do pensamento oriental são ainda mais intensos na filosofia de Heráclito", que "acreditava num mundo em perpétua mudança, um eterno *vir a ser*", e "ensinava que todas as transformações no mundo derivam da interação dinâmica e cíclica dos opostos"[4].

Depois, manifestou-se na Grécia o movimento dos atomistas, contrário à concepção da unidade dinâmica e cíclica de opostos, inaugurando o pensamento dualista, que separa o espírito da matéria e que viria a ser o fundamento da filosofia ocidental. Nessa condição, o caminho da Física desemboca no renascimento. Encontra Galileu combinando o "conhecimento empírico com a matemática" e fundando a ciência moderna, à qual René Descartes, no século XVII, sacramentaria com o dualismo espírito/matéria.

O caminho da Física, para Capra, culmina com a volta ao átomo, nele encontrando a síntese do Universo. Para o novo físico o átomo não é partícula dura e morta, como pensavam os atomistas, mas um microuniverso que está além do dualismo, reportando ao pensamento pré-socrático e aos seus assemelhados orientais. Quando se penetra o universo submicroscópico, afirma Capra, depara-se com uma visão de "mundo como sistema de componentes inseparáveis, em permanente interação e movimento"[5].

---

2. Fritjof Capra, *O Tao da Física*, p. 109 (grifo nosso).
3. Idem, p. 23.
4. Idem, p. 24.
5. Idem, p. 27.

7. O salto quântico e a melopeia

Dentre as ideias e os conceitos gerados pela nova física destacam-se os da mecânica quântica, com os surpreendentes diferenciais que estabeleceu entre o mundo que vemos e percebemos e o mundo subatômico. Essa história começa em 1900, quando Max Planck constatou que nos átomos estimulados a energia não é transmitida em compasso regular, contínuo, e sim intermitentemente, em pacotes, aos quais chamou *quanta*. Essa descoberta viria a mudar de modo absoluto a relação do homem com o Universo. Desbravar e conhecer a natureza do átomo passou a ser a grande aventura humana desses tempos. As partículas subatômicas ocuparam a inteligência de um grupo de extraordinários cientistas reunidos em torno de Niels Bohr, em Copenhague, na década de 1920. Esse grupo encontrou a formulação matemática precisa, elegante e consistente da teoria quântica.

O Tao da Física iluminou para Antunes áreas obscuras, deu nítidos contornos a aspectos antes imprecisos do sistema em construção. A "complexa teia de relações entre as diferentes partes de um todo unificado" traduzia, finalmente, a principal meta da investigação no CPT. Podia substituir a pura intuição, que até aquele momento sustentava o trabalho, pelas descobertas da nova física, que alteram o entendimento da realidade, possibilitando conceber espírito e matéria como unidade dialética.

Isto não quer dizer que, num estalo, tudo encontrou solução e o processo chegou ao *happy end*, cristalizando-se em regras e receitas imutáveis. Pelo contrário, ao penetrar o território de imanências é preciso redobrada atenção a fim de não cair nas armadilhas da fantasia e nas facilidades interpretativas que reduzem tudo ao psicologismo.

Desnecessário dizer que as leis da nova física integravam-se à ideologia do CPT não por modelos matemáticos e sim pela abordagem filosófica. Do ponto de vista prático, Antunes Filho incorporou ao sistema três princípios fundamentais da interpretação de Copenhague da teoria quântica: o da *probabilidade*, o da *incerteza* e o da *complementaridade*, que assim se definem:

O princípio da probabilidade

Em 1924 Niels Bohr se debruçou sobre a natureza estatística da mecânica quântica. O tema era explosivo: colocava a *indeterminação* como lei física contra o *determinismo* consolidado pela física clássica. Bohr concluiu que "as leis da natureza determinam não a ocorrência de um evento, mas a *probabilidade* de um evento verificar-se". Foi esse, segundo Werner Heisenberg, "um passo decisivo para além da física clássica":

> A concepção de que os eventos não estão determinados de modo peremptório, mas que a possibilidade ou a *tendência* para que um evento ocorra apresenta uma espécie de realidade – uma certa camada intermediária de realidade, meio caminho entre a realidade maciça da matéria e a realidade intelectual da ideia ou imagem –, esse conceito desempenha um papel decisivo na filosofia aristotélica. Na teoria quântica moderna, tal conceito assume nova forma: é formulado quantitativamente como probabilidade e sujeito a leis da natureza que são expressas matematicamente. As leis da natureza formuladas em termos matemáticos não mais determinam os próprios fenômenos, porém a possibilidade de ocorrência, a probabilidade de que algo ocorrerá.[6]

O princípio da probabilidade fazia ver "que a determinação dos fenômenos existe apenas à medida que são descritos com os conceitos da física clássica". Estes conceitos, diz Heisenberg, "desempenham um papel na mecânica quântica semelhante ao que representam na filosofia kantiana as formas de percepção *a priori*".

> Nossas formas de percepção, embora *a priori*, não se adaptam às observações dos eventos que sucedem a velocidades próximas à da luz. [...] Nossas assertivas acerca do espaço e do tempo devem, portanto, diferir, conforme nos refiramos às nossas percepções inatas *a priori* ou àqueles planos de ordem existentes na natureza, independentes da observação humana, em que as ocorrências objetivas no mundo parecem algo deformadas. De modo semelhante, embora a física clássica seja o fundamento *a priori* da física atômica e da teoria quântica, ela não é correta em tudo; ou seja, há largas áreas de fenômenos que não podem ser descritos nem mesmo aproximadamente pelos conceitos da física clássica.[7]

O princípio da incerteza

Heisenberg aprofunda a ruptura com a física clássica ao formular o princípio da incerteza. Na visão de Victor Weisskopf, buscava-se en-

---

6. Werner Heisenberg, "A descoberta de Planck e os problemas filosóficos da física atômica", em *Problemas da física moderna*, p. 16.
7. Idem, p. 19.

tender por que um elétron se comporta às vezes como partícula, outras como onda. Constatou-se a impossibilidade de medir com exatidão o elétron, porque ele interage com o observador. É inerente a incerteza quando se mede a posição e o momento no mesmo instante. "Estas considerações estão na base das relações ditas de *incerteza*", afirma Weisskopf, esclarecendo o fenômeno como

> um enunciado negativista postulando que, na Física, certas medições são impossíveis e, neste caso, essas medições são as que poderiam decidir o caráter ondulatório ou corpuscular do elétron, do próton ou de qualquer outra partícula. Se levarmos a cabo a medição, o estado quântico do objeto medido será completamente alterado, em virtude da ação que sobre ele incidiu. Esta dificuldade não se reduz a um problema técnico, cuja resolução poderia ser conseguida através de dispositivos mais engenhosos. As restrições de Heisenberg têm raízes mais profundas: são o corolário da dupla natureza dos objetos atômicos. A reação do objeto à nossa experimentação apresenta características inéditas de experimentação à escala macroscópica. A nossa descrição do objeto não pode, portanto, ser separada do processo de observação, como sucede para os objetos clássicos.[8]

O princípio da complementaridade

A descoberta de Heisenberg, conforme Weisskopf, abriu caminho para Niels Bohr estabelecer o princípio de complementaridade, também a propósito da natureza ondulatória e corpuscular da luz. Weisskopf cita o próprio Bohr assegurando que...

> ... na realidade, estamos em presença de duas linguagens distintas, complementares, para traduzir fenômenos luminosos [...] uma vez que "cada observação dos fenômenos atômicos exige uma ação recíproca não desprezível entre o objeto observado e o instrumento de medida". [...] O princípio da complementaridade pretende, assim, estabelecer a necessidade de duas linguagens correspondentes a dois tipos de pensamento (clássico e quântico) e aos níveis de realidade, postulando que nada existe de contraditório a esse respeito.[9]

A introdução desses princípios no sistema do CPT se deu, inicialmente, por intermédio do *banco aéreo*, quando o ator em desequilíbrio e

8. Victor Weisskopf, *A revolução dos quanta*, p. 62.
9. Idem, p. 18.

com a programação já feita passa a pesquisar o personagem. Os princípios da probabilidade e da incerteza o auxiliam no esforço permanente de fugir ao óbvio ou estereótipo, liberam-no da camisa de força da *causalidade* em favor da *indeterminação*, livram-no do raciocínio pragmático para entrar no campo da especulação metafísica.

Em desequilíbrio e sujeito à "chuva de átomos de estímulos que partem do exterior à sua volta ou do seu próprio interior", o ator pode deslindar aspectos importantes e surpreendentes do personagem na situação dada. Coloca-se aí a relação observador/objeto observado, dando-se a "ação recíproca não desprezível" entre ator e personagem, abrangendo aspectos que ficam além das possibilidades analíticas ou racionais do texto.

À luz do princípio da incerteza as partículas elementares "se apresentam como abstrações derivadas da matéria real da observação". É impossível atribuir-lhes existência concreta e, por isso, torna-se difícil "considerar a matéria como *verdadeiramente real*", conforme Heisenberg. "A nossa velha representação da realidade já não é aplicável ao campo do átomo", conclui o físico; "nos enredamos em abstrações assaz intrincadas se tentarmos descrever os próprios átomos como aquilo que é verdadeiramente real"[10].

Na criação poética chega-se a um nível equivalente ao das partículas elementares quando se rompem as defesas e os condicionamentos que levam a uma interpretação de mundo segundo padrões convencionados como *verdadeiros*. Para que se rompam defesas e condicionamentos é preciso rigor e conhecimento da matéria. Neste ponto é que surge o terceiro princípio da mecânica quântica, o da complementaridade, que se tornou o principal instrumento teórico no método de Antunes Filho, aquele que o revela como *complexa teia de relações entre as diferentes partes de um todo unificado.*

No sistema do CPT, o princípio da complementaridade viabiliza o surgimento de canais comunicantes e de conexões imprescindíveis à eliminação de pontos vazios, transformando em dialéticos movimentos aparentemente discrepantes. O principal e mais evidente exemplo está no uso complementar das psicologias freudiana e junguiana. Embora todo o sistema tenha sido construído à ideia de arquétipos e inconsciente coletivo, é imprescindível a psicologia pessoal (o subconsciente) para a criação de personagens. Isso ocorre em fases distintas e no final do processo fundem-se as escolas (ou as linguagens).

---

10. Werner Heisenberg, "A descoberta de Planck e os problemas filosóficos da física atômica", em *Problemas da física moderna*, p. 20.

7. O salto quântico e a melopeia

A partir do desequilíbrio, ao pesquisar o personagem, o ator deixa-se conduzir por estímulos – não por trajetos previamente imaginados ou por conceitos, mas pela energia. Tem tudo programado, entretanto não pensa nisso. Se construísse o personagem segundo os conceitos e a ideia de uma realidade linear, se limitaria à linguagem realista, à descrição *de fora para dentro*. Deixa, portanto, atuarem os estímulos, os arquétipos, possibilitando emergirem novas formas narrativas para velhas situações, novos significados. Ativam-se simultaneamente diferentes níveis da realidade, tornando-a não linear.

Assim como utiliza complementarmente duas linguagens psicológicas opostas, o ator também utiliza dois paradigmas estéticos contraditórios. A base do primeiro é o realismo que busca reproduzir a realidade comum; o segundo invade uma realidade superior, onde as coisas são e não são a um só tempo e atualizam-se gestos primais, signos que transcendem a história do indivíduo e o contextualizam no imaginário coletivo.

A junção de linguagens visa ao novo modo de pensar a realidade e expressá-la em cena. Não se trata de repúdio à realidade objetiva, com seus códigos fixos, mas uma forma de aprofundar a visão e no drama cotidiano vislumbrar o inconsciente coletivo. Conexões da complementaridade tornam lógicos surpreendentes movimentos da psique, dando acesso à irracionalidade que permeia a ação humana.

Os contrários se manifestam, no mundo subatômico, também na imagem de antipartículas acompanhando todas as partículas, sempre em pares, que se separam e se reúnem de novo para se aniquilarem mutuamente, como fala Stephen Hawking[11]. "Estas antipartículas constituem aquilo que se chama a antimatéria", explica Victor Weisskopf, "entidade desprovida de todo o mistério que, por vezes, é associado ao termo: de fato, a antimatéria nada mais é do que uma outra forma de matéria, composta por antipartículas com cargas opostas às das partículas vulgares"[12]. Isso estabelece um ambiente onde o físico não pode mais fazer distinção significativa entre matéria e qualquer outra coisa, conforme Schrödinger. Ideia também realçada por Heisenberg: "Não mais consideramos forças e campos de força como diferentes da matéria; sabemos que esses conceitos devem fundir-se num só"[13].

E é este o ambiente que o intérprete deve conquistar para a pesquisa e a composição do personagem. A vizinhança do caos, o berço das formas, mas não se trata de um espaço inventado, fruto da fantasia do

11. Stephen Hawking, *Buracos negros e universos bebês*, p. 105.
12. Victor Weisskopf, *A revolução dos quanta*, p. 44.
13. Max Born et alii, *Problemas da física moderna*, p. 45.

ator ou atriz, e sim um espaço real, que existe na Natureza, ainda que não seja visível. Todo o trabalho do intérprete, seguindo o caminho descoberto por Antunes, consiste na conquista desse espaço, para nele criar. Se não conquistá-lo, não terá como desenvolver seu trabalho.

A introdução de elementos da nova física gerou profundas reflexões no CPT. Reflexões que permeavam os exercícios cotidianos e terminaram propiciando completa revisão dos procedimentos técnicos já desenvolvidos, inaugurando alguns outros. Em 1987 um grupo de atores elaborou o manual *O ator do Centro de Pesquisa Teatral SESC Vila Nova*[14], abordando antigos e novos procedimentos sob a ótica da nova física.

Sintomas da euforia que a novidade causou no grupo percebem-se em notas como esta: "A relação entre opostos simétricos e complementares engendrando o movimento, que é a base comum da física moderna e do taoísmo, é, também, o ponto de partida da nossa visão de mundo, da nova ética e da nova expressão que buscamos"[15].

Essa euforia não resultou em mudança de rumo, mas na afirmação ideológica. As ideias expostas no manual formam círculos concêntricos – nova ideologia, nova postura ética, nova expressão estética –, estabelecendo o núcleo conceitual de um processo que só pode existir por intermédio do *ator quântico*. Neste olhar retrospectivo, parece ingênua a insistência com que se emprega a expressão *ator quântico*, denunciando o deslumbramento pela descoberta dos benefícios da teoria quântica, mas a insistência era estratégica. À custa da repetição o ator passava a *achar normal* ser *quântico* e, portanto, ia à fonte sem qualquer reserva.

No epílogo do manual, o *ator quântico* é definido como "aquele que trabalha por meio das energias e para o qual tudo é interconexão", e esclarece: "Movimento, fluxo e mudança, características do misticismo; probabilidade, incerteza, complementaridade, características da física quântica, são, também, características do ator quântico. Todo ato que ele pratica em cena tem por base essas características".

O objetivo continuava sendo a pesquisa de novos modos de interpretar e expressar a realidade ou um novo realismo. Técnicas adequadas eram fundamentais à pesquisa, pois só recorrendo a elas o intérprete poderia manifestar essa nova realidade. Os recursos teóricos da nova física tornaram-se essenciais para essa expressão, uma vez que a reali-

14. *O ator do Centro de Pesquisa Teatral SESC Vila Nova*. Apostila de 64 páginas, datada de 16.11.1987. Cópia doada ao autor por Marcos Azevedo.
15. Idem. As citações seguintes procedem da mesma fonte, salvo nota em contrário.

dade em mira é a do *campo unificado*, processada além das construções racionais, além dos recursos realistas produzidos à luz do cartesianismo. Alteram-se os códigos e os paradigmas, interferindo diretamente na técnica da qual resulta a linguagem.

Na prática diária do CPT, a busca da nova realidade começa pelo velho exercício de naturalismo. Agora, no entanto, surge nova figura teórica estabelecendo o necessário *oposto simétrico* para o naturalismo: a *melopeia*, que responde pelo aperfeiçoamento da pesquisa do personagem, incluindo o trabalho corporal e vocal. E o estabelecimento desse contraditório faz a ideia se movimentar, buscar novas formas de manifestação.

Com o pensamento voltado à melopeia é que o artista repete incontáveis vezes o mesmo exercício, pois a repetição "é o caminho que leva à identificação do sujeito com o objeto. Quando se processa a unidade, que é o próprio corpo, o ator terá dado um passo para sua autorrealização e também para a melopeia. Sujeito e técnica serão a mesma coisa, mas o sujeito terá se alterado, estará acrescentado de maior conhecimento".

A melopeia seria, por outro lado, a conjugação perfeita de todos os exercícios corporais em um movimento de meditação e de conhecimento, como é o desequilíbrio. O manual sugere que o praticante do método aumentará sua eficiência conforme o grau de perfeição com que desempenha cada exercício.

Reafirma o autoconhecimento como ingrediente básico do método, pois o ator não estará apenas imitando um gesto, mas revelando-o; não estará apenas expondo uma emoção que foi desencavar na *memória emotiva*, porém procurando por meio da emoção fingida deslindar aspectos ocultos da alma humana. E para dominar tudo isso precisa conhecer-se e não se deixar cair em armadilhas do subconsciente nem submergir à própria emoção.

A distância é imensa entre o naturalismo e a melopeia. Aquele expõe simplesmente o fato humano, em termos de ocorrência cotidiana; esta faz o fato humano transcender, por intermédio de códigos estéticos, tornando-o revelador. Em vista disso, vamos conceber o naturalismo como o começo do processo, quando o ator exerce a *mimese*, sem interferência crítica e/ou poética, e a melopeia como o final do processo, quando o artista transforma os dados e as informações da realidade objetiva em expressão poética.

A estrutura apresentada no manual compõe-se de: 1) *Técnicas vocal e corporal* – os exercícios são realizados diariamente, buscando dar ao corpo e ao espírito absoluta disponibilidade; 2) *Programação* – projeto do personagem no contexto da peça, prevendo sua ação a cada passo, com base na análise do texto; 3) *Gênese* – estudo do passado do personagem para entender o seu presente e o seu futuro; 4) *Ensaio de situação* – quando se processam os dados constantes da programação, elaborando a trajetória do personagem conforme orientação do que foi estudado na gênese.

Preparo vocal e corporal

Tendo definido os conceitos de ideologia e de ética, colocando-os como matéria-prima da expressão, o relato aborda as técnicas que propiciariam a *formação do ator quântico*, a começar pelo *preparo vocal*. Procura-se o modo ideal de preparação da voz, com técnica correspondente à da preparação do corpo, porém nada foi descoberto concretamente nesse campo. Por isso, o que se relata é a ideia de como usar a voz no trabalho criativo, sem incluir os meios apropriados.

A redação é um tanto confusa por afirmar que "não estamos nos referindo a uma técnica vocal específica, mas sim a uma ideologia vocal". Isto em razão da crença de que, ao aprendermos uma técnica e "permanecermos nela, nossas manifestações tendem a ser frias e intelectuais, ou seja, a técnica comanda as palavras que exprimimos e seus sentimentos", incidindo no mal-amado estereótipo. Afirmações que parecem denunciar postura *antitécnica*, o que fica longe da verdade. No CPT a técnica é imprescindível, foi meta do grupo a sua conquista e o seu domínio desde sempre.

No caso da preparação vocal, todavia, coloca-se o ideal da coisa, não a coisa em si, já que a técnica não estava resolvida. Propõe-se a prática do *desequilíbrio vocal* para "tornar o aparelho fonador versátil e disponível à realização de toda e qualquer solicitação vocal", entretanto a maneira para se chegar ao *desequilíbrio vocal* não é explicitada. Estão claros, no entanto, os objetivos: limpar o ator e tornar sua voz "uma folha de papel em branco, onde, sem resquícios de maneirismos, impostações forçadas ou sotaques carregados, poderão ser *desenhados* os mais belos e claros sons".

7. O salto quântico e a melopeia

Já o *preparo corporal* avançou perceptivelmente. O desequilíbrio consolidou-se como procedimento fundamental do sistema, estando agora perfeitamente organizado. Uma novidade em relação ao compêndio de 1984 é o exercício número zero, ou *quebra*, definindo o movimento inicial do desequilíbrio. Não basta se colocar desequilibradamente no espaço: a ação começa por uma proposta mental e o corpo assume essa vontade provocando a *quebra*, que resulta em imediata *alteração da consciência.*

Descrição da *quebra*: "A pessoa em pé desequilibra e se deixa cair para a frente, violentamente, até o limite em que lhe seja permitido evitar uma queda completa. Isso levará a um deslocamento também violento no espaço (uma corrida). Procura restabelecer a posição inicial, observando sempre o comportamento natural do corpo e das leis físicas".

A *quebra* (será a antiga *alavanca*?) na verdade dá o impulso para o movimento em desequilíbrio: "Totalmente desestruturado física e psicologicamente pelo exercício número zero [quebra] o ator inicia sua reconstrução. Em pé, encontra seu eixo e, sutilmente, com um balanço para a frente e para trás encontra o ponto de desequilíbrio, ou seja, uma inclinação que o fará andar em busca do equilíbrio".

E assim prossegue, deslocando-se pelo espaço em suave desequilíbrio, "procurando parar e restabelecer a posição do eixo inicial, o equilíbrio, sem o uso da força automotora, obedecendo apenas às leis naturais da Física. Se com uma leve inclinação para a frente se desloca naquela direção, vai parar usando uma contraforça, ou seja, um leve deslocamento do tronco para trás".

O movimento se realiza plenamente quando o ator tem absoluto controle das tensões físicas, caso contrário só se moverá com muito esforço, o que contraria a natureza do exercício. Neste caso, deve localizar o ponto de tensão, que normalmente se manifesta nas pernas, nos joelhos ou nos ombros, mas pode estar também em outras partes. Uma vez localizado o ponto, deve eliminar a tensão, permitindo às energias "fluírem normalmente, proporcionando movimentos harmoniosos, trazendo liberação e prazer".

A polaridade *yin* e *yang*, fundamental ao desequilíbrio, é trabalhada pela respiração:

Inspirar no ponto inicial, eixo, e juntamente com o primeiro passo, que deve ter pouca abertura para facilitar o deslocamento; ao tocar o pé no chão, expirar de uma só vez. Inspirar novamente para subir o tronco. Inclinado pelo primeiro passo, dar o segundo passo e novamente pisando o solo expirar, só que desta vez aos poucos e a cada vez que tocar um dos pés no chão, até esgotar a energia propulsora gerada pelo desequilíbrio.

O exercício de desequilíbrio desdobra-se em outros, descritos no manual como suas fases sucessivas. São eles: a *loucura*, o *teatro infantil* e a *transição*.

A *loucura* propõe a constituição de tipos e formas com o corpo. Já dominando a unidade, o ator passa a exercitar "cada parte dessa unidade, adquirindo domínio e desenvoltura em todos os movimentos. Ex.: mãos, ombros, braços, costas, pernas, pés, cotovelos, etc. Desse modo, dispõe do material para compor tipos e formas com o corpo, usando e movimentando as partes nas mais variadas combinações".

O *teatro infantil*, que mais tarde virou *cinema mudo*, inspirava-se em certos tipos de representação para crianças baseados em clichês e caricaturas. "São tipos sem densidade, somente *yang*, portanto mais caricaturas do que tipos". Com esse recurso, o ator começa a pesquisar a expressão de cada parte do seu corpo. Em harmonia com o todo e com o ritmo, "concentra a expressão em cada parte escolhida, por exemplo, expressão das mãos, dos cotovelos, dos ombros, das costas, etc."

A *transição* propõe a criação de tipos, porém com densidade, com verdade, com a sustentação *yin*, já obedecendo a uma seleção artística. É a transição para a melopeia.

Programação

A programação coloca o ator em face do texto e do personagem, roteirizando todos os elementos e fatos dramáticos como se fossem engrenagens de uma máquina. Tem a função de estabelecer plataformas seguras para o mergulho do ator na criação poética.

O primeiro item aborda a leitura inicial do texto, que deve ser *branca*, sem qualquer inflexão ou tentativa de interpretação, para que não se cristalizem falsos sentimentos, fechando a visão em estereótipos. Uma advertência importante: o texto não deve ser decorado. No processo da análise e da pesquisa do personagem e das situações o ator vai se apropriando das palavras e, por fim, diz o texto como se as palavras fossem suas – elas parecem nascer no momento em que são faladas.

Na sequência, é feito o levantamento do universo da obra e do autor. É preciso estudar a época – aquela em que se passa a ação e a do autor, se não for a mesma –, a sociedade, a economia, o pensamento político, etc., pois "a postura e o caráter do personagem não são desvinculados da história. A toda ação corresponde um processo anterior e um futuro. Ao agirmos, faz-se necessário cercar minuciosamente cada ação e reação dos personagens. Este levantamento auxilia na descoberta dos objetivos, tanto do personagem quanto da obra e do autor". Concluindo: "Essa é uma pesquisa intelectual que vai colaborar na gênese do personagem e na construção de armadilhas mentais coerentes, para que se torne orgânico todo o processo do personagem".

Indispensável estabelecer na programação o *cronograma* e o *fluxograma* da ação dramática. O *cronograma* é a "fixação gráfica dos acontecimentos físicos e espirituais" contidos na obra e o *fluxograma* analisa o fluxo dos acontecimentos, com a preocupação de verificar como o personagem se comporta nessa dinâmica – é "um levantamento do movimento interior do personagem", um meio de perceber suas alterações perante as questões com que se defronta. O *fluxograma* é sempre provisório e frequentemente revisto, pois diz respeito às alterações do personagem, que são abordadas na gênese, crescem e adquirem nitidez no decorrer das pesquisas e dos ensaios.

O item seguinte da programação foi importado diretamente de Stanislavsky. Refere-se ao *objetivo* e ao *superobjetivo*, que são elementos fundamentais no sistema do mestre russo. E aqui detectamos claramente o esforço de transformação do código stanislavskiano, senão na prática, pelo menos na ideologia.

Reza o manual que "todo personagem tem um *superobjetivo*; cada passo tem seu *objetivo*, que é direcionado para o *superobjetivo*". Assim como "cada cena tem um *objetivo*"... Quando o personagem entra na cena, entretanto, "encontra um *objetivo* contrário ou a favor para dificultar ou facilitar o seu *objetivo*" e, com isso, começa a se constituir o *campo unificado*, que se manifesta por intermédio dos opostos. E, já neste sentido, a pesquisa de *objetivos* no sistema de Antunes Filho toma rumo diverso ao que propõe Stanislavsky.

Os dois sistemas pedem *objetivos* concretos para a manifestação do personagem, porém enquanto Stanislavsky visa à reprodução da realidade objetiva, Antunes visa à criação da realidade que surge do *campo unificado* pela ação de objetivos contraditórios: manifesta-se a própria realidade em cena, dando ao espectador nova visão do Real.

É disso que trata o destaque *como trabalhar os objetivos de forma orgânica ou quântica*, propondo o ensaio de situação como momento adequado para o ator assumir nova postura. Ele já elaborou intelectualmente a ação, tem tudo programado e elegeu os *objetivos* pequenos e grandes. Deve, então, deixar de lado o intelecto e começar a movimentar-se em direção ao *superobjetivo* com todo o seu organismo. Nesse movimento orgânico, "a linha reta (direta) de ação torna-se curva, tortuosa", colocando em xeque o *superobjetivo*, porque o ator está sempre duvidando dos objetivos do seu personagem e dos outros também, mas duvidando com seu próprio corpo, orgânica e não verbalmente.

Gênese

A *gênese* foi também importada do método de Stanislavsky. É um processo analítico sobre o *passado* do personagem que propicia elementos importantes para o entendimento do seu *presente* e do seu *futuro*. Os três tempos – passado, presente, futuro – viram unidade na ação dramática. Por isto é fundamental trazer à elaboração da gênese dados concretos, uma descrição cartesiana do personagem e do meio em que ele atua, estabelecendo a plataforma para o mergulho do ator na criação. O ator não pode se deixar levar pela fantasia. Os dados devem ser colhidos no próprio texto, abarcando não só os elementos exteriores, como o meio ambiente, com todas as suas implicações sociais e econômicas; também os interiores, que determinam a reação do personagem a cada passo.

Nessa investigação o ator se coloca usando o conceito stanislavskiano da função mágica do *se*, isto é, questionando "*se* fosse eu nessa situação, como reagiria?". Isto determina a identificação ator/personagem. Até aqui, a técnica é totalmente stanislavskiana, porém há uma entidade que transforma o conceito: o *investigador*, novo título do jogador.

A função mágica do *se*, em Stanislavsky, *gruda* o personagem no ator, que pesquisa suas próprias emoções (memória emotiva) para a perfeita identificação com o personagem. Com o investigador, entretanto, a identificação ator/personagem sofre a ação do seu contrário, a *desidentificação*, e, desse modo, o ator se afasta do personagem e o domina.

Ensaios de situação

A *programação* e a *gênese* são concebidas e elaboradas em cima de dados concretos e situações lineares – esquemas e não sistemas. Ao serem processados nos ensaios esses esquemas começam a fazer parte do sistema criativo. A *programação* é como o mapa do personagem e a *gênese* fornece ao artista a matéria-prima dramática. Ambos os recursos se apoiam na complementaridade, ou na busca da unidade contraditória por meio dos opostos. O trabalho com a complementaridade é a última fronteira racional desses esquemas e o que os integra ao sistema não linear. A partir desse ponto o trajeto criativo se faz em desequilíbrio, com o comando do *investigador*, verticalizando a pesquisa do personagem e das situações com o recurso da incerteza e das probabilidades.

A incerteza do ator *em situação* é mais instintiva do que racional. Ele reage aos estímulos de modo contraditório, provoca atritos que geram novos estímulos, que repercutem no seu corpo e determinam formas estéticas. O corpo busca equilíbrio e os estímulos atuam, alimentam-se das contradições, abrindo probabilidades expressivas. O estado do método, nessa fase, foi determinante para a linguagem de *Paraíso, zona norte*, que deixava expostos os mecanismos técnicos elaborados com vista ao movimento dos contrários. Os personagens vacilavam entre dois opostos, em cena, resultando em flutuação contínua, um fluxo permanente de ideias e emoções contraditórias.

Aspectos relevantes da construção do personagem começam a ser elaborados na gênese e prosseguem nos ensaios de situação. Abre-se o campo das probabilidades de ocorrências novas. É o *campo das dez mil coisas*: cada *coisa* representa uma probabilidade expressiva contida no mesmo tema. À busca da expressão exata, o ator deve realizar estudos, croquis do personagem, até defini-lo numa forma vital e dinâmica. Na gênese são verificadas as suas potencialidades. Já nos ensaios de situação os croquis começam a ser feitos.

O caminho do ator em relação às palavras do texto vai do *significado* ao *significante*. "Quando o ator é investigador e se encontra na primeira fase do seu trabalho – apreensão intelectual da realidade – a palavra é causa (*significante*), mas na fase posterior do trabalho, a do poeta, a do criador, a palavra é efeito (*significado*)." Imprescindível, portanto, ir às causas e buscar um *efeito* revelador dessas causas para dizer aquela palavra.

A melopeia – termo que seria esquecido no CPT, sem que o conceito fosse descartado – refere-se etimologicamente à sucessão rítmica dos sons, mas aqui surge como estratégia que dá ao artista seu caráter poético. Ele faz melopeia quando, utilizando os recursos da sua arte, consegue expressar as ações humanas do devir, do vir a ser, possibilidades de um futuro. Ao emprestar da música o conceito, Antunes propunha uma reflexão sobre leis que regem a arte teatral desde a Antiguidade clássica.

Volta ao teatro como arte imitativa (*mímesis*). Na classificação de Aristóteles "a epopeia, o poema trágico, bem como a comédia, o ditirambo e, em sua maior parte, a arte do flauteiro e a do citaredo, todas vêm a ser, de modo geral, imitações. Diferem entre si em três pontos: imitam ou por meios diferentes, ou objetos diferentes, ou de maneira diferente e não a mesma"[16].

Em *A República*, Platão expressara total repúdio às artes *imitativas*. Do seu ponto de vista, "as imitações poéticas são nocivas ao espírito dos ouvintes"[17]. Alega ser "o artista um criador de aparências"[18] e afirma que "o imitador ou fabricante de imagens nada entende do verdadeiro ser, apenas do aparente"[19]. A *doutrina de ideias* de Platão prega a necessidade do conhecimento como meio de apreensão epistemológica das causas. E sem conhecimento, sem uma atitude científica diante de um objeto ou de um fato, o artista não consegue chegar ao mundo das causas e detectar o arquétipo desse objeto ou desse fato e, portanto, não se dá ao trabalho de *conhecê-lo* na sua essência metafísica. Então será apenas um imitador, nada acrescentando ao conhecimento do objeto ou fato imitado.

Seu discípulo, Aristóteles, expressou pensamento divergente sobre as artes imitativas, na *Poética*. Afirmou que "imitar é natural ao homem desde a infância – e nisso difere [o ser humano] dos outros animais, em ser o mais capaz de imitar e de adquirir os primeiros conhecimentos por meio da imitação – e todos têm prazer em imitar"[20]. O que interessa

16. Aristóteles, *Poética*, p. 31.
17. Platão, *A República*, p. 379.
18. Idem, p. 381.
19. Idem, p. 388.
20. Aristóteles, *Poética*, p. 33.

não é a coisa imitada, mas o pensamento que se manifesta por intermédio dela. Desse modo, Aristóteles expressou um conceito de realidade bastante distinto daquele descrito por Platão, legitimando o imaginário como fator pertinente à visão de mundo.

Diz Aristóteles que "o poeta imita sempre por uma de três maneiras: ou reproduz os originais como eram ou são, ou como os dizem e eles parecem, ou como deviam ser. Isso se exprime numa linguagem em que há termos raros, metáforas e muita modificação de palavras, pois consentimos isso aos poetas"[21]. Quando dá legitimidade ao uso de metáforas, sínteses, recursos linguísticos que não reproduzem a fala cotidiana, porém a elevam; quando dá lugar ao maravilhoso, ao absurdo, ao irracional, o poeta coloca uma visão do mundo não como era ou é, mas como o mundo deveria ser. Está criando uma realidade artística.

Ao propor a melopeia segundo a *mímesis* aristotélica, Antunes Filho busca um conceito capaz de organizar todos os outros já estabelecidos para materializar uma visão de realidade em cena. Não a reprodução da realidade tal qual é, e sim como devia ser. Não como devia ser segundo a fantasia do artista, mas pela percepção de sua dinâmica, das ocorrências que, embora escapem aos nossos sentidos, atuam e conduzem os acontecimentos *reais* a outros acontecimentos, no movimento do *todo unificado*.

21. Idem, p. 57.

8. Paraíso, zona norte

Não por acaso ressurge Nelson Rodrigues no repertório do CPT, e também não por acaso em espetáculo composto de duas peças – *A falecida* e *Os sete gatinhos* – que apresentaram problemas na abordagem anterior.

Forte tonalidade naturalista transforma os textos em imagem do cotidiano, mas imagem exagerada, deformada. E foi no *exagero* e na *deformação* que Antunes centrou a narrativa, exteriorizando carnavalização até nos adereços, de modo que rompesse censuras e convenções para atingir o cerne da realidade poética. Dispunha, agora, de meios adequados, o que não ocorria quando da primeira abordagem, em *Nelson Rodrigues, o eterno retorno*. Por intermédio dos meios técnicos do ator e do Simbolismo do Centro como ambientação, Antunes consegue detonar a aparência naturalista e trazer visões implacavelmente belas de *outra* realidade.

Um artigo de Pompeu de Souza, publicado nos anos 1950 e reproduzido no *Teatro quase completo*, consagrou a classificação de *comédia de costumes* à obra de Nelson Rodrigues. Referia-se o jornalista à *pureza criadora* de Nelson, que lhe possibilitava compor "obras tão altas, no mais nobre dos gêneros teatrais – a tragédia –, com as formas linguísticas muitas vezes as mais plebeias e, contudo, de uma beleza não raro incomparável". E prosseguia:

> Passa da tragédia universal para a comédia de costumes carioca, suburbana, zona norte da cidade; sem perder, entretanto, sua universalidade essen-

cial. Uma estranha e personalíssima comédia de costumes é verdade, que fez o próprio autor equivocar-se na sua classificação e chamá-la de tragédia carioca, ao primeiro e melhor exemplar até aqui, da sua obra neste novo rumo, *A falecida*. Mas, indiscutivelmente, comédia de costumes...[1].

Pompeu de Souza certamente não se referia àquele gênero chapado, muito difundido em nosso velho teatro, que reúne clichês de uma determinada realidade social; no entanto, o conceito nessa forma mesquinha foi que por muito tempo rotulou a obra de Nelson Rodrigues.

Antunes nunca admitiu tal classificação e chegou a hora de provar no palco que a obra rodriguiana é "toda mítica". Provar por meio das peças tidas por comédias de costumes e cuja natureza mítica tentou deslindar, mas não conseguiu resolver em *O eterno retorno*.

A falecida fora descartada naquela montagem porque "a ilustração cênica da fértil imaginação de Zulmira tornava muito presente a sombra de Macunaíma", conforme consta do artigo publicado no programa de *O eterno retorno*. Por aí se nota um erro na abordagem. Chama *imaginação* do personagem aos efeitos. E esses efeitos constituem a capa que protege e oculta o real ou o movimento do Inconsciente. A abordagem, recorrendo a um tema forte, como a *culpa*, pertinente à cultura judaico-cristã, é muito mais eficaz. Porém, a *culpa* é igualmente um efeito. É preciso ir mais fundo. Imprescindível romper as camadas da superfície para chegar às essências do drama. Desta vez, Antunes dispõe de ferramentas para a prospecção na profundidade. E as usa magistralmente.

A peça começa com Zulmira consultando o Oráculo que, no seu contexto, é uma cartomante cheia de problemas. O resultado da consulta ilumina-lhe a culpa: será então a prima Glorinha quem labora no sentido da sua ruína. E por quê? Porque Glorinha a viu de braços dados com o amante, Pimentel. Na verdade, o Oráculo apenas confirmou o sentimento que teve Zulmira no instante em que a prima passou por ela e Pimentel, na calçada, e não a cumprimentou, como não mais a cumprimentaria. Porém, esse não é o início do seu drama, apenas o efeito, a eclosão de muitas causas acumuladas ao longo da sua miserável existência.

O drama de Zulmira brota da sociedade em que vive, da moral e da ética sociais que nivelam altos valores, corrupção, preconceitos e auto-

[1]. Nelson Rodrigues, *Teatro quase completo*, v. I p. 14.

ritarismo. Esse drama a perpassa assim como a todos os personagens da peça, até mesmo Glorinha, que usaria roupas *superdecentes* por ter extraído um seio. Cada um reage à sua maneira às desgraças que os unem. E a reação de Zulmira é fugir. Não vendo outra saída, decide triunfar na morte com enterro de deixar a vizinhança de queixo caído. Tudo fez para isso e, exultante, abriu os braços para a morte: "Eu sou a morta que pode ser despida... vizinhas, me dispam..."[2].

Com a morte de Zulmira, começa o pesadelo de Tuninho, o marido. Ele que, na pobreza e desempregado, vivia ainda a inocência, em poucas horas soube-se traído e humilhado pela falecida. As revelações de Pimentel ao mesmo tempo dão a Tuninho consciência da queda e conferem a Zulmira tintas trágicas: lutou contra o inelutável e tem sua última esperança pulverizada pela *verdade*. Coube-lhe o enterro mais pobre possível, porém a vingança não preenche a imensa solidão de Tuninho. Todas as coisas do Universo estão em colapso nesse pobre homem que grita no estádio de futebol e joga à multidão o dinheiro que tomou de Pimentel, com o qual Zulmira contava para seu triunfo.

O mesmo artigo do programa de *O eterno retorno* afirma que *Os sete gatinhos* "oferecia grande tendência para tornar-se comédia de costumes, uma vez que vinha impregnada de forte cor local", embora note que "a temática aparentemente vulgar encobre profunda radiografia da classe média brasileira em meio à miséria física e espiritual e esconde uma conotação mítica digna das obras consideradas *arquetípicas* de Nelson".

A *forte cor local* procede do ato de captar forças opostas que se digladiam no substrato da mesma sociedade em que vive e morre Zulmira (*A falecida*). Toda a família do contínuo Noronha (*Os sete gatinhos*) afunda numa tenebrosa degradação como preço para a remissão final que se esperava conseguir com a pureza de Silene, a filha caçula. As outras filhas se prostituem para manter Silene virgem, em um colégio interno. Eclode o drama quando a menina é expulsa do colégio por ter matado uma gata prenhe: "Imagine: a mãe já morta e aquela golfada de vida! Sete gatinhos, ao todo"[3]. E depois dr. Bordalo dá a notícia fulminante: Silene está grávida. Desesperado, Noronha decide transformar a casa em bordel. E todos buscam pelo homem que chora por um olho só, que o Oráculo (desta vez, *guia* de mesa branca) apontou como o causador da desgraça da família. Como um estranho Édipo, Noronha age desesperadamente contra o próprio destino: busca o criminoso que,

2. Nelson Rodrgues, "A falecida", *Teatro completo*, v. 3, p. 98.
3. Idem, "Os sete gatinhos", *Teatro completo*, p. 215.

A Falecida em Paraíso,
Zona Norte
Luis Melo e Flávia Pucci.
Foto: Gabriel Cabral

por fim, é ele mesmo. E as filhas são as Fúrias que o destroçarão.

Fundas contradições alimentam os textos. Seus protagonistas chegam ao paroxismo com intenso vigor. Verdades não são expressas em palavras e sim mediante relações insólitas colocadas pelo poeta. Criaturas se debatendo pela sobrevivência espiritual, numa sociedade marcada pela desigualdade. E quando uma atitude cresce e se afirma revela a composição de sonhos, ambições, frustrações, carências dessa sociedade. O personagem que se destaca é aquele que ousa contrariar seu destino. Será fatalmente destruído. Por esse ponto de vista, os personagens de Nelson Rodrigues, com a estatura de Zulmira ou de Noronha, são parentes muito próximos do herói trágico, e seus passos os levam à queda trágica. Talvez por isso o poeta tenha recusado veementemente a classificação de *comédias de costumes* a essas obras, insistindo chamá-las *tragédias cariocas*.

Recorrendo aos indícios trágicos, Antunes conduz seus atores ao universo abissal de Nelson Rodrigues. Supera *cor local* e dados pitorescos, que de fato agitam a superfície das obras, para chegar ao vórtice do drama. Ali descobre um mundo denso, um movimento dramático que se multiplica em possibilidades expressivas. Dados que afloram à superfície com aparência de anedota – como o fato de Tuninho lavar as mãos depois de fazer sexo, o que deixava Zulmira ofendida, ou de a Gorda, mãe da família em *Os sete gatinhos*, escrever obscenidades nas paredes do banheiro da casa. São atitudes de grande valor simbólico que levam a um entendimento superior da trama. Com o processo criativo já bem desenvolvido, Antunes consegue, finalmente, provar em cena a condição mítica das supostas comédias de costumes rodriguianas.

Significados e significantes surgiam e sumiam na belíssima luz de Max Keller e, com mais eloquência, na cenografia de J. C. Serroni. A caixa do palco virou enorme mandala, oculta pelas linhas retas da estrutura que pode representar uma estação de metrô ou qualquer outra coisa. Nessa estrutura, um alçapão invade o subsolo com sua escada e, ao lado da *boca* do alçapão, ergue-se a *Árvore da Vida*, o Simbolismo do Centro na forma de coluna de neon rompendo o espaço de alto a baixo. Ao redor da *Árvore da Vida*, em movimentos circulares ou descrevendo linhas simétricas, os atores se manifestam e da manifestação se desenha a mandala.

Cenário que de um ponto de vista naturalista não serviria para nenhuma das peças, já que ambas acontecem em vários ambientes da zona norte do Rio de Janeiro; entretanto, por algum motivo, esse cenário contém todos os ambientes necessários para contar as histórias de Zulmira e de Noronha. O cenário, sendo ele mesmo uma ilusão, se transforma em todos os ambientes evocados graças à ação dos atores – ação de energias em permanente conflito.

A trilha sonora de Raul Teixeira, contendo músicas de épicos cinematográficos, como *O manto sagrado*[4], contribui para a *irrealidade do real*, atingindo emoções primárias do espectador e fechando o ciclo de manifestações arquetípicas.

A arquitetura cênica, os figurinos, a luz e o *design* sonoro formam com os atores a "complexa teia de relações entre diferentes partes de um todo unificado", tornando perceptível a manifestação de arquétipos, tanto do ponto de vista junguiano (na evolução dos personagens, dominados por sentimentos *irracionais*, e nas relações cênicas) quanto da filosofia das religiões (*Árvore da Vida*, boca do inferno, o todo ritualístico com sua constante atualização de gestos primais).

O alçapão, *boca do inferno*, se desdobra em significados. Um canal para a *realidade última*, para o inconsciente coletivo habitado pelos arquétipos em constante atuação, ou para o infinito universo das partículas subatômicas aceleradas por forças opostas, no limite da construção e da destruição. É o império de Shiva, deus indiano que Antunes adotou como *padroeiro* do seu teatro. Em movimentos flutuantes os atores submergem nesse mundo de imanências, onde o drama humano se oculta, e flutuando emergem ao tablado, onde faces desse drama são atualizadas. A ação subterrânea é invisível, mas a ação atualizadora reluz entre as paredes de vidro transparente.

O plano da encenação está configurado no cenário, com o Simbolismo do Centro e a entrada do inferno incrustados num ambiente neutro, que lembra mais o público do que o privado. A ideia básica já se anunciara em *O eterno retorno,* conforme explicações constantes do

4. A música-tema de *A falecida* foi a composição de Alfred Newman para *O manto sagrado* (*The robe*), dirigido por Henry Koster. Excertos de músicas de *Os dez mandamentos* (*The ten commandments*) e de outros "épicos" de Cecil B. DeMille também foram usados nas duas peças.

programa, referindo-se a *Os sete gatinhos*: "A mesa sugeria a tribuna, o centro da casa, da família, em torno da qual tudo se desenvolve, o simbolismo mítico do Centro, que liga o Céu à Terra". Permanece a leitura, porém a mesa se desloca do Centro do Universo para o centro da família. Tudo gira em torno da *Árvore da Vida*, representada pela coluna de neon. O alçapão, ponte da consciência para o inconsciente, enriquece e dá contornos mais nítidos à ideia. Criaturas emergem e submergem nesse espaço, sempre com carga dramática e rigor, permitindo a circulação das tensões, das pulsações, possibilitando um final surpreendente para *Os sete gatinhos*, com sirenes tocando como anunciando desastre em reator nuclear, as luzes em intermitência, tudo em curto-circuito, enquanto as filhas, tornadas Fúrias, assassinam o pai.

A cenografia corresponde às necessidades estéticas, não no sentido de ser funcional e *significativa*, mas viva, estabelecendo o território poético da ação e interagindo o tempo todo com os intérpretes. As sugestões da cenografia ecoam na luz, que, revelando a ação por clareiras fixas, mantém a dureza da observação sobre seres imprecisos, flutuantes. O som nasce das cenas e não tenta domesticá-las ou adoçá-las. Tudo em admirável harmonia e revelando um universo orgânico, misterioso, potente e belo.

A estreia causou formidável impacto no meio artístico[5]. Os jornais, nos últimos tempos, falavam do método que Antunes teria finalmente sistematizado. Era difícil entender o discurso que misturava mecânica quântica, taoísmo, Jung... Cerca de dois anos antes, quando Antunes anunciara ter incluído a nova física no seu processo, não faltaram comentários irônicos: o que tem teatro a ver com física moderna? Agora, diante do resultado estético, esses naturais antagonistas se calavam. Por outro lado, nenhum ensaio crítico revelou séria intenção de entender a linguagem renovadora. Elogios enalteceram o espetáculo, mas sua natureza estética permaneceu distante da análise crítica.

Em carta a Antunes Filho, o dramaturgo argentino Oswaldo Dragun dizia que o Grupo de Teatro Macunaíma com *Paraíso, zona norte* revelou o corpo do homem latino-americano. Um belo elogio ao espetáculo, sinalizando o que mais tarde se verificaria em importantes festivais da América Latina: o Festival Internacional de Teatro de Caracas e o Cervantino, no México. Em ambos a condição latino-americana da obra era ressalta-

5. *Paraíso, zona norte* estreou no Teatro SESC Anchieta, no dia 28 de abril de 1989, com o seguinte elenco: Arciso Andreoni, Barthô di Haro, Clarissa Drebtchinsky, Eliana César, Flávia Pucci, Geraldo Mário, Hélio Cícero, Jefferson Primo, José Rosa, Luiz Furlanetto, Luis Melo, Rita Martins, Samantha Dalsoglio, Teresa Negrini, Walter Portella.

da como paradigma. Um artigo em *El Diário de Caracas*, por exemplo, ostentava o título "Macunaíma: el espejo de los latinoamericanos".

> *Paraíso, zona norte* constitui investigação algo mais que teatral, pois envolve uma arriscada experimentação de imagens e gestos que só encontram paralelo nas crenças e mitos coletivos e escapam à explicação acadêmica. Antunes Filho demonstrou uma hierarquia única e não repetível, que o coloca entre os grandes autores cênicos",

escreveu Leonardo Azparren Gimenez, num comentário em que pondera terem os atores do Grupo de Teatro Macunaíma alcançado "o ideal do ator-atleta de Artaud[6].

Os elogios, que vinham de todo lado, sempre realçavam as performances do elenco. Na mesma crítica, Gimenez acentua que a "experimentação não renuncia a se envolver com formas materiais nacionais, pelo contrário; as desenvolve até torná-las linguagem". Volta, assim, ao ponto de vista de Dragun, quanto ao espetáculo ter revelado em cena o corpo do homem latino-americano. Pois, de fato, todo o processo de pesquisa estética não estava voltado ao *esteticismo*, e sim à realidade humana de uma determinada sociedade. A forma respondia ao desejo de expressar esteticamente essa realidade. Que é brasileira e, por contingências históricas, além das geográficas, latino-americana.

Assume fundamental importância o processo criativo, bastante discutido nesses festivais. Flávia Pucci, que vivenciou o processo e apresentou belas performances como Zulmira, em *A falecida*, e como Aurora, em *Os sete gatinhos*, explicava em uma coletiva de imprensa:

> No método de Antunes tudo está integrado. A teoria não está separada da prática. Antunes inventa exercícios que traduzem na prática a teoria em estudo. O exercício do *desequilíbrio* ajuda-nos a ter consciência do corpo. Estamos cheios de couraças, de personas e tentamos quebrar essas couraças. Então, ficamos num movimento de desequilíbrio, conscientes de todo o corpo, tentando zerar as personas. E isso deixa também a mente em desequilíbrio[7].

As couraças e personas junguianas são evocadas por Flávia Pucci com a firmeza de quem lida com elas cotidianamente. Era, de fato, o

---

6. "Las cimas del Festival", *El Diário de Caracas*, 14/4/1990.
7. Entrevista coletiva com o Grupo de Teatro Macunaíma em Monterrey, México, 1990, por ocasião do Festival Cervantino. Gravação feita por Raul Teixeira. As citações seguintes procedem da mesma fonte, salvo nota em contrário.

Hierofania

A Falecida em
Paraíso, Zona Norte
Hélio Cícero e
Samantha Dalsoglio.
Foto: **Paquito**

que mais se fazia no CPT, pela necessidade de ir ao fundo da realidade dos personagens rodriguianos, removendo as aparências para chegar às essências.

O personagem ganha movimento com o ator: enquanto existir apenas em palavras escritas é estático. Para dar-lhe movimento, o ator o traz a si e lhe empresta seu próprio organismo, o seu coração e a sua mente, por isso Antunes afirma que "o personagem é o ator em outras condições". Isso, entretanto, não acontece num passe de mágica: o ator deve ter o corpo em desequilíbrio e pesquisar suas próprias personas. Desse modo, o processo de individuação já se denuncia na prática diária do CPT.

E o que é a persona? Para Jung, "é aquilo que na realidade não somos, mas aquilo que tanto nós como os outros pensamos que somos"[8]. Uma coisa que "não passa de um acordo entre o indivíduo e a sociedade sobre aquilo que um homem deveria parecer ser". Podem existir várias personas em um mesmo indivíduo, aplicáveis a diferentes situações. Embora *irreais*, as personas constituem couraças, tendendo a sufocar a *individualidade*. "Quando analisamos a persona, despimos a máscara e descobrimos que aquilo que parecia ser individual é, no fundo, coletivo"[9]. A persona é, de certo modo, a *máscara social*, por isso coletiva. Contém em si mesma códigos que vêm dos nossos ancestrais.

O desequilíbrio abre espaço para a identificação e desestruturação das personas. Isto porque, conforme Flávia Pucci, "com o exercício começamos a perceber o que é ter a mente em desequilíbrio, sem prender nada, só jogando com as coisas sem cristalizá-las, deixando que elas se transformem por si mesmas. Juntamos o *yin* e o *yang*... Ao mesmo tempo, a gente tem consciência de tudo e a coisa se faz por si só. É a junção do lado direito com o lado esquerdo. A gente precisa ter a consciência e também se deixar levar...".

"Você nunca vai fazer seu personagem, porque ele está feito", prosseguia Flávia Pucci. "E está sempre em movimento. As coisas quando afloram em um movimento, outro movimento já está se formando... É um processo muito dinâmico".

O que o ator faz é captar o personagem na sua dinâmica relação com o todo. Não vai tentar *viver* o personagem, apenas reproduzi-lo no seu corpo, aos impulsos dessas energias que provêm, certamente, do inconsciente coletivo. "No método de Antunes tudo está integrado."

[8]. Carl Gustav Jung, *Concerning rebirth*. Cit. por Daryl Sharp em *Léxico junguiano*, p. 119.
[9]. Idem.

Assim, embora não *viva* o personagem, o ator só consegue conhecê-lo pela experiência. E para chegar à experiência existem os exercícios.

O desequilíbrio é básico, como já foi demonstrado, mas no desenvolvimento técnico do corpo outros exercícios se estruturavam. Na coletiva de Monterrey os atores falaram desses exercícios, que não constavam do manual discutido no capítulo anterior.

Havia a mímica, que se dividia em três etapas: *mímica um*, a clássica, que possibilita conhecer as partes do corpo, fragmentando-as para depois uni-las; *mímica dois*, contra o gesto culturalmente condicionado e pela descoberta de novos gestos ("Ficamos um tempo inventando gestos a que não estamos acostumados... é incrível porque quando a gente pensa ter criado todos os gestos imagináveis aparecem outros gestos... brotam do inconsciente", dizia Flávia); *mímica três*, que se desenvolve na relação com objetos, lembrando a prática das *ações físicas* de Stanislavsky.

Havia também os exercícios de voz. Embora ainda incipiente o processo da técnica vocal, já se falava contra a *projeção* em favor da "caixa de ressonância", que passaria a ser um conceito exaustivamente pesquisado no CPT. O início do processo é exposto por Flávia Pucci:

> Descobrimos que o corpo pode ser usado como caixa de ressonância, com esforço menor. A projeção da voz solicita muita força; podemos despender menos energia colocando a voz em partes do corpo, e essa voz vai ressoar. Temos a ideia de desestruturar as palavras e as sentenças. Por exemplo, no cotidiano usamos sempre as mesmas entonações, os mesmos tons, estamos acostumados a uma mesma maneira de falar. Então, procuramos desestruturar essa forma de falar. Pesquisamos novos tons, novos ritmos, tentamos jogar com as palavras e o corpo.

Para pesquisar *novos tons, novos ritmos*, além do trabalho de desestruturação da palavra, surgiu um exercício em que se combinavam fonemas, sem qualquer sentido semântico. Soava como o idioma russo, por isso era chamado *exercício de russo*. Livre das armadilhas semânticas, a fala adquire valores de música: ritmo, harmonia, contraponto. O próprio exercício tinha uma potencialidade estética formidável, servindo de material para o espetáculo seguinte, *Nova velha estória*.

Evidencia-se o avanço em relação ao estado do método dois anos antes. Permanecia a prática do tai chi chuan à qual se juntaram os exercícios *Suzuki*. Segundo Luis Melo, são exercícios que aprendemos com o Grupo Suzuki, do Japão, e que muito nos ajudaram para o equilíbrio *yin* e *yang*. O desenvolvimento da concentração de energia na parte inferior do corpo, a captação de energia ou o seu deslocamento para baixo, através de exercícios com pernas e pés, marchas, batidas de pé, etc., com consequente leveza para a parte superior e como caminho para a serenidade. Quanto mais ao céu se queira chegar, mais energia do chão se deve captar. Trata-se de um universo de relações[10].

Surgia também novo e importante exercício, dando sequência ao desequilíbrio: a *bolha*. A inspiração veio das gigantescas *câmaras de bolhas* onde se registram os rastos das partículas subatômicas em colisões de alta energia. "A maior parte das partículas criadas nessas colisões", afirma Fritjof Capra, "vive apenas durante lapso extremamente curto de tempo – muito menos que um milionésimo de segundo –, após o que são novamente desintegradas em prótons, nêutrons e elétrons"[11]. Fotografados os rastos dessas partículas de inacreditável existência, na *câmara de bolhas*, por eles os cientistas podem identificar a partícula que os causou. Revela-se nesse ato da Física um caminho para o *insondável* das místicas orientais, caminho para o Vazio. Há uma sugestão irresistível governando a ideia, e Antunes transformou essa sugestão em exercício dramático.

O corpo oscila na polaridade *yin/yang*, trabalhada especialmente nos pés e nos braços, onde atuam forças em pontos específicos, "como se fossem nadadeiras de peixes"[12]. Das oscilações do corpo se engendram ritmos, e o ator é caixa de ressonância. É um bailarino, como Shiva, pois se permitiu perpassar pelos opostos, em termos físicos. O corpo, nessa condição, fala o que é impossível verbalizar.

Tão empolgantes os resultados da *bolha*, que se acreditou ser o exercício determinante da estética. Na citada entrevista, Walter Portella afirmou: "A *bolha* é a forma do espetáculo". E Rita Martins dizia que a *bolha* na verdade não era um exercício, e sim meditação:

> Você vai em branco e tudo o que treinou durante o dia, os livros lidos e comentados, a mímica, o tai chi chuan, tudo se junta e se resolve. Por isso a *bolha* não parte da forma. No momento da *bolha*, simplesmente nos largamos para que todas as coisas que sabemos nos movam e criem. Não é gesto, é toda uma sabedoria que passa pelo conhecimento armazenado,

10. Cf. depoimento de Luis Melo a Amália Zeitel, "O alfinete na bolha", programa de mão de *Paraíso, zona norte*.
11. *O Tao da Física*, p. 66.
12. Luis Melo, cf. "O alfinete na bolha".

do qual surge a forma. A forma vem do conteúdo, pela sensibilidade, não partimos do desenho para o conteúdo.

Com o passar do tempo, a *bolha* tornou-se um procedimento entre os outros, com função específica de liberar articulações físicas. Naquele momento, contudo, substituía com vantagens a ideia do *banco aéreo* e, de certo modo, realmente determinava a forma estética do espetáculo. Nela juntavam-se em interação e complementaridade os conhecimentos adquiridos no processo.

O método alcança importante patamar. O ator ganha autonomia na estrutura e começa a lidar com a realidade de ser *criador*. Já não é *dependente* do encenador, mas seu parceiro. Está em relação direta com o espaço, interagindo com a cenografia, com a luz, com todos os elementos constitutivos do espetáculo. É catalisador e irradiador dos significados. Em seu corpo e na sua mente transitam os arquétipos, porque ele se preparou para isso eliminando tensões e apurando a sensibilidade. Através do ator, numa ação governada pela polaridade *yin/yang*, a cena é quântica e metafísica. Representa o triunfo do caminho construído por Antunes Filho na tentativa de fornecer ao ator um instrumento que o eleve à condição de comediante.

O vasto conhecimento acumulado ao longo da pesquisa acha-se em vias de sistematização. O ator teve que se impregnar dele para conquistar a técnica e, agora, esse conhecimento invade seu dia a dia. Lembrando que Antunes vive repetindo ser o homem o centro da ideologia do CPT, objetivo da pesquisa, e o ator a consequência, Flávia Pucci concluiu na citada entrevista: "É um trabalho para o conhecimento do homem e autoconhecimento. Quem passa por ele já não pode ser o mesmo nem voltar atrás. Começamos a percorrer o caminho da individuação e parece que nunca se chega ao fim. Se alguém pensa que chegou, verá que tem mais".

Para contrapor essa nova escola às vigentes em cena, Antunes continuaria falando contra os vícios do intérprete teatral. Vícios que constituem bloqueios ao desenvolvimento da própria arte. Pensando nesses vícios, afirmava que seu método era baseado nas *contraindicações*. O que o ator deve fazer trabalho e pesquisa determinam; o que ele não deve fazer está colocado no palco, em performances canhestras, nos macetes e nos estereótipos aos quais a maioria dos atores recorre. Em entrevista anterior, na Cidade do México, falou antes de *contraindicações* para, em seguida, falar do ator ideal:

> O ator não pode ter emoção, mas sensibilidade. Emoção é alienação. O sentimento aciona os nervos e os músculos, levando a um estado de contração. E quando existe a contração o ator não determina mais: é determinado. ... O ator não pode fazer um gesto ou tomar uma atitude que não tenha significação. Tudo significa... Nos condicionam como colonizados, todo o tempo. Eu luto pela liberdade das pessoas. Sou de uma pontualidade absoluta. Quero que os atores cheguem na hora, sou autoritário, um militar até... A disciplina, a leitura, exijo isso, mas sabe pra quê? Para a liberdade. Porque, se a pessoa não tem um planejamento, nunca será um grande homem. ... Os atores são duros, tensionados, têm um padrão romântico. E também têm os problemas com papai, mamãe, Édipo, etc. Então, têm as costas duras, se comportam recitando à moda romântica o texto. Quero quebrar tudo isso... Vamos através de frequências. E nosso cérebro decodifica... As frequências é que determinam as cores, por exemplo. Meus olhos não estão vendo essas cores. É ilusão. Quero que os atores trabalhem com elétrons, que percebam todo o jogo do universo implícito e do universo explícito. A realidade explícita é feita como? Pelos átomos, quarks... Quero que os atores trabalhem no Vazio, como dizem os budistas. É o universo implícito, onde estão todas as formas... Então, o ator tem que trabalhar não com a emoção, mas com a sensibilidade. Tem que trabalhar no seu centro e com todas as

Os 7 Gatinhos em
Paraíso, Zona Norte
Hélio Cícero e Luis Melo.
Foto: **Gabriel Cabral**

Hierofania

Os 7 Gatinhos em **Paraíso, Zona Norte**
Hélio Cícero, Rita Martins, Luis Melo, Lulu Pavarin, Clarissa Drebtchinsky, Eliana César e Flávia Pucci.
Foto: **Gabriel Cabral**

flutuações do Universo. Unir o hemisfério direito ao hemisfério esquerdo, hemisférios do racional e do intuitivo, resultando no unicórnio divino. A luz é isso: unicórnio divino.

A imagem do *unicórnio divino* passa a integrar o acervo ideológico do CPT, implicando um dado de difícil senão impossível definição. Na ponta da linha, quando o método foi apurado e de fato sistematizado, o *unicórnio divino* ganhou apelidos, entre eles o de *antena*, que de fato melhor o explica: diz respeito à condição do ator como agente captador e emissor de energias, porém não se pode entender isso de modo mecânico. Para chegar a essa condição o ator deve se preparar com todo o rigor – intelectual, corporal e espiritualmente –, deixando-se estar não *em situação*, stanislavskianamente, mas *em experiência*, à maneira do místico oriental. A Imagem do *terceiro olho* poderia ser evocada, porém não se ajusta, porque o *unicórnio divino* não está *vendo*, e sim reagindo e criando, reciclando as energias e atualizando gestos primais.

8. Paraíso, zona norte

Coletiva de imprensa na Cidade do México, Festival Cervantino, 1990
Antunes Filho, Sebastião Milaré e Luis Melo
Foto: **Arquivo do autor.**

Cada vez mais o método de Antunes Filho vai recorrer às Imagens, como única linguagem capaz de conectar o ator à *realidade última*, por meio do pensamento não linear. Há sim todo um sistema teórico e conceitual dirigindo o trabalho, mas no centro do sistema estão as Imagens, que são os verdadeiros condutores à região poética.

Na continuidade, conceitos e Imagens vão sendo mais bem elaborados, sugerindo novos exercícios, dando ao método a característica da permanente transformação de tudo. E esse trabalho é feito sobre duas vertentes temáticas que se converterão em espetáculos: o Mal e a Imortalidade. É o que discutiremos na sequência.

9. Sinergia do Mal

Os espetáculos que se seguiram a *Paraíso, zona norte* revelaram a progressiva decantação dos processos criativos enquanto propunham reflexões sobre a condição humana na última década do século XX. Os três primeiros – *Nova velha estória*, *Trono de sangue* e *Vereda da salvação* – constituíram ensaios em torno da *sinergia do Mal*; os dois outros – *Gilgamesh* e *Drácula e outros vampiros* – dão sequência ao tema, porém conduzindo-o à poética da Imortalidade, ao mito da Árvore da Vida.

A reflexão em torno do Bem e do Mal no repertório do CPT fora anunciada em *A hora e vez de Augusto Matraga*, recusando-se ao maniqueísmo e navegando nas ideias filosóficas orientais: O Bem não existe sem o Mal e o Mal não existe sem o Bem. E, como ambos existem, resta-nos a alternativa de saber lidar com eles.

As circunstâncias históricas do final dos anos 1980 pareciam a Antunes Filho solicitações urgentes à reflexão sobre o Bem e o Mal. Por isso trouxe tal reflexão ao primeiro plano em *Nova velha estória* e nas produções seguintes do CPT.

A queda do Muro de Berlim (1989) foi o prólogo de acontecimentos que redesenharam a Europa, detonando convulsões sociais, genocídios provocados por convicções nacionalistas, étnicas e/ou religiosas, mas houve também o fim da Guerra Fria, que por tanto tempo deixou o mundo sujeito à destruição atômica. Do ponto de vista conservador ocidental, presidido pelos EUA, o comunismo era o Mal e devia ser combatido a qualquer custo. O fim da União Soviética, no entanto, atestou que o Mal não tem ideologia e continua florescendo soberbo na *nova ordem internacional*.

Quanto ao Brasil, na primeira campanha eleitoral para a presidência da República, depois de 20 anos de ditadura, a falácia do fim das esquerdas, somada a um discurso contra os *marajás* (funcionários públicos bem pagos por serviços não prestados), e a promessa de inserção do país no *Primeiro Mundo* levaram Fernando Collor de Mello ao poder. Seu governo foi um desastre desde o momento da posse; no entanto, apesar dele, o país se democratizava no percurso em que a atuação da sociedade civil mostrou-se decisiva, embora, pelas circunstâncias internas e externas, o Brasil saltasse da ditadura para a globalização, carregando em seu seio a corrupção e o crescimento espantoso da violência.

Sintonizado com os acontecimentos do mundo, Antunes buscava o sentido das forças atuantes na *nova ordem*. Seria necessário abolir antigos conceitos e preconceitos em favor do desenvolvimento do espírito humano. Só pode haver liberdade quando o indivíduo entende que a implicação imediata da liberdade é a responsabilidade com o outro e com o meio ambiente. Ao seu redor, no entanto, via crescerem a febre consumista e a violência; via a banalização do sequestro e dos massacres; via o recrudescimento da miséria e a contínua degradação da Natureza. O Mal se exibia sem pudor. Não hesitou, portanto, em levar ao palco sua reflexão sobre o Mal.

O Lobo Mau, que enganou Chapeuzinho Vermelho e jantou a Vovó, transformou-se no emblema do Mal no imaginário infantil. Esse foi o personagem escolhido por Antunes para iniciar a reflexão em torno da sinergia do Mal.

Na busca de arquétipos, o encenador e seus atores acamparam no imaginário infantil. O campo é fértil, já que arquétipos afloram em fábulas e depois submergem, ocultando-se no mito. E o mito permanece atuante no dia a dia de todo o mundo. Os contos infantis tradicionais o captam em traços fortes e o remetem ao pensamento arcaico. Igual destino o do encenador e seus atores – o pensamento arcaico, fonte dos arquétipos.

Na perspectiva desses investigadores o Mal não é o poder absoluto que assalta as fortalezas do Bem, mas o polo negativo que interage com o positivo. O Lobo Mau, desde sempre, é usado para assustar criancinhas. Entendendo-o como encarnação do Mal, incorre-se na caricatura, o que só serve mesmo para assustar criancinhas. Porém, circunstâncias e situações que compõem o movimento do Lobo Mau revelam medos atávicos e uma Identidade camuflada, propiciando encarar o personagem mítico em termos humanos. O lobo é solitário e uiva para a lua – o homem ao sentir a solidão também *uiva para a lua*. Essa ambiguidade homem/lobo é transportada para a cena e dos traços esquemáticos surgem camadas de substância dramática.

O eixo narrativo de a *Nova velha estória* está no Chapeuzinho Vermelho e se refere ao *rito de passagem* da adolescente para a fase adulta. Entre brincadeiras com as amiguinhas, representando mulheres coquetes com adereços retirados de um velho baú, dá-se o susto: Chapeuzinho Vermelho tem sua primeira menstruação. Um lenço cor de sangue cai no tablado – será depois encontrado pelo Lobo Mau, que o admira, cheira e guarda cuidadosamente. Colocam-se, dessa maneira, as premissas da narrativa: os sonhos da adolescente em se tornar mulher; o movimento da natureza laborando a fatal realização do sonho; os perigos implícitos na passagem – o Lobo Mau espreita...

Novamente a parceria de Antunes Filho com o cenógrafo J. C. Serroni converge a um pensamento estético prenhe de significados. Esferas de acrílico transparente suspensas no espaço, como bolhas de sabão, estabelecem conotação sideral: o Homem e o Cosmos. Não um espaço específico nem um tempo determinado. Também os figurinos têm no desenho, na textura e na cor um sentido atemporal. Linhas amarelas, traçadas sobre o linóleo que reveste o palco, representam o caminho reto. Nesse ambiente de sugestões, o Lobo Mau contempla o lenço cor de sangue e, oprimido pela solidão, uiva para a lua.

Levando a cesta de quitutes para a Vovó, Chapeuzinho tenta seguir o caminho reto, atendendo às repetidas advertências da Mãe, porém deixa-se vencer pela curiosidade, entra por desvio, encontra o gnomo e um baú encantado, do qual retira objetos que a entusiasmam e, em meio a eles, uma cobra enorme – símbolo fálico que leva a garota a paroxismos. O sexo ganha relevo nas cismas da adolescente. Retorna ao caminho, mas o Lobo Mau arma uma cilada, fazendo com que ela de novo vá pelo desvio e o encontre.

O Lobo tenta seduzir a garota por todos os meios e suas atitudes desencadeiam em Chapeuzinho sentimentos contraditórios: enquanto a menina vê a possibilidade do jogo, a mulher tem a percepção da maldade do interlocutor e, por fim, o repudia.

Mergulhada nas lembranças do passado, dançando ao som de músicas antigas tocadas no gramofone, sozinha junto dos seus fantasmas, a Vovó é surpreendida pelo Lobo que a mata, veste suas roupas e deita-se em sua cama. Assim, Chapeuzinho, ao chegar, encontra a suposta Vovó adoentada. Tardiamente percebe o logro. Entre sentimentos contraditórios, a menina atira-se sobre o Lobo com ira, mas logo é vencida pelo desejo. Morre a menina.

Acodem as amigas e um Soldadinho de Chumbo. Por artes mágicas, Chapeuzinho ressuscita e imediatamente procura a Vovó. Encontrada, também ela ressuscita. E todos perseguem o Lobo Mau, que se acovarda ao ver-se entrincheirado. Porém, Chapeuzinho impede que o Soldadinho o mate, pois é impossível eliminar o Mal. Faz o Lobo entrar em uma esfera e, com a ajuda dos demais, eleva-a ao espaço. Dessa maneira, o Mal é colocado a distância – mas continua existindo e a qualquer tempo voltará a se manifestar. Nesse momento, contudo, Bem e Mal estão apaziguados[1].

A trama não se localiza num tempo definido e os atores não têm referências concretas – país ou região, época, etc. – para entender a dinâmica dos personagens. A imaginação é a matéria-prima. Recorrendo à *performance*, improvisando sobre os temas, os atores procuram imagens que são transformadas em matéria cênica. A voz é exercitada juntamente com o gesto, na mesma respiração, em código sonoro constituído por fonemas. O código expressa frases incompreensíveis, que adquirem sentido narrativo na ação dramática[2]. Essas frases nascem do impulso e são controladas pelo ator por meio do *investigador*, que organiza o discurso e desenha o personagem no próprio corpo.

O Lobo Mau foi pesquisado e realizado por Luis Melo, a partir do roteiro e da ideia colocada pelo encenador/adaptador. O mesmo fizeram Samantha Dalsoglio, com Chapeuzinho Vermelho, e Hélio Cícero, com a Mãe e a Vovó. A ação dos personagens é enriquecida por subtemas encontrados na *performance*, que se resolvem em expressões nascidas do gesto, do movimento, do corpo e não do verbo. As palavras, carentes de sentido semântico, são ritmos, melodias, harmonias e contrapontos.

O método de criação dos personagens, obviamente, é igual para os coadjuvantes. As amigas de Chapeuzinho, interpretadas por Ondina

---

1. A esse respeito, em entrevista publicada no programa do espetáculo, Antunes Filho esclarece: "É necessário que o lobo exista, no lugar a ele destinado. Nós temos de passar por este processo de iniciação, compreender que a sedução está presente no mundo, assim como o certo e o errado. Eu rompi com a noção antagônica dos gregos, de Dionísio e Apolo. Estou no princípio shivaita – a complementaridade Shiva e Shakti. Trabalho o ator dentro dessa cosmogonia de Vishna".

2. O uso do "fonemol" (então chamado "exercício russo") como forma estética não é um recurso gratuito; expressa a ideia do reencontro com a palavra. Na citada entrevista do programa Antunes afirma que "a palavra está poluída, perdeu o sentido". E mais: "Estou trabalhando no nascedouro da língua. Voltar para o português de uma nova maneira, forte, viril. Zerar todos os significados".

Castilho e Yara Nico, redimensionam o universo infantil com a curiosidade, o medo, a fantasia da criança. Cada qual é uma personalidade diferente, mas ambas convergem e se unem a Chapeuzinho, contribuindo para materializar em cena uma fatia do imaginário infantil. Nesse imaginário habita o Soldadinho de Chumbo, que Geraldo Mário criou depois de ter feito um gnomo, humanizando mitos e atualizando resíduos do pré-consciente.

    A diferença entre as principais figuras e os coadjuvantes é que aquelas determinam a estrutura narrativa e estes as acompanham no movimento organizado pelo encenador. Por intermédio do conjunto, diferentes camadas da realidade formam a textura da narrativa, que é governada pela reflexão em torno do Mal, dizendo respeito ao rito de passagem da humanidade, naquele momento histórico, e tendo o conto tradicional por metáfora. É verdade que a encenação permite diferentes leituras, porém não há dúvida de que se trata de metáfora da passagem da Humanidade a uma *nova ordem internacional*. Este sentido perce-

Nova Velha Estória
Samantha Dalsoglio
Foto: **Paquito**

beu, por exemplo, Ed Morales, no *The Village Voice*: "... apesar da sua brilhante execução, *Nova velha estória* deixou-me sentindo um pouco vazio, como que sufocado numa camisa de força sexual. Por quanto tempo deveremos partir para Novas Velhas Estórias camufladas em Novas Ordens do Mundo?"[3].

Primavera, estação da alegria e do renascimento, triunfa em *Nova velha estória* e prepara o CPT para o mergulho no gélido inverno de *Macbeth*.

Se em *Nova velha estória* a sinergia do Mal transcorre nos eventos do cotidiano, em *Trono de sangue* – adaptação de *Macbeth* – invade o universo do Poder. O propósito era comentar, metaforicamente, a situação vigente no Brasil, com denúncias de corrupção envolvendo o presidente da República, Fernando Collor de Mello – que renunciou a 29 de setembro de 1992, na sessão do Congresso que votava seu *impeachment*, exigido pela sociedade civil em formidáveis manifestações públicas.

"Entende-se Macbeth como o gigante do inverno, cujo reino chega ao fim ao se aproximar o festival de maio, com o seu verdor"[4], consta do ensaio de Caramés Lage, que, dentre a vasta bibliografia usada nos estudos da obra, foi o que mais profundamente influenciou a leitura apresentada pelo CPT/Grupo de Teatro Macunaíma.

Segundo essa interpretação, "Macbeth é um homem que começa a cair e a perder a alma, mas acha-se próximo do rei, como Lúcifer achava-se próximo de Deus". Encontra-se no paralelismo Deus-Lúcifer, Rei-Usurpador, o ambiente onde o tema do Bem e do Mal se apresenta de modo absoluto, formando o chão em que se desenvolve a tragédia.

As alterações do herói "se refletem nos dois mundos, nos quais a dualidade noite e dia, masculino e feminino, covardia e prudência desaparecem na realidade que chega a ser aparência". Alterações às vezes arquitetadas pela Lady Macbeth, que acusa o marido de "carecer de valor e de outras virtudes masculinas", mas tem "contra si a falta de feminilidade e virtudes de mãe. As funções sexuais se confundem e, num momento, Lady Macbeth chega quase a ser homem".

"As bruxas eram essencialmente trágicas, pois venderam a alma ao demônio para conseguir algum poder", e Lady Macbeth "aparecerá como a abstração das três bruxas que, infiltrada no castelo, provocará

3. *The Village Voice*, Nova York, 25/6/1991. O espetáculo estreou no Teatro SESC Anchieta a 22 de março de 1991. Elenco: Geraldo Mário, Hélio Cícero, Luis Melo, Ondina de Castilho, Samantha Dalsoglio e Yara Nico.
4. J. L. Caramés Lage, *Macbeth: el viaje simbólico del caos*, conf. excertos traduzidos e publicados no programa de *Trono de sangue*. As citações seguintes procedem da mesma fonte.

9. Sinergia do Mal

seu marido e destruirá o conteúdo da palavra justiça". Poderia estar *possuída* por um demônio, "parece possessa quando prepara a chegada de Duncan e chama as forças do mal, que entende já terem se apossado do seu marido".

Percebe-se no ensaio de Caramés Lage a fusão das diferentes realidades que a história de Macbeth revela no contínuo pulsar dos contrários. Afirma que "Shakespeare procurou fazer com que as bruxas cobrissem todo esse campo dramático de possibilidades, sobretudo na medida em que significam união de contrários". O mesmo ocorre no palco, justo pelo sistema e pela ideologia do CPT.

Além disso, ecoa também na interpretação de Antunes Filho o conceito de Jan Kott sobre o Grande Mecanismo, já demonstrado em *Ricardo III*, que em *Macbeth* "continua a funcionar, talvez de forma ainda mais brutal"[5]. O ensaísta polonês faz importante distinção entre o Grande Mecanismo revelado por Shakespeare, em peças por ele classificadas *crônicas históricas*, onde o caminho até o trono é pavimentado

Nova Velha Estória
Yara Nico, Ondina de Castilho, Geraldo Mário, Samantha Dalsoglio e Luis Melo.
Foto: **Paquito**

5. Jan Kott, *Shakespeare nosso contemporâneo*, p. 91.

169

por cadáveres de opositores, e o mecanismo colocado em atividade por Macbeth. Sublinha o fato de Macbeth matar o soberano legítimo, para tornar-se rei, e na sequência ter que matar as testemunhas, assim como os que suspeitam do crime, e os filhos e os amigos daqueles que ele matou.

Desse ponto de vista, a tragédia em nada difere dos dramas históricos, mas, pondera Jan Kott, os resumos são enganadores: "Ao contrário das crônicas, *Macbeth* não mostra a história sob a forma do Grande Mecanismo. Mostra-a sob a forma do pesadelo. O mecanismo e o pesadelo não são senão metáforas diferentes da mesma luta pelo poder e pela coroa. Mas essa diferença implica outra maneira de olhar, mais ainda, outra filosofia"[6]. E adiante: "A história, em *Macbeth*, carece de transparência, como um pesadelo. E, como num pesadelo, todos são precipitados nela. Uma vez acionado o mecanismo, todos nos arriscamos a ser esmagados. Chafurdamos no pesadelo, estamos mergulhados nele até o pescoço"[7].

O método de criação desses personagens é o mesmo usado em *Nova velha estória*, porém agora se trabalha não sobre os traços esquemáticos do mito e sim buscando esses traços nas brilhantes imagens de Shakespeare. Os atores contam com elementos concretos – época, local, etc. –, indicações de *uma* realidade que, por ser objetiva, fornece a estrutura do personagem. Interessa realmente, todavia, o que acontece dentro dessa estrutura, perpassada de muitas outras realidades e convertida em pesadelo. E é isso o que o ator vai buscar com a *performance*. As normas do exercício foram rigorosamente seguidas por Luis Melo e Samantha Dalsoglio na construção de Macbeth e da Lady Macbeth, respectivamente, tornando metafórico o enredo de luta pelo poder que a peça conta.

O campo de batalha que se estabelece no palco está contaminado pelas bruxas, que descem do céu para saudar Macbeth no início da sua queda. Ele é o *gigante do inverno* e, ao mesmo tempo, um homem comum movido pela ambição. O homem que fica perplexo com seus próprios atos e vai se transformando em senhor do frio e da destruição. Ao humanizar extremamente o personagem, Luis Melo revela sua face mítica, conduzindo-o ao paroxismo. Igual processo observa Samantha Dalsoglio na criação da Lady Macbeth. Descreve sua queda inexorável, desde o momento em que lê a carta onde o marido narra a profecia das bruxas. Acionada pela oportunidade, a chama da ambição se acende no seu corpo e ela se deixará consumir apaixonadamente até a loucura e a morte.

6. Idem, p. 91.
7. Idem, p. 92.

9. Sinergia do Mal

O espaço cênico criado por J. C. Serroni lembra à primeira vista o pátio de um castelo, ideia que, no decorrer da ação, vai sucumbindo. Vazado por luzes e invadido por ramos verdes o pátio-fortaleza, com o piso cor de sangue, tem a fragilidade das coisas ilusórias: ele será varrido da paisagem com a chegada da primavera.

Analisando a simbiose de arquiteturas que compõe o cenário, ou seja, o que se movimenta dialeticamente na construção de um palco elisabetano sobre um palco italiano, Mariângela Alves de Lima pondera:

> Da concepção cênica elisabetana, Serroni aproveitou as varandas, os recortes no fundo da cena e o proscênio, elementos que atenuam o caráter ilusionista da caixa. Pelos vãos entram imagens, luzes e figuras fantásticas, signos da instabilidade em torno do sólido castelo do poder. [...] Através das frestas e do recorte horizontal criado pelas varandas, insinua-se tudo o que desafia a estabilidade do poder e, por extensão, a aparência de solidez do próprio palco italiano. [...] De todos os lados o vazio onde se agita Macbeth é assediado por alguma coisa que está à espreita, pronta para irromper em cena. Dessa forma Serroni cria uma cenografia onde convivem a simultaneidade e a cena sucessiva[8].

O campo de batalha é tomado, conforme a profecia das bruxas, quando o bosque de Birnam chega a Dunsiname. Os ramos com que se ocultam os soldados do exército invasor têm o valor simbólico da primavera que chega para acabar com o inverno, e Macbeth, o caos do inverno, é sacrificado, mas não morre. O Mal não morre jamais. Fica em estertores no campo e voltará assim que se cumpram os ciclos das estações.[9]

A sinergia do Mal desemboca na realidade social brasileira com *Vereda da salvação*, de Jorge Andrade[10] – o mesmo texto que em 1964 ensejou a Antunes Filho os primeiros passos na elaboração de exercícios para o ator.

Estaria lançando o olhar para trás e voltando a uma obra que, à época, não foi bem solucionada? Isto certamente é verdade, mas outras motivações o levaram a optar, nesse momento, pela *Vereda da salvação*. Homenagear a memória de Jorge Andrade, quando se completavam dez anos de

8. "Um palco elisabetano". Programa de mão de *Macbeth*.
9. *Trono de sangue* estreou no Teatro SESC Anchieta, a 20 de maio de 1992, com o seguinte elenco: Adilson Azevedo, André Correa, André Gontijo, Carlos Landucci, Geraldo Mário, Germano Melo, Gustavo Bayer, Hélio Cícero, Jaime Queiroz, José D'Angelo, Luis Melo, Luiz Mario Vicente, Ondina de Castilho, Pedro Paulo Eva, Robert Pratusiavicius, Roberto Audio, Samantha Dalsoglio, Walter Portella.
10. Estreou no Teatro SESC Anchieta, a 2 de dezembro de 1993, com o seguinte elenco: Andréa Rodrigues, Ângela Banhoz, Geraldo Mário, Gustavo Bayer, Hélio Cícero, Joice Aparecida, José D'Angelo, Laudo Olavo Dalri, Laura Cardoso, Lazara Seugling, Luis Melo, Nelson Andrade, Raquel Anastásia, Renata Jesion, Roberto Audio, Rogério F. da Costa, Rosane Bonaparte, Sandra Correa, Sueli Penha, Vanusa Ferlin, Walter Portella, Wilson Rocha.

Hierofania

Trono de Sangue – Macbeth
Luis Melo e Samantha Dalsoglio.
Foto: **Paquito**

sua morte, foi uma das motivações. Contudo, o mais poderoso motivo está no próprio texto, que não só possibilita levar a reflexão do Bem e do Mal ao contexto brasileiro como abre perspectiva para a vertente do tema que será a base das duas montagens seguintes: o mito da imortalidade.

Vereda da salvação narra fato verídico sobre lavradores sem-terra que, vencidos pelo cansaço da vida nômade, pela fome crônica e pela ausência de perspectivas, seguem um fanático religioso. Buscando a vereda que os levasse à salvação, trocam suas identidades mundanas por bíblicas, cometem crimes e terminam massacrados pela polícia.

O problema da terra, com legiões de trabalhadores rurais perambulando de fazenda em fazenda à procura de trabalho, permanece atual no Brasil. Foram chamados *colonos*, depois *boias-frias* e hoje são os *sem-terra*, que protagonizam um dos mais importantes movimentos sociais no país. A peça de Jorge Andrade capta a desesperança dos lavradores agrupados em Malacacheta, Minas Gerais, que descrentes de soluções políticas às suas necessidades elementares de sobrevivência optam pela Terra Prometida.

Porém a leitura de Antunes não confina o tema à questão dos sem-terra: utiliza-o como metáfora de todos os massacres ocorridos país afora, na década de 1990, que vitimaram sem-terras em Carajás, índios ianomâmi, meninos de rua na Candelária, favelados em Vigário Geral, presidiários no Pavilhão Nove do Carandiru e tantos outros crimes perpetrados pela polícia, por *justiceiros*, pelo narcotráfico, implicando verdadeiro genocídio. Pensamento igual ao exposto por Gilberto Dimenstein no programa do espetáculo: "O Brasil se converteu numa imensa Malacacheta"... "a matança é diária, mas a indignação episódica é passageira, chacinas são esquecidas por outras chacinas". Notando que nas cidades residências se transformaram em fortalezas, Dimenstein conclui: "É como se fôssemos vítimas de uma maldição política, a incapacidade de sairmos de uma deterioração que se avoluma. Uma sociedade que, ao perder a razão, consegue enxergar fanaticamente na violência não a concepção da morte. Mas da vida"[11].

Nesse contexto, Bem e Mal digladiam. E ao examiná-lo Antunes Filho não se deixa vencer por ânimos derrotistas. Nota a emanação do Mal trazendo à luz problemas antigos da sociedade brasileira, que envolvem a corrupção e o crime impune. Tal situação tende a mudar, porque segmentos sociais vêm se posicionando contra esse estado de coisas. Otimista, desejando ver o país sair do inverno e se iluminar de primavera, confessava Antunes: "Com todo esse jorro de esquecimentos, de desmandos dos políticos e tecnocratas que faz vir à tona a podridão do Brasil, vejo a erupção de tudo aquilo que estava acumulado... eu andava e sentia que por baixo havia muita coisa. Agora não, está tudo abrindo, e isso me deixa alegre"[12].

Confrontando a atual montagem com a de 1964, Antunes aponta diferenças básicas não em resultados estéticos, porém na abordagem, na ideologia que interpreta o mesmo fato a distância de três décadas. Naquela época, o radicalismo das posições políticas fechava horizontes a um amplo entendimento do fenômeno social, "e a gente ficava meio intolerante, unilateral". Agora, o movimento é no sentido de valorizar as diferenças e por meio delas conquistar um conhecimento humano mais profundo. "Acho que tenho mais sabedoria para ver essa pobre gente", continua ele. "É um movimento messiânico... mas eles [os personagens] foram conduzidos a isso. Não tinham saída. O messianismo revela até uma forma de imaginação de quem está na pior, massacrado. É uma forma de criação."

A abertura de horizontes se traduz na própria cenografia. Na montagem de 1964 estruturas representando casebres sufocavam a ação cênica, abafavam a pesquisa iniciada por Antunes no sentido de liberar o corpo do ator. Nesta, o belíssimo cenário de J. C. Serroni, constituído

11. Gilberto Dimenstein, "Malacacheta somos nós", programa de mão do espetáculo *Vereda da salvação*.
12. Sebastião Milaré, "A realidade transfigurada em arte", programa de mão do espetáculo *Vereda da salvação*. As citações seguintes procedem da mesma fonte, salvo nota em contrário.

Vereda da Salvação
Laura Cardoso e Luis Melo.
Foto: **Paquito**

por longos troncos de árvores cruzando verticalmente o espaço, estimula o ator a expressar-se com o corpo. Alguns troncos foram pintados, destruindo o naturalismo por meio da contradição. Assim como o mergulho dos atores no universo agrário se dá pelos opostos, fingindo o naturalismo para realçar na história contada a metáfora do país.

O início do espetáculo surpreende com a tétrica visão de vinte defuntos, cada qual dentro de um caixão, de pé, em linha reta, fechando a boca de cena. Para os espectadores, uma clara referência às vítimas do massacre de Vigário Geral, cuja imagem dos seus caixões, abertos e simetricamente colocados no meio da rua, foi estampada nos jornais e nos noticiários de TV, causando verdadeira comoção nacional. Ao iniciar a peça, desaparecem os caixões, mas a impressão que deixam é extremamente forte.

A tétrica visão, além da referência óbvia a um fato recente, lembra que a migração interna é um dos componentes da violência urbana no Brasil. Abandonada à própria sorte, a população do campo migrou e inflou as cidades, passando a ser potencial protagonista e vítima da violência. Neste sentido, a presença dos caixões é um prólogo onde se coloca como fatalidade o destino do povo de Malacacheta, em função da estrutura social injusta que de certo modo ainda persiste no país. Os lavradores de Malacacheta poderiam estar nos caixões, à porta da favela, se não tentassem ir direto ao Paraíso e optassem por buscar melhores condições de vida na cidade grande, como fez quase a totalidade dos lavradores nas mesmas condições. E não foi outro o destino dos lavradores de Carajás, quando reivindicavam seu direito à terra.

No Brasil, o Mal domina a estrutura do poder desde a formação da nacionalidade, herança dos colonizadores portugueses. Orientou as decisões imperiais e se cristalizou no positivismo caboclo, ao ser instituída a República. A violência institucionalizada contra as classes desfavorecidas, trabalhadores e opositores do regime permeia e mancha toda a história da República.

Antunes levou isso em conta ao estabelecer as premissas da montagem de *Vereda da salvação*. "Agora vejo a tragédia desse povo esque-

9. Sinergia do Mal

Vereda da Salvação
Luis Melo e elenco.
Foto: **Paquito**

cido", diz ele, ainda referindo-se às diferenças entre esta e a montagem de 1964, quando era pessimista.

> O fanatismo narrado na peça denuncia a falta de base cultural desse povo esquecido; denuncia a falta de assistência dos governos. Por isso, apesar de tudo, estou com muito humor nesse espetáculo. Procuro humanizar o Joaquim, desta vez. Ele era muito unilateral. Estou equilibrando agora (e o Melo faz um trabalho estupendo, um Joaquim extraordinário, com uma humanidade admirável). Aqueles lavradores, apesar dos assassinatos, você tem que estar do lado deles, tem que estar do lado dos injustiçados, dos esquecidos.

Trabalhou amorosamente os conflitos internos do agrupamento agrário, notadamente a rivalidade dos dois líderes potenciais: o débil e místico Joaquim e o pragmático, viril e batalhador Manuel. Esses rivais unem-se no final, quando a comunidade é atacada pela força oculta, mas onipresente, manifestada por invisíveis policiais com suas armas, que por fim mata toda aquela gente. Essa *força oculta* é, desde o início, o verdadeiro inimigo. Os conflitos existentes no seio da comunidade representam diferentes modos de enfrentar a mesma situação, o mesmo inimigo, o Mal.

Hierofania

Vereda da Salvação
Luis Melo, Gustavo Bayer, Rosane Bonaparte e elenco.
Foto: **Paquito**

Na encenação, a despeito dos graves incidentes verificados na comunidade, incluindo o assassinato de crianças, as pessoas não aparecem soturnas e sim alegres: preparam-se para a grande viagem à Terra Prometida, onde cessarão todos os seus males. No momento da partida, em êxtase e euforia, ensaiam o voo. E no êxtase, cada um tem seu voo cortado pelas balas disparadas por seres invisíveis. De repente, o clima alucinado, a visão desse povo entregando-se ao massacre com olhos brilhantes e sorriso aberto, é ampliado por uma música sertaneja, sucesso do momento, unindo a nostalgia da terra à áspera realidade da violência urbana.

10. Realidades metafísicas e individuação

Ideias e disciplinas ganharam relevo no decorrer do processo sobre a sinergia do Mal, possibilitando aprimorar os procedimentos técnicos e o encaminhamento ideológico do trabalho. Já abordadas anteriormente, ideias e disciplinas que permaneciam latentes emergiram nessa época como ferramentas vigorosas, cujo manejo dependia da sua correta inserção no arsenal teórico e na prática diária. Outras disciplinas foram agregadas e, assim, os intérpretes-pesquisadores viram-se às voltas com o paradigma holográfico, o conceito taoísta *Mente*, a retórica e o processo de individuação junguiano, compondo as plataformas do método.

Impõe-se, nesta altura, voltar à questão das fontes e dos procedimentos, pois o manual de 1987 viu-se nesse curto período significativamente ampliado por novos instrumentos teóricos e práticos. O instrumental inserido possibilitava o aprofundamento na pesquisa sobre a origem dos objetos e dos atos humanos, viabilizando a sua manifestação em códigos cênicos e consolidando o princípio de complementaridade como verdadeira expressão do sistema. Colocava, também, de modo definitivo, o processo de individuação como princípio básico e fundamental do método Antunes Filho.

A inserção desses conceitos atuou diretamente sobre dois instrumentos existentes naquela fase, que eram o *investigador* e o exercício *performance*.

A permanente união de opostos complementares possibilita a atuação do *investigador* no espaço construído entre o ator e o personagem. O paradigma holográfico e a *Mente* são ferramentas conceituais que subsidiam a ação do *investigador* sobre a *origem das coisas*, cuja manifestação depende de o ator estar ou não capacitado a penetrar as camadas mais profundas da realidade.

"Lido com conceitos ligados ao problema da origem das coisas", diz Antunes. "Quando proponho ao ator que trabalhe a questão da origem, quero que ele aprenda a pensar com possibilidades, com diversas realidades prováveis – inclusive aquela em que ele vive."[1] Para isso, com os exercícios, o ator vai às origens do gesto e das emoções, investigando-lhes as relações, pois a forma das coisas depende delas.

O itinerário dessa viagem poética aos confins do Real começa com o pensamento de Vico, para quem ao nomear as coisas o homem cria o mundo. Passa pela teoria da relatividade, que descreve o *continuum espaço-tempo* e culmina com a mecânica quântica, que vê cada elemento como parte de uma cadeia de relações. Finalmente, o ato de viver diferentes camadas da realidade e com elas jogar leva à identificação do acontecimento cênico com a holografia.

O paradigma holográfico anima o espaço entre ator e personagem no exercício *performance*, consolidando a figura do *investigador*. A concepção de *realidade* que move o exercício tem origem nas experiências de David Bohm com partículas subatômicas. O físico que, ao lado de Karl Pribam, é pioneiro do modelo holográfico, encontrou perspectivas inusitadas de descrição da realidade ao retomar um princípio estabelecido por Niels Bohr, segundo o qual as partículas subatômicas *não existem* até serem observadas e fazem parte de um sistema indivisível.

Conforme Michael Talbot, "a imagem da realidade que Bohm desenvolvia não era aquela na qual as partículas subatômicas estavam separadas umas das outras e se movimentando através do vazio do espaço, mas aquela na qual todas as coisas eram parte de uma teia contínua e encaixada num espaço tão real e rico como processo quanto a matéria que se movia através dele"[2].

Bohm expõe a realidade objetiva como *ordem explícita* gerada no nível subjacente e fundamental, que é a *ordem implícita*. Partículas vêm do âmbito mais profundo do real e se revelam no universo físico gerando formas, cores e tudo que nossos sentidos percebem, encobrindo-se

---

1. "Antunes reencena Jorge Andrade", entrevista concedida a Carlos Graieb. Caderno 2 de *O Estado de S. Paulo*, 30/11/93.
2. Michael Talbot, *O universo holográfico*, p. 65.

10. Realidades metafísicas e individuação

logo depois. Bohm radicalizava a ideia de *continuum espaço-tempo*, afirmando que tudo no Universo é parte do *continuum*, o que vale dizer: de um *campo unificado*.

A definição cartesiana da realidade sucumbe de vez à percepção vivenciada no *contato* com as realidades implícitas. Há pontos em que os limites da ficção e do real se esgarçam, quase desaparecem, porque a realidade do ator também está implícita e atuante – ele joga conscientemente um jogo infinito[3] e atualiza gestos primais.

No exercício *performance* o ator desenvolve a percepção do *campo unificado*. Transita entre as ordens implícita – em que se encontram os motivos, as emoções, as ideias – e explícita – em que os motivos, as emoções e as ideias adquirem forma estética. Trabalha atento às relações e jogando com a complementaridade – todo movimento contempla seu contrário.

Um aspecto sugestivo da holografia é que cada pedaço do filme holográfico contém o todo: "se uma chapa holográfica se fragmentar, cada pedaço poderá ser utilizado para reconstruir a imagem inteira"[4]. Também o personagem de uma peça contém não apenas as informações da sua vida pessoal, mas informações do passado no presente de toda a comunidade. E o ator, que tenta camuflar sua personalidade para mostrar a do personagem, é parte do mesmo holograma e traz necessariamente, à ação cênica, elementos da sua realidade pessoal e, portanto, da sua comunidade.

A ideia de que a parte contém o todo não combina com a visão de mundo ainda presa ao realismo do século XIX; porém, para o ator, a imagem que essa ideia produz é um modelo pelo qual ele pode trazer novas visões da realidade à cena. De fato, traz realidades inteiras, com tudo o que há nelas implícito, holograficamente, na sua gestualidade, no som da sua voz, na sua expressão.

O chão do ator é a disciplina e o céu é a *Mente*. Por meio da *Mente* ele poderá alcançar e invadir o processo dinâmico do *campo unificado*.

Neste caso, a *Mente* não é o que os dicionários traduzem por entendimento, intelecto, inteligência. A *Mente* em questão, com *M* maiúsculo, não está no cérebro, embora o englobe. Ou, como diz Antunes Filho: "O cérebro não compreende a Mente, mas a Mente compreende o cérebro".

---

3. O "jogo infinito" é aqui expresso no sentido que lhe deu James P. Carse em *Jogos finitos e jogos infinitos*, sendo que "o jogo finito se joga com a finalidade de ganhar, enquanto que o jogo infinito se joga com a finalidade de continuar jogando" (p. 9). O jogo finito tem regras e convenções aceitas pelos jogadores, tem início e chega ao fim quando um dos competidores vencer, ao passo que o jogo infinito não se sabe quando começou e isso não importa, porque o jogo infinito não conhece limitações temporais (p.12).
4. Michael Talbot, op. cit., p. 37.

Este é um dos fundamentos do zen-budismo chinês. Afirma D. T. Suzuki que "a Mente só pode ser compreendida pela mente de maneira direta, sem mediações"[5]. Nesta frase, dois aspectos devem ser sublinhados, embora óbvios: 1 – estabelece a diferença de Mente, que é Ser em si, ou natureza própria, para mente pessoal, que pode ser entendida como memória, inteligência, intelecto, etc.; 2 – adverte que não se pode chegar a uma compreensão da Mente em termos conceituais; aliás, *não se pode chegar a uma compreensão*, apenas *conhecê-la* pela experiência direta. E o cérebro é um minúsculo grão em meio à Mente.

Não se trata de *desprestígio* ao cérebro, como se ele pouca importância tivesse. Pelo contrário, o ator deve compreender como funciona o cérebro, com as intrincadas divisões e funções. Deve ter alguma noção do tronco cerebral, bulbo onde o cérebro e a espinha se encontram, pois nessa confluência atuam e dela se irradiam as energias para a criação – nela, aliás, por intuição genial, Antunes Filho localizou a morada do *vaga-lume divino* (versão até hoje *definitiva* do *investigador* no processo). Ter noção dessa base onde estão o complexo reptiliano, da agressão e dos rituais; o mesencéfalo, ou cérebro médio, *habitat* do sistema límbico, das emoções e instintos sexuais; e o rombencéfalo, ou cérebro posterior, sobre o qual se localiza o neocórtex, oficina da linguagem e das invenções.

O ator deve, também, compreender o mecanismo dos hemisférios: o esquerdo que domina a linguagem, a fala, e o direito que domina a visão, traduz o significado ou a funcionalidade dos objetos, sendo os dois hemisférios conectados por milhões de fibras nervosas. Algo que sempre se ouve no CPT é "a união do hemisfério esquerdo com o hemisfério direito". Para além de uma referência anatômica, essa união determina a unidade das coisas, nos sentidos filosófico e prático.

O cérebro pode ser comparado ao computador para uma melhor compreensão de suas funções, uma vez que dispõe de *softwares* para tudo. Entretanto, a diferença está na linguagem, que no computador é linear e no cérebro é não linear. E só se disciplinando no uso da linguagem não linear o ator poderá utilizar maior capacidade do seu cérebro na captação das imagens que estão além dos conceitos e constituem substância de uma realidade superior. No fim das contas, o cérebro do ator deve "estar em ordem" para captar as mensagens da Mente e materializá-las em expressão artística, no movimento e na fala.

---

5. D. T. Suzuki, *A doutrina zen da não mente*, p. 13.

10. Realidades metafísicas e individuação

Para o cérebro estar *em ordem*, o corpo precisa estar *em ordem*. Esse é o objetivo primordial dos exercícios.

A *performance* representa um avanço na constituição do método e da linguagem cênica porque organiza a pesquisa do personagem e lhe dá uma destinação estética. Mais do que simples exercício é um minissistema. Engloba o desequilíbrio (princípio de tudo), a bolha (trabalhando basicamente cotovelos e joelhos à imagem de barbatanas), o funâmbulo (desequilíbrio em movimentos laterais), o cinema mudo (ex-teatro infantil, que amplia o repertório expressivo), a loucura (constituição de tipos), tornando-os uma unidade, de modo que deixe o ator em condições ideais e indispensáveis à expressão. A *performance* é, portanto, o espaço onde o ator aciona a *Mente* e perscruta o invisível a partir de dados concretos.

Acentua-se no processo a construção intelectual do trabalho em termos cartesianos, exata na elaboração de cada movimento dramático. Nada é deixado ao acaso. Porém, deve-se *jogar tudo fora* para que o ator comece de fato a criar. E é na *performance* que se *joga tudo fora*. A construção intelectual constitui a plataforma na qual o ator pesquisa o personagem, mas, à medida que se apropria dele, vai superando (jogando fora) a condição meramente intelectual do trabalho e enriquecendo-o de irracionalidades.

Manifesta-se aí o princípio da complementaridade, já que, com o desequilíbrio, o ator coloca o racional em complementaridade com o irracional – isto na prática, na ação cênica, não na teoria –, e o faz em *flutuação*, movido pela incerteza e pela probabilidade. Surge uma *nova teatralidade* e, com ela, o novo ator, capaz de manipular o real e o irreal e conduzir o espectador ao universo poético, onde tudo *é* e *não é* ao mesmo tempo.

A capacidade de manipular o real e o irreal, embora estruturada em técnicas que se ensina e se aprende, não pode ser ensinada nem aprendida: o ator deve conquistá-la e desenvolvê-la. Deve ser capaz de trabalhar com energias, com o seu *corpo energético*, como define o holismo.

Os recursos técnicos, exercícios e teorias são apenas instrumentos propiciadores da viagem ao território das energias, fonte e alimento da criação. Ao dispensar os velhos conceitos de *composição do persona-*

gem, que se valem basicamente da observação e da *mímesis*, o processo leva o ator ao vórtice dos acontecimentos dramáticos, ao fluxo, à *teia contínua e encaixada* do real, onde colhe os elementos para o desenho do personagem.

Neste ponto do processo foi introduzida nova ferramenta, com o objetivo de capacitar o intérprete na articulação de todos os instrumentos criativos e das ideias com as quais trabalha e elabora seus personagens: a retórica.

Última disciplina incluída na elaboração do método, a retórica não se restringe à *arte do bem falar*: abre portas à *arte do bem pensar* e à *arte do bem agir*, visando implicitamente ampliar a capacidade do comediante no sentido da argumentação e da criação de estratégias. Entenda-se a *argumentação* e *estratégias* não só no plano verbal como também no todo da expressão.

Também a nova oratória, que vem ligada à retórica, não se limita à vontade de impressionar o ouvinte com jogos de palavras e/ou trêmulos vocais. Pelo contrário, seu objetivo é desenvolver no orador o sentido da *eficácia*, estabelecendo linhas de força baseadas na *estratégia*. Não por acaso, uma das primeiras obras adotadas por Antunes Filho na fase de consolidação do método foi *Tratado da eficácia*, de François Jullien, que, voltando aos primórdios da Civilização, estabelece uma ponte entre a filosofia de Platão e Aristóteles e a dos chineses, seus contemporâneos.

O importante não é o ator-aluno fazer *ficha* do conteúdo do livro, apresentando a sua interpretação intelectual, mas apreender conceitos úteis ao conhecimento de si mesmo – pois é aí que irá buscar a compreensão do mundo. Justamente por isso o *Tratado da eficácia* tem importância. É obra que viabiliza o diálogo entre o ator-aluno e os conhecimentos com os quais irá lidar, envolvendo modos opostos e complementares para entender suas próprias sensações e saber usá-las na elaboração artística.

O pensamento ocidental, na exposição de Jullien, está aprisionado à ideia de um *modelo*. O cientista, o artista, o pedagogo ou qualquer cidadão que pretenda realizar algo necessita de um modelo que o oriente. "Com os olhos fixos no modelo", "nós, continuadores, no seio da tradição europeia, das primeiras clivagens gregas" e *portadores* de arquétipos, trazendo em nossa memória atávica *modelos* tão bem assimilados que não os vemos mais (por conseguinte "não nos vemos mais"), traçamos a forma ideal e agimos no esforço de fazê-la "passar para os fatos":

> ... com os olhos fixos no modelo que concebemos, que projetamos sobre o mundo e do qual fazemos um plano a executar, escolhemos intervir no mundo e dar forma à realidade. E quanto mais, em nossa ação, soubermos permanecer próximos dessa forma ideal, tanto maior será a chance de sermos bem-sucedidos[6].

O pensamento platônico busca "sua concepção de eficácia no velho lastro religioso", tributário de uma "mentalidade primitiva", "do qual a filosofia não cessou, posteriormente, de se libertar"[7]. A libertação, neste caso, é um tanto discutível. O que a filosofia ocidental fez, pelo menos até o fim do século XIX, foi separar matéria e espírito de modo cada vez mais radical, sem tirar os olhos do modelo: "Permanece intata a função do modelo posto como objetivo, que se determina num plano *teórico*, e ao qual, uma vez estabelecido, deve a *prática* submeter-se"[8].

Na contradição teoria/prática o pensamento ocidental manteve separado o espírito da matéria. O homem ocidental age *sobre* as coisas, nunca em sintonia e no fluxo como o oriental, especialmente os chineses, para os quais, falando com Jullien, a relação teoria-prática é absolutamente desconhecida, já que o seu pensamento não construiu um mundo de formas ideais, como arquétipos ou puras essências, a separar da realidade e que pudessem dar-lhe forma: todo real se lhe apresenta como um processo, regulado e contínuo, decorrente da simples interação dos fatores em jogo (ao mesmo tempo opostos e complementares: os famosos *yin* e *yang*). A ordem não decorreria, portanto, de um modelo no qual se possa fixar o olhar e que se aplique às coisas; ao contrário, está contida inteiramente no curso do real, que ela conduz de um modo imanente e cuja viabilidade assegura (daí o tema onipresente no pensamento chinês do *caminho*, o *tao*)[9].

Na discussão sobre *eficácia*, envolvendo os pensamentos ocidental e oriental, os conceitos expostos por Jullien assemelham-se aos que Antunes foi desvelando ao longo da pesquisa. A diferença traçada por

6. François Jullien, *Tratado da eficácia*, p. 13.
7. Idem, p. 14.
8. Idem, p. 15.
9. Idem, p. 29.

Jullien entre os pensamentos lembra a contradição dialética que Antunes sempre colocou como propulsora da pesquisa no CPT:

> ... em vez de traçar um modelo que sirva de norma à sua ação, o sábio chinês é levado a concentrar a atenção no curso das coisas, tal como está envolvido nele, para descobrir-lhe a coerência e tirar proveito de sua evolução. Ora, dessa diferença poder-se-ia tirar uma alternativa para a conduta: em lugar de construir uma forma ideal que se projeta sobre as coisas, obstinar-se em detectar os fatores favoráveis que atuam em sua configuração; em vez de fixar um objetivo para a sua ação, deixar-se levar pela propensão; em suma, em vez de impor um plano ao mundo, apoiar-se no potencial da situação[10].

Os conceitos parecem definir aspectos nucleares da pesquisa antuniana, se lembrarmos que já na preparação de *Macunaíma* o ator era intimado a "concentrar a atenção no curso das coisas" e "tirar proveito de sua evolução". O universo indígena, por exemplo, foi todo pesquisado dessa maneira, com os atores buscando subverter a sua própria noção de tempo, para se aproximar da noção indígena do tempo e, apoiados no potencial da situação, criar o universo indígena do seu imaginário.

O processo oriental da *não ação* (*wu wei*), ou seja, deixar-se levar pelo fluxo, está na base dos exercícios físicos que possibilitam ao ator apoiar-se no *potencial da situação*, como propõe a filosofia oriental. Não irá, no entanto, erradicar a sua própria cultura, ocidental, já que as condutas implícitas em cada cultura são tratadas complementarmente: o ator deve projetar um plano sobre o mundo, de olhos fixos no modelo concebido, como um bom ocidental; ao mesmo tempo, entrega-se ao fluxo, como um bom oriental. Na interação com todas as coisas materiais, intelectuais e espirituais implícitas na forma projetada, cria, por fim, novo universo. Toda a estrutura do seu trabalho é alimentada por forças opostas em permanente interação: *yin* e *yang*.

Assim se processam o pensamento e a ação no CPT – a teoria e a prática. O arsenal teórico, porém, não pode ser determinista e a atitude prática deve permanecer aberta ao contraditório, às pulsações e às formas que emergem do caos.

Ainda no campo da retórica, é possível estabelecer um paralelo entre a preparação do ator para a *performance* e os fatores principais da "arte da guerra", conforme Sun Tzu. Isso não se deve à mera coin-

10. Idem, p. 30.

cidência, mas aos princípios idênticos que os regem. Para o pensador chinês, eram cinco os fatores: a *doutrina*, o *tempo*, o *espaço*, o *comando*, a *disciplina*[11].

Esses fatores são imprescindíveis ao ator. A começar pela *doutrina*, que "engendra a unidade de pensamento" e pode ser compreendida como *ideologia*, sem a qual o ator jamais poderá comandar a ação dramática, pois vai se dispersar e se perder. Deve conhecer perfeitamente o *tempo*, sabendo-o composto da polaridade *yin* e *yang*, mediante a qual "todas as coisas naturais se formam". Indispensável apreciar "o tempo da interação" *yin/yang* "para a produção do frio, do calor, da bonança ou da intempérie". E avaliar o *espaço*, que fornece o conhecimento "do alto e do baixo; do longe e do perto; do largo e do estreito; do que permanece e do que não cessa de fluir". Já o *comando* supõe a equidade do comandante, pois a estatura moral é tão importante quanto os conhecimentos estratégicos. São inerentes ao *comando* virtudes adquiridas à custa de muito trabalho e "somente elas podem tornar-nos aptos a marchar dignamente à frente dos outros" – e o grande comediante está sempre marchando dignamente à frente dos outros. A *disciplina* faz com que se cumpram rigorosamente todas as leis. O homem disciplinado não desdenha "o conhecimento exato e detalhado de todos os fatores que podem intervir" e informa-se "de cada um deles em particular".

O palco é o campo de batalha do ator e a *performance* é o treino para que ele comande sua batalha. Aprende a fingir fraqueza para que o inimigo o ataque em hora errada e se aniquile com a própria força que emprega. Aprende a dissimular, a economizar, a estar sempre de prontidão para não ser surpreendido pelo imprevisto e surpreender sempre com o imprevisível. É o comediante. Sente tudo não sentindo nada. Sua arma mais poderosa é o conhecimento, precisa desenvolver constantemente a capacidade analítica e ampliar seu repertório expressivo. Desse modo adquire munição e novas armas para seu arsenal, além de aprimorar as estratégias. De nada valerá tudo isso, no entanto, se não tiver sensibilidade educada e desenvolvida, pois só com a sensibilidade usará eficientemente as armas do conhecimento.

O laboratório definitivo para o ator testar quanto conseguiu avançar rumo a esse ideal e aferir a eficiência das armas conquistadas é o espetáculo. Acontece no momento em que o teatro é pleno, graças à

---

11. Sun Tzu, *A arte da guerra*, p. 22. As citações seguintes procedem da mesma fonte.

presença do público. A energia do ator encontra, finalmente, resposta. E, nesse momento, não apenas sua habilidade artesanal deve aparecer, mas acima de tudo a sua capacidade de contribuir para transformar em imagens um pensamento, comunicando à plateia uma ideologia.

O aprofundamento nas correntes filosóficas orientais e nos princípios da nova física; o trânsito por sistemas baseados em realidades transcendentais que integram o nosso cotidiano; a conexão de ideias hinduístas e taoístas à psicologia analítica são aspectos essenciais do método Antunes Filho, como já se demonstrou, pois sem eles não há o método. E tudo isso leva à questão nuclear do sistema, que é o autoconhecimento.

O ator precisa se distanciar das ilusões (*maya*) e buscar com perseverança realidades mais profundas. A busca começa no próprio corpo, entregue ao fluxo (*li*), e se alimenta da sensibilidade e da imaginação. Para possibilitar a busca, deve passar pela desconstrução, quebrar suas *personas* mediante exercícios físicos e leituras, enfim: colocar-se em *processo de individuação*.

Importante esclarecer, desde já, que ao se falar em *individuação* pensamos o ator como indivíduo sem maiores complicações psicológicas. Aliás, no seu manual sobre análise e individuação, James A. Hall diz que "a psicopatologia (que se refere ao que há de errado com a pessoa) e sua cura constituem uma estrutura muito estreita para conter em si o alvo da análise junguiana". Segundo ele, as pessoas que mais se beneficiam "com a análise junguiana nada apresentam de errado no sentido clínico do diagnóstico". E adverte: "Jung enfatizou que o alvo da vida é a *individuação*"[12]. Caso o ator tenha, porém, perturbações psicológicas, ou *algo de errado*, deve procurar ajuda de um terapeuta ou de um psicanalista, evidentemente, pois o seu ego pode criar armadilhas, projetar "seus próprios complexos integrados", até mesmo subverter a individuação, propondo um ego ideal "formado pela *persona*"[13], e nada disso será benéfico ao trabalho criativo (sem dizer dos prejuízos à pessoa do próprio ator).

Em seguida, declara Hall que "a individuação é um processo natural que ocorre em todos", e que "a análise junguiana não produz o processo de individuação, mas com frequência é capaz de ativá-lo, de torná-lo mais consciente e de acelerar-lhe a velocidade de ocorrência"[14].

12. James A. Hall, *A experiência junguiana*, p. 62.
13. Idem, p. 63.
14. Idem, p. 66.

10. Realidades metafísicas e individuação

Não se exclui, portanto, a legitimidade da busca de individuação em um processo de trabalho como o nosso, que lida diretamente com conceitos básicos da psicologia junguiana, a começar pelos arquétipos e inconsciente coletivo, aprofundando-se na questão da *persona*, do *Self*, da busca da totalidade, etc.

Na verdade, o método se elabora e se sustenta nos conceitos de circum-ambulação e do Si mesmo, que formam a base do processo junguiano de individuação. "Tal como um ponto situado na periferia de uma roda, o ego sente que está circulando continuamente em torno do 'ponto fixo', o eixo da roda, o Si mesmo"[15], explica James A. Hall, referindo-se à circum-ambulação (andar em torno) do Si mesmo arquetípico.

Todo o movimento, no método Antunes Filho, é de *circum-ambulação*. Nunca se vai *direto ao ponto*. Caminha-se descrevendo curvas e elipses em torno do que se pretende alcançar, com vistas à realidade transcendente. Os exercícios físicos não têm fim neles mesmos: são *modos* para *cercar* a condição ideal.

Ensina Jung que "a individuação tem dois princípios: em primeiro lugar, é um processo interno e subjetivo de integração, e, em segundo, é um processo igualmente indispensável de relacionamento objetivo"[16]. No trabalho diário o ator lida com esses dois princípios, o que não é possível fazer no plano estrito da criação cênica: eles vão atuar no seu cotidiano, instigando o seu autoconhecimento. Terá sempre acionado o "processo interno e subjetivo de integração" em correspondência com o "processo de relacionamento objetivo", porque o trabalho o leva a isso.

Outro aspecto essencial do método é a busca da totalidade por intermédio dos opostos complementares, e essa é outra característica básica do processo junguiano de individuação. "Ser total", ensina Frieda Fordham, "significa reconciliar-se com os aspectos da personalidade que foram negligenciados. [...] Ninguém que realmente procure a totalidade pode desenvolver o seu intelecto à custa do recalcamento do inconsciente, nem, em contrapartida, viver num estado mais ou menos inconsciente"[17]. O que respalda os procedimentos do método, sempre buscando meios de vencer as barreiras e chegar ao inconsciente pela experiência, não para desvendá-lo ou torná-lo consciente, mas para nele colher imagens, signos, de modo que estabeleça o *campo unificado*, acercando-se da totalidade.

15. Idem, p. 162.
16. Carl Gustav Jung, *The psychology of the transference*. Citado por Daryl Sharp em *Léxico junguiano*, p. 91.
17. Frieda Fordham, *Introdução à psicologia de Jung*, p. 69.

Assim sendo, o processo de individuação compõe verdadeiramente a natureza do método Antunes Filho. E sem se colocar em processo o ator não conseguirá dominar as técnicas, pois estará sempre postado no ego, quando deveria aproximar-se do *Self*. Se permanecer no ego, o ator não conseguirá se livrar da ansiedade nem deixar o corpo disponível para o fluxo das energias.

Ao elaborar a montagem de *Gilgamesh* Antunes Filho transformou em matéria cênica o próprio processo de individuação, tornando-o uma poética, e de maneira tão rigorosa que um trecho das explanações de Fordham sobre o mesmo poderia ser tomado como a sinopse do espetáculo:

> O processo de individuação é por vezes descrito como uma jornada psicológica; pode ser uma vereda tortuosa e escorregadia, e, em certas ocasiões, parece pura e simplesmente que avança em círculos; mas a experiência mostra que a imagem mais adequada seria a de uma espiral. Nesta jornada, o caminhante tem primeiro de se encontrar com a sua sombra e aprender a viver este formidável e, por vezes, terrífico aspecto de si próprio: não há totalidade sem a aceitação dos contrários. Deparará em seguida com os arquétipos do inconsciente coletivo e enfrentará o perigo de sucumbir ao seu estranho fascínio. Se tiver sorte, encontrará, no fim, *o tesouro escondido* e difícil, a gema preciosa, a flor dourada, o lápis-lazúli, ou qualquer outro nome ou forma escolhido para designar o arquétipo da totalidade, o si próprio[18].

---

18. Idem, p. 71.

11. Poética da imortalidade

O processo de individuação consolidou-se como instrumento fundamental do método. Por isso e porque a escolha de textos no CPT mantém estreita relação com as pesquisas em curso, foi lógica a inclusão nesse repertório do poema *Gilgamesh*.

Isso não esgota, evidentemente, os fatores implícitos na *escolha*, pois acima da pesquisa de meios está a ideologia, que orienta o discurso do encenador também no nível temático, buscando comentar e interpretar o momento histórico. E no sentido da ideologia a escolha de *Gilgamesh* significou o aprofundamento na *sinergia do Mal*, chegando a um ambiente, no reino dos arquétipos, onde se examina essa sinergia por meio do que vamos aqui denominar *poética da imortalidade*.

Separar meios técnicos de um lado e ideologia do outro, no entanto, serve apenas para facilitar o estudo, pois são coisas imbricadas: sem ideologia os meios técnicos perdem o sentido, já que pertencem a um sistema de ideias e conduzem a uma visão de mundo.

Neste olhar retrospectivo sobre o repertório do CPT, percebe-se que *Gilgamesh* é um porto de chegada. O trabalho sobre o pensamento arcaico, envolvendo estudos da filosofia da religião conectados à psicologia junguiana, começou, convém lembrar, pela necessidade de resolver cenicamente a condição arquetípica da obra de Nelson Rodrigues e acabou sendo a base de todo o processo criativo. Notamos que de uma para outra montagem a lida com os instrumentos teóricos se aprofundava, e, neste ponto da trajetória, Antunes Filho concluiu ter

Gilgamesh
Raquel Anastásia, Laianna Matheus, Rosane Bonaparte e Luis Melo.
Foto: **Paquito**

1. *Gilgamesh* (adap. teatral), p. 8.

chegado o momento de levar a reflexão sobre o Homem para dentro do reino dos arquétipos. Por isso escolheu *Gilgamesh*, primeiro poema que se conhece da humanidade, no qual se diluem as fronteiras entre o humano e o divino.

Rei de Uruk, das grandes muralhas, Gilgamesh teria vivido cerca de 2.700 anos antes de Cristo. Embora fosse dois terços divino, a parte humana o tornava vulnerável como a qualquer mortal à dor, às doenças e à morte.

Mergulhado na inconsciência primordial, o rei de Uruk exercia seu poder na realização de obras formidáveis, como a construção da grande muralha, porém tiranizava seu povo com apetite egoísta, o que levou os cidadãos a clamar por proteção ao deus Anu. Sensibilizado pelo clamor, Anu pediu à deusa Aruru, criadora de todos os seres, que criasse "outro touro igual/para que os dois lutando" fizessem voltar "a paz a todo o povo de Uruk das grandes muralhas"[1]. A deusa, então, modelou em argila e deu vida ao guerreiro Enkidu. Colocou-o nas montanhas em convívio pacífico com as feras, até ser atraído a Uruk pela prostituta sagrada, onde se confrontou com o rei, numa batalha de vida e morte que os aproximou e os uniu para sempre.

Juntos trilharam os caminhos da aventura. E o primeiro grande feito da dupla foi enfrentar e destruir Humbaba, a Enormidade, guardião do Bosque de Cedros, que causava terror aos homens. A danação da parceria começa, no entanto, quando Gilgamesh recusa-se a aceitar Ishtar, deusa do amor e da guerra, como sua fêmea. Irada, ela recorre ao pai, Anu, pedindo-lhe que faça um Touro Celestial, "e que ele queime a casa de Gilgamesh com grandes labaredas", para que o rei de Uruk morra carbonizado. Anu a atendeu, mas, junto com Enkidu, Gilgamesh enfrenta e mata o Touro Celestial, despertando então a ira de Anu, que sentencia: "Gilgamesh ou Enkidu/um dos dois tem de morrer"[2].

Acometido de misteriosa doença, Enkidu faleceu após muito sofrimento. Com a morte do amigo, Gilgamesh desesperou-se. Por sete dias reteve o cadáver, só o entregando a terra quando os vermes brotaram pelo corpo. Mandou construir magnífica estátua em memória de Enkidu e ofereceu suntuosa libação ao deus-sol Shamash, partindo em seguida por campos, desertos, montanhas e mares, numa jornada a que nenhum mortal resistiria, até a terra de Dilmun, para além do oceano das águas da morte, "em busca do conhecimento/em busca da imortalidade/em busca de Utnapishtim"[3].

Salvo do Dilúvio pelos deuses, que o mandaram construir uma barca e nela colocar espécies vivas, Utnapishtim tornou-se imortal e, junto com a mulher, "que para sempre o acompanhará", instalou-se na foz dos rios, na terra de Dilmun. Dele, Gilgamesh esperava obter uma resposta sobre o mistério da vida e da morte, quem sabe algo mágico que desse ao ser humano a eterna juventude e a imortalidade. Porém, Utnapishtim aconselhou-o a voltar para casa, pois "não existe permanência" para os seres e as coisas da Terra.

Condoída com a tristeza do visitante, a mulher de Utnapishtim solicitou ao marido que oferecesse alguma coisa para confortá-lo. Então, Utnapishtim revelou a Gilgamesh que no fundo daquelas águas existe uma planta com espinhos, "se conseguires apanhá-la/então terás nas mãos, em tuas próprias mãos, o que devolve ao homem a juventude perdida"[4].

Mergulhando nas águas, Gilgamesh encontra a planta da juventude e feliz empreende a volta a Uruk, no barco, sobre as águas da morte. "Lá eu darei a planta aos mais velhos, aos patriarcas,/e depois eu também recuperarei minha perdida juventude." Aconteceu, no entanto, que após navegarem vinte léguas uma serpente saltou das águas e arrebatou-lhe das mãos a planta milagrosa, com ela desaparecendo nas profundezas.

Terminou, desse modo, o sonho de imortalidade do rei de Uruk, que para sua cidade retornou e nela reinou por muitos anos, com sabedoria, tendo as aventuras lhe propiciado a certeza dos limites fatais impostos pela morte à existência do ser humano na Terra.

Repleta de símbolos arcaicos, com suas camadas temáticas sobrepostas umas às outras, em admirável arquitetura poética, a fábula é

2. Idem, p. 44.
3. Idem, p. 59.
4. Idem, p. 68.

paradigma ou matriz do processo de individuação, conforme a versão cênica de Antunes Filho, que também se desenvolve por camadas sobrepostas, utilizando recursos narrativos e códigos teatrais em novas e transgressoras perspectivas.

Interessa-nos aqui discutir três aspectos distintos do espetáculo, que se entrelaçam e se fundem numa unidade orgânica, abrindo-o para as diferentes possibilidades interpretativas: a psicologia analítica como instrumento de criação dramática; os meios e as técnicas teatrais; o tema da imortalidade.

O estudo do poema no processo da montagem começou pela contextualização histórica, processo que teve o auxílio de especialistas em Mesopotâmia. Um dos textos de apoio utilizados foi o artigo do professor Emanuel Bouzon[5], dando conta de que no terceiro milênio antes de Cristo viu-se a fundação da cidade-estado suméria, que exigiria da sociedade mesopotâmica uma crescente estratificação social. Situação que contribuiria para a extinção da estrutura da aldeia neolítica por força do processo de urbanização e que terminaria dividindo a população ativa em especialistas (ceramistas, artesãos, escribas, sacerdotes, etc., a população urbana) e produtores de alimentos (o povo que permanecia nas aldeias, trabalhando a terra e cuidando da criação de animais), tornando a aldeia dependente da cidade.

Em breve tempo histórico deram-se também transformações que marcariam a humanidade: a invenção da escrita; a descoberta da irrigação artificial; profundas alterações nos sistemas de produção e troca propiciaram o surgimento do comércio de longa distância e de sistemas defensivos contra ataques externos. O governo centralizado, capaz de administrar tudo isso, substituiu a antiga autoridade paritária dos chefes de família da aldeia neolítica.

A vasta pesquisa histórica visava à fundamentação dos fatos narrados, evitando que os atores se perdessem em abstrações. Perigo real, uma vez que se lidava com arquétipos a partir de registro poético oriundo da sociedade arcaica. A ausência de embasamento histórico deixaria abertas as portas da fantasia, já que nessa sociedade o divino e o humano convivem no dia a dia, há certa promiscuidade entre deuses e mortais, o que torna imprescindível ter clareza do que é símbolo (no sentido mais profundo, de representação de uma realidade impossível de se traduzir por palavras) e do que se refere à realidade objetiva.

---

5. Especialista em Assiriologia e História Antiga da PUC/Rio. A presente abordagem ao assunto prende-se ao artigo do professor Bouzon, *O mundo sumério e a epopeia de Gilgamesh*, publicado no volume da adaptação teatral de Antunes Filho.

11. Poética da imortalidade

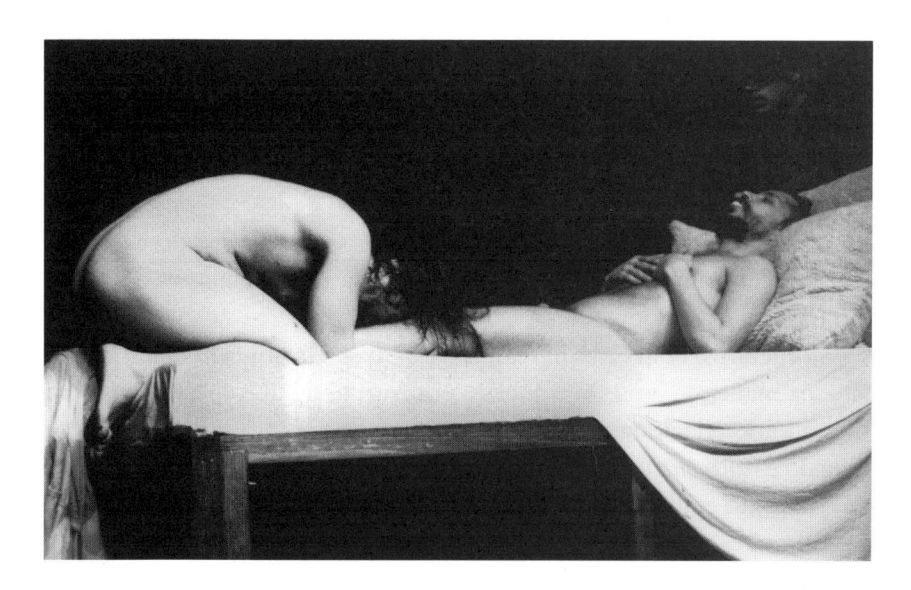

Gilgamesh
Luis Melo, Bruno Costa e Adriano Costa.
Foto: **Paquito**

A compreensão da realidade histórica é também indispensável ao emprego de instrumentos da psicologia analítica. Embora Gilgamesh nos chegue como um arquétipo, recriá-lo em cena implica o retorno às origens do mito, descobrindo-o humano e em permanente conflito entre instinto, moral e ética.

A esse respeito Jung afirma que as tendências do instinto e da moral "estão em estrita oposição uma à outra" e, embora o conflito "não deixe de ser um fator pessoal, também é um conflito da humanidade inteira, em vias de manifestar-se, porque o desacordo consigo mesmo é um sinal do homem cultural"[6]. Afirma Jung ainda que "o processo cultural consiste na repressão progressiva do que há de animal no homem; é um processo de domesticação que não pode ser levado a efeito sem que se insurja a natureza animal, sedenta de liberdade". E será esse entendimento então que pode iluminar o sentido simbólico de Enkidu.

Em primeira instância, o conflito de Gilgamesh se coloca na dicotomia instinto/moral, sendo dominado pela *vontade do poder* (na acepção de Adler[7]). Perpassa toda a narrativa a emanação dessa *vontade*. Sendo rei, tem de fato o *poder* que, de início, usa de modo imoral, para a afirmação dos instintos ("não deixa filhos ao pai/noite e dia, sem piedade/ não deixa filhos à mãe/nem irmã ao irmão/nem mulher ao guerreiro"[8]).

O encontro com Enkidu o transforma, no entanto permanece a *vontade do poder*, que é da sua natureza psíquica. *Vontade* que se manifes-

[6]. Carl Gustav Jung, *Psicologia do inconsciente*, p. 11.
[7]. Alfred Adler (Viena, 1870; Aberdeen, 1937). Médico e psiquiatra, foi discípulo e amigo de Freud até desenvolver a Psicologia Individual, rejeitando a libido como fator preponderante das perturbações neuróticas. Suas teses sobre os processos psíquicos provocaram a ruptura com o mestre. Para Adler, as causas das neuroses não devem ser procuradas no passado do indivíduo e sim na sua expectativa malograda de futuro. Para ele a agressividade (positiva) e a vontade de poder expressam objetivos de superação do complexo de inferioridade (conceito criado por ele) no desenvolvimento de capacidades e de potencialidades, desde que sejam aplicadas em direção construtiva e saudável, incluindo a preocupação social, o bem-estar da comunidade.
[8]. *Gilgamesh* (adaptação), p. 8.

ta e é reafirmada no confronto com Humbaba, que se dá a pretexto de livrar a população do terror, mas cujo objetivo seria inscrever seu nome em "local onde nenhum nome ou feito foram inscritos". Permanece a *vontade de poder* mesmo na queda trágica, quando vai em busca da Árvore da Vida.

A *circum-ambulação* do herói descreve seu caminho do caos (inconsciência primordial) à individuação, que é alcançada após o mergulho nas trevas da morte.

O encontro com Enkidu realiza a possível harmonia *anima/animus*. Isto, da maneira como foi colocado por Antunes, pareceu a muitos uma sugestão de relacionamento homossexual. Entretanto, no artigo sobre *religião e mito entre os mesopotâmicos* o professor Marcelo Rede aborda o assunto e, discordando dessa possível interpretação do encenador, adverte que "muito do entendimento da parceria entre Gilgamesh e Enkidu deverá ser buscado nos códigos da amizade heroica"[9]. Creio mais apropriado, no entanto, entender esse relacionamento no plano simbólico, como o encontro de Gilgamesh com sua *anima*, a despeito de se tratar de dois homens, ou justamente por isso, já que *anima* é, por definição, o fundamento arquetípico da feminilidade no homem. Refiro-me a *plano simbólico* em termos que abrangem não apenas o que a cena manifesta, mas a própria cena.

A referência ao componente feminino dos heróis se dá em alguns momentos, como na lamentação de Gilgamesh: "Choro por Enkidu, meu amigo,/com lágrimas dolorosas de mulher aflita"[10]. O colocar-se como *mulher aflita* é metafórico, porém ilumina a realidade psicológica, que é arquetípica. Há complementação entre os dois, como no casamento de um tipo extrovertido (Gilgamesh, cujos olhos estão sempre voltados para o objeto) com um tipo introvertido (Enkidu, cujos olhos estão sempre voltados para o sujeito), isso sem descartar os *códigos da amizade heroica* que os ligam no plano consciente.

Ao surgir, Enkidu parece materializar a *sombra* de Gilgamesh. Vem do meio selvagem e possui qualidades morais que faltam ao rei. Depois do confronto que poderia ter sido mortal, tornaram-se amigos e teria o herói *integrado* a sombra, ajustando melhor seu caráter à coletividade, revelando impulsos criativos de interesse social. Todavia, Enkidu pode ser interpretado apenas como a *sombra pessoal* que, mesmo integrada, não elimina a *sombra coletiva ou arquetípica*, mais apropriada ao herói.

9. "Gilgamesh: religião e mito entre os mesopotâmicos", em *Gilgamesh* (adaptação teatral), p. 102. Professor de História Antiga da Universidade Federal Fluminense, Marcelo Rede contribuiu como especialista para os estudos do grupo no processo de criação do espetáculo.

10. Idem, p. 48.

Esta se manifesta através de Humbaba e do Touro Celestial. A integração da *sombra* culmina com a terrível jornada de Gilgamesh à terra de Dilmun, de onde volta humanizado.

Não se lida aqui com o *indivíduo real*, cujo ego se estrutura no dia a dia mediante fatos psicologicamente marcantes, e sim com um mito, ele mesmo projeção de imagens primordiais. Interessa o processo que conduz esse mito a transformações importantes e *exemplares*. Processo que o eleva do caos, do indiferenciado, à individualização, pois foi nesse sentido que operou a visão poética de Antunes Filho na elaboração do espetáculo.

Quanto aos meios e às técnicas teatrais aplicados, são aqueles vigentes no CPT, cuja evolução temos estudado, mas agora com um pensamento que *integra separando*.

A própria ideia de afastamento se materializa em cena, numa evocação poética às teses de Bertolt Brecht sobre o teatro épico. O diferen-

Gilgamesh
Luis Melo, Edson Montenegro, Luiz Furlanetto, Sandra Babeto, Adriano Costa, Alfredo Penteado, Roberto Audio e Raquel Anastásia.
Foto: **Paquito**

cial está no ato de separar duas ações – a dos narradores e a dos personagens narrados – mediante o afastamento que, ao mesmo tempo, as integra. Não é como o afastamento brechtiano, que anula a ação dramática do narrador para estabelecer um raciocínio crítico sobre o fato narrado; aqui, pelo contrário, a ação dramática dos narradores existe e é dela que nasce o drama. E esse drama evoca um arquétipo que está vivo nos narradores, integrando assim as duas ações.

Escreveu Sábato Magaldi que na obra "se aliam de forma harmoniosa a narrativa e o drama, instaurando um ritual que atinge a essência do mito"[11], e essa é a melhor maneira de expressar os acontecimentos cênicos de *Gilgamesh*.

De fato, a técnica do afastamento obtida por Antunes instaura um ritual. E é por meio desse ritual (processado a partir de sete minutos de dança dervixe) que se revela o drama. Os atores, como monges, se revezam no púlpito para a leitura do livro sagrado que narra a epopeia de Gilgamesh. E os fatos narrados se materializam em cena. Os personagens divinos surgem dentro de carros-vitrinas, empurrados por monges, como iluminuras do livro sagrado. Os mortais, ao contrário, entram naquele espaço vindo de outro e rumando a um terceiro lugar, como na vida. Por isso, os monges representam também o povo de Uruk, em integração que esgarça o limite do tempo ou abole o tempo profano. E dessa maneira chega-se à *essência do mito*, como afirmou Sábato Magaldi.

O ritual cênico contempla o processo de individuação ao mostrar o herói na busca do autoconhecimento, ao mesmo tempo em que revela um arquétipo, modelo primal, que os monges atualizam. Há o jogo entre a forma estética, que é o significado, e a realidade de onde ela procede, que é o significante. Esse jogo inclui os carros-vitrinas, criados por J. C. Serroni, constituindo uma cenografia despojada, minimalista, que, entretanto, abre a cena para outras paisagens cósmicas. E, da mesma maneira que surgem e desaparecem os carros-vitrinas, emergem e se dissolvem cenas referentes ao mito Gilgamesh e aos deuses do seu panteão. Cenas nascidas em meio aos monges e por eles representadas, destruindo a distância temporal entre aquela comunidade monástica e os deuses por ela cultuados.

Tudo isso estabelece uma narrativa cênica que tem autonomia: não *representa* uma realidade: *é realidade ela mesma*. E nela está presente a ideia

---

11. "Narrativa e drama fundidos", em *Gilgamesh* (adaptação teatral), p. 85.

11. Poética da imortalidade

Drácula e outros vampiros
Isabela Graeff, Alexandra Maia, Nathalie Fari, Eduardo Córdobhess e elenco.
Foto: **Paquito**

da imortalidade, seja pelo permanente confronto dos mortais com os deuses imortais, seja pela busca dramática de Gilgamesh à Árvore da Vida[12].

Poder e Morte, elementos centrais na epopeia de *Gilgamesh*, constituem o eixo de qualquer fábula sobre a imortalidade. Pensando algo assim, Antunes Filho foi saber das lutas empreendidas por homens de diferentes épocas na busca da Árvore da Vida, ou Água da Vida, ou Fonte da Eterna Juventude. Essa busca acompanha a humanidade desde a queda de Adão e Eva, conforme a visão judaico-cristã, ou de seus correspondentes em outras cosmogonias. Seguindo as trilhas, o mestre acabou chegando à esfera mais conturbada dessa busca, de onde surgem *Drácula e outros vampiros*.

Vinculando o sonho da imortalidade ao vampirismo, voltou à sinergia do Mal. E o vínculo se fez das reflexões a partir de mitos da história em sintonia com a história dos mitos. Há indícios de que personagens como Alexandre da Macedônia e os reis católicos da Espanha, Fernando e Isabel, conquistaram territórios ao empreenderem a busca da fonte que jorra a Água da Vida.

A exemplo de Gilgamesh, o rei da Macedônia teria atravessado as *trevas da Morte* para encontrar a Água da Vida. Já os reis católicos não

12. *Gilgamesh* estreou a 1º de junho de 1995, no Teatro SESC Anchieta, com o seguinte elenco: Adriano Costa, Alfredo Penteado, Bruno Costa, Edson Montenegro, Geraldo Mário, Lianna Matheus, Luis Melo, Luiz Furlanetto, Raquel Anastásia, Roberto Audio, Rosane Bonaparte, Sandra Babeto.

197

Drácula e outros vampiros
Eduardo Córdobhess e Ludmila Rosa.
Foto: **Paquito**

foram pessoalmente, mas enviaram esquadras e bravos navegadores às terras desconhecidas das supostas Índias Ocidentais, com a missão de encontrar a Fonte da Juventude. Buscas que se deram à custa de muitas vidas, de muito sangue derramado. É o Mal em plena atuação, corrompendo o sonho da imortalidade e o canalizando para uma realidade mórbida, delirante, na qual transitam tiranos como Vlad Tepes, da Valáquia, que inspirou Bram Stoker na criação de *Drácula*.

O vampirismo se manifesta na vida cotidiana, através dos que vivem sugando energia alheia; explorado porém na sua potencialidade, converte-se na sede de poder, revelando déspotas que têm a volúpia do Mal, promovem torturas, perseguições étnicas, genocídios, holocaustos. Como os mortos-vivos, estão sempre em busca do sangue humano para manter o alento da pseudovida.

O tema leva às fronteiras indistintas da realidade histórica com a ficção, obrigando o pesquisador às sendas misteriosas, que normalmente os historiadores rejeitam por considerar território das superstições. Alguns historiadores entretanto, sem se constranger pelo descrédito a que se arriscavam com seus estudos, examinaram hipóteses e aproximaram dos fatos históricos as lendas alimentadas pela imaginação popular. Foi a essa saga literária que Antunes recorreu para estabelecer a plataforma de *Drácula e outros vampiros*.

O livro de Zecharia Sitchin, *A escada para o céu*, propõe descrever "o caminho percorrido pelos povos antigos para atingir a imortalidade" e termina sendo, de fato, um guia bastante útil para quem o assunto interessa. A maior parte da obra trata do sistema religioso do Egito, de onde vem a imagem da *escada para o céu*. O livro impressiona pela vasta pesquisa e análise objetiva que o sustentam. E particular interesse tem o primeiro capítulo, no qual, a partir de obras e documentos antigos, o autor aborda o provável empenho dos reis católicos da Espanha que, ao patrocinarem Colombo e outros navegadores na descoberta e exploração do Novo Mundo, o que de fato desejavam "era encontrar a Fonte da Eterna Juventude, uma fonte de poderes mágicos cujas águas rejuvenesciam os velhos e mantinham as pessoas eternamente jovens, porque brotava de um poço do paraíso"[13].

Teria sido essa a missão primordial das expedições comandadas por Ponce de Leon. Persuadindo nativos com presentes ou torturas, o aventureiro espanhol várias vezes acreditou ter descoberto a Fonte da Eterna Juventude, mas acabou atingido por uma flecha caraíba e morreu jovem ainda.

A crença dos reis católicos e de Ponce de Leon na Fonte da Eterna Juventude não era coisa isolada: pertencia à cultura da Idade Média, dominava a imaginação plebeia e contagiava os nobres. Até mesmo a comunidade eclesiástica, incluindo o Papa, acalentava o sonho da imortalidade através da Água da Vida. O mito teve influência, conforme constatou Sitchin, à vista de documentos, na organização das cruzadas, desde o século XI.

O tema da imortalidade, assunto preponderante no imaginário medieval, tinha em Alexandre, o Grande, um personagem exemplar. Romances e inúmeros relatos heroicos medievais eram protagonizados pelo rei macedônio, que viveu no século IV a.C. e em alguma ocasião teria estado muito próximo da Fonte da Eterna Juventude. Supõe-se que a lenda procede de textos do historiador grego Calístenes; porém, por não admitirem certa a autoria, os eruditos da Idade Média chamaram-nos *pseudoCalístenes*.

Dois fatores justificam a crença popular de que foi na busca da Árvore da Vida que Alexandre empreendeu as maiores expedições guerreiras da Antiguidade. O primeiro diz respeito aos territórios conquistados, que avançam pelo Egito e Índia, chegando ao Himalaia – e o Paraíso ficaria por esses lados, conforme as lendas. Dado geográfico que alicerça a crença dos reis católicos de que nas terras descobertas por Colombo, que seriam a Índia, estaria a Fonte da Juventude. O segundo fator vem da lenda de que Alexandre seria semidivino, fruto da incursão do deus egípcio Amon à cama de sua mãe, Olímpia. Neste ponto, a história de Alexandre começa a se confundir com a de Gilgamesh, como observa N. K. Sandars: "Muitos reconhecem no Alexandre da Idade

[13]. Zecharia Sitchin, *A escada para o céu*, p. 8.

Média a figura de Gilgamesh, e algumas das suas aventuras podem ter sido transferidas para o romance"[14].

Plutarco fez a biografia de Alexandre, nas *Vidas paralelas*, citando a lenda da suposta filiação divina e sugerindo que o jovem rei da Macedônia, que dominou a maior parte do mundo então conhecido, considerava-se realmente divino, mesmo se confessando mortal. Plutarco fala de assassinatos em massa atribuídos a Alexandre, como num episódio da tomada da Pérsia: "Houve ali um terrível massacre de prisioneiros. O próprio Alexandre escreveu que mandou degolar aqueles homens porque isso era do seu interesse"[15]. E chacinas como essa não eram raras na Idade Média. Nem expedições guerreiras semelhantes às de Alexandre, que, aliás, bem podem ter fornecido o paradigma das Cruzadas, nas quais em nome de Cristo se cometiam genocídios.

Outro livro que assumiu importância na pesquisa dos sonhados caminhos da imortalidade foi *O Santo Graal e a linhagem sagrada*, de Baigent *et alii*. Trata-se de uma investigação em torno de indícios históricos contidos nas lendas populares. Indícios de fatos de suprema importância na sua época que, no entanto, foram praticamente esquecidos pela História oficial. Introduzem neste cenário a ambição e a sede de poder da Igreja Católica romana, que a partir do século XI se traduzem na instituição das Cruzadas e, mais tarde, na Santa Inquisição. Dois instrumentos monstruosos de domínio e sujeição do indivíduo e dos povos.

O relato conduz a atenção ao núcleo religioso-militar conhecido por Ordem dos Templários, que se manifesta com votos de pobreza e acumula fortunas inimagináveis. Os templários estariam no comando verdadeiro do poder da Igreja, já que, ocultos pela capa da caridade cristã, manipulavam as estratégias militares, arvoravam a si mesmos inclusive o poder de coroar e destronar reis. Consolidaram o poder criando um sistema financeiro moderno, inaugurando as atividades bancárias e cambiais que hoje conhecemos. Naquele tempo, como hoje, tanto poder sobre as nações se alicerça e se apoia no crime, nos massacres, na liquidação sumária do adversário. São os mortos que se alimentam dos vivos, *bebem* o sangue humano, como os vampiros.

As atrocidades cometidas pelos templários, no entanto, não se destacam daquelas comandadas pela Igreja, sob ordens do Papa. Como a Cruzada Albigense, em 1209, cujo destino não foi a Terra Santa, mas

14. Anônimo, "Introdução", *A epopeia de Gilgamesh*, p. 67.
15. Plutarco, *Vidas paralelas*, v. IV, p. 171.

Languedoc, a nordeste dos Pirineus, onde hoje é o sul da França, região *infestada* de hereges, segundo a Igreja. Consta que

> todo o território foi pilhado, as colheitas destruídas, as cidades e vilarejos arrasados. Este extermínio ocorreu numa extensão tão vasta que pode bem ter constituído o primeiro caso de genocídio da história da Europa moderna. Só na cidade de Veziers, por exemplo, pelo menos 15 mil homens, mulheres e crianças foram mortos, muitos no próprio santuário da igreja. Quando um oficial perguntou ao representante do papa como ele conseguiria distinguir hereges de crentes verdadeiros, a resposta foi: *Mate-os todos, Deus reconhecerá os seus*[16].

Por tudo isso, não é extraordinário que Vlad Dracul, príncipe da Valáquia, na Transilvânia, tenha sido admitido na Ordem dos Dragões, destacando-se na Cruzada contra os infiéis. Título que seu filho – imortalizado pela literatura gótica do século XIX como Drácula – herdou e, com suas chacinas, serviu aos interesses do Vaticano.

O romance de Bram Stoker, *Drácula*, publicado em 1897, transformou-se num dos maiores sucessos literários de todos os tempos e atravessou o século XX inspirando obras cinematográficas e teatrais, poemas, histórias em quadrinhos, fixando o personagem no imaginário popular como modelo do Vampiro. Outros romances góticos do século XIX abordaram o tema. *O Vampiro*, de Polidori, publicado em 1819, não foi o primeiro, como se acredita, porque desde 1812 já circulava o romance de Jan Potocki, *O manuscrito de Saragoça*, e a saga teve um ponto alto com *Carmilla* (1879), de Joseph Sheridan Le Fanu. Nenhum romance porém apresentou tanto poder de convencimento e fascínio quanto o de Stoker. Isto se deve, provavelmente, à evocação de um personagem histórico, cuja crueldade se destacou entre os fatos hediondos que marcaram a Idade Média.

O príncipe romeno foi apontado por estudiosos como o inspirador do romance, o que vieram a confirmar Raymond T. MacNally e Radu Florescu. Mediante exaustiva pesquisa histórica, eles recuperaram a memória de Vlad Tepes (1431-1476), fazendo sua biografia e apresentando indícios de que Bram Stoker tinha informações concretas da vida desse príncipe, do seu meio social e das paisagens onde se moveu. Por isso, o livro *Em busca de Drácula e outros vampiros*, de MacNally e Florescu,

16. Michael Baigent, *O Santo Graal e a linhagem sagrada*, p. 22.

teve primordial importância na pesquisa do CPT para a criação do espetáculo, sugerindo até mesmo o título.

O estudo comenta em paralelo dados biográficos de Vlad Tepes, que adotara o nome de Drácula, e as repercussões do romance de Stoker, que consagrou no imaginário popular, especialmente pelo cinema, a imagem do morto-vivo elegante que se transforma em morcego e suga o sangue das vítimas. E, de fato, foi isso o que fez Bram Stoker, imprimindo no personagem profundo valor simbólico.

Ao passear pela macabra floresta de estacas, cada estaca com uma pessoa empalada, algumas dessas pessoas já mortas, outras em agonia ou em desesperado sofrimento, Vlad Tepes tomava vinho. Há notícias de que às vezes embebia o pão no sangue das suas vítimas, mas esse detalhe é perfeitamente dispensável. Beber sangue, literalmente, não é tão importante quanto a imagem que a ideia produz. Imagem perfeitamente adequada aos sanguinários tiranos da Idade Média e àqueles que se ajustaram a ela pelo tempo afora. Transformando Drácula em símbolo, Stoker legitimou-o como arquétipo do sanguinário que se ajusta, por exemplo, a Adolf Hitler e a muitos tiranos do último século, ou de hoje.

Os dados históricos mencionados e respectivas especulações (que muitas vezes transformam o fato histórico em ficção, em lenda) forneceram a matéria-prima para Antunes Filho estabelecer o conceito do vampiro que pretendia mostrar. Não só o conceito, mas também a forma estética, a ideologia.

Em *Drácula e outros vampiros* o encenador voltou a ser o centro do processo criativo. Ao contrário das obras apresentadas nos últimos anos, desde *Nova velha estória*, cujos movimentos cênicos nasciam dos próprios atores, nesta o diretor é quem os cria, orientando o elenco dentro de um desenho cênico, as *marcações*.

Esse aparente retrocesso teve dois motivos. O primeiro foi a saída de Luis Melo do grupo. Tendo sido o principal ator da companhia nos últimos dez anos, ele deu inestimável contribuição ao desenvolvimento do processo. Realizou na prática o que Antunes propunha na teoria. Sua saída foi um desfalque, especialmente porque também outros atores experientes haviam saído e os novos necessitavam de tempo para dominar a técnica. Em função disso, Antunes precisou dar um passo atrás no que respeita à elaboração cênica, embora permanecesse obrigatória aos atores a prática do desequilíbrio e dos demais exercícios. Não foi renúncia à técnica conquistada, mas um recuo estratégico.

O segundo motivo diz respeito à estrutura do discurso. Nas obras anteriores os temas surgem da ação dos personagens, revelando como o indivíduo e a comunidade buscavam solução aos seus problemas materiais e metafísicos; nesta os personagens são apenas marionetes da força do Mal, que os leva na voragem. São quase todos mortos-vivos e, portanto, não apresentam estruturas psicológicas sobre as quais os atores possam trabalhar. Os vivos também não as apresentam, pois são apenas adoradores ou caçadores de mortos-vivos, personagens chapados, como aqueles das histórias em quadrinhos.

A pesquisa sobre o tema da imortalidade, que encontra síntese na figura do vampiro, formou o substrato da encenação. Sua função é semelhante à da gênese, prática corriqueira no processo, que visa à construção da história pregressa do personagem. Os fatos extraídos da pesquisa não aparecem diretamente na cena, como parte do enredo, e sim indiretamente, como motivações ou subsídios ao pensamento da obra. A ideia de o vampiro ser virtual metamorfose do tirano sanguinário preside a cena e orienta a composição dos tipos, mas a narrativa desenvolve uma visão bem-humorada da natureza do vampiro, sem lhe dispensar o *charm*, sua principal ferramenta de sedução.

Isto leva às outras pesquisas efetivadas para a criação do espetáculo, voltadas para as formas que o vampiro tomou ao longo do século XX nos diferentes meios expressivos. Os inúmeros filmes sobre o tema, a abordagem plástica e literária, o vampiro das histórias em quadrinhos, tudo foi pesquisado e de muitas partes vieram sugestões, referências, que o encenador manejou com brilho. A mais importante referência cênica, no entanto, não é história de vampiro, e sim a coreografia de Kurt Jooss, *A mesa verde*.

Discípulo de Rudolph Laban, Kurt Jooss (1901-1979) foi um dos mais expressivos nomes da dança no século XX. Em 1932 estreou o balé *A mesa verde*, "dança macabra" em torno do poder e protagonizada pela morte, que aparece soberana, em marcha militar, e vai dizimando tudo e todos. Mais tarde, a obra foi considerada *profética*, pois essa dança a Alemanha vivenciou com a ascensão de Adolf Hitler.

Desse modo, embora contendo referências pitorescas do vampiro que transita pelo imaginário popular, nos fundamentos da encenação permanece a ideia dos potentados sanguinários. A citação de *A mesa verde*, que inspira a elaboração cênica do segundo ato, remete a obra a uma tradição dramática e estabelece o diálogo com a mesma tradição.

A direção de arte de J. C. Serroni denuncia o aprofundamento do artista na mesma pesquisa, estabelecendo um espaço cênico de rica sugestão gótica e figurinos cuja referência primeira são os desenhos de Guido Crepax, com a elaboração passando ainda pela estética nazista, pela Ku Klux Klan e por capas de discos de *heavy metal*. Outra novidade no CPT, conforme Serroni, foi o uso de maquinaria para efeitos cênicos: "Pela primeira vez estamos trabalhando com alguns efeitos, como luzes, para reproduzir raios, fumaça e elevadores para movimentar os atores/vampiros de seus caixões para a superfície"[17]. E acrescentava: "Eu vejo que o grupo está numa fase de transição, acho que o Antunes está trabalhando com uma estética solta, mais livre". E de fato operava-se grande transição, da qual resultaria a sistematização do método.

Terminada a temporada no Teatro SESC Anchieta, *Drácula e outros vampiros*[18] esteve um mês em Madri, circulando em seguida por outras cidades espanholas. Retornando da viagem, Antunes reuniu alguns dos atores de *Drácula* a outros que ingressaram no *Cepetezinho* (curso de teatro do CPT) e trabalhou sobre os meios interpretativos desenvolvidos nos últimos anos, com vista à sistematização do método.

O sistema então construído e aprimorado nos anos seguintes é o tema da II Parte deste livro.

17. "Serroni sintetiza estereótipo do vampiro", entrevista a Beatriz Velloso, *O Estado de S. Paulo*, 11/9/1996.
18. Estreou no dia 27 de setembro de 1996. Elenco: Alexandra Maia, Álvaro Augusto, Anete Colacioppo, Caetano Vilela, Carlos Ramiro Fensterseifer, Diana Sinenberg, Edgar Castro, Eduardo Córdobhess, Emerson Danesi, Fábio Elias, Fábio Mendes., Frederico Eckschimidt, Geraldo Mário, Germano Melo, Isabela Graeff, Justine Otondo, Laelson Vitorino, Lianna Matheus, Ludmila Rosa, Lulu Pavarin, Marlene Filipini, Nathalie Fari, Newton Maciel, Norma Brito, Ondina de Castilho, Sabrina Tozatti Greve, Walney Virgílio.

Parte II
O método

12. Abertura. Corpo e espírito

Na encruzilhada dos dois caminhos, o da montanha e o da planície, dando boas-vindas aos que amam o teatro e espantando os que preferem a experiência literária, encontra-se o ator profissional.
O refulgente e repulsivo, o brilhante e banal, o aclamado e desprezado ator profissional, com seus exageros, suas vaidades, sua tremenda egolatria ou sua inteligência nula, parece situado na linha fronteiriça entre o criador literário e o público teatral. Lá está ele, figura comum e alarmante como a dos espantalhos. Não há dúvida de que para muitos ele representa tudo o que há de vulgar e falso nesta vida. O próprio Hamlet nos faz ver que o ator é ao mesmo tempo amado e odiado. E essa ambivalência persiste até hoje: há dez mil exemplos de como um ator trai a sua arte, o seu autor e a si mesmo. Apesar disso, escutemos o que dele dizia Jean Giraudoux: "O ator não é apenas um intérprete, é um inspirador... e o grande ator é um grande inspirador".

MICHAEL REDGRAVE[1]

A visão contraditória do ator acompanha qualquer um que caminhe pelo longo corredor entre as salas de espera e de ensaio do CPT. No percurso, à direita, painéis fotográficos o separam do núcleo de cenografia. No fundo, à esquerda, espessa porta de duas folhas, com janelinhas de vidro à altura dos olhos, dá entrada à sala de ensaios.

Olhando pelas janelinhas é possível ver pessoas movendo-se no tablado que cobre bem uns três quartos da grande sala. Se calhar, nesse momento,

1. Michael Redgrave, *Los médios expressivos del actor*, p. 15. Tradução livre do Autor.

estarão fazendo o *funâmbulo*, inventando a corda bamba que não há e sobre a qual caminham em difícil equilíbrio. Ou, para a perplexidade do visitante, supondo que ele não tenha ideia do que ali acontece, esses homens e mulheres executam gestos absurdos, cada qual isolado em si mesmo, ainda que resvalando no outro, o que dá a impressão de pátio de hospício... As mesmas pessoas podem, no entanto, estar sentadas em círculo ou em semicírculo ouvindo com muita atenção as explanações do mestre Antunes Filho.

Transpondo a porta, se o visitante olhar para o alto da mesa, verá estes pensamentos escritos em folhas de papel presas à parede:

Cada um dos nossos cidadãos, nos múltiplos aspectos da vida, é capaz de mostrar-se dono legítimo e possuidor de sua própria pessoa e, além disso, fazê-lo com uma graça excepcional e uma aptidão excepcional.

Péricles

De maneira nenhuma, pode-se dizer que não haja nada num palco vazio, num palco que se pise de improviso. Pelo contrário, existe ali um mundo transbordante de coisas. Ou melhor, é como se do nada surgisse uma infinidade de coisas e de acontecimentos, sem que se saiba como e quando.

Kazuo Ohno

Acredito que nunca ficarei completamente maduro, nem nas ideias, nem no estilo, mas sempre verde, incompleto e experimental.

Gilberto Freyre

São recados aos que ali se movimentam. Cada qual deve ser *dono e possuidor* da sua própria pessoa, sem perder a graça nem a excepcional aptidão. Pisará de improviso no tablado, atento às coisas que surgem sabe Deus como e quando, tornando-as matéria-prima do seu trabalho. Dará valor à experiência, buscando superar precariedades, sem perder a curiosidade nem o insaciável desejo de aprender.

No CPT, o ator é estimulado a se fazer artista, comediante, em plano moral e ético diverso daquele sugerido por Michael Redgrave na citação que abre este capítulo. Para Antunes Filho, antes do ator vem o ser humano, o cidadão com funções dentro da comunidade e consciente das suas responsabilidades sociais.

O discípulo é incentivado a lutar contra as vaidades e a ter controle sobre elas. Para alcançar a autoexpressão, precisa trabalhar, estudar, pesquisar, ralar-se, ir pela contracorrente das frivolidades e do êxito fácil, ter o que dizer e saber como dizer à comunidade. Depois poderá, quem sabe, brilhar, mas, se a inteligência for nula, ínfima será sua permanência no CPT: inteligência é ferramenta indispensável ao trabalho.

A diferença do perfil de ator exposto com amoroso sarcasmo por Redgrave e o do CPT não está no sarcasmo, mas na ideologia. Aquele se deixa levar pelo ego, a ideologia do *eu*, enquanto este se prende a códigos éticos ancorados em visão de mundo e em sistema de ideias que dizem respeito à condição humana, criando meios para atuar no *Self*, na conexão direta com o inconsciente coletivo.

No CPT o ator está sempre *em questão* e se coloca em processo de individuação, pois só o autoconhecimento possibilita o avanço. O processo de individuação se funde e se confunde com o de criação, pois quando o ator faz arte está implicitamente atuando na vida de maneira cognitiva – já não será possível separar os processos criativos dos existenciais. A técnica não é fruto de exercícios mecânicos e sim de um conjunto orgânico de meios que possibilita ao intérprete transcender os clichês e conquistar a *autoexpressão*.

O ator que se permitir será colocado por esse movimento em corpo a corpo com novas realidades. Realidades cíclicas: já foram e voltarão a ser. Ele deve responder à Realidade a cada momento. Não copiando coisas, porém atualizando-as. Isso faz com que tudo se mova, e, quando isso acontece, tudo se transforma.

O enredo, pretexto do drama, não é tão importante quanto o modo de o ator interagir com a realidade descrita pelo poeta, revelando o personagem. No corpo a corpo com as novas realidades iluminam-se contradições do personagem e sua história de vida se torna exemplar. É desse modo e por vias transversas que o ator realiza plenamente a sua arte. A técnica o mantém desperto e presente em todos os momentos da ação se é guiado pela sensibilidade. Controla o fluxo e, ao mesmo tempo, deixa-se levar no fluxo.

Um dos primeiros objetivos do método Antunes Filho é *limpar* o ator, livrando-o tanto de cacoetes físicos quanto dos conceitos lapidares que o condicionam. Livrando-o, implicitamente, da ansiedade. Essa *limpeza* é o início e a base da técnica: dá acesso ao plano em que o ator trabalha com a sensibilidade e por meio da sensibilidade se expressa – plano onde os limites entre espírito e matéria são difusos, quase abstratos.

Hierofania

2. Entre os "livros fundamentais" do processo figuram: *Politzer – princípios fundamentais da filosofia*, de Guy Besse e Maurice Caveing (até p. 106); *Yin e yang*, de J. C. Cooper; *Tao da Física*, de Fritjof Capra; *Tao – o curso do rio*, de Alan Watts; *Mito e realidade*, de Mircea Eliade; *A psicologia de Jung e o budismo tibetano*, de Radmila Moacamin; *Introdução à retórica*, de Oliver Reboul; *O pensamento de Kant*, de Georges Pascal; *O pensamento vivo de Schopenhauer*, de Thomas Mann; *Nietzsche e a verdade*, de Roberto Machado. Entre os "livros complementares" figuram: todos os livros de Stanislavsky; *Paradoxo do comediante*, de Diderot; *Estudos sobre teatro*, de Bertolt Brecht; *Manual de retórica*, de Armando Plebe e Pietro Emanuele; *Jung, vida e obra*, de Nise Silveira; *Estudos da psicologia arquetípica*, de James Hillman; *Introdução ao zen-budismo*, de Daisetz Teitaro Suzuki; *A arte cavalheiresca do arqueiro zen*, de Eugen Herrigel; *Introdução à visão holística*, de Roberto Crema; *O paradigma holográfico e outros paradoxos*, volume que reúne ensaios de Ken Wilber, Karl H. Pribram, Fritjof Capra, Marilyn Ferguson e outros; *A totalidade da ordem implicada*, de David Bohm; *Tratado da eficácia*, de François Jullien; *A poética do devaneio*, de Gaston Bachelard; *O simbolismo*, de Anna Balaian.

Ao ator que queira aprender a técnica Antunes Filho é indispensável deter-se na bibliografia: dela expande a base ideológica do aprendizado. Deve encarar essa bibliografia heterogênea que abrange o inconsciente coletivo, a psicologia pessoal, os mitos e as lendas, os heróis, a nova física, as ideias filosóficas orientais, a retórica[2]... Não se trata porém de retirar de cada conhecimento um dado objetivo para usar como ferramenta, visando a determinados efeitos. A interseção dos conhecimentos é o que interessa; o seu conjunto possibilita ao ator apreensão ampla de mundo.

Os instrumentos são vários e contraditórios. O que ordena o pensamento e dá unidade às partes, mesmo arbitrárias, é o princípio de complementaridade. O método, na verdade, se expressa pela complementaridade. Pensamentos contraditórios, que se manifestam em constante atrito, por intermédio da complementaridade, descrevem realidades poéticas. Com a sensibilidade e a inteligência o comediante opera toda a química de matéria e espírito, navegando pelas contradições, sendo motivado pela pulsação de opostos.

Os exercícios físicos têm por objetivo viabilizar a pesquisa do personagem sem bloqueios de tensões e interferências da ansiedade. O ator prepara-se desde o primeiro exercício, que é a *caminhada*, para a viagem ao caos, ao horizonte das conexões, onde matéria e espírito se manifestam como unidade; no entanto, sem adequada preparação intelectual e espiritual, não conseguirá realizar os exercícios físicos nem desenvolver a *técnica corporal*. Daí a importância da bibliografia. Com sua aproximação a obras (sejam místicas, filosóficas ou científicas) que abordam realidades implícitas e realidades superiores, transcendentais, ele compreenderá questões nucleares do método, inerentes a expressões como *vaga-lume, Leonardo* (Da Vinci), *sair do ego e entrar no* Self, *estar no* li.

Será sempre proveitoso demorar-se nas diferenças entre a visão externa das coisas, como é próprio da cultura ocidental, cartesiana e positivista – onde a ideia de mundo é uma coleção infindável de objetos, entre os quais pode haver nexo, mas não necessariamente interdependência –, e a percepção do universo como organismo, onde todas as coisas são interdependentes, como é próprio da cultura oriental. O entendimento dessas diferenças possibilita ao ator criar pontes entre universos antagônicos. E, com a complementaridade, a coisa imaginada aos poucos se tornará real, concreta.

12. Abertura. Corpo e espírito

A lida com o zen-budismo, o taoísmo e o hinduísmo no processo criativo levou muita gente a imaginar o CPT como uma espécie de seita religiosa orientada por Antunes Filho. O que, de certo ponto de vista, não deixa de ser verdade, pois a investigação fundamenta-se no ato de *re-ligar* o ser humano à realidade cósmica, procurando eliminar grilhões que o confinam aos limitados horizontes da realidade comum.

Isso, no entanto, corresponde ao fato de que zen-budismo, taoísmo e mais tarde hinduísmo foram introduzidos no CPT como correntes de pensamento úteis à criação artística e não têm o objetivo de levar o ator à iluminação, ao *satori*, ao Nirvana. De modo que a postura do ator-aluno, em face dessas fontes de conhecimento, não é a mesma do discípulo que busca a iluminação, o *satori*, o Nirvana. São diferentes as abordagens.

Por outro lado, o ator que pretenda ser comediante deve desarmar-se dos conceitos e preconceitos cartesianos e tentar a máxima aproximação às realidades desveladas pelas correntes filosóficas orientais. Neste caso, sua postura se aproxima à do místico. Se permanecer racional, analítico, objetivo, passará ao largo de experiências que podem conduzi-lo a essas realidades. Precisa abandonar-se no fluxo, deixar-se conduzir pela Mente, estar sempre no *caminho do meio*.

A expressão "a Mente compreende o cérebro, mas o cérebro não compreende a Mente" é um dos bordões de Antunes e, como já nos referimos, tem origem na doutrina da *não mente*.

Preconizava Hui-neng, um dos primeiros mestres zen da China, que "a Mente só pode ser compreendida pela mente de maneira direta, sem mediações"[3]. A mente que é igual a cérebro, contrapõe-se à Mente, ou consciência cósmica. Ao afirmar que o cérebro só pode "compreender a Mente de maneira direta, sem mediações", o texto coloca o órgão físico na condição de *espectador* da Mente cósmica, em um ambiente infinitamente maior do que ele. Quando (e *se*) esse *cérebro espectador* tiver um lampejo de compreensão da Mente, observando-a sem qualquer mediação, o indivíduo terá alcançado a iluminação, o *satori*. Isso pode ocorrer com iniciados no zen-budismo depois de longo aprendizado e muita meditação, sendo o momento decisivo da sua trajetória mística.

Para o comediante a iluminação não envolve tanto mistério, porém será bastante proveitoso à sua arte se ele, mesmo sem ter lampejo da Mente, conseguir compreender a sua natureza. Desse modo, a noção

[3]. D. T. Suzuki, *A doutrina zen da não mente*, p. 13.

zen da Mente revelou-se um dos princípios básicos no CPT, configurando o território para atuação do intérprete.

Os exercícios físicos propiciam um estado de relaxamento ativo fundamental à boa relação com a Mente. Pelo relaxamento ativo, o comediante domina as situações, permitindo que energias provenientes do território do inconsciente, do irracional, tragam os conteúdos que vão preenchendo e animando as formas por ele racionalmente criadas.

Imagens míticas são básicas no método para exemplificar e qualificar atitudes e pensamentos. Uma imagem que Antunes usou durante certo tempo para definir a postura correta do ator era assim descrita: Há um buraco no chão, cheio de vísceras, onde atua a Grande Mãe. O ator está sobre esse buraco (representação da serpente kundalini, da mitologia hindu, que fica junto ao portão de Brahma, na extremidade inferior da espinha dorsal) e preso às varetas que a Grande Mãe manipula, ou seja, ele é um boneco manipulado pela Grande Mãe. A vareta principal dá forma à sua coluna vertebral; as varetas auxiliares têm forquilhas nas pontas, onde estão presos seus pulsos e o queixo. Em cena, ele não precisa fazer nada, basta não impedir o trabalho da Grande Mãe, deixando o corpo desobstruído.

Mas a criação fica horizontal e é preciso verticalizá-la, o que se faz desenhando as emoções do personagem. Para isso há o Leonardo, que habita o púbis e dispõe de controle remoto, com o qual desenha as emoções do personagem.

As imagens procedem tanto da mitologia (pensamento arcaico) quanto da nova física. A postura do ator-aluno é diversa à do discípulo zen e também o é em relação ao físico. Ele não vai trabalhar com modelos matemáticos, mas com a abordagem filosófica à nova física, que também recorre à representação por imagens. Desse modo, a reflexão sobre os princípios da probabilidade e da incerteza gera imagens que o auxiliam na preparação do seu corpo para uma relação produtiva com a Mente.

Volta-se ao universo arcaico, porém desta vez não por meio da filosofia das religiões e sim via psicologia analítica (arquétipos e inconsciente coletivo), outra disciplina geradora de imagens e que por meio delas se coloca. Tais imagens, instrumentos da linguagem, não são frutos de devaneios fantasiosos: referem-se a arquétipos e/ou a modelos primais e, como os ideogramas ou os sinais de trânsito, são isentas de psicologismos.

O ator, na verdade, precisa habituar-se a um novo sistema de códigos e de signos e deixar que esse sistema se integre ao seu imaginário, à sua forma de ver e perceber o mundo. Se conseguir articular esses processos mentais, estará pronto para desenvolver a técnica interpretativa que nos próximos capítulos será exposta.

Não deve no entanto se descuidar do teatro, já que os esforços estão endereçados a uma linguagem artística. Entre os livros obrigatórios à preparação intelectual e espiritual, estão os de Constantin Stanislavsky. O ator deve debruçar-se sobre eles como os ramos de uma árvore se debruçam em reverência às raízes. Não só as origens estão lá: também por lá passa a seiva que nos alimenta. Stanislavsky inspirou a plataforma do método Antunes Filho como inspirou as de outros grandes criadores do teatro ocidental, na segunda metade do século XX, entre eles Grotowski e Peter Brooke.

A representação da realidade pesquisada por Antunes Filho, no entanto, não se refere à realidade que Stanislavsky buscou (e encontrou) meios de representar. Separa-os o mesmo século que os une. Na primeira extremidade, pela qual o cientificismo do século XIX invade o século XX, acha-se o mestre russo, dominado pela visão de mundo da física clássica, determinista, cartesiana... Na outra extremidade, que desemboca no século XXI, está Antunes Filho, orientado pela nova física, com visão ecológica e, não se contentando com a realidade objetiva, sempre de olho na *realidade implícita*.

Ambas as investigações dramáticas espelham concepções *do que é* a realidade em momentos históricos diversos. A de Stanislavsky corresponde às descobertas da psicanálise, à doutrina de Freud, assim como ao determinismo da física clássica; enquanto a de Antunes Filho encontra seu chão na psicologia analítica, nos arquétipos, no inconsciente coletivo, nas teses de Jung, nos princípios de incerteza, da probabilidade e de complementaridade da nova física.

O confronto entre as épocas não implica a projeção de coisas excludentes, mas complementares. Por isso, conhecer o método Stanislavsky é tão importante. Nenhum ator pode superar a realidade imediata, comum, *coisificada*, sem se aprofundar nos mecanismos que possibilitam a sua representação, e o método Stanislavsky constitui, sem dúvida, o mais vigoroso passo dado por um pesquisador no sentido da representação naturalista.

Já se falou à exaustão também que o método Antunes Filho é construído de opostos dialéticos e complementares, o que vale da mesma forma para as referências dramáticas ou teorias que compõem a base do processo.

A primeira oposição ao método Stanislavsky é anterior a ele: *O paradoxo do comediante*, de Diderot, que vê o comediante como calculista, fingidor da emoção, que não se deixa jamais levar por ela. O que o ator stanislavskiano *sente* o comediante de Diderot *finge sentir*, e grande será o comediante se convencer o espectador de que, de fato, está *sentindo* aquela emoção. A segunda oposição de imensa importância encontra-se nas teorias de Bertolt Brecht, que não proíbe cabalmente a emoção ao ator, mas exige que se revele ao espectador o jogo teatral, o que resulta em localizar a emoção representada pelo ator no plano do faz de conta, distanciando-a da ilusão de dor ou de alegria *verdadeiras*. A noção de Brecht sobre a questão – que ele definiu como duas formas teatrais: a épica e a dramática – gerou o conceito de *afastamento* que, no método Antunes Filho, surge ideologicamente alterado, ocupando espaço central na técnica do ator.

Nas teorias, o praticante do método vai encontrar o movimento de oposição dialética, que deve presidir o trabalho em qualquer aspecto material e espiritual da composição dramática. Deve treinar a cabeça para identificar de imediato o oposto, quando investiga a trama em que o personagem está envolvido. E a cabeça já deve estar voltada a esse procedimento quando inicia os treinos físicos. Porque, em primeira instância, é a cabeça que comanda tudo. Se a sua maneira de pensar for tributária do determinismo, a sua visão de mundo for cartesiana, seu comportamento moral for positivista, então jamais conseguirá o relaxamento ativo, porque determina a forma e estabelece o seu significado racionalmente. Não vai deixar nunca o corpo *massinha*, que adquire formas orgânicas por movimentos indecifráveis; estará sempre determinando racionalmente e executando as formas com a *fiação interna* (nervos, músculos).

Além da bibliografia, o ator deve recorrer a muitas fontes. Visitar museus, exposições de artes plásticas, ler poesia e prosa, ouvir concertos, tudo isso é obrigatório a quem pretenda trabalhar com a sensibilidade, pois ela deve ser constantemente educada.

12. Abertura. Corpo e espírito

O pensamento de Tadeusz Kantor se inclui entre as principais influências na estética teatral de Antunes Filho, na última década. Ao realizar *Antígona*, ele se referiu explicitamente a Kantor dizendo: "Não sei quanto esse dramaturgo e diretor me influenciou com seu lúgubre Teatro da Morte, onde, doidamente, eu o imaginei como Dioniso, ordenando a retirada de seres-personagens dos esquifes no panteão histórico e sagrado da nossa cultura ocidental"[4].

Independentemente dos termos restritos ao *teatro da morte*, essa influência é perceptível na poética antuniana desde sua base. Não se restringindo, evidentemente, ao aspecto formal, à composição cênica, à exterioridade da obra, mas aos princípios ideológicos, ao processo criativo, o que implica acima de tudo a preparação do ator.

No manifesto *O teatro da morte*, Kantor evoca a supermarionete imaginada por Craig contra o ator. Evoca para discordar do teórico britânico, a quem vê contaminado pelas ideias simbolistas de que, sendo o homem sujeito a paixões diversas e a emoções incontroláveis, seria um elemento absolutamente estranho à natureza homogênea e à estrutura de uma obra de arte[5]. Não crê que o *homem artificial* (cuja existência atribui à *ficção científica* de fins do século XIX e inícios do século XX), um manequim, tenha o poder de transformar o espaço cênico em sítio de manifestações metafísicas. "No meu teatro, diz ele, o manequim deve tornar-se um modelo que encarna e transmite um sentimento profundo da morte e da condição dos mortos – um modelo para o ator vivo."[6] E conclui: "Devemos restituir à relação espectador/ator o seu significado essencial. Devemos ressuscitar o impacto original do momento em que um homem (ator) confronta-se pela primeira vez com outro homem (espectador), perfeitamente semelhante a qualquer um de nós e, todavia, infinitamente estranho, do outro lado daquela barreira que não pode ser superada".[7]

A natureza desse ator – no plano ideológico, não pela técnica efetivamente utilizada – se assemelha à do ator imaginado por Antunes Filho. Um ator absolutamente igual a qualquer um de nós e, ao mesmo tempo, infinitamente estranho. Um ator que recorre à imagem da morte para revelar a vida e cujo objetivo principal é a comunicação com o espectador, porém não por meio de códigos cristalizados e sim da permanente atualização, do movimento constante e revitalizador, enfim: da criação.

Para Tadeusz Kantor, assim como para Antunes Filho, o trabalho teatral deve ser essencialmente *criação*. E a criação é sempre, em cada cam-

4. Antunes Filho, "Dioniso, patrono do teatro e de Tebas", programa de mão de *Antígona*.
5. Tadeusz Kantor, *Il teatro della morte*, p. 221.
6. Idem p. 227.
7. Idem p. 229. Em todas as citações já registradas e futuras, tradução livre do Autor.

po da manifestação cênica, "antes de tudo uma descoberta do *novo* e do *impossível*, é uma revolução. Existe *totalmente* no tempo e no espaço"[8]. No entender de Kantor, a separação temporal e espacial entre trabalho/resultado, ensaio/espetáculo, sala de ensaio/cena "elimina inexoravelmente a criação"[9]. Ou seja, ele concebe o teatro como um processo, ou a permanente busca do *novo* e de superação da matéria pelo espírito.

Igual conceito do que seja a criação dramática conduz a elaboração técnica do ator no método Antunes Filho. Não há, rigorosamente, a aludida separação temporal e espacial: o ator na sala de ensaio está em trabalho de criação, que não se consolida em um *resultado*. A criação prossegue após a estreia do espetáculo. O único diferencial entre o ator na sala de ensaio e no palco é a presença do público; neste caso é introduzido outro elemento fundamental à criação dramática, mas o ator, em cena, não reproduz o que treinou, ensaiou, aprendeu: ele cria. A programação foi esquecida, deixou apenas rastros no seu espírito, para que ele não se perca no ato de criação diante do Outro, o espectador.

Devemos morrer todos os dias para renascer no dia seguinte. Só desse modo estaremos sempre vivos, em movimento, em transformação. Essa ideia se aplica ao cotidiano de qualquer pessoa; porém, para o ator que cria à luz do método Antunes Filho, ela é fundamental, imprescindível.

Vimos no capítulo anterior que voltando da viagem à Espanha, onde apresentou *Drácula e outros vampiros*, Antunes fechou-se com os atores no CPT e deu início à sistematização do método, cuja descrição é o objeto desta parte de *Hierofania*.

A descrição, por fiel que seja, representa apenas o olhar lançado em determinado momento. Ainda que sejam incontáveis os momentos em que foi lançado o olhar, isso não importa muito porque os procedimentos não se cristalizam: alteram-se, alcançam sínteses extraordinárias que parecem atirar o processo em sucessivos abismos, num retorno obsessivo ao caos. Na verdade, as versões comentadas na Primeira Parte[10] deste livro eram portadoras dos traços essenciais da técnica e embasadas na mesma ideologia. Isto comprova que a estrutura do método estava montada havia tempos, mas os procedimentos sofriam grandes alterações, dando a impressão de instabilidade do sistema. De fato mudam procedimentos, entretanto não muda a natureza do sistema e, na

8. Tadeusz Kantor, "La struttura e il gruppo del Teatro Cricot 2", in *Il teatro della morte*, p. 206.
9. Idem.
10. V. 5. *O método anunciado*, e 7. *O salto quântico e a melopeia*, sobre os compêndios de 1984 e 1987.

realidade, as próprias alterações denunciam uma dinâmica da qual o processo que a desencadeou não pode fugir.

Optei, perante isso, por ater-me à estrutura do método e ao seu espírito, buscando selecionar no vasto acervo de exercícios já praticados no CPT aqueles que melhor caracterizam o caminho. O desequilíbrio foi banido da prática diária, mas é indispensável notar sua permanência e importância no processo, exteriorizando-se no *funâmbulo*. A *performance* também não se pratica mais, porém a retomo por ser útil na pesquisa de personagens. O *cinema mudo* deixou de integrar a prática diária, mas tem função não desprezível na pesquisa do intérprete e deve ser registrado. Mesmo a imagem da Grande Mãe, agitando suas varetas no kundalini, não é mais evocada por Antunes. Essa imagem, todavia, possui força atualizadora imprescindível ao desenvolvimento do processo. Também a imagem da *segunda laringe* foi banida na prática diária, porém, para a descrição do método, sua vigência é fundamental – tornando corriqueira a voz na ressonância, o ator não precisa mais pensar na segunda laringe, que, todavia, lhe foi útil para conquistar e dominar a técnica. Desse modo, através da visão seletiva dos procedimentos praticados nos diferentes estádios é que se pode chegar à possível descrição do método.

Ampliei a bibliografia, procurando em novas visões científicas e em tratados de terapias alternativas elementos assemelhados àqueles que Antunes instituiu no encaminhamento do método (sistema *L*, fundo dos olhos), tentando desse modo contribuir para a fundamentação das suas premissas. Assim é que foram agregados, e com inestimável valor para este trabalho, alguns títulos nunca estudados no CPT, notadamente *Respir-Ações*, de Philippe Campignion; *O sentido da palavra: no princípio era o Verbo*, de Alfred Baur; *Anatomia emocional*, de Stanley Keleman, *A coordenação motora*, de Suzanne Piret e Marie-Madeleine Béziers.

Por fim, devo consignar a importância que teve para a elaboração deste trabalho as exposições do seminário realizado por Antunes com os atores do CPT, em 2001, quando foram discutidos os princípios e os procedimentos básicos do método[11]. Ao longo desta parte do estudo são citados pronunciamentos de Antunes Filho, sem nota de rodapé, cuja fonte é sempre a mesma: esse seminário.

---

11. V. em Fontes e bibliografia: *Seminário no CPT*.

13. Do esqueleto à alma: o sistema *L*

> *Vocês faziam teatro de um jeito, até eu provar que podiam fazer de outro jeito. Foi preciso que lhes desse uma porção de livros estranhos, conversasse muito com vocês. Fui a pedra de toque para começarem a descobrir aquilo que estava escondido em vocês. Na verdade, porém, simplesmente os alerto e estimulo a descobrirem coisas que lhes permitam fazer um teatro com sensibilidade, porque o teatro que está sendo feito por aí é um teatro sem sensibilidade, feito na base do muque, da projeção do ego, que é o peito, é a garganta. Existem vários métodos para isso. Vocês procuram um guru e fazem o processo de iniciação a alguma coisa, na busca de um ponto esclarecedor que os ajude a sair dessa angústia da vida profana, mas acho que pelo toque do vaga-lume, ou do espírito, como queira chamar, ou do Self, a parte do titã ou a parte do atma, por meio desse processo vocês podem começar a iniciação.*
>
> ANTUNES FILHO[1]

O ator usa o corpo tanto para compreender a si mesmo quanto para realizar a verdade do seu personagem em cena. Para conseguir qualquer desses objetivos, porém, deve se preparar com inteligência e muita disciplina, pois é preciso criar estratégias e condições, de modo que o corpo se manifeste na função de *narrador* do drama humano, como deseja todo comediante. Por isso e para melhor compreensão da técnica corporal, este capítulo é dedicado a um importante conceito do método Antunes

[1]. Conf. *Seminários no CPT*, op. cit.

Filho, poderosa ferramenta para o comediante em seu trabalho criativo: o sistema *L*.

A abordagem analítica do sistema *L*, passo inicial dos exercícios físicos, na linguagem do método, torna imprescindível a superação de condicionamentos culturais, semelhantes àquele que vê corpo e espírito como coisas separadas. É preciso aceitar a unidade corpo-espírito – unidade expressa nos movimentos cotidianos, determinando formas que se alternam no corpo e narram o drama. A perspectiva da unidade corpo-espírito leva a uma série de conceitos e vocábulos que dão estrutura ao método.

A imagem gráfica do *L* apresenta vaga semelhança com a realidade da qual é signo: é um mapa – e o mapa não é o território, já disse um sábio. Para passar do mapa ao território é preciso entender esse território e saber lidar com ele.

O corpo, o dito território, está cheio de emoção e de sabedoria. Coisas normalmente ignoradas pela consciência nele se manifestam. Da mesma maneira que se manifestam nos sonhos. O corpo, em sua permanente e veemente pulsação, está alerta e conectado com o entorno físico, com as atmosferas climática e emocional, com os sons, com os cheiros, reagindo a tudo prontamente.

As interconexões orgânicas e conexões com o meio ambiente surgiram da organização do corpo, que começou por uma célula que se desdobrou em trilhões de outras. No processo, emoções interferem na formação de músculos, nervos, hormônios, constituindo pontes entre o corpo e a esfera mítica, ou a memória arcaica. Pontes que reforçam a ideia de corpo como sítio de transformações determinadas pelas experiências da vida. Por intermédio das transformações, revelam-se as formas geradas pelas emoções e pelos hábitos culturais, entretanto tais expressões são frutos maduros das formas que existiam virtualmente no início do processo de organização do corpo.

No substrato, na origem da forma, estão os arquétipos que conectam o corpo ao inconsciente coletivo, provendo-o de instinto e memória arcaica. O processo estabelece a identidade do sujeito e fornece ao corpo a estrutura ordenadora de todos os eventos.

O corpo não é simples desenho anatômico, que se movimenta conforme funções predeterminadas e imutáveis, como se acreditava até a primeira metade do século XX. Falava-se do organismo humano como um conjunto de órgãos de certo modo autônomos, estúpidos e

Treino de técnica corporal.
Orientado por Antunes Filho
Foto: **Amílcar Claro**

inconscientes que se relacionavam e podiam causar mútuos transtornos, mas permaneciam sempre como entidades independentes. Algo absolutamente diverso do novo entendimento do corpo como verdadeiro organismo – ou unidade – onde tudo é interdependente e ligado ao meio ambiente.

Qualquer estudo do corpo, a partir da visão contemporânea, implica a experiência dramática, pois ele é modelado pela emoção. No trabalho com o corpo é preciso conjugar na mesma forma o gesto com a emoção que ele deve exprimir, como se a emoção o determinasse, pois é assim que o fenômeno ocorre na vida. Portanto, trabalhar o corpo para o teatro não é a mesma coisa que fazer ginástica, porque não se busca resultado pelo rendimento físico, mas *pelo domínio da emoção*, evitando que ela contamine e destrua a forma estética. Assim deve ser entendido o trabalho de técnica corporal no método Antunes Filho.

Não se lida com dados óbvios, como reagir ao frio e ao calor, nem é uma forma de deixar o corpo *esperto* ou *bonito*. Pelo contrário, trata-se de encontrar meios que possibilitem ao corpo se transformar numa página em branco, na qual se escreverá o drama a partir das sugestões do poeta ao comediante. E as sugestões do poeta podem ter origem em ideias (conceitos), mas se manifestam no plano situado muito além da lógica aristotélica e dos raciocínios cartesianos. Plano que a percepção racional não alcança, porém o corpo impregnado do espírito pode revelar.

A técnica corporal, portanto, deve preparar o corpo do comediante para essas revelações, propiciando-lhe reação imediata aos estímulos. Deve, a qualquer custo, impedir que a sugestão poética passe primeiro pelo raciocínio – o que fatalmente lhe determinaria a forma. A forma não se define por processos racionais, e sim pela mecânica do corpo, numa resposta imediata (orgânica) ao estímulo, sem mediações. É verdadeiramente uma *linguagem*, no mais alto sentido.

O que se propõe com o método é a conquista dessa linguagem e sua transformação em expressão artística. Na técnica corporal aqui tratada, os exercícios não se desvinculam da ideologia e integram os meios para o autoconhecimento, que o ator deve perseguir sempre. O autoconhecimento não se resolve no abstrato: inclui o corpo e sua dinâmica interna; o esqueleto e seu revestimento de carnes, membranas, músculos, tendões, nervos. Assim sendo, é indispensável boa noção de anatomia e o conhecimento das diferentes partes do corpo, inclusive as funções dos órgãos, para poder utilizar o sistema *L*.

O que é o corpo? Qual é o projeto do corpo? Como se organiza o corpo?

Uma implosão de células marca a fertilização do óvulo e "uma única célula progride para uma organização de células, para uma bola, que se desenvolve em um tubo. [...] Uma estrutura muito complexa de tubos com espaços ocos e sólidos que se formam para transportar materiais para compartimentos isolados e bolsas". Assim descreve Stanley Keleman[2] o início do processo de formação do corpo humano. Fala da vertiginosa proliferação de células, geradas por aquela primeira, construindo tubos, bolsas, passagens e túneis móveis que comportam espaços para atividades como as dos rins, ou da boca, salientando que os "diversos espaços e bolsas são unidades especializadas e circunscritas de funções generalizadas: pulmão-respiração, estômago-digestão, cérebro-informação".

A máquina-corpo descrita pelo Dr. Keleman mantém tráfego intenso do exterior para o interior e vice-versa. De fora para dentro, qualquer tubo da estrutura apresenta "um tecido protetor, depois uma membrana, depois uma camada muscular, depois mais tecido conjuntivo e, por fim, uma camada especializada ao redor do lúmen do tubo". E "de dentro para fora há, inicialmente, um revestimento delicado, o endotélio, no qual as substâncias são processadas; depois, a

2. Stanley Keleman, *Anatomia emocional*, p. 11. As próximas citações procedem da mesma fonte, salvo indicação em contrário.

estrutura que suporta os músculos; e, finalmente, outra membrana". Essas camadas ordenam tudo o que é conduzido através do tubo e "permitem expansão e contração, em certas frequências e amplitudes, para a circulação dos fluidos, gases, íons. Assim como as pulsações cerebrais mantêm uma pressão para a circulação do fluido cérebro-espinhal, a função do diafragma é dar suporte à pressão interna de troca de gases".

Enfatiza o Dr. Keleman que a *motilidade* (referindo-se à força motriz dos tubos) determina a forma contínua da pessoa e lhe dá o senso básico de identidade. Os padrões de expansão e contração dessa força organizam percepções e cognições elementares, como dos opostos vazio/cheio, lento/rápido, expandido/retraído, engolido/expelido. "Os sentimentos e pensamentos são fundamentados nessa ação de bombeamento. O padrão de motilidade pode ser aumentado na hiperatividade ou reduzido na hipoatividade. Podemos nos mobilizar até o frenesi ou nos desmobilizar até a apatia e o colapso." Reafirma, no passo seguinte, que "os tubos, sua *motilidade* e seus espaços representam nossos funcionamento e sentimento. Um tubo rígido provoca inflexibilidade, sentimento de suficiência e medo do colapso. Um tubo denso tem pouco movimento e causa medo de explosão; um tubo intumescido experimenta falta de identidade; e um tubo vazio, sentimento de carência e medo de afirmação".

Surgem aqui questões fundamentais da prática corporal do CPT, demonstrando que contrações ou tensões desnecessárias (assim como amolecimento desnecessário de músculos) impedem ao ator se entregar ao fluxo da ação dramática: o seu *drama* pessoal torna-se empecilho ao desenvolvimento do trabalho. O *tubo rígido* (tronco endurecido por tensões, por exemplo) trava não só os movimentos, mas também o fluxo de ideias e a sensibilidade, destruindo qualquer possibilidade de expressão artística.

Veremos que os exercícios físicos do método têm por objeto o imprescindível *relaxamento ativo*; corpo no eixo e de prontidão para controlar todas as incidências emocionais que possam vir a perturbar a construção dramática. E, quando se alcança o relaxamento ativo, o corpo está preparado para atuar no sistema L.

Eis a representação gráfica do L, a partir de um desenho de Antunes Filho:

Hierofania

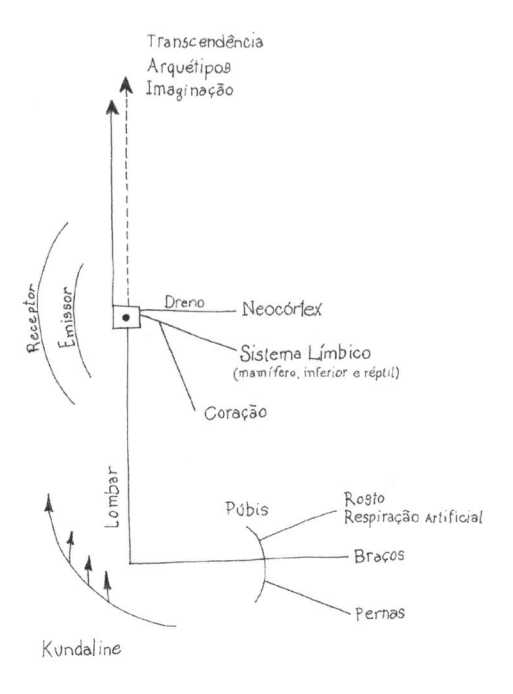

[Diagrama: linhas verticais e horizontais indicando Transcendência, Arquétipos, Imaginação (seta para cima); Receptor/Emissor; Dreno — Neocórtex; Sistema Límbico (mamífero, inferior e réptil); Coração; Lombar; Púbis; Rosto/Respiração Artificial; Braços; Pernas; Kundaline.]

O quadrado em meio às linhas representa o fundo dos olhos e o ponto marcado no seu interior representa o espírito. As linhas superiores (inteira e pontilhada, com setas para cima) indicam ligações cósmicas, importando a transcendência, os arquétipos e a imaginação. Essas linhas são antenas sintonizadas no zênite, captando as emanações espirituais que devem alimentar a criação poética do ator. Há um ponto de drenagem das informações que vêm do neocórtex para o fundo dos olhos. Ali juntinho está o sistema límbico, que obedece ao pulsar do coração. Saindo do quadrado, que está no alto da cervical, a linha desce pela dorsal e lombar até a região *kundalini*. Abaixo do estômago muda o rumo, atravessa o diafragma pélvico e se remete ao púbis, de onde o vaga-lume/Leonardo comanda o rosto e a respiração artística (*ar nº 2*), assim como os movimentos dos braços e das pernas. Tanto as informações que descem pelas linhas superiores (antenas) quanto as que sobem do púbis chegam ao fundo dos olhos, de onde são transmitidas ao campo magnético e percebidas pelo outro, o receptor. Portanto, no corpo o *L* acompanha todo o sistema craniossacral e pode ser visualizado deste modo:

13. Do esqueleto à alma: o sistema L

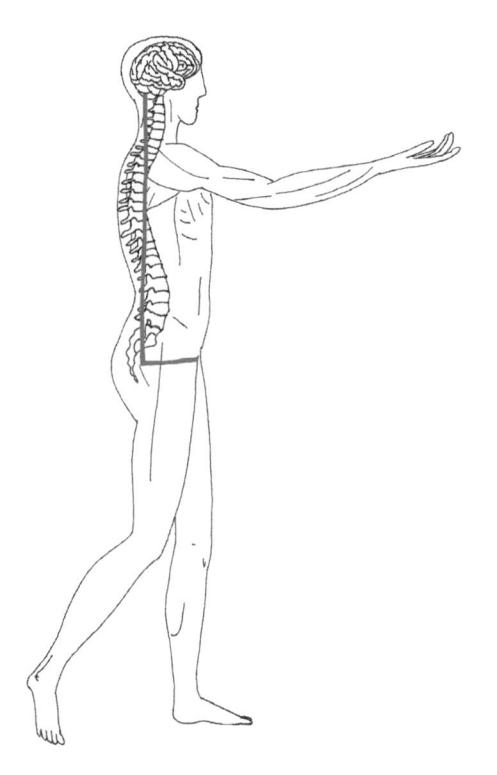

Em princípio, o sistema *L* trata da postura correta, definida por coluna bem posicionada e com o relaxamento ativo, que propicia o tônus muscular adequado, mas, na verdade, é um sistema que incorpora os principais caminhos da respiração e a *bomba neural*, constituída do córtex, mesencéfalo e tronco cerebral, incluindo o forame vertebral (buraco ao longo da espinha por onde corre o fluido encefalorraquitiano). A parte superior do *L* é sede do sistema nervoso central (um gerador elétrico), localizado no neocórtex, onde ocorre a discriminação sensorial e muscular. Seu caminho até o cóccix é o tubo neural (parte interna da coluna), de cujas paredes externas ramificam incontáveis fios, formando a rede de nervos que se ligam aos órgãos e os suprem.

Por esse caminho se comunicam os diafragmas, responsáveis pelo bombeamento da respiração e dos gases, cujo movimento, conforme Keleman, "reflete os poderosos padrões arquetípicos que têm raízes no fluxo e refluxo e na pulsação básica das células".

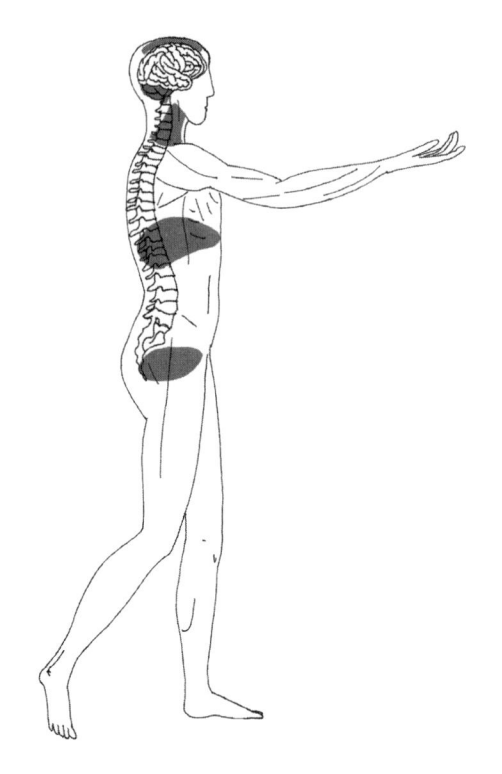

Os cinco diafragmas, de cima para baixo: craniano, cerebral, faringiano, torácico, pélvico.

A abóboda da cabeça, a dura-máter (a externa, mais espessa e fibrosa das três membranas que envolvem o aparelho cerebroespinhal) e as camadas superiores do crânio formam o primeiro diafragma, importante para a pulsação do cérebro. O segundo diafragma tem por limites a dura-máter, próximo ao tronco cerebral, o revestimento protetor da medula espinhal e os músculos occipitais; fica na área onde, conforme Antunes, reside o vaga-lume e tem a função de regular a pressão interna da cabeça. O terceiro diafragma regula o fluxo de ar na traqueia e controla a pressão vinda dos pulmões, auxiliando a postura ereta. É delimitado pelo céu da boca e pelos músculos da clavícula, passando pelos músculos nasofaringianos e pela glote. O quarto e mais conhecido diafragma é o torácico, que separa o tórax do abdômen, ocupando um espaço contíguo aos pulmões, coração e tubos do esôfago, aorta, nervo pneumogástrico e veia cava. Por fim, na rede constituída da pélvis óssea, sacro e músculos que os acompanham, local dos órgãos da digestão, excreção e sexualidade (*kundalini*), está o quinto diafragma, o abdominal-pélvico. Através dele se desenha a linha inferior do *L*.

No caminho traçado pela coluna espinhal, correm todos os comandos vitais. Em face disso, o *L* não é apenas uma postura ou um modelo e sim um sistema que integra o esqueleto, os músculos, os nervos, a respiração e as emoções que os animam.

Como postura correta, a imagem gráfica do *L* contribui para a percepção da coluna em movimento, que deve estar sempre reta; e dos ísquios, sobre os quais nos sentamos, acertando o prumo da coluna. O *L* possibilita avaliar a condição de relaxamento dos ombros e dos quadris, além de nos informar sobre o estado de relaxamento ou de tensão dos joelhos e dos braços.

Certamente será útil a quem deseja aprender a técnica Antunes Filho buscar apoio na prática do *tai chi chuan* ou do *lian gong*, para adquirir ritmo, abrir os gestos, ganhar plasticidade. Essas disciplinas ampliam a consciência corporal sem agredir o corpo. Com movimento muito suave, executado nos limites permitidos pela condição orgânica, as diferentes partes do corpo vão se ajustando à estrutura, tornando-se identificáveis e revelando suas correspondências com os demais órgãos, bem como suas funções no conjunto. O *tai chi* confere à estrutura física leveza e harmonia.

Contudo, se o praticante tiver problema de ordem clínica, como desvio de coluna ou qualquer lesão que implique limitação aos movimentos, é indispensável que primeiro busque sanar esse problema. Deve, por exemplo, submeter-se a um tratamento de RPG (reeducação postural global), porque postura correta e capacidade de manter o relaxamento ativo são condições básicas para o desenvolvimento da técnica.

A contração incorreta, seja por movimento físico ou pulsão emocional, interfere nas condições do esqueleto, cria tensão desnecessária e expressa dor ou desconforto. Sendo a emoção um componente primário do corpo humano, é preciso domesticá-la para que ela não retese músculos nem expulse a sensibilidade. Assim, quando o praticante está em pleno relaxamento ativo, tendo dominado as emoções, pode desenhá-las no corpo sem ser por elas dominado. Terá, neste caso, o controle efetivo do corpo para construir a expressão, sem se deixar travar pela emoção – terá a *autoexpressão*.

As travas musculares repercutem no sistema nervoso e colocam tudo em colapso. Qualquer músculo estriado esquelético[3] pode causar problemas à estrutura como um todo se for contraído além do necessário para produzir o movimento. Especial atenção é dada por Antunes Filho às regiões dos joelhos e dos ombros. Na verdade, os músculos dessas regiões denunciam contração perniciosa de músculos de outras regiões e, nesse ato, também se contraem. Ombros duros implicam a contração do escaleno, o músculo que ajuda a levantar a caixa torácica e tem função importante na inspiração de ar. Seu enrijecimento interfere diretamente no processo respiratório, causando ansiedade que, por sua vez, enrijece outros músculos e elimina qualquer possibilidade de expressão artística.

As *cadeias musculares e articulares* foram estudadas por Godelieve Denyz-Struyf, que chegou à conclusão de que um músculo ativado em demasia recruta outros músculos, aos quais suas aponevroses estão ligadas; ao se retraírem, esses músculos formam "verdadeiras cadeias de tensões miofasciais que aprisionam o corpo inteiro numa dada atitude"[4]. Também os joelhos duros causam distúrbio na correspondente "cadeia muscular"; vai retesando os músculos das coxas, dos quadris e do tronco, num efeito dominó, originando a ansiedade. Joelhos moles produzem o mesmo dano. Os joelhos devem permanecer soltos e firmes, no tônus muscular adequado.

Produzidos pela vontade, os movimentos dos músculos estriados esqueléticos são sujeitos a controle. Por isso devem ser exercitados e disciplinados.

Há uma rede de vasos sanguíneos no interior do tecido muscular, através da qual o músculo recebe alimento e oxigênio e, ao mesmo tempo, elimina gás carbônico. A boa alimentação, a boa respiração e os exercícios físicos regulam a ação da rede de vasos sanguíneos, equilibrando o tônus muscular. Essa higiene física faz parte da disciplina, pois o corpo deve estar em boas condições para ser comandado pela sensibilidade.

Importante observar que a musculatura não deve estar completamente relaxada: a contração mínima, mesmo no repouso ou no sono, é indispensável, porque mantém o tônus muscular em equilíbrio e torna possível a contração repentina mais forte e o imediato retorno do músculo ao estado de repouso, sem gerar ansiedade.

O ator, ao executar a ação dramática, deve ter a sensibilidade acesa, pois é ela que dirige o gesto, o seu *estar em experiência*. A emoção não pode ser a condutora do movimento, porque causa contrações muscula-

---

3. Os músculos estriados esqueléticos, responsáveis pelo movimento físico, que é controlado pela nossa vontade, são ligados aos ossos por tendões e representam por volta de 90% dos mais de 600 músculos do corpo humano. Os demais são denominados "músculos lisos" e estão nas paredes do tubo digestório, das glândulas, dos vasos sanguíneos e outros órgãos. Seus movimentos são lentos e não podem ser controlados pela vontade.

4. Cf. Philippe Campignion, *Respir-Ações*, p. 64.

res e sufoca o ator, impedindo-o de construir o personagem com verdade e arte. A emoção deve ser controlada pela sensibilidade e não pelo raciocínio lógico; se o controle for racional, a expressão dramática vai se refugiar no clichê, no estereótipo, perde todo o sentido. A técnica Antunes Filho pretende indicar meios que ajudem o ator a construir a expressão dramática (a autoexpressão), levando a emoção à esfera da criação e a desenhando no próprio corpo. Quem a desenha é Leonardo, que, em última instância, corresponde à sensibilidade, à autoexpressão do comediante.

Portanto, as travas físicas danosas ao trabalho criativo não se originam apenas da má postura, das torções indevidas ou de ato estritamente físico: na maioria das vezes elas surgem em decorrência do estado emocional. Um dos aspectos fundamentais da técnica é o afastamento ator/personagem, justamente para que, sem se confundir com o personagem e seus conflitos, o ator consiga realizá-lo em cena de modo convincente, tornando-o *verdadeiro*, independentemente do estilo da encenação (realista ou não realista). E, para obter o indispensável afastamento, o ator precisa lidar com a emoção de modo rigoroso, entender o seu corpo não como um "condutor natural" da emoção, mas um *produtor* de emoções que, no entanto, pode se tornar aliado na batalha do afastamento. Este jogo impõe total participação do corpo e do espírito, indo do esqueleto à alma.

O praticante deve estar atento às ocorrências físicas a cada momento. Em um estudo sobre a coordenação motora Suzanne Piret e Marie-Madeleine Béziers afirmam que:

> para alguns, tudo acontece como se as representações articulares, musculares, cutâneas, etc. não transmitissem suas informações. A pessoa procura sentir e reproduzir o gesto, mas não é o desequilíbrio do tônus muscular que a retém, e sim a incapacidade de sentir o comando a ser dado. Ela percebe mal e diferencia mal os elementos de seu corpo e desconhece a forma e a direção a dar ao seu movimento. O desejo do movimento não encontra, assim, nenhum meio de expressão[5].

As autoras falam de desequilíbrio metabólico e patologias que podem causar prejuízo à pessoa, concluindo que, "por sua complexidade, o mecanismo de organização da motricidade é frágil. Por várias razões – mecânicas,

[5]. Suzanne Piret e Marie-Madeleine Béziers, *A coordenação motora*, p. 12. As citações seguintes procedem da mesma fonte, salvo nota em contrário.

neurológicas, metabólicas, psicológicas –, o homem pode perder essa organização de forma mais ou menos importante". Assim sendo, a questão deve ser encaminhada à área terapêutica, porém, na verdade, geralmente a pessoa não se dá conta das informações transmitidas por pura desatenção e desconhecimento do próprio corpo. Neste caso, estudar anatomia e buscar informações sobre a maneira como o corpo se organiza são providências urgentes.

Voltando ao mapa, vamos verificar outros aspectos do sistema *L* que devem ser estudados pelo praticante e que justificam a advertência acima.

Imaginando o tronco, incluindo a cabeça, como um tubo, suas extremidades caracterizam-se por elementos esféricos: o topo craniano e a bacia. Falando com Piret e Béziers, essas extremidades podem se aproximar

> quando a pessoa se enrola para a frente, como na posição fetal. O movimento é no plano sagital [em duas direções do espaço]. O eixo ósseo que une os elementos esféricos é segmentado: a coluna vertebral. Ela une cabeça e bacia curvando-se como um arco. O *estado de tensão* é devido à simples relação antagônica dos músculos longitudinais flexores e extensores, ou seja, abdominais e espinhais. A unidade de coordenação assume uma forma esférica, *ela se enrola em torno de si mesma.*

A ação iniciada pelo enrolamento do corpo sobre si mesmo leva à torção, conforme o modo que o corpo se movimenta simetricamente em três direções. Coloca em atividade o conjunto de flexores-extensores, com todas as suas contradições, cujo constante reequilíbrio possibilita a manutenção do equilíbrio do corpo em pé[6].

No repertório de exercícios do método Antunes Filho, as torções estão inseridas no *funâmbulo*, sendo discretamente trabalhadas nos demais exercícios. Porém, só em estágio aprofundado do treinamento o ator conseguirá realmente executar as torções sem incidir na contração de músculos desnecessários, que implica a ansiedade. Quando logra manter o relaxamento em equilíbrio com a tensão, significa que *ionizou* o corpo e conquistou o relaxamento ativo.

O rolamento do corpo sobre si mesmo pode acontecer de modo desastrado se o praticante o faz por compulsão, sem controle dos músculos. O rolamento é uma forma instintiva de o corpo se defender das ameaças externas, porque fecha a parte mole (frente do tronco, com o *vão livre* das costelas ao sacro, *yin*) e o protege com a parte dura (costas, defendidas por

6. Cf. *A coordenação motora*, p. 24.

ossos, *yang*). No movimento instintivo de defesa, a pessoa contrai os ombros e curva as costas, protegendo-se com os braços frente ao peito. Já a permanência do sujeito na defensiva deixa os ombros sempre duros e as costas curvadas. Essas situações causam inúmeros distúrbios e afastam o ator da sensibilidade, tiram-no do sistema L e, em consequência, tirando-no do *li*.

Os elementos esféricos das extremidades do tubo protegem os diafragmas extremos (o craniano e o pélvico) e, quando o tubo se enrola sobre si mesmo, afeta os demais diafragmas, fazendo pressão nociva à função dos mesmos, que é o bombeamento do ar, dos gases, dos íons. Ainda que o enrolamento não vá além das costas contraídas, encurvadas, resultado da permanência em estado defensivo consciente ou inconsciente, há prejuízo ao funcionamento do conjunto, resultando em má respiração e ansiedade. Havendo o rolamento por compulsão ou vício de postura, o sistema L desaparece. Neste caso, o praticante deve a todo custo buscar meios de corrigir a postura, eliminar as tensões e recobrar o sistema L.

Se o ator, por força da ação dramática, precisa curvar as costas, enrijecer um ombro ou fazer qualquer manobra que possa resultar danosa, estando no sistema L apenas fingirá essa manobra ou essa contração. Na verdade, vai *ionizar* aquele ponto do corpo, trabalhar apenas com os íons, de modo que a fiação interna não seja perturbada. O aspecto exterior será de contração, mas os músculos permanecem relaxados.

Finalmente, os conceitos e os vocábulos que se juntam à imagem do sistema L têm a função de superar a limitação da matéria física, plasmando-a na manifestação espiritual, como deve ser o trabalho do comediante. São eles:

Ego e *Self*

O corpo bem preparado possibilita ao ator aproximar-se do *Self*, termo junguiano para designar o centro transpessoal ou a totalidade da psique. O *Self* constitui "a personalidade maior, objetiva, ao passo que o ego é a menor, subjetiva", explica Edward Edinger[7]. *Self* e Mente são praticamente sinônimos e implicam a consciência cósmica.

Para efeito do aprendizado que propomos, ego e *Self*, independentemente das definições psicológicas, filosóficas ou esotéricas, indicam esta-

[7]. Edward Edinger, *O encontro com o self*, p. 9.

dos específicos do sujeito, aqui entendido na sua totalidade. São estados determinantes (ou não) da disponibilidade física e espiritual do intérprete. Estar disponível física e espiritualmente é imprescindível para chegar ao *Self*. O contrário disso, o ego, denuncia a indisponibilidade espiritual do ator, que então recorre à *fiação interna* para construir a expressão, excitando os músculos, aquecendo nervos e afugentando a sensibilidade.

O intérprete que chafurda no ego deixa-se por ele conduzir, ignora as formas que surgem ao caminhar: impõe seus modelos, os padrões préconcebidos, as expressões já estabelecidas e necrosadas. Ele *não faz seu caminho ao andar*; vem tropegamente por caminhos já feitos, que se manifestam por meio de estereótipos.

Vaga-lume

O vaga-lume é a realidade expressa por meio de uma imagem, que só se manifesta no âmbito do *Self*. Sua luz intermitente indica os caminhos das sensações e dos sentimentos no plano entre o subconsciente pessoal e o inconsciente coletivo. O vaga-lume também pode ser nomeado Mente, pois representa a totalidade. Outro modo para descrever o vaga-lume é compará-lo a um minúsculo *chip*, que contém bilhões de dados e comanda nossos atos, sensações e todas as nossas atividades no momento da criação. Porém, ao contrário dos *chips* dos computadores, este se manifesta em linguagem não linear.

Fundo dos olhos

O vaga-lume reside na nuca, entre o occipital e as primeiras vértebras cervicais, no ponto de encontro do cerebelo com os nervos cervicais. A esse ponto vamos chamar também *fundo dos olhos*, expressão que nada tem a ver com oftalmologia, pelo contrário: refere-se a um ambiente pelo qual transitam os cinco sentidos. Existe ali a casa de máquinas da expressão, da qual o vaga-lume é o maquinista, mas para que ele possa operar a casa de máquinas é imprescindível que o praticante tenha conquistado o relaxamento ativo: caso ocorra uma contração desnecessária em seu corpo, no decorrer da ação, ele sai da ressonância, do fundo dos olhos; no momento em que isso acontece, vaga-lume e casa de máquinas desaparecem sem deixar vestígios.

Campo magnético

Em cena, o relaxamento ativo possibilita que se estabeleça um campo magnético entre um e outro intérprete. É como se no espaço entre ambos se levantasse tênue lâmina gasosa, ou neblina, onde se imprimem os sentimentos dos personagens produzidos por ambos na concretização da narrativa dramática, como hologramas. A produção de desenhos, imagens, emoções, ideias e o que mais quiser tornar-se-á efetiva entretanto apenas se o corpo estiver simultaneamente ativo e relaxado.

Comediante e atleta

Os exercícios físicos de que tratamos diferem daqueles ministrados em academias de ginástica ou na prática de esporte como futebol, vôlei, natação, etc. Estas modalidades de exercício têm por fim o próprio físico, que deve corresponder a uma forma e/ou a uma função atlética, buscando a superação dos seus limites. Desse modo, o caminho trilhado pelo esportista para chegar à excelência não é o mesmo que deve trilhar o comediante para também chegar à excelência no seu ofício. O caminho do comediante o conduz à região do espírito e seu corpo precisa estar preparado para veicular emoções elaboradas, ideias estéticas, pensamentos.

O esportista fatalmente chama a atenção para si mesmo quando busca a superação dos próprios limites. Por seu lado, o comediante está buscando o anonimato para, assim, realçar o personagem. Não há como negar que ele esteja ali, mas, de fato, não está, cedeu o corpo ao *outro*. Paradoxalmente, é ele quem está ali controlando tudo para permitir ao vaga-lume expressar-se por intermédio do seu corpo (quando o espectador o vê fingindo ser o outro).

Então, ao contrário do esportista, o comediante não está no ego e sim no *Self*, o que lhe possibilita estar no seu próprio espaço-tempo, que é o mesmo dos espectadores, e estar no espaço-tempo do personagem, que pode ser a Grécia no século IV a.C. Enquanto o esportista afirma o corpo, o comediante o nega para afirmar o *outro*. O corpo do esportista deve estar vivo e desperto para se expressar; o corpo do comediante, para se expressar, deve estar *morto* ou, no mínimo, ocluso.

14. A preparação do corpo I: como chegar ao estado *yin* e *yang* perfeito

> *O importante, nos exercícios do* CPT, *é como vocês abandonam a interpretação do egossistema, no qual o ator estrebucha para a frente, e começam a trabalhar com a intuição, a trabalhar com coisas que o espírito pode dar, que o vaga-lume pode dar, porque o vaga-lume tem a rede infinita das coisas. Os arquétipos estão com ele. O artista não vai criar mais nada, e sim recriar os toques que o vaga-lume vai lhe dando; porém, como despertar o vaga-lume? Para isso tem os exercícios corporais e, principalmente, os vocais que praticamos. Não olhe pela pupila, olhe pelo fundo dos olhos, que está junto à base do crânio, na cervical. Ali é o ponto das emoções, é o ponto de tudo, é a chave do homem, é onde está o chofer, o vaga-lume. Não fixe nada diretamente e deixe a cara limpa, deixe o rosto "morto": tudo o que acontecer nele será resultado da projeção do vaga-lume. Olhar sempre pelo fundo dos olhos já é uma atitude legal.*
>
> Antunes Filho

A principal condição para se sair do egossistema e entrar no *Self*, ou no estado *yin/yang* perfeito, é desbloquear o corpo, livrando-o dos padrões e vícios que carrega, em uma ação de limpeza propiciadora do relaxamento ativo e da preservação do eixo. O processo de desbloqueio físico começa pela *caminhada*, exercício que prepara o corpo possibilitando à sensibilidade (vaga-lume) acionar ocorrências cênicas.

O ator César Augusto, em anotações sobre o processo, lembra que com o *L* se dá o diálogo entre o púbis, a lombar e a medula oblonga, os três centros ativados pela *caminhada*. "Esse eixo vertical ganha sustentação quando, ao ligar o púbis e a lombar, o queixo é movido com ligeira tendência para baixo, ativando a medula oblonga, como se fosse um gancho preso ao fundo dos olhos, o que faz com que o ator ande de maneira limpa (como uma folha de papel em branco), de certa maneira *morto*".

E conclui afirmando que a experiência dá início a uma alteração do modo como o ator percebe a si mesmo e ao mundo:

> A investigação da possibilidade de nos colocarmos corporalmente mortos, de ser uma folha em branco que anda por intermédio de um eixo de três pontos (púbis, lombar e medula oblonga), seguro por um gancho ao fundo dos olhos, e que também anda por meio da respiração, são dados suficientes para promover um estado alterado de consciência, uma espécie de atividade relaxada ou relaxamento ativo[1].

Com a *caminhada* treina-se a sustentação do corpo sobre o calcanhar, mantendo a planta do pé firme no chão, sendo seus principais apoios as laterais externas dos pés. Observando a postura adequada o ator elimina o impulso da ansiedade, que projeta o corpo para a frente. Notará o retorno ao eixo e a importância da posição correta da lombar para acionar o *fundo dos olhos*, que é o ambiente propulsor da expressão artística.

Cabe insistir no fato de que sem o corpo bem preparado não é possível sair da realidade corriqueira nem transcender questões pessoais, como se pede a quem pretenda alcançar a expressão artística. O egossistema, usando a *fiação interna*, o aprisiona dentro de si mesmo com a força bruta, com o uso de músculos contraídos, não lhe permitindo outro horizonte que não o da ansiedade. E a ansiedade o leva ao estereótipo, ao clichê.

O primeiro passo da *caminhada* estimula um processo que resultará no relaxamento ativo, desde que o ator o queira, pois tal movimento é uma questão de escolha. Ao iniciar a preparação do corpo pela *caminhada*, é preciso ter razoável noção do que se quer alcançar, por isso é imprescindível a preparação intelectual e espiritual.

Já nestes inícios, faz-se necessário ter a imagem mental do vaga-lume, ainda que imprecisa. Será apenas coisa idealizada, mas não importa: aos poucos, à medida que os exercícios avançarem e o praticante

---

1. César Augusto, ator do CPT e assistente de Antunes, colocou no artigo "Sobre o processo e o método de Antunes Filho" anotações e comentários em torno de aspectos importantes da matéria em referência. Trechos do artigo serão citados em outros momentos deste trabalho, dado seu valor como depoimento de quem, há anos, vem participando diariamente do processo.

14. A preparação do corpo I: como chegar ao estado *yin* e *yang* perfeito

adquirir a técnica corporal básica, a imagem do vaga-lume adquirirá nitidez. De repente, não será mais uma imagem e sim uma realidade.

Os exercícios corporais básicos são os seguintes:

Abertura

Costas no chão, pernas um pouco afastadas, braços abertos em posição confortável.

Relaxar cada parte do corpo. Respiração em ritmo suave, com grandes espaços entre inspiração/expiração/inspiração. Observe mentalmente o corpo, desde os dedos dos pés até o alto da cabeça, procurando detectar tensões e desfazê-las. As articulações dos pés, das pernas, dos quadris, dos braços devem estar desimpedidas, soltas, de modo que também a coluna vertebral vá se soltando. Os braços e as pernas pesam sobre o chão.

Esta é a forma mais comum de relaxamento. Não há novidade nenhuma, quase todo mundo faz ou já fez relaxamento igual ou assemelhado. Ele abre o ciclo de procedimentos da preparação do ator, no CPT, porém pouca importância lhe é dada como meio de relaxamento. Os benefícios, nesse sentido, são tão pequenos que não justificariam a sua inclusão no processo. A prática deste relaxamento no CPT remete à mística de singular importância para o trabalho: quando *larga* o corpo sobre a terra, o ator o está entregando à Grande Mãe, deusa que o guiará ao plano da Mente. Isto tem que ser *verdadeiro* e não mera licença poética. Quando o ator *abandona* o corpo no chão, oferecendo-o à Grande Mãe, terá alterada a consciência, que é condição imprescindível à continuidade do trabalho.

Portanto, ao deitar de costas para o chão ele realmente pratica o relaxamento, mas a verdadeira finalidade da atitude é a "alteração da consciência". O relaxamento é meio de apaziguar o espírito e preparar a cabeça para outras realidades. E é com a consciência assim alterada que se dá início à *caminhada*.

Caminhada

Depois de entregar o corpo à Grande Mãe, o ator se levanta e inicia a *caminhada*. Esse ato equivale a uma saudação aos deuses, executada em movimentos circulares pela sala, coluna reta, com leve tendência para a frente, o que faz a lombar ir um pouco para trás e o púbis ficar com ligeira atenção. Seus passos são largos e firmes, braços soltos, ombros para o chão, tronco relaxado. Ele caminha pelo púbis.

Aqui se inicia verdadeiramente a busca do relaxamento ativo. Não se trata de graça divina reservada a eleitos, e sim resultado de alguns procedimentos que custam trabalho físico, paciência, reflexão, o jogo de erro e acerto à exaustão.

Não existem receitas nem caminho traçado para se conquistar o relaxamento ativo. Cada corpo é um corpo, assim tornam-se infinitas as variáveis. Você deve encontrar a sua variável, o seu modo pessoal de estar relaxado e ativo. Porém, existem regras que orientam o caminho e sinais que informam se o procedimento está ou não correto.

A planta do pé, firmemente colocada sobre o chão, apoia-se na lateral externa, mas o ponto de sustentação do corpo centraliza-se no calcanhar. O movimento executado para dar o passo transfere o peso do corpo de um calcanhar para o outro, implicando a aderência da planta do outro pé no chão. Assim, o calcanhar liberado sobe e o pé se apoia levemente nos metatarsos, em seguida nas falanges, desenhando um movimento circular e elevando o pé inteiro, o que implica a ação *yin/yang*. O peso do corpo sobre o calcanhar é *yang* (terra) e sua liberação *yin* (ar). Quando o praticante consegue mover os pés à imagem desse par arquetípico, verá que seu andar vai ganhando plasticidade e, o que é melhor, a ação de *yin/yang* passa a contaminar todo o movimento físico.

Os dois pontos aos quais deve estar bem atento são a lombar (região da coluna abaixo das vértebras torácicas, formada pelas vértebras lombares, que vão da cintura ao sacro) e a região do púbis (contígua à anterior, forma o triângulo das genitálias e se constitui na parte inferoanterior do osso ilíaco). Nesta região está o Leonardo com o seu controle remoto, para desenhar o personagem (movimentos, gestos, respiração, voz) ao comando do vaga-lume. Não esquecer que é através do púbis que se caminha.

Estando o corpo no sistema *L*, o comando vem lá da casa de máquinas, através da cervical, da dorsal e da lombar, até essa usina transformadora, que é o púbis. E o trajeto é feito com o combustível que estiver disponível no plano das energias. Caso haja ansiedade ou tensões desnecessárias, ou se a lombar estiver de *mau jeito*, postura errada, o combustível desaparece.

14. A preparação do corpo I: como chegar ao estado *yin* e *yang* perfeito

O praticante precisa estar atento e tomar providências, nos momentos apropriados, para transformar as tensões desnecessárias em energia útil. Deve tirar a tensão potencial que ameaça os ombros, as costas, o pescoço, os joelhos e jogá-la na região do púbis, a usina que transforma as forças excessivas em combustível.

Os joelhos devem estar apenas soltos, nem duros nem moles. Cuidado também com os quadris e com os músculos entre os ombros: se estiverem tensos, pode parar e começar tudo de novo, procurando soltar cada vez mais os músculos em pleno movimento.

Desse modo, todo o corpo fica relaxado, embora firme e ativo. Os ombros pendem para o chão, e os braços, as mãos, os dedos estão soltos, em abandono, movem-se pela força da inércia. O queixo levemente caído, a boca entreaberta, pois é preferível a respiração pela boca, mas uma respiração suave, sempre na medida da necessidade do seu organismo, uma respiração que não é determinada: autodetermina-se.

Se o ator conseguiu o relaxamento ideal, a respiração correta e estiver "andando pelo púbis", não precisa comandar a *caminhada*: ela se realiza pela força cinética. Uma analogia apropriada é o ato de atirar uma bolinha a distância. No primeiro momento, a energia que o sujeito imprimiu (quando a jogou) faz a bolinha rolar; em seguida, o próprio movimento gera a energia e ela continua girando pela força cinética.

O *estado cinético*, todavia, ocorre somente na condição ideal de relaxamento, com o controle das tensões necessárias, que devem estar na medida exata, nem mais nem menos. Se o praticante sentir que precisa forçar alguma coisa para que o movimento continue, deve parar e começar tudo de novo.

Não adianta trapacear, pois a situação seria semelhante à do jogador de futebol que resolve corrigir o rumo da bola para o gol com mão ou braço: comete uma infração que invalida a jogada. Só que, no futebol, se o juiz não perceber a infração, fica validado o gol, mas aqui, ao dar um *jeitinho* para continuar a caminhada, apesar de sentir alguma tensão, o praticante estará enganando a si mesmo e será punido pela infração com o prejuízo ou o retardamento do seu progresso. De nada lhe servirá a trapaça.

O exercício pode ser feito pelo ator sozinho, no entanto o ideal é que o pratique em grupo e que alguém, com olho bem treinado para detectar tensões musculares, ainda que sutis, observe e oriente os demais. A atenção maior deve estar voltada para ombros e joelhos da pessoa que exercita: qualquer enrijecimento ou amolecimento (no caso dos joelhos) deve ser combatido. Nunca prossiga o exercício se alguma tensão ocorrer nessas partes.

No processo de elaboração e sistematização do método Antunes Filho havia um exercício chamado *primeiro passo*, que não foi exatamente eliminado porque seus efeitos podem ser encontrados na *caminhada*. Esse exercício, na verdade, é apenas um conceito: todo passo que se der em cena deve ser o primeiro passo, jamais haverá o segundo passo, o terceiro passo e assim por diante. Isto significa que todo o trabalho do comediante em cena é construído a cada momento. Se o ator sente dificuldade em controlar as tensões de joelhos e ombros, será conveniente fazer o *primeiro passo* – andar pelo espaço propondo que todo passo seja o primeiro, o que exige atenção absoluta sobre o movimento das pernas e dos quadris. É uma maneira de se chegar ao detalhe e tratar o problema isoladamente, para depois voltar à *caminhada* buscando o *movimento cinético*.

Importante ter consciência das transformações que ocorrem no corpo durante a *caminhada*. O praticante estará confortável, por fim, mas não estava confortável no início. Foi preciso lutar contra tensões, o que o obrigou a recomeçar o exercício inúmeras vezes, até soltar satisfatoriamente os joelhos e os ombros. Ou era a coluna que se curvava e tensionava a barriga, importando a ansiedade. Isso consumiu muito tempo, foram horas de caminhada, até notar algum avanço.

Quando o indivíduo começa o processo, atento ao seu próprio corpo e observando o que constitui leve ou grave obstáculo ao fluxo desejável da *caminhada*, verá que ocorrem coisas das mais variadas ordens e todas precisam ser solucionadas ou eliminadas. É fundamental muita atenção a tudo o que ocorre, não permitindo a incidência de tensões desnecessárias, porém é preciso deixar-se levar pelo fluxo. Se o movimento produzido é cinético, o praticante já está na *caminhada*, chegou ao perfeito estado *yin/yang*; mas, se houver tensões, o fluxo é interrompido e ele passa a usar a *fiação interna*, vai totalmente para o ego. Então é preciso parar o exercício e começar tudo de novo, quantas vezes forem necessárias e não só em um dia, mas em quantos dias se fizerem necessários.

A *caminhada* deve ser praticada por pelo menos meia hora, todos os dias, e funciona como termômetro, pois apenas quando o praticante alcança o relaxamento ativo (que possibilita o fluxo da *caminhada*) está realmente preparado para pesquisar seu personagem ou representá-lo diante de uma plateia. O exercício deve ser feito constantemente, porque os benefícios ao intérprete são inúmeros. Ele estabelece ordem na fiação interna, que é o complexo de nervos e músculos presente na estrutura do corpo. Músculos e nervos que devem permanecer tranquilos e imperturbáveis durante a ação dramática, só se manifestando sob o comando do vaga-lume – daí a imagem de que o *corpo do ator está morto*. É aconselhável, também, fazer o exercício ao som de música adequada.

Cumpridas as etapas, corrigidas as tensões, colocada a lombar na posição correta, tendo os joelhos, os ombros, o pescoço e os braços firmes, mas soltos, o praticante se encontra na caminhada prazerosa, que parece determinada por força superior e não por sua vontade. A alteração da consciência se produziu e ele está preparado para o *funâmbulo*.

Funâmbulo

A imagem é comum e se refere à conhecida corda bamba. Funâmbulo é o equilibrista que encanta plateias nas feiras e nos circos andando sobre o fio (corda ou cabo de aço) instalado alguns metros acima do chão.

O praticante é o funâmbulo que inventa a corda bamba sobre a qual caminha, entretanto deve inventá-la com toda a força da imaginação, de modo que ela vire realidade. Quem o vê exercitando terá logo a imagem da corda bamba, embora o veja caminhando entre equilíbrio e desequilíbrio em piso firme e não sobre um fio. Esse ponto de vista externo, de quem assiste e monitora o exercício, é importante, pois, se o ator lhe oferecer a perfeita ilusão de um *caminhar sobre a corda bamba*, a ação está correta. Para que isso aconteça, é preciso que a corda, por inexistente que seja aos olhos, constitua uma realidade para o ator. Caso contrário, se apenas *macaquear* movimentos de equilíbrio e desequilíbrio, balançando o corpo, não estará fazendo nada de útil para seu desenvolvimento, nem o exercício lhe trará os benefícios esperados. Para praticar os movimentos com rigor, devem ser observados estes preceitos:

1. A posição dos pés *pousados na corda*, um atrás do outro e voltados para a frente.

2. Joelhos levemente dobrados (mas soltos, sem qualquer tensão além da estritamente necessária).
3. Os braços movimentados pelos pulsos, não pelos cotovelos, e levantados até a metade da altura do corpo, como se em busca de apoio.
4. Ombros soltos.
5. Postura necessariamente orgânica, que possibilita a incidência de desequilíbrios e leves torções, obrigando o praticante a procurar imediata compensação no equilíbrio.

A partir dessa postura tem início o movimento. O ator levanta o pé que está pousado atrás para dar o passo. Ao mover o pé à frente, se houver tensões dá-se a queda ou, no mínimo, seus pés saltarão para *fora da corda*, indicando a virtual queda. No entanto, havendo o relaxamento ativo, quando o corpo sai do eixo, seus braços e pernas e tronco balançam suavemente em busca do eixo. Finalmente, não caiu, apenas se desequilibrou e, sem tirar o pé da corda, procurou o equilíbrio. Conseguindo o equilíbrio, voltou ao eixo.

A perna que sustenta o tronco na mudança de passo não pode estar contraída – tanto joelho quanto coxa e barriga da perna estão firmes, porém soltos –; os ombros e os braços também estão soltos, livres de contração muscular, assim como a coluna, que permanece reta. Tudo isso ocorre simultânea e organicamente, levando o corpo para o eixo.

Quando o pé pousa em outro ponto da corda, à frente, há um momentâneo desequilíbrio. O corpo sai do eixo e o praticante deve manobrar no sentido de recuperar o equilíbrio, não permitindo a ocorrência de tensões ou o endurecimento dos joelhos, dos quadris ou dos ombros. E assim prossegue o exercício por bastante tempo.

Não se trata de apenas fingir que está na corda bamba, e sim de utilizar a imagem para colocar seu corpo numa nova situação, em razão de novas experiências físicas, levando-o a movimentos não comuns. O desequilíbrio e a busca do equilíbrio constituem ações físicas verdadeiras, não coreografia. O jogo de equilíbrio e desequilíbrio tem fundamental importância para desintoxicar o organismo e ir liberando-o das amarras de vícios e costumes, dos condicionamentos culturais que lhe endureceram o gesto[2].

Vigoram no *funâmbulo* as mesmas regras da *caminhada*, dizendo respeito à busca do relaxamento ativo, mas agora o ator pode trabalhar

---

2. No processo de pesquisa do CPT existiu o célebre exercício do *desequilíbrio*, que tinha justamente a função de desintoxicar o organismo, liberando-o de amarras culturais e vícios adquiridos. Era um procedimento agressivo e, à medida que se equacionaram os demais procedimentos, o desequilíbrio passou a ser praticado no funâmbulo, de modo mais suave e produzindo os mesmos efeitos, embora exija maior atenção do ator ao desenvolvimento do exercício e seu absoluto controle mental sobre as ocorrências físicas.

14. A preparação do corpo I: como chegar ao estado *yin* e *yang* perfeito

melhor a região dos joelhos, das coxas e dos quadris, percebendo o jogo de tensão e relaxamento, brincando de amolecer e enrijecer músculos. Aos poucos vai conhecendo melhor e dominando essa região extremamente importante para o movimento do corpo no espaço. Isto é fundamental para tornar orgânica a atuação em cena, contra a tendência do ator ocidental de representar apenas da cintura para cima, esquecendo pernas e quadris.

Ao desbloquear quadris, coxas e joelhos, o praticante perceberá que os gestos também se abrem, os braços ganham elasticidade e os movimentos ficam mais harmoniosos. Importante mover os braços sempre por comando dos pulsos, jamais pelos cotovelos (lembrar as varetas da Grande Mãe, com forquilhas presas aos pulsos para executar os movimentos dos braços).

Todas as partes do corpo – cabeça, tronco, membros – são trabalhadas no *funâmbulo*, lubrificam-se as juntas, eliminam-se as tensões. As diferentes partes revelam admirável unidade, mantendo correspondência orgânica entre si pelo movimento.

A repetição do exercício todos os dias habitua o corpo a procurar sempre o eixo, a procurar o equilíbrio e a consegui-lo, sem comando consciente. Este é um benefício notável para o trabalho criativo do ator, pois deixa o corpo entregue à Grande Mãe e completamente livre para o trabalho do vaga-lume.

Ao revelar o corpo como um sistema integrado, o *funâmbulo* quebra velhos padrões e códigos, abrindo novas possibilidades expressivas, porém é necessário que o ator o enquadre ideologicamente para explorar essas possibilidades. Questões da nova física, como o princípio da incerteza ou da probabilidade e a relatividade, tornam-se ferramentas indispensáveis a esta altura, oferecendo imagens de processos naturais que são imperceptíveis aos olhos, mas determinam as formas e os movimentos da natureza.

O *estado quântico* é uma realidade também na ação dramática, toda ela permeada de energias contraditórias cuja atração ou repulsão mútua gera novas energias, abrindo horizontes inéditos. Falando com Victor Weisskopf, "toda e qualquer alteração deste estado [quântico] só é possível se for fornecida ao átomo uma quantidade de energia suficiente para levá-lo ao estado quântico seguinte, situado a um nível claramente superior na escala de energia (o átomo terá sido *excitado*)"[3].

Para levar o drama a *estados superiores*, é necessário provocar as energias contidas nos conflitos (excitá-las), de modo que elas gerem novas energias, numa escala ascendente, até o desenlace da trama. E isso não se faz com a fiação interna; o ator não vai incorporar na própria carne o conflito, sofrer as dores do personagem, ficar *tomado* como médium em centro espírita. Se assim o fizer, ficará travado, incapaz de lidar com a construção do drama para a fruição do espectador. Cheio de esgares o pobre ator lançará mão, desesperadamente, de quantos estereótipos e reles clichês encontrar pelo caminho. Leva tudo de roldão! Coisa que, infelizmente, se vê com muita frequência em nossos palcos. Os *estados superiores na escala da energia* só se manifestam no corpo do ator à medida que ele se comporta como um verdadeiro *sistema integrado* organicamente.

Por outro lado, não se deve elaborar mentalmente a evolução do conflito e, depois, representá-lo mecanicamente, o que resulta no puro estereótipo, da mesma maneira. Isso é o que fazem certos *teóricos* contemporâneos de teatro supostamente político, que ainda se baseiam em teorias de 50 ou 60 anos atrás. Como se nada se movesse na face da Terra, acreditam que não só o fundamento das teorias, mas também os primitivos procedimentos criados para expressá-las permanecem eternamente válidos e atuais. Tal procedimento é ridículo. A postura do ator deve ser sempre de absoluto compromisso com o drama e com o vir a ser: os conflitos estão à sua frente e vão se manifestar em seu corpo com o vaga-lume e o Leonardo, não por clichezinhos e *palavras de ordem*.

Veremos, quando estiver em pauta a construção do personagem, que o raciocínio faz toda a programação deste, porém há limite para a ação racional. A partir desse limite começa o território onde atuam a intuição e a sensibilidade, que responderão de fato às necessidades artísticas.

Para chegar a esse território e percorrê-lo com sucesso, o corpo deve estar corretamente preparado, com a fiação interna sob controle, apaziguada e contemplativa, só se manifestando este ou aquele músculo, este ou aquele nervo, se assim o ordenar o vaga-lume. A esta condição e disponibilidade o ator chega por intermédio da *caminhada* e do *funâmbulo*, tendo clara noção das diferentes realidades com as quais se defrontará e nas quais atuará em função dramática.

3. Victor Weisskopf, *A revolução dos* quanta, p. 30.

14. A preparação do corpo I: como chegar ao estado *yin* e *yang* perfeito

Examinaremos no próximo capítulo outros exercícios de corpo que se destinam à ampliação de repertório expressivo. Os exercícios que discutimos até agora são os fundamentos de toda a técnica, porque possibilitam ao ator conhecer melhor o seu corpo, senti-lo em suas diferentes partes, adquirindo perfeita noção do todo. As coisas são ordenadas e elaboradas compartimentadamente, mas visando à máxima eficácia orgânica.

Pelos exercícios pode-se alcançar – ou no mínimo se aproximar – do estado *yin/yang*, que é básico para a expressão artística. Sem dominar esses exercícios não se vai para a frente no aprendizado do método. Adverte o mestre Antunes:

> Todos os exercícios que fazemos aqui são para exercitar o corpo, para deixá-lo bem preparado e para que você esteja num estado *yin/yang* perfeito quando de pé, ou quando anda, ou faz qualquer coisa. Sem essa preparação – se os seus músculos estão duros, se as suas costas estão duras, se os seus joelhos estão duros – você não tem a plasticidade necessária ao corpo. Você precisa ter o domínio de todos os seus músculos e de todas as suas articulações, porque enquanto não tiver domínio absoluto não conseguirá chegar ao estado *yin/yang* perfeito, ao estado de entrega[4].

[4]. Cf. Seminário no CPT. Segundo encontro.

15. A preparação do corpo II: em busca de repertório expressivo

> *A segunda atitude legal para despertar o vaga-lume e se colocar à sua disposição (pois é ele quem indica caminhos e dá o imaginário, não a fantasia, mas sim a imaginação transcendental) é deixar-se amoldar, como artista, àquilo que a intuição está projetando para você fazer. Intuição é o vaga-lume. Tem que se amoldar a ele.*
>
> Antunes Filho

"Vamos lembrar o corpo firme e a entrega", diz Antunes e, para exemplificar, solicita a um ator que fique de pé: "Firme, bem firme. Não duro: firme. Agora faça o ato de entrega. É no fundo dos olhos que começa a entrega, o resto do corpo obedece. Perceba que os joelhos se soltam um pouquinho da firmeza das pernas. Vamos chamar *yang* ao estado de firmeza e *yin* ao estado de entrega".

O procedimento de *abertura* (relaxamento que se faz deitado, de costas no chão, comentado no capítulo anterior) é um ato de entrega à Grande Mãe e a partir dele se estabelece um *modelo* útil para o trabalho de criação. O que realmente interessa nesse ato não é a eventual postura, e sim a disponibilidade do corpo quando os músculos estão relaxados. Deitado ou de pé, a entrega se faz com o corpo relaxado, isento de tensões desnecessárias, colocado no *L* e à disposição do vaga-lume.

O sistema *L* só se manifesta, para além do conceito e da imagem, depois de o ator ter passado pela *caminhada* e pelo *funâmbulo*, desintoxicado o organismo e desbloqueado os músculos. Nessa condição, sim, poderá trabalhar o *fundo dos olhos* e entregar-se à ação do vaga-lume, que vem lá do neocórtex, desce pela coluna vertebral e, atravessando as vísceras, chega ao púbis, onde está o Leonardo. Dependem da perfeita compreensão sobre a trajetória do vaga-lume os exercícios descritos à frente, assim como da mesma compreensão depende todo o trabalho interpretativo à luz deste método.

Tudo começa pelo *fundo dos olhos*. O ator precisa descobrir sozinho como se chega a esse estado específico, mas, em primeira instância, tem a ver com o olhar. Não deve olhar direto para a frente, a partir da pupila ou da íris, como se disparasse flechas pelos olhos. Começando a se exercitar seriamente, logo perceberá que há diferentes camadas formando *pisos de percepção* para o olhar. Camadas internas, constituídas pela postura que o praticante assume no ato de olhar. Tais camadas não são imagens retóricas, mas realidades orgânicas: tem-se a percepção física quando muda o foco do olhar.

Passeando por essas camadas o ator fatalmente vai encontrar seus próprios atalhos para estabelecer a plataforma que lhe dará acesso à região que fica atrás do pescoço, no alto da cervical, onde mora o vaga-lume.

A partir desse sítio, passa a *ver*, a enxergar as coisas de modo peculiar e também a se expressar com os olhos. É um olhar que vem lá de trás, do fundo dos olhos, e descreve uma curva sobre a sua cabeça. Esse olhar não se projeta, porque o sistema que o produz só existe na ressonância, portanto jamais parte direto da pupila para fora, como se faiscasse. Se o personagem é uma pessoa que olha da pupila para fora, com força, em alguns momentos da peça o ator vai fingir que está olhando desse modo, vai desenhar isso, quando, na verdade, estará bem preservado lá no fundo dos olhos, deixando agir o vaga-lume e em seguida o Leonardo, que desenha o seu olhar como se projetado direto da pupila.

Verá então que a casa das máquinas do vaga-lume, aqui chamada fundo dos olhos, não abriga só o olhar. Nela atuam, igualmente, o ar que ele respira, as palavras que diz, as emoções que expressa – tudo passa por ela e tudo desenha linhas curvas ao ser enviado para a região gasosa, ou camada de neblina, onde são impressas as ideias e sentimentos, constituindo o personagem para o público como uma imagem holográfica. É, portanto, a partir do fundo dos olhos que se elabora holograficamente o personagem.

"Este é o estado que o comboio começa a funcionar", diz Antunes Filho. "É o vaga-lume colocando o carro – que é o corpo inteiro – à disposição de alguma coisa, num ponto de entrega. O ato de interpretar é um ponto de entrega, permanentemente. O ator deve ter a consciência corporal cada vez mais desperta. Não pode ficar contraído, com o corpo duro, porque, se assim for, não terá contato com o outro". E através do fundo dos olhos faz o *laser* que vai ficar entre ele e o interlocutor, tornando perceptível ao espectador o diálogo estabelecido entre ambos, ainda que o diálogo seja sem palavras.

A imagem do *L* diz respeito a um sistema que se identifica por uma série de ocorrências físicas no percurso do vaga-lume. Ocorrências importantes à perfeita realização dos exercícios que serão descritos a seguir e cuja função precípua é ampliar o repertório expressivo do ator.

Todavia, será igualmente impossível existir o "sistema *L*" sem o entendimento das energias que nele atuam e que se caracterizam pelos termos taoístas *wu-wei*, *li* e *ch'i*, nos quais a matéria se revela pura energia, tornando-se indistinta do espírito.

Abordamos anteriormente o conceito *li*, conforme o exposto por Alan Watts em *Tao, o curso do rio*. Neste passo, voltamos à mesma obra e também ao *Tao da Física*, de Fritjof Capra, para buscar entendimento sobre o modo como se articulam *li* e *ch'i* no método Antunes Filho, contextualizados no "sistema *L*", que é o nosso *wu-wei*.

Wu-wei é o princípio taoísta de *não ação*, mas não deve ser confundido com inércia ou passividade. Entre seus inúmeros significados incluem-se ser, fazer, praticar, criar e representar, explica Alan Watts, que enfatiza, na sequência, tratar-se de uma forma de inteligência que utiliza o mínimo de energia para lidar com todas as estruturas, princípios e tendências humanas e naturais. Estando *wu-wei*, o ator escolhe sempre a linha de menor resistência em qualquer ato que executa. Isto é possível porque a inteligência da *não ação* é uma qualidade *inconsciente* de todo o organismo e, em particular, sabedoria inata do sistema nervoso[1]. Assim se caracteriza o *wu-wei*.

Para alguém pouco ou nada habituado às ideias e aos procedimentos orientais e dominado pelo pensamento cartesiano, materialista, o "sistema *L*" parece algo fantasioso quando colocado em termos de *wu-wei*. Se o ator assim pensa e continuar pensando, jamais poderá praticar com eficiência os exercícios aqui descritos, nem deles se bene-

[1]. Alan Watts, *Tao, o curso do rio*, p. 110.

ficiar em seu trabalho artístico. É preciso fazer um esforço, quebrar as resistências e os condicionamentos culturais, conquistar o estado em que os comandos não se restringem ao intelecto e se estendem à *inteligência inconsciente* de todo o organismo, em particular à *sabedoria inata do sistema nervoso*, cujas ferramentas são a sensibilidade e a intuição. *Wu-wei*.

O ator deve praticar cotidianamente a *caminhada* e o *funâmbulo*, de modo que libere cada vez mais o corpo das tensões desnecessárias[2]. Sendo corpo e espírito uma unidade, ao se desconstruir as tensões físicas provocadas pelos condicionamentos culturais, desconstroem-se também esses condicionamentos e se libera não apenas o corpo, mas também o espírito, para o fluxo (*li*) de energias e/ou pensamentos.

O praticante estará no *Self* se romper os condicionamentos. Poderá então chegar às realidades transcendentes por meio da sensibilidade e da intuição. Fará os exercícios de maneira produtiva e benéfica ao trabalho criativo. É importante, nesse momento, ter clara a imagem da estrutura conceitual do *L*, que movimenta e é movimentada pela sensibilidade e pela intuição do intérprete.

Essa estrutura, como já foi dito, ocupa a parte posterior do corpo, região sob domínio de *yang*. E por ser domínio de *yang* é nessa parte onde acontecem as batalhas, produzem-se as vozes de comando, dá-se a *ação vigorosa do rei*. A parte dianteira do corpo é *yin*, portanto o repouso e a *tranquilidade contemplativa dos sábios*. Desse modo, chegando ao estado *yin/yang* perfeito o ator está aparentemente *morto*, contemplativo, inanimado. Na verdade, músculos e nervos estão em repouso, mas a casa de máquinas funciona a todo vapor. O vaga-lume agita-se pela lombar e comanda a ação do Leonardo, instalado no púbis. O vaga-lume trabalha em parceria com a Grande Mãe, que com suas varetas movimenta o corpo do ator. Ao mesmo tempo Leonardo, munido de raios *laser*, desenha o personagem sobre o corpo e, por fim, o vaga-lume, impulsionado por *ch'i* (força vital), dá o alento e o brilho da vida ao personagem.

No entanto, se o ator começa a representar usando os músculos, o peito, jogando tudo para a frente, sai completamente do *Self*, desconhece imanências e transcendências, cai prisioneiro do ego e termina dominado pela ansiedade. Adeus comediante! Se isso acontecer, o praticante deve parar imediatamente e reiniciar todo o processo.

---

2. O praticante pode e deve somar a estes procedimentos alguns outros recursos, como praticar *tai chi chuan* e/ou *lian gong*, que o auxiliarão enormemente a encontrar o perfeito estado *yin* e *yang*.

15. A preparação do corpo II: em busca de repertório expressivo

O equilíbrio entre tudo o que é *yin* e tudo o que é *yang*, no corpo humano, "é mantido por intermédio de um fluxo contínuo de *ch'i*, que corre ao longo de um sistema de *meridianos*, que contém os pontos utilizados na acupuntura", explica Fritjof Capra, acrescentando que quando o fluxo é bloqueado o corpo adoece. Neste caso, as agulhas fixadas nos pontos de acupuntura estimulam e restauram o fluxo do *ch'i*[3].

Outras terapias da medicina tradicional chinesa dão, igualmente, absoluta importância ao restabelecimento do fluxo do *ch'i* para a cura de inúmeras moléstias, a prevenção de outras e o fortalecimento do sistema imunológico. A ginástica *lian gong*, por exemplo, que é uma prática terapêutica moderna baseada em princípios tradicionais, visa desbloquear tecidos tensos ou moles que impedem o fluxo do *ch'i*.

No trabalho de criação do ator, além dos males físicos, o bloqueio impõe o ego e, portanto, a realidade objetiva, importando ansiedade e o afastando da verdadeira criação poética. É necessário desbloquear o corpo por meio de exercícios, muita leitura, reflexão, meditação, até que seja restaurado o fluxo de *ch'i*. Uma vez restaurado no físico, o *ch'i* passa a oxigenar as ações do comediante, dando-lhe acesso ao *Self*, ao inconsciente coletivo, reino dos arquétipos.

Ainda que o praticante encontre dificuldade em compreender todo esse processo, o que de fato importa é que se entregue à busca da transcendência. Não é mediunidade, ele não fica *tomado* nem qualquer coisa parecida, pelo contrário: está com domínio racional da situação, mas não deve permitir que o raciocínio perturbe o vaga-lume e o Leonardo em seu trabalho criativo.

Por intermédio da *caminhada* e do *funâmbulo* o ator encontra seu ponto de equilíbrio, seu eixo, e, a partir daí, posicionado no "sistema L" e deixando atuar a sensibilidade, num perfeito relaxamento ativo, perceberá a ação do vaga-lume e a interferência do Leonardo. Ação e interferência intuitivas, não comandadas pelo cérebro, e sim pela sua ligação com a Mente por meio do vaga-lume. É a sensibilidade jogando com o entorno físico, emocional e espiritual. O ator na verdade apenas *administra* a movimentação dessas forças, usando a imaginação e seguindo a programação do personagem sem tentar representá-lo, mas permitindo que o vaga-lume e Leonardo o desenhem sobre o corpo.

Quando a pessoa se livra de toda contração e de toda hesitação, percebe o que é estar *li*, em fluxo harmonioso e contínuo, independentemente da ve-

3. Fritjof Capra, *O Tao da Física*, p. 88.

locidade que imprima ao movimento. E, estando *li*, perceberá a ação do *ch'i*, que se condensa e se dispersa ritmicamente, gerando todas as formas. Tais formas logo se dissolvem no vácuo, afirma Fritjof Capra[4], que faz analogia do *ch'i* com a expressão *campo*, referindo-se à teoria quântica dos campos, "que não é apenas a essência subjacente a todos os objetos materiais como, igualmente, transporta suas interações mútuas sob forma de ondas".

Interessa, agora, estabelecer o modo como se articulam *li* e *ch'i* no "sistema *L*", o nosso *wu-wei*. O praticante assume a postura adequada: ombros para o chão, coluna reta, joelhos soltos, o corpo que virou "massinha" por meio do *funâmbulo*. Seus movimentos estão *li*, fluem sem qualquer obstáculo, como a pena do artista sobre a seda na construção de um ideograma. Está *wu-wei* (não ação) e para assim permanecer não tenta fazer nada pelo comando direto do cérebro: entrega-se ao vaga-lume e logo percebe o fluxo do *ch'i*, direcionando seus gestos e suas atitudes.

Então, se o ator preparou todo o campo para a ação do *ch'i*, com a *caminhada* e o *funâmbulo*, está pronto para os exercícios de corpo que visam à ampliação do seu repertório expressivo:

Loucura

Este exercício pode ser entendido como prolongamento do *funâmbulo*, no qual se deu a desconstrução física. O corpo ficou *massinha*, como argila macia nas mãos do escultor, e agora o ator pode buscar novo gestual, porém não deve levar ao pé da letra o título do exercício: a proposta não é se enlouquecer ou se fingir de louco. É um convite para investigar o *irracional* com o próprio corpo, deixando-se conduzir pela intuição e pela sensibilidade, buscando conexões com o inconsciente coletivo e os arquétipos.

A intenção é ir ao paroxismo, mas sem ímpeto: construindo a expressão. Já com a consciência alterada, o ator imagina uma *persona*[5] e, partindo da expressão cotidiana, vai revelando essa *persona* através do seu corpo, sem nenhum texto, sem tentar contar uma história ou anedota, apenas mostrando a *persona* em movimento. Assim, abre espaço para a imaginação se manifestar e investiga formas úteis ao repertório expressivo.

É vedado o uso da fiação interna; o ator não usa os músculos e sim os desenha. Aparentemente enrijeceu um ombro, porque o personagem

---

4. Cf. *Tao da Física*, p. 163.
5. Aqui, *persona* é aplicada no sentido junguiano, ou seja, de máscara social.

15. A preparação do corpo II: em busca de repertório expressivo

imaginado tem algum problema físico, e realmente o público o vê com o ombro duro, porém é só desenho, é enrijecimento fingido, é só expressão ionizada. Na verdade o ombro não está travando o braço ou as costas, como faria se estivesse realmente endurecido. Se o ator usa a fiação interna e o enrijece de fato, tensiona um bando de músculos, se asfixia e mergulha na ansiedade. Não se deve trabalhar com nada de dentro, e sim com *as coisas que estão fora*.

No púbis está o controle remoto; é a única parte do "sistema *L*" que fica na frente do corpo, que se movimenta na frente. Ali, entretanto, está Leonardo com o controle remoto, lançando raios *laser* sob interferência contínua do *ch'i*. Ele desenha formas no corpo do ator. Formas que se projetam no "campo" como imagens holográficas.

Em vista do exposto, com o exercício da *loucura* o ator pode desenhar qualquer forma, executar qualquer ação – pode tudo o que entender apropriado à pesquisa de novas expressões, mas deve, para isso, exercitar o corpo, procurando o livre fluxo das energias. Mantendo os joelhos soltos e com os ombros relaxados, através dos punhos e dos cotovelos vai observando novas dimensões dos braços; através dos joelhos e dos pés, novas dimensões das pernas. E vai, igualmente, exercitando a atenção sobre as coisas externas, que o assessoram no ato da criação, para não ficar na dependência de impulsos internos. Claro, os impulsos internos também integrarão o ato, mas o ator já conquistou um espaço para manter-se afastado e apenas desenhá-los. Está realmente fazendo arte quando transforma os impulsos internos em expressão.

Quando o ator prefigura uma *persona*, deve esforçar-se para superar o prefigurado. Surpreende-se sempre com o que a *persona* está fazendo e a examina como a um objeto, observa a potência expressiva sem pudor de explorá-la, porque está num exercício de corpo que se mescla à pesquisa de personagem.

É importante habituar o corpo a responder aos raios *laser* do Leonardo, desenhando emoções, hesitações, intenções, etc. Aqui se exercita a unidade corpo e espírito, mediante a sensibilidade e a intuição, sem pensar no que vai fazer – apenas fazendo. Uma analogia pertinente é o craque de futebol: sua relação com a bola, em grande disputa do jogo, não depende de raciocínio – se pensar, está perdido! –; depende da intuição e da sensibilidade, que o levam aos dribles geniais e a jogadas surpreendentes. O *fenômeno* que opera no corpo desses jogadores, em momentos de grande inspiração, *espiritualizando* suas jogadas, é o mesmo que opera no corpo do comediante em cena, e que aqui chamamos vaga-lume.

Na *loucura* a pesquisa do ator em torno do personagem segue vertente que lembra o Expressionismo, exagerando traços (sem perder a veracidade), de modo que seus músculos se habituem às expressões fortes, tornem-se mais flexíveis às nuances e mais ricos em sugestões. Assim o intérprete lubrifica o conjunto de músculos e nervos necessário às expressões, para que esse conjunto responda logo à ação de Leonardo.

No momento da ação dramática dá-se o *fenômeno*, por conta do vaga-lume, e o ator improvisa continuamente, deixando-se levar pela Grande Mãe, pelo vaga-lume e por Leonardo, que revelam o personagem com a ajuda da *inteligência inconsciente* do seu organismo. Ao mesmo tempo, ele permanece atento ao que acontece em volta e, racionalmente, vai estabelecendo o programa para que o personagem se manifeste. Essa dualidade é imprescindível no trabalho de um grande ator, de um verdadeiro comediante. E o exercício da *loucura* é espaço ideal para treinar tal dualidade.

Blues

Em *blues* há o contraponto à *loucura* e o ator substitui a pesquisa de expressões fortes, quase expressionistas, por uma espécie de Naturalismo, mas fora dos padrões naturalistas tradicionais. Foi exercício auxiliar na elaboração de *prêt-à-porter*, inaugurando o *falso naturalismo*.

Quem estudou o método Stanislavsky lembra a importância que nele se dá à emoção. Há o recurso da *memória emotiva* para recuperar no corpo a emoção de algo que lhe aconteceu e que é semelhante ao que ocorre com o seu personagem. O ator, por esse método, mergulha literalmente nas emoções e deve *senti-las*, mesmo quando representa. Estará dando interpretação naturalista ao seu personagem, como se a cena representada fosse *um pedaço da vida*. Esse naturalismo dificilmente transcende. É a imitação de alguma coisa, não a revelação de algo novo na velha coisa conhecida.

Antunes Filho sempre teve por regra básica e fundamental a constituição realista do personagem. Depois de constituí-lo na esfera realista, ou, mais propriamente, naturalista, o ator pode fazer qualquer coisa com ele, inclusive sintetizá-lo em um traço, tornando-o abstrato na manifestação formal. Assim, desde os primórdios do processo no CPT, estabeleceram-se exercícios de naturalismo para que os atores pesquisassem meios apropriados à interpretação naturalista – inclusive recorrendo à memória emotiva, com o objetivo de *conhecer* fisicamente a emoção.

Isso de lidar diretamente com a emoção, todavia, confirmou-se prejudicial à criação artística, porque a emoção tira do ator o pleno controle do corpo, provoca tensões musculares e gera ansiedade. Desse modo, à medida que progrediam as pesquisas que resultariam no "sistema *L*", o exercício de naturalismo foi abandonado, para depois reaparecer no período de sistematização dos procedimentos do método, mas já de acordo com as novas perspectivas, e foi chamado de *prêt-à-porter*.

A técnica se resolveu de forma surpreendente, tornando os exercícios produtos estéticos apreciáveis, como o comprovam as jornadas de *prêt-à-porter*, que há uma década vêm sendo apresentadas ao público com sucesso. Sobre as jornadas e a transformação da técnica em estética falaremos à frente, pois o que interessa agora é apresentar o exercício chamado *blues*, criado para auxiliar o ator na elaboração do *prêt-à-porter*.

O *blues* é feito depois da *loucura* não por mero contraponto, e sim pela necessidade imperiosa de trabalhar os opostos. O ator sai de um exercício que lhe alterou a consciência e entra em outro que solicita da sua consciência sintonia absoluta com a realidade objetiva. Por certo prevalecerá a consciência alterada, e, por mais que o praticante consiga fingir a realidade comum, alguns lampejos irracionais acodem à expressão, independentemente da sua vontade. Esses lampejos, determinados pelo vaga-lume, dão novas dimensões à sua interpretação, fazem emanar certo mistério do personagem, livrando-o da linearidade que caracteriza o naturalismo convencional.

O processo é o mesmo tanto para a *loucura* quanto para o *blues*: o ator imagina uma *persona* e a investiga em seu corpo, apenas movimentando-se pelo espaço. Imprescindível manter-se no *L*, ter a fluidez do *li* e deixar agir o vaga-lume. Nessas condições ideais, a *persona* imaginada começa a ganhar forma, denunciando a manifestação do *ch'i*, mas; cuidado: qualquer tensão, especialmente nos ombros ou nos joelhos, estabelece bloqueios que inutilizam o exercício, porque impedem a manifestação do *ch'i* e jogam o ator nas garras do ego. Se isso acontecer, pode voltar atrás e começar todo o processo de novo; porém se, pelo contrário, manteve-se no *L* e permitiu a ação do vaga-lume, a *persona* se realizou dramaticamente. Desse modo, pode-se afirmar que o diferencial entre a *loucura* e o *blues* é o encaminhamento que se dá, intelectualmente, para diferentes estilos: certo Expressionismo, na *loucura*, e certo Naturalismo, no *blues*.

O encaminhamento intelectual para este ou aquele estilo é sempre necessário e deve estar no início da pesquisa do personagem: é o que vai definir a *persona* adequada – sendo que a *persona* é o modelo, um molde através do qual se construirá o personagem. Então, o ator propõe intelectualmente a forma estética e depois deixa o vaga-lume construí-la.

No exercício *blues*, o praticante caminha pelo espaço desenhando uma pessoa com determinadas características, muito semelhante às pessoas que nos cercam no dia a dia. Não deve fazer nada por meio de clichês, nem *representar*, apenas imaginar esse personagem (em termos de *persona*, ou seja, *despsicologizada*) e deixar o vaga-lume, lá da casa de máquinas, realizá-lo, com a colaboração do Leonardo. O ator não precisa fazer nada: só colocar o corpo no ponto de entrega e... entregar-se.

Cinema mudo

Esse exercício deixou de ser praticado no treino cotidiano para a manutenção técnica do corpo e das ferramentas expressivas no CPT, mas é utilizado, às vezes, para a pesquisa de personagem no processo de criação do espetáculo. Realmente, suas qualidades prospectivas encontram-se nos exercícios *loucura* e *blues*, o que o torna aparentemente redundante. Diferencia-o dos anteriores, no entanto, e justifica sua inclusão neste estudo, o fato de que, ao contrário dos outros, ele parte de modelos específicos, dados por grandes atores e atrizes do cinema, o que o torna importante exercício de observação, apropriação e transformação.

Faz parte do programa didático do CPT o estudo do trabalho criativo de grandes intérpretes do cinema. O ator-aluno tem acesso à videoteca, atualmente com cerca de quatro mil títulos em VHS e DVD, e pode solicitar determinada obra para estudo. Vê o filme várias vezes, observando o trabalho dos atores ou de determinado ator ou atriz. Desse modo, vai treinando seus olhos para as nuances interpretativas e para os problemas, apurando sua capacidade crítica no que respeita à arte do intérprete – o que favorece também o exercício da autocrítica – e, o mais importante, analisando os meios empregados por esses comediantes na solução de problemas e desafios colocados pelos personagens.

Concluído o trabalho de observação, que deve ser profundo e rigoroso, o ator tem a base para a apropriação e a transformação. Já na sala de ensaio e após a execução dos exercícios preparatórios (*caminhada* e *funâmbulo*), começa a se apropriar daquele modelo estudado, aplicando-o em seu próprio corpo. Não se trata de reles imitação, mas de experimentar em si mesmo os recursos expressivos que observou no trabalho do ator ou atriz em questão, indo à raiz da expressão, não apenas *imitando* a forma, mas buscando recursos para constituir em seu corpo essa forma. Com isso, está também transformando a expressão e os recursos observados.

O título do exercício – *cinema mudo* – não se refere a filmes mudos ou antigos (embora os atores e atrizes do passado tenham especial interesse) e sim ao próprio exercício, que se inspira no cinema, mas não tem palavras: é somente um exercício de corpo, visando à ampliação do repertório expressivo.

Tai chi do ator

Depois da pesquisa de tipos possíveis para a ampliação do repertório, o *tai chi do ator* combate a cristalização do sistema expressivo, evitando a sempre ameaçadora incidência de clichês e/ou estereótipos.

Ao executar os exercícios o ator não pode cair na tentação de colecionar clichês. Se assim o fizer, é porque não entendeu absolutamente nada do espírito desses exercícios, que propõem a pesquisa não de formas externas, copiadas e armazenadas, e sim da sua própria *máquina corporal*. Os exercícios visam ampliar a consciência corporal, trabalhar os músculos para criar formas inéditas a partir das velhas formas conhecidas e facilmente identificáveis em qualquer lugar do mundo.

A diferença não é tão sutil quanto parece à primeira vista e se refere a concepções absolutamente diversas de interpretação dramática. Quando trabalha com clichês e estereótipos o intérprete permanece no âmbito das coisas mortas, inanimadas, no domínio do ego; mas quando exercita a *máquina corporal* (sem esquecer a dualidade matéria/

espírito) para ir além dos clichês e/ou estereótipos, abrindo novas possibilidades expressivas, está num ambiente de movimento perpétuo, de energias sempre em conflito – está no *Self*. Neste caso, pode até fingir o clichê – porém a forma que está na frente (estereótipo) é estilhaçada a todo instante por energias que vêm sabe Deus de onde e são conduzidas pelo vaga-lume com o propósito de humanizar, validar e enriquecer a expressão.

Partindo dos efeitos psicofísicos do *tai chi chuan*, que permite a ação do *ch'i*, nesse exercício trabalham-se os movimentos circulares, integrando todo o corpo, desde os pés até a cabeça, servindo-se de uma energia constante.

A energia vai serpenteando o corpo inteiro e pondo tudo em movimento, mas de modo harmônico e não caótico. Assim, todo o corpo se movimenta em ondas. Essa imagem deve ser suficiente para que se dê início ao exercício, não esquecendo de se manter no eixo, bem situado no L. O corpo serpenteia como um ramo de planta aquática impulsionada pela correnteza.

Esse fluxo constante de energia faz que o corpo todo esteja envolvido na ação dramática, ao contrário do que acontece com a maior parte dos atores. Em geral a expressão é construída frontalmente, quase sempre os movimentos que se pretendem expressivos se dão da cintura para cima, e, mesmo quando o ator tenta colocar todo o corpo em ação, por falta de técnica, há pontos tensos (quadris, ombros) que impedem o movimento orgânico. Já o *tai chi do ator* propõe a integração absoluta do corpo no movimento, porque possibilita integrar a parte inferior com a parte superior, mantendo o corpo em constante fluxo (*li*).

Termina aqui a exposição dos exercícios fundamentais do método Antunes Filho no que diz respeito à técnica corporal. O objetivo de cada um deles e do conjunto é liberar o corpo, destruindo bloqueios e condicionamentos culturais para que o intérprete conquiste a autoexpressão e se torne comediante.

Houve uma época em que se praticou o exercício chamado *performance*, que era na verdade um minissistema e reunia elementos de todos os outros exercícios com a proposta de pesquisar efetivamente determinado personagem. Neste trabalho vamos recuperar a *performance* no

15. A preparação do corpo II: em busca de repertório expressivo

seu significado original, ou seja, não como exercício de preparação do corpo e manutenção do intérprete, porém na condição de fase específica do processo de construção do personagem, quando o ator se coloca *em experiência*.

Embora básicos, os exercícios expostos pouco significam sem o concurso de outros procedimentos que começam pelos estudos teóricos, pela reflexão sobre a arte e a vida e, acima de tudo, pela respiração. Diz Antunes que *o ator é respiração*.

Antunes fala também da *alça* do corpo, que é a lombar. Metaforicamente a seguramos como se segura uma mala, para manter o eixo e ter a respiração correta. Diz ele:

> O ator não pode andar na ponta dos pés, porque desse jeito vai para a frente e sai do eixo. Ele finge que vai para a frente, mas está sempre atrás, não larga o eixo, que é a coluna, a lombar, a alça do corpo. Se não tiver a alça, você perde a respiração. E você tem que fazer todo o possível, até o impossível, para respirar direito sempre, caso contrário vem a ansiedade. Se ficar com o ombro duro, por exemplo, não vai respirar direito, redondo. O ombro tem que ficar no chão enquanto você finge que o move para cima. É o que chamo de *ionização*, não contração. *Ionização* é uma contração falsa.

A *alça* e a *ionização* constituem ferramentas integradoras de corpo e voz, indispensáveis à composição orgânica do personagem e da cena, e devem ser levadas em consideração desde o início dos treinamentos físicos.

16. A respiração

O ar é fundamental. Ele alimenta o vaga-lume e, mais do que isso, permite ao seu corpo ficar yang e yin, no equilíbrio perfeito. Se você começa a socar a garganta, quebra o sistema e vai pro ego. Se você dá uma exclamação e estrangula a voz na garganta, está tirando a fluência do ar. Se o vaga-lume der o stop, você tem que obedecer, porém se são os seus músculos que pedem stop é porque você está outra vez na projeção burra. Na projeção do peito. Sufoca o andamento, o fluxo. É preciso tomar muito cuidado com a inspiração e expiração do ar.

Antunes Filho

"Você percebe tudo da pessoa no fundo dos olhos", diz Antunes.

O fundo dos olhos é a raiz onde está o vaga-lume. Estabelece o painel para o comando. Se você olha pela pupila, vai para o ego; se olhar por trás é o vaga-lume. Os músculos têm que estar perfeitos. Tudo no carro, que é o corpo, deve estar perfeito, lubrificado, tudo OK. Então, deixe-se guiar pelo vaga-lume. Isso é fundamental; entretanto, se você não respira direito, o que acontece com os músculos? Travam. As toxinas não deixam o corpo legal. Tem que respirar bem. A gasolina do corpo é o ar. Nem vou falar do *pneuma*, o espírito que está no ar... Você respira e joga fora as toxinas, porque as toxinas é que travam. Se você não respira bem, não pode chegar ao vaga-lume: trava a máquina.

E conclui: *O ator é respiração*. Na verdade, o ser humano *é* respiração, mas no trabalho do ator a respiração tem fundamental importância, já que interfere diretamente nos músculos e nervos.

A antiga técnica vocal, baseada na projeção, centraliza a respiração no diafragma. A tática consiste em ampliar cada vez mais o volume de ar no diafragma torácico. Há quem se deita de costas e coloca sobre o abdome pesados volumes para forçar o diafragma e aumentar sua capacidade de armazenamento. O trabalho, então, é todo feito *pela frente*: acionando o ar represado, faz vibrar a câmara nasal. A vibração mais intensa consome mais ar e indica a possibilidade daquele vozeirão com que muitas atrizes adoram se apresentar. O discurso é sempre entrecortado pela inspiração, pois o consumo enorme obriga à reposição constante do combustível. A voz projeta-se diretamente da laringe, tentando tornar-se audível para *a velhinha surda da última fila*.

O maior problema dessa técnica é trazer para a frente do corpo, região desprotegida e *aérea* (*yin*), toda a atividade mecânica de construção sonora da fala. O ar acumulado desestabiliza a postura, puxa para a frente os músculos e, se houver descuido, o próprio esqueleto. Na tentativa de manter o equilíbrio, o ator retesa músculos, usa a fiação interna e é consumido pela ansiedade. Surgem então aqueles esgares, aquela voz aflitiva, aqueles ombros enrijecidos que muita gente confunde com interpretação dramática, quando é apenas deficiência técnica e sofrimento do próprio ator, não do personagem.

A voz projetada soa artificial mesmo nos intérpretes experientes que conseguem nuançá-la de tonalidades e ritmos. Nos inexperientes, a projeção faz que cada frase se assemelhe a um tijolo, porque não há o fluxo normal do ar pelos adequados caminhos e a oxigenação do organismo sofre prejuízos, causando sérias contrações na musculatura interna, desestabilizando o conjunto e importando ansiedade.

A preparação vocal tradicional consagrou o equívoco de estabelecer separadamente modos de respiração para a técnica de corpo e técnica de voz. Porém, na realidade, não existem duas formas de respiração: o

16. A respiração

mesmo ar que aciona o gesto e dá naturalidade ao movimento constrói o som, os fonemas, as palavras, as frases, o discurso. Por isso a técnica vocal está absolutamente vinculada à técnica corporal. A respiração é a mesma e pode ser afetada tanto por uma contração muscular indevida quanto por um esforço mecânico na configuração de um som.

Respirar bem implica o controle da respiração para através dela conduzir o trabalho interpretativo, que diz respeito à unidade corpo/voz/espírito.

O atleta não tem dúvida de que a respiração pode e deve ser controlada pelo cérebro. Sabe que se houver falha nesse controle poderá ocorrer um acidente que lhe custará, no mínimo, a vitória. Por isso, dedica especial atenção ao aparelho respiratório, procurando meios eficientes para exercitá-lo e ampliar sua capacidade, objetivando o melhor rendimento possível nas competições de que participa.

O ator, igualmente, deve ter o controle da respiração e exercitar o aparelho respiratório com vistas às necessidades da sua arte. Precisa pesquisar os processos da respiração, compreendendo as peculiaridades do seu próprio aparelho, do seu organismo, na busca do relaxamento ativo. Ao contrário do atleta, não irá excitar alguns músculos tentando a superação de limites físicos, mas procurará meios capazes de deixar os músculos em repouso, embora sempre alertas para atender a qualquer chamado. Diferente a finalidade de um e do outro no treino da respiração, consequentemente por métodos diferentes, no entanto seus respectivos exercícios demandam igual esforço e disciplina.

"Respiração não se aprende, se libera, e deve ser automática", afirma o Dr. Philippe Campignion[1]. O método Antunes Filho participa da mesma ideia, por isso não apresenta nenhuma receita de *como fazer*, mas indica a auto-observação como um bom meio para a pesquisa do processo mais adequado ao praticante. Já nos exercícios físicos ele deve estar atento à respiração, lembrando que a gente respira sem perceber, desde que nasce, e que o ator deve mudar isso exercitando e administrando o processo respiratório.

Cada pessoa tem características próprias e necessidades diferenciadas de ar[2]. O ator deve conhecer suas características e avaliar suas necessidades, inspirando a quantidade adequada para o corpo permanecer confortável, evitando prender o ar no diafragma.

[1]. Philippe Campignion, *Respir-Ações*, p. 12. Em seguida, afirma o autor: "A respiração sem entraves é indispensável ao bem-estar global".

[2]. Adverte Campignion que "cada tipologia tem seu modo de organização" (p. 29) e reafirma ao falar dos músculos que intervêm na respiração forçada: "Os músculos recrutados serão diferentes segundo a tipologia do indivíduo, sem que isso seja necessariamente fisiológico" (p. 50).

Em técnica vocal é um erro destinar o ar inspirado *só* para a produção de som, porque os músculos reclamam oxigênio a todo momento. A respiração deve servir às duas coisas: prover oxigênio ao organismo e ar suficiente para vibrar as cordas vocais. Assim sendo, respirar bem depende de um processo que começa pelo conhecimento do próprio corpo e das suas necessidades metabólicas, que são diferentes de pessoa para pessoa.

O que há de idêntico em todo o mundo é a mecânica respiratória: por volta de 13 vezes a cada minuto o ser humano inspira ar, captando oxigênio que é bombeado para os pulmões através de tubos que formam complicada rede. Dos pulmões, o oxigênio é levado pelo sangue às centenas de trilhões de células do corpo, propiciando a produção de energia e de calor. Quanto mais energia se gasta, mais oxigênio é solicitado pelo organismo.

O oxigênio entra na corrente sanguínea através dos alvéolos, que são minúsculos sacos existentes nos terminais de cada bronquíolo. Os bronquíolos formam intrincada rede, a partir dos brônquios, que são os dois tubos em que se divide a traqueia, por onde o ar é introduzido nos pulmões.

Conduzido pelo sangue, o oxigênio irriga o organismo. Ocorre aí um conjunto de transformações físico-químicas, a metabolização, provocando a combustão dos nutrientes e gerando energia e calor. As reações químicas do metabolismo produzem uma espécie de *lixo orgânico*, o gás carbônico. Este é embarcado nas veias, que o conduzem aos pulmões, nos quais ingressam através dos alvéolos, e dali é exalado pelos mesmos condutos que introduziram o oxigênio, mas na ação contrária da inspiração, a expiração. Esse processo oxigena o organismo e o libera de toxinas, que constituem a principal causa das travas musculares, conforme Antunes[3].

Na verdade, apenas 20% das moléculas do ar inspirado são de oxigênio. As restantes são de nitrogênio, gás neutro e pouco ativo, que passa pelos pulmões sem se alterar. Para a produção da voz não há necessidade de oxigênio, apenas de ar com seu composto majoritário de nitrogênio. Porém não há como separar de um lado oxigênio e do outro nitrogênio. Só os pulmões conseguem separá-los instantaneamente, enviando as moléculas de oxigênio para o sangue e utilizando as de nitrogênio como massa para bombear, seja disponibilizando ar para a

3. Chamam-se restos os componentes resultantes das reações químicas nas células oxigenadas que devem ser eliminados. Além do gás carbônico, gerado pela decomposição de açúcares e gorduras, são produzidos ácido úrico e ureia, ou amônia, da decomposição de proteínas. Para a excreção desses restos tóxicos é necessário o consumo constante de água, pois a água ajuda a levá-los para fora do organismo, promovendo a desintoxicação necessária ao bom funcionamento do corpo.

produção da voz, seja no sentido de varrer o gás carbônico para fora do organismo no ato da expiração.

Em face dessa dinâmica, expressa pelos movimentos opostos de inspiração e expiração, com todos os eventos registrados no percurso do ar, deduz-se que quando o sujeito prende a respiração no diafragma, na ilusão de ter ar suficiente para dizer um longo texto, além de perturbar imediatamente os músculos da respiração, limita a quantidade de oxigênio que os pulmões enviam às células, provocando a permanência de toxinas e a contração da musculatura geral. Isso causa, também, certo colapso na capacidade de raciocínio, pois a parte superior do cérebro, responsável pelo raciocínio, é a primeira a ressentir a ausência de oxigênio.

A partir dessa dinâmica é que se pode compreender a *nova concepção* do aparelho respiratório proposta por Antunes Filho para prover o organismo de oxigênio (*ar nº 1*, o ar vital) e, ao mesmo tempo, deixar à disposição da fala certa quantidade de ar (*ar nº 2*, da expressão artística), de modo que mantenha o corpo oxigenado, em relaxamento ativo, mesmo quando o ator faz discursos densos e emocionados.

O *centro respiratório*, encravado na região do cerebelo, coordena os músculos da respiração e os força a se contraírem para melhorar a ventilação dos pulmões quando o dióxido de carbono chega a limites inaceitáveis. Para esse efeito, do *centro respiratório* parte um nervo que leva mensagens e estímulos ao diafragma e aos demais músculos da respiração, na eventualidade de escassez de oxigênio no sangue.

O cérebro, o cerebelo e o bulbo constituem o encéfalo. O cérebro é o centro da inteligência; do bulbo partem nervos que comandam o diafragma torácico e o ritmo do coração; o cerebelo controla os movimentos dos músculos, favorecendo o equilíbrio. O encéfalo e a medula espinhal (prolongamento do bulbo que desce pelo interior das vértebras da coluna) formam o *sistema nervoso central*. Os nervos cranianos, que partem do encéfalo em 12 pares, indo e vindo do nariz, dos olhos, da língua, etc., juntos aos 31 pares de nervos medulares, que através da medula levam e trazem informações, constituem o *sistema nervoso periférico*. Ambos os sistemas atuam sobre os músculos da respiração.

O centro respiratório e o complexo de nervos encefálicos atuam desde a base do crânio, o que corrobora a ideia de Antunes de que nesse espaço, a que ele chama *fundo dos olhos*, estão a casa das máquinas e o seu divino operador, o vaga-lume. A postura correta da lombar é fundamental ao funcionamento da casa de máquinas e ao fluxo da respiração, que deve permanecer livre e desimpedido para a boa *performance* do vaga-lume. Para que tudo isso aconteça, no entanto, é preciso que o diafragma torácico (principal ator do sistema respiratório no dizer do Dr. Campignion) não sofra qualquer constrangimento – o que não é coisa tão simples, considerando as ligações aponevróticas e as inserções lombares, esternais, costais, etc., além das relações e elos do diafragma com seus vizinhos, a cavidade abdominal e a cavidade torácica, órgãos por ele separados.

O diafragma torácico é um músculo com a forma de paraquedas, cujo *centro frênico* se constitui por feixes de músculos digástricos e dá passagem à aorta, ao esôfago e à veia cava. Seus *pilares* estão afixados em vértebras lombares. Estes, todavia, não são os únicos pontos que o ligam à coluna. Há os quadrados lombares e os psoas (dois músculos que vêm pela parte anterior das vértebras lombares), somando-se às continuidades existentes entre as aponevroses do diafragma e as do transverso do abdome, do quadrado lombar, e também às inserções das suas fibras costais ao contorno inferior e à face interna da caixa torácica. Incluem-se nesse rol quatro dos oito pares de nervos cervicais, que juntos formam o *nervo frênico* e atuam sobre o diafragma. Esse conjunto de músculos, fibras e nervos estabelece a ligação do diafragma à estática vertebral.

As referências anatômicas da localização do diafragma são elucidativas quanto às interferências que podem constrangê-lo e perturbar sua função primordial, que é o bombeamento do ar para os pulmões e dos pulmões para fora.

A lombar mal colocada causará imediato prejuízo ao funcionamento do diafragma. Também o ato de prender o diafragma para armazenamento de ar vai necessariamente repercutir (por pressão e pelo volume excessivo) na lombar e nos músculos abdominais e torácicos, resultando em contrações danosas. Assim, fica óbvio o papel de vilã exercido pela musculatura quando deixada à mercê das circunstâncias. Por um lado, ela pode ser afetada pela respiração, no caso de se inflar demasiadamente o diafragma, interferindo na *dura mater* (revestimento do tubo interior da coluna) com um volume de ar que pressiona os músculos de ligamento do diafragma à coluna vertebral. Por outro, qualquer músculo contraído emocionalmente também interfere na respiração, com prejuízos e danos. Estes distúrbios repercutem imediatamente no encéfalo, irradiando-se pelos sistemas nervosos central e periférico, atingindo assim todo o organismo.

O diafragma torácico coloca-se com muita evidência à nossa observação, mesmo porque sua ação de bombeamento do ar pode ser perfeitamente acompanhada por meio dos movimentos produzidos na inspiração e na expiração.

A inspiração contrai o diafragma, que se abaixa, e os músculos levantam as costelas, aumentando o volume da caixa torácica. O conjunto é um fole, que suga o ar expandindo os pulmões. Já na expiração, o diafragma se relaxa e sobe, e as costelas abaixam, diminuindo o volume da caixa torácica, comprimindo os pulmões e fazendo-os expelir o ar. Esses movimentos são visíveis e controláveis pela vontade, o que não ocorre com os demais diafragmas, que respondem a estímulos orgânicos, mas não ao controle direto da vontade.

O diafragma pélvico repercute o ato de inspirar pela extensão do cóccix e o ato de expirar pela flexão do cóccix. Ou seja, falando com o Dr. Campignion, "no inspirar, o cóccix se endireita em extensão, ao mesmo tempo em que o sacro se verticaliza"; e, "no expirar, o cóccix se flete, enquanto que o sacro se horizontaliza"[4]. Isto é o suficiente para demonstrar que também no diafragma pélvico a postura correta da lombar é determinante do bom funcionamento. Por ele passam e dele sofrem influências nervos e músculos das pernas. Portanto, quando se diz (e reiteradas vezes Antunes o diz) que *joelhos moles ou joelhos duros* levam à ansiedade, subtende-se uma referência imediata à respiração. Pois a rotação externa do fêmur, a rotadora interna da cintura e dos membros, os movimentos da bacia e dos psoas formam um complexo relacionado à respiração e que pode sofrer graves prejuízos com a má respiração; ou, na ordem inversa, o mau posicionamento desse conjunto pode interferir de modo drástico sobre a respiração.

A relação dos diafragmas torácico e pélvico não é de um *montado sobre o outro*. Pelo contrário. O diafragma torácico está suspenso pelas aponevroses à coluna dorsal, assim como a caixa torácica está muscularmente suspensa à coluna cervical, e os órgãos abdominais, situados sob o diafragma, também apresentam ligamentos suspensores. Abaixo

4. Philippe Campignion, *Respir-Ações*, p. 58.

dos órgãos abdominais está o diafragma pélvico, pousado sobre os ísquios. Se a coluna está bem posicionada, a lombar perfeitamente colocada, as diferentes partes do tronco permanecem na condição de *órgãos aéreos*, cuja tendência é sempre para cima (a *parte mole*, aérea, frente do corpo, a região *yin*). Se a pessoa curva a coluna para a frente, arcando as costas e deixando que a cervical desabe sobre a dorsal, que desaba sobre a lombar, aí sim amontoam-se os órgãos do tronco de modo danoso. A *parte dura* (coluna vertebral e costelas, *yang*) comprime a *parte mole*. A respiração torna-se precária, insuficiente para oxigenar o organismo e imprópria para a expressão vocal.

Ante o exposto, tendo ou não que falar, o ator não deve se permitir *amontoar* as partes do tronco, condição de um corpo em colapso, impossibilitado de qualquer expressão artística. Caso o personagem seja um tipo desses, deve-se fingir a má postura, trabalhando a ionização do corpo, mas preservando o eixo e jamais permitindo o desabamento da coluna.

Totalmente complementar ao diafragma torácico é o faringiano, dominado pelas cordas vocais e pela glote, que regula a pressão intratorácica. Nele desenvolvem-se importantes funções: a tosse, a deglutição e a fonação. Voltaremos a ele e às suas funções no próximo capítulo, sobre a voz.

O diafragma craniano parece distante e alheio aos outros; possui um ritmo próprio, diferente do ritmo da respiração e do ritmo cardíaco[5], que pressiona o líquido cefalorraquidiano para o tubo neural, fazendo-o percorrer a coluna e chegar ao sacro. Dilui-se a distância entre o diafragma craniano e os demais, pois sua ação de bombeamento do líquido cefalorraquidiano se estende até o diafragma pélvico, do crânio ao sacro, interferindo de modo direto nos outros diafragmas e deles sofrendo interferências.

Entre os diafragmas faringiano e craniano existe aquele localizado na base do tronco cerebral, junto ao revestimento protetor da medula espinhal e dos músculos occipitais do forame magno – onde Antunes localiza o *fundo dos olhos*. Ele regula a pressão interna da cabeça, facilitando o trânsito do líquido cefalorraquidiano bombeado pelo diafragma craniano para o tubo neural, assim como estabilizando as pulsações do cérebro, em correspondência com a ação do diafragma faringiano.

Esse *conjunto de bombas*, constituído pelos cinco diafragmas, estabelece os pilares de sustentação da estrutura do corpo. É o sistema craniossacral, que se traduz por sistema *L*, na técnica Antunes Filho.

5. Idem, p. 60.

16. A respiração

A observação de Antunes sobre o comportamento físico e emocional do ator, ao longo dos anos de laboratórios dramáticos e de treinamentos no CPT, levou-o à conclusão de que, se o corpo não conquistar um estado de relaxamento ativo e a emoção não for dominada de modo que não tensione indevidamente qualquer músculo, todo o trabalho criativo do ator estará comprometido, pois ele não terá controle sobre seus principais instrumentos: o corpo e a voz. Observou, igualmente, a importância da respiração para manter o necessário equilíbrio no jogo de corpo-voz--imaginação-expressão. Chegou, portanto, às mesmas conclusões do Dr. Stanley Keleman, nas pesquisas com os seus pacientes, de que

> o corpo inteiro é um tubo que pulsa em ondas de expansão e contração na respiração. Se esse tubo não for flexível, com um amplo espectro de motilidade, ficamos limitados tanto em termos das ações que podemos perseguir quanto dos sentimentos que permitimos se manifestarem. A riqueza de nosso pensamento e de nossa imaginação é afetada. Se o cérebro sofre falta de oxigênio, nossa ação torna-se limitada. Se os músculos não recebem sangue ou oxigênio suficiente, nossa ação torna-se limitada[6].

E conclui: "O movimento da respiração reflete os poderosos padrões arquetípicos que têm raízes no fluxo e refluxo e na pulsação básica das células".

Afirmamos que cada pessoa tem seu próprio jeito de respirar e que, repetindo o Dr. Campignion, "respiração não se aprende, se libera". Ainda conforme Campignion, "cada tipologia tem seu modo de organização", implicando às vezes o concurso de diferentes músculos no ato respiratório, por força de conformação esquelética. Embora verdadeiras, essas afirmações devem ser relativizadas para que a respiração não pareça algo caótico, aleatório, terra de ninguém, sem leis nem regras. A coisa não é assim.

Para facilitar o raciocínio, será conveniente dividir a humanidade em dois grupos: o primeiro não apresenta problemas físicos (de ordem patológica) que impeçam o sujeito de conquistar ótima *performance* respiratória, a partir da observação sobre seu próprio organismo, evitando respiração curta, de peito, e praticando exercícios adequados, como o que é descrito à frente.

6. Stanley Keleman, *Anatomia emocional*, p. 57.

Problema maior é o do segundo grupo, composto por tipologias já classificadas pelo Dr. Campignion, apresentando distúrbios estruturais importantes, que interferem de maneira mais ou menos danosa, conforme o caso, no fluxo respiratório. Há exemplos de curvas da coluna vertebral diminuídas, que dão a impressão de *costas planas*, com o esterno horizontalizado, numa construção que coloca entraves ao ritmo diafragmático. E há o seu oposto, o *tórax paradoxal*, que tem uma parte bloqueada em expiração e outra bloqueada em inspiração. São problemas para cuja solução (ou diminuição dos seus efeitos nocivos) é necessária ajuda terapêutica, seja "a acupuntura, a homeopatia, a psicoterapia ou a psicanálise – quando se trata do *terreno* –, e da alopatia, sobretudo quando deparamos com casos agudos"[7]. Imprescindível que a pessoa se conscientize do problema e busque soluções adequadas. Pode ser apenas vício de postura, que algumas sessões de RPG (reeducação postural global) resolvem, como pode ser algo mais grave. De todo modo, o ator precisa ter a percepção do próprio corpo, assumir a responsabilidade por ele e, ao detectar algo errado, buscar a solução para o problema.

Voltando ao primeiro grupo, que não apresenta problemas estruturais e, portanto, terá facilitada a *remodelagem* do corpo no caso de postura inadequada, ainda assim cada um tem suas especificidades respiratórias. Depende, por exemplo, do ritmo diafragmático e da pulsação básica das células, além de fatores externos, do meio ambiente, dos hábitos alimentares, culturais, etc. Diferenças quase sempre muito sutis, de uma para outra pessoa, mas que devem ser consideradas na busca da respiração perfeita. Aliás, há certa heresia na expressão *respiração perfeita* se a entendermos como norma universal. A respiração será perfeita à medida que for a ideal para aquele organismo, realizando-se de modo livre, sem provocar travas musculares nem passar por dificuldades por conta de travas musculares já provocadas pela má postura ou por emoções descontroladas.

Não há, portanto, uma receita de como executar a respiração perfeita, como se isso fosse algo mecânico e imutável. Contudo, existem caminhos para ampliar a capacidade respiratória, pois normalmente as pessoas usam quando muito um terço da sua capacidade, deixando sempre o corpo com certo déficit de oxigênio. Não raro, a pessoa que aparentemente respira bem ao iniciar exercícios respiratórios sente tonturas, vertigens, por estar recebendo quantidade de oxigênio muito superior à que está habituada.

7. Philippe Campignion, *Respir-Ações*, p. 111.

Um exercício eficiente para ampliar a capacidade respiratória:

1. Com os pés descalços e firmemente colocados no chão, os dedos voltados para a frente, corpo bem posicionado no *L*, braços soltos ao longo do corpo.
2. Inspirando, elevar os braços, impulsionados pelos pulsos, fazendo semicírculos nas laterais do corpo, parando ambos os braços estirados ao alto e paralelos à cabeça.
3. Mantendo a coluna reta, jogar todo o corpo para a frente, com muita decisão, dobrando-o nos quadris, expirando fortemente no ato, de modo que esvazie os pulmões.
4. Manter braços e cabeça pendentes, relaxados, balançando-os por alguns momentos.
5. Levantar o tronco devagar, inspirando profundamente e fazendo as vértebras irem se encaixando uma sobre a outra, até o tronco voltar à postura ereta, braços soltos ao longo do corpo.
6. Suavemente expirar, antes de repetir o movimento, alçando os braços pelas laterais e repetindo todas as fases do exercício.[8]

Voltaremos a este exercício, que é um poderoso auxiliar para a busca e o domínio da caixa de ressonância, essencial à técnica vocal que estudaremos.

A quem procura melhorar a capacidade respiratória, com vistas ao aprimoramento da *performance* como intérprete dramático, cabe lembrar que haverá sempre a incerteza e a probabilidade no ato respiratório capaz de harmonizar o todo orgânico. Mediante a incerteza e a probabilidade deve caminhar o ator em processo, buscando seu modo respiratório, aquele que lhe proporciona o relaxamento ativo e o tônus muscular propício à criação cênica. Ao conquistá-lo, o ator permite que o vaga-lume comande as ações e deixa o corpo liberado para o vaga-lume exercer o comando desde a casa de máquinas, que é o fundo dos olhos. Alcançando a respiração ideal, o ator aproxima-se do *Self*.

8. Este exercício não pertence ao repertório de procedimentos técnicos do CPT. Foi recomendado pela fonoaudióloga Célia Cruz, que acompanhou como ouvinte várias sessões de treinamento da técnica vocal, com anuência de Antunes, e generosamente orientou o Autor, indicando obras, conceitos e procedimentos terapêuticos da área, que têm pontos de convergência com a técnica desenvolvida no CPT, inclusive a quirofonética do Dr. Alfred Baur.

17. No princípio era o Verbo

É provável que primordialmente o falar fosse um processo ligado a fortes emoções. Contudo, gradualmente o elemento emocional teve de ser descartado. O falar precisava ser acalmado para que o pensar pudesse acostumar-se dentro do processo da fala. As palavras tornaram-se nomes. Não obstante, para uma compreensão artística e terapêutica é necessário transportar-se sempre aos primórdios, ao mesmo tempo em que, por meio de exercícios, se estabelece a disposição sonora correspondente.

ALFRED BAUR[1]

"O ar, na verdade, é o grande comunicador. O ar nos ajuda a comunicar o sentimento e a sensação. Temos dois projetores do sentimento: um é o fundo dos olhos e o outro é o ar. Na vida real eu falo na projeção e, portanto, estou no ego; entretanto, em cena, vou fingir esse ar, imitar com controle, medindo, avaliando, para sair do sistema do ego, chegar à ressonância e levitar também com a voz", afirma Antunes Filho.

Com a respiração ideal o ator se aproxima do *Self*, ou já está no *Self*, parece levitar, sem que qualquer músculo intervenha, pois todos os

[1]. Alfred Baur, *O sentido da palavra: no princípio era o Verbo*, p. 165.

movimentos musculares são fingidos. E a voz também levita porque está apoiada em correntes de ar que o ator controla para dar forma às palavras porém, para que isso de fato aconteça, é necessário colocar a voz na ressonância, tirando-a totalmente da garganta e/ou da câmara nasal.

O caminho à ressonância começou no trabalho corporal, com o desbloqueio das tensões causadas por posturas físicas ou problemas emocionais. A esta altura, todavia, é imprescindível propor novas reflexões sobre o corpo humano, pois vamos entrar na esfera mais delicada do método, o território da voz, onde se trabalha com substâncias invisíveis (ar, som), pontes entre a matéria e o espírito.

O conhecimento contemporâneo do corpo humano vem permeado de transcendências. Impossível avaliar órgãos e suas funções como se fossem peças de máquina, com resultados idênticos, dependendo da marca, do tempo e das condições de uso. Embora aos olhos do dissector o *design* seja sempre o mesmo, o desempenho depende do conjunto dos órgãos, das suas interações e também de fatores que estão fora do corpo e até mesmo fora do espaço-tempo, que transcendem ao objeto material em si, mas têm sobre ele influências determinantes.

Na tentativa de fixar as bases da técnica vocal pesquisada por Antunes Filho com os atores e as atrizes do CPT, não basta a descrição do aparelho fonador. Aliás, a técnica propõe novo desenho desse aparelho, ampliando-o por conceitos e imagens que lhe são aparentemente estranhos.

Na verdade, *aparelho fonador* normalmente refere-se a alguns órgãos – laringe, faringe, boca, língua – que não esgotam o trabalho da construção das formas sonoras da fala. É preciso estender a ideia, incorporando o organismo respiratório e o aparelho mastigatório. Por exemplo: no momento em que o ar aciona as cordas vocais, não define a forma dos fonemas; isso vai ocorrer no estágio seguinte, quando o som é trabalhado na boca, com o concurso de língua, palato e dentes, portanto no domínio do aparelho mastigatório. Na *quirofonética*, terapia criada nos anos 1970 pelo Dr. Alfred Baur, com toques das mãos nas costas do paciente o terapeuta ajuda-o a estabelecer correntes de ar para a formação dos fonemas. É mais uma prova de que o aparelho fonador ultrapassa os limites dos órgãos que convencionalmente o identificam. Mas como tem início o processo de formação das palavras?

Tudo começa a funcionar pela inspiração, que deve ser feita pelo nariz, órgão revestido de pelos cuja função é filtrar o ar, livrando-o dos poluentes. Precisando maior quantidade de ar, inspira-se pela boca. Antunes sempre manda os discípulos respirarem pela boca, pois o trabalho em cena demanda boa quantidade de ar. Isso, todavia, deve ser bem administrado, com a alternância de inspiração pelo nariz e expiração pela boca, já que, quando se inspira apenas pela boca, onde não existe defesa contra os poluentes, a garganta resseca e prejudica o desempenho das cordas vocais.

As passagens da boca e do nariz juntam-se na faringe, que conduz o ar (ou alimento, ou água) a dois tubos: esôfago, que dá passagem ao estômago, e laringe, onde estão as cordas vocais e cuja entrada é protegida pela epiglote. Esta válvula, a epiglote, funciona pelo estímulo orgânico e não pela vontade. Ela impede que sólidos ou líquidos invadam a laringe, onde só o ar pode entrar, pois esse é o acesso aos pulmões.

Desse modo, o aparelho fonador se resume no diafragma faringiano e é descrito em termos de um conjunto que começa no alto do diafragma torácico, de onde sai o ar que segue pela traqueia, laringe (onde tange as cordas vocais), epiglote, faringe e cavidade oral (onde estão o palato, os dentes e a língua). Em *nosso* aparelho fonador não entram a câmara nasal e o nariz, exceto como captadores de ar. Em técnicas baseadas na projeção, a câmara nasal tem muita importância, mas aqui ela deve ser evitada para eliminar os efeitos da projeção, que traz tudo para a frente, emaranhando fios, tensionando músculos, banindo a sensibilidade e importando a ansiedade.

A esse desenho *normal* do aparelho fonador Antunes juntou novo tubo, uma duplicata da traqueia e da laringe, onde será colocado o ar que se destina à voz de cena, apropriado à criação dramática, classificado *ar nº 2* para diferenciar do *ar nº 1*, que é o ar vital, usado para a oxigenação do sangue e dos músculos e que se presta apenas à projeção ou à voz projetada.

O segundo tubo não é a reprodução exata do original, e sim adaptação do mesmo às necessidades técnicas. Os anéis da traqueia, por exemplo, no novo tubo são nichos das vogais e a epiglote ganha novo *design* e nova função: não é mais apenas a válvula que protege o órgão contra a entrada indevida de matérias, mas a tampa de um pistão que se abre e fecha rapidamente e solta *drops* de ar na medida exata para o som pretendido nesse instante. Assim, o ator controla rigorosamente a corrente de ar, conduzindo-a através das cordas vocais, onde surge o embrião do fonema, imediatamente conduzido ao aparelho mastigatório, que lhe dá forma mais definida. Em seguida, por intermédio da vibração e não da corrente de ar, o fonema é jogado para a ressonância, no fundo dos olhos, de onde sairá a expressão final.

Novo acessório aparece no segundo tubo: é um dispositivo lembrando língua de réptil, que se lança para fora e se recolhe imediatamente, trazendo para dentro uma porção do ar vital, que se torna *ar nº 2* e permanece à disposição da voz. Esse acessório foi denominado *ladrão*, já que tem a função de *roubar* uma porção do *ar nº 1*, levando-o ao tubo nº 2.

Para os neoiluministas e cartesianos impenitentes, isso de novo tubo no aparelho fonador não passa de figura retórica, com alguma coisa de delírio e nenhuma base concreta. Ao ator que comunga de tal ceticismo, o conselho é não se aventurar neste terreno, pois só terá decepções – aqui nada há para ele. Àquele porém que acredita no poder da imaginação e de que por meio dela é possível transcender a matéria e desvelar realidades, a este vale a pena buscar, com disciplina e rigor, a iniciação esotérica do método Antunes Filho. Pois sem dúvida lidamos com a iniciação esotérica, mesmo sendo o processo aberto a todos, portanto exotérico, e sendo também meio de individuação, de autoconhecimento. A iniciação esotérica e o processo de individuação se entrelaçam e se alimentam mutuamente. A partir dessa junção é que se chega ao entendimento do vaga-lume, do que há de extracorpóreo no sistema *L*, da real função do *li* e do *ch'i*, da duplicata do tubo com laringe e traqueia – e de como funciona tudo isso.

O Dr. Alfred Baur, investigando meios terapêuticos para o tratamento de crianças portadoras de dificuldades da fala, incluindo a completa mudez, imaginou, pesquisou e aplicou a quirofonética na terapia da fala. Ele orientou as pesquisas pelo pensamento esotérico de Rudolf Steiner, estudando a natureza do "pensar metamorfoseante", tese segundo a qual "a ideia é uma realidade que atua e cria nas aparências", agindo sobre "tudo o que vem a ser"[2]. O tubo proposto por Antunes pode ser entendido como *metamorfose da laringe*, conforme postula a *metamorfose do homem* de Rudolf Steiner.

Três corpos definidos por correntes esotéricas explicam como a ideia atua *nas aparências* e age sobre *tudo o que vem a ser*: o corpo físico, este que nos identifica em meio às transformações do nascimento

2. Idem, p. 23.

até a morte; o corpo vital ou etéreo (procedente do éter), cuja "função é a transferência da energia do campo universal para o campo individual e daí para o corpo físico"[3]; o corpo emocional ou astral, que é "o campo individual ou veículo do sentimento", atuando "como ponte entre a Mente e o corpo físico"[4]. Uma imagem como a segunda laringe ao ser criada passa a ser realidade no corpo etéreo, desde que o corpo emocional não coloque obstáculo. Se o sujeito não acreditar na imagem, não a tornar real na consciência e nos sentidos, ela jamais existirá.

O *pensamento metamorfoseante* é um processo que possibilita lidar com a realidade até onde ela se confunde com a imaginação. Mediante a metamorfose pode-se empreender o exame do organismo da fala, desde que se abandone o método estritamente morfológico e estenda o "pensamento da metamorfose ao elemento funcional do organismo", tendo a clareza de que *em cada órgão está contido o todo*. "Afinal, o ser humano formou-se a partir de uma única célula" e "em cada célula está inscrita essa estrutura básica única". Além disso, os órgãos estão ligados entre si pelo sistema nervoso, que leva "tudo o que ocorre no organismo a uma síntese, no cérebro", e, finalmente, a corrente sanguínea quente e nutritiva é que leva vida a todos os órgãos[5].

"O organismo da fala, com o pulmão, a laringe e os órgãos da articulação", está "encaixado entre a luz do sistema nervoso e o calor do sangue". Nesse organismo se manifesta "a igualdade arquetípica, a luminosa uniformidade que liga os órgãos". Em face disso, o Dr. Baur propõe "uma fonética científico-espiritual que considere como sua a tarefa de examinar de que maneira o arquétipo humano se revela em cada fonema"[6].

As ideias filosóficas que fundamentam o processo terapêutico do Dr. Baur, procedentes da escola antroposófica fundada por Steiner, confluem à questão do nascimento do mundo conforme o Evangelho Segundo São João, que diz: "No princípio era o Verbo, e o Verbo estava em Deus, e o Verbo era Deus"[7]. Ideias que confluem ao pensamento arcaico, aos conceitos expressos na filosofia das religiões de Mircea Eliade, assim como na filosofia de Vico, segundo a qual ao nomear as coisas o ser humano dá realidade a essas coisas e foi assim que o mundo conhecido se revelou a partir do caos.

Convergem ao nosso estudo, desse modo, os pressupostos da quirofonética, embora o método Antunes Filho seja uma técnica para o tra-

3. José Alberto Moreno, *Medicina energética*, p. 61
4. Idem, p. 63.
5. Alfred Baur, op. cit., pp. 28/29.
6. Idem, pp. 29/30.
7. *Bíblia sagrada*, p. 1.283.

balho criativo do ator e não um tratado terapêutico, como é o método do Dr. Alfred Baur. O conhecimento leigo desses pressupostos nos é útil, porém, por indicar paradigmas aos conceitos e imagens desenvolvidos por Antunes e seus atores na pesquisa de nova técnica vocal.

Paradigmas evidentes em três planos:

1. No sistema de ideias da terapia de Baur, de natureza igual àquele utilizado por Antunes em suas pesquisas.
2. Na concepção do fenômeno da fala, distante de ideias mecanicistas, próxima do conceito de criação (capaz de criar o mundo ao nomeá-lo), semelhante ao parto (laringe é *metamorfose do útero*[8]).
3. A construção do fonema ocorre nas costas (*yang*), pois o sólido (coluna vertebral) é condutor do som; na parte aérea (*yin*) o som se esvai em ondas.

Os sistemas de ideias têm por chave comum o pensamento arcaico. De fato a antroposofia é um movimento esotérico judaico-cristão, ao passo que a teoria e o método de Antunes foram construídos com base em místicas orientais. Quando porém se mergulha no pensamento arcaico até as raízes das ideias filosóficas, no plano do indiferenciado as discrepâncias entre essas ideias desaparecem.

Com arquétipos Baur reinterpreta o organismo humano e busca, com o pensar metamorfoseante, novo entendimento da fala: "A fala dispõe de uma organização que surge na forma total do ser humano, como que invertida para dentro"[9]. Na inversão, o ser humano etéreo, inefável, "utiliza o ar expirado e o estrutura através da voz e da articulação" em "formações aéreas sonantes, que imediatamente se dissolvem e se dissipam no ar em redor". Formas que querem "assumir uma configuração humana, mas como o ar não lhes proporciona continuidade têm vida muito fugaz"[10].

Na incessante busca da configuração humana por meio da fala prossegue o jogo de espelhos, no qual as formas se reproduzem do macro ao microcosmo. Assim é que no aparelho fonador se dá a metamorfose do homem. "O organismo da fala pode ser visto como um pequeno homem"[11], e nos brônquios é possível divisar a metamorfose da formação das pernas, mas, diferente do homem terrestre, que caminha sobre

8. Alfred Baur, op. cit., p. 47.
9. Idem, p. 16.
10. Idem, p. 33.
11. Idem, p. 16.

o solo firme, o homem respiratório caminha sobre a flutuação rítmico-pulsante do sangue. "Tal como no caminhar, encontra-se no falar uma espécie de *movimentação contínua*. O *homem da fala* movimenta-se de sílaba em sílaba. Sílabas curtas e longas alternam-se, são forte ou fracamente acentuadas, e por esse meio surge o ritmo da fala. Esse caminhar ou dançar ao passo das sílabas é encontrado em todo discurso"[12].

Nessa linha de raciocínio é que o Dr. Baur apresenta a laringe como a metamorfose do útero, assegurando que ela "constitui o centro da forma, tanto para a configuração do corpo como para a fala. Falar e formar o corpo representam, no fundo, as mesmas forças". Citando uma passagem em que Rudolf Steiner afirma estar a laringe em constante ato de criação, "de modo que com as palavras que exprimimos se originam fragmentos do humano", Baur conclui que na laringe "tem lugar um processo de gênese, um nascimento que se consuma durante o falar"[13].

No plano terapêutico, onde é a criança o objeto de estudo, observou o Dr. Baur que "falar não é um processo claro e consciente" e que "são os conteúdos do pensamento que entram na consciência, quando se fala". Por isso, "o resultado esperado não aparece quando uma criança não é capaz de formar conceitos"[14].

Enfim, são inúmeros os paralelos do método do Dr. Baur com a técnica Antunes Filho, desde o plano básico, radicado na esfera dos arquétipos produtores de imagens; imagens que geram conhecimentos, sem esquecer o segundo item da metamorfose do homem, a polaridade, "tudo o que é vivo atua sempre em polaridades", regra capital para Antunes, que a situa nos opostos complementares e no par arquetípico *yin/yang*.

Outro aspecto de extrema importância no método Antunes Filho é semelhante ao que coloca o Dr. Baur em termos de "movimentação contínua do homem que fala". Desse caminhar surge o *ritmo da fala*. Porém, não o ritmo imposto artificialmente às falas, como em geral se faz no teatro, procurando a melodia, as tônicas, etc. Trata-se da organização rítmica do corpo, pois "dentro do tronco todas as formações estão submetidas ao ritmo – não só na função das respirações e pulsações rítmicas como também na construção: é ritmicamente que se empilha vértebra sobre vértebra, é ritmicamente que se formam as costelas. É também assim, ritmicamente, que é formado o sistema brônquico"[15]. São esses os ritmos com os quais o ator deve lidar no trabalho criativo, deixando o corpo liberado de tensões para tudo fluir normal e ritmicamente.

12. Idem, p. 37.
13. Idem, p. 49.
14. Idem, p. 18.
15. Idem, p. 35.

Na elaboração das imagens, que funcionam como instrumentos para a manutenção do ritmo orgânico, surge a segunda laringe – ou a segunda metamorfose do útero, termo mais apropriado ao trabalho do ator com a ficção (que solicita a imaginação como ferramenta fundamental) pois a segunda laringe representa o *depósito* do *ar nº 2*, útil à criação dramática.

A ficção é instrumento revelador de novas realidades. Para tornar tais realidades *verdadeiras* ao entendimento do espectador, o ator não deve esquecer que "falar não é um processo claro e consciente", sendo indispensável o conhecimento intelectual dos conteúdos, pois "são os conteúdos do pensamento que entram na consciência, quando se fala". Deve, portanto, deixar-se levar pelos ritmos do organismo, de modo que cada palavra, cada expressão nasça no momento da ação dramática. Só assim estará de fato criando, dando forma e realidade a um mundo fictício, ou trabalhando a matéria onírica que dá origem a realidades superiores ocultas nas atitudes cotidianas.

Quando se refere ao *ser humano etéreo*, o homem que fala, o Dr. Baur expressa de outra maneira o que Antunes denomina *humanização do personagem*. Se o falar gera formas que "querem incessantemente assumir uma configuração humana", para o ator essa fugaz configuração humana (gerada pelo ar expirado e, por isso, rapidamente desfeita) é a substância propiciadora do trabalho criativo. É mediante essas construções sonoras impermanentes, apenas sopros, mas cujo aflorar se deve à participação de todo o corpo físico, que o comediante vai dando materialidade ao universo imaginado pelo poeta, tornando-o visível e pulsante em cena.

Para dar vida ao universo do poeta, o ator deve colocar a voz na ressonância. E para a voz estar na ressonância o corpo deve estar no *L*. Quando se está no *L*, o comando posiciona-se atrás, na coluna vertebral e no fundo dos olhos, possibilitando conexões imediatas com o *Self*. Quando se está no *L*, nada se faz através da fiação interna, pela frente ou na projeção, como é próprio do egossistema.

Se o corpo está bem preparado, por meio dos exercícios descritos, e se o ator já trabalhou a respiração, conforme exercício apresentado no capítulo anterior, pode passar a voz para a ressonância. De início parece difícil, porém assim que encontrar a sua maneira de enviar a voz para o fundo dos olhos verá que é surpreendentemente fácil.

Voltemos ao exercício da respiração (à p. 276) para acrescentar-lhe a vibração e a mastigação, ferramentas que possibilitam acesso à ressonância.

Recapitulando: pés descalços, firmes no chão, corpo posicionado no *L*, braços soltos. Inspirar e elevar os braços, sob comando dos pulsos, fazendo semicírculos nas laterais. Ambos os braços param estirados paralelos ao alto da cabeça. Mantendo a coluna reta, jogar todo o corpo para a frente, com muita decisão, dobrando-o nos quadris, expirando fortemente no ato, de modo que esvazie os pulmões; por alguns momentos os braços e a cabeça ficam pendentes, relaxados, balançando. Neste ponto, que corresponde ao item quatro, devem ser acrescentados os elementos que direcionarão a voz para a ressonância, prosseguindo desta maneira o exercício:

4. Ainda com o corpo dobrado, o praticante inspira, porém mantendo o conforto físico. Usa então uma consoante, como o *m*, para provocar vibração. Vibrando o *mmmmmm*, conduz o som para o alto da cabeça, tirando-o da garganta e não permitindo que ecoe na câmara nasal. Para auxiliar o envio do som ao fundo dos olhos, usa a mastigação. Como se o som fosse gelatina, mastiga-o bem e depois, sem o ar, o envia para a nuca. É preciso atenção nesse ato, pois se o ar for junto com o som o praticante ficará sufocado. No fundo dos olhos o som encontra nova corrente de ar que o levará para fora do corpo, onde apresenta sua forma plena.
5. Sempre mastigando o som, levanta o tronco devagar, fazendo as vértebras irem se encaixando, até o tronco voltar à postura ereta, braços soltos ao longo do corpo. Só neste ponto de estabilidade termina a vibração.
6. Suavemente inspirar/expirar, antes de repetir o movimento alçando os braços pelas laterais e repetindo todas as fases do exercício.

É importante exercitar a respiração até que se possa inspirar com o corpo dobrado sem que isso cause desconfortos, tensionamentos, sufocos. O relaxamento ativo deve estar OK, os músculos sob controle, etc. Este exercício de alguma maneira se propõe à busca mecânica da ressonância. Veremos no capítulo *A construção da fala*, em meio aos exercícios de articulação vocal, a importância da sílaba *la* na função de jogar os fonemas para o fundo dos olhos.

Depois de obter a ressonância é que se pode trabalhar a técnica vocal específica, assunto que vamos desdobrar nos próximos capítulos. Até aqui, interessou acima de tudo observar a ideologia da técnica, que não é um receituário ou simples conjunto de ações objetivas. Existem regras conduzindo o aprendizado e algumas atitudes mecânicas se apresentam como suporte, mas não como essência, e essas atitudes, ou suportes, poderão variar de uma para outra pessoa. Cabe a cada um descobrir como o processo se dá em seu próprio organismo. O que importa é a manutenção do *L*, o perfeito estado *yin/yang* e toda a ação partindo do vaga-lume, na ressonância, no *Self*.

Para encerrar este capítulo, segue a descrição dos procedimentos iniciais, que de certa maneira resumem o que até aqui foi dito:

O *ar vital* – aquele que nos mantém vivos – entra pela boca ou pelo nariz e anima o aparelho respiratório. No treinamento da voz do ator, chamamos o *ar vital* de *ar nº 1*. Dele emerge o *ar nº 2*, com o qual o ator vai trabalhar em cena.

O *ar nº 2* é uma seleção, um pedaço do *continuum ar nº 1*, porção da matéria invisível que permite amoldar a expressão e a manifesta numa nova ordem.

Para conquistar e dominar o *ar nº 2* é necessário treinamento em técnica que conduz à ressonância; porém, para iniciar esse treinamento, o ator deve ter submetido o corpo aos exercícios que o libertam de tensões. Vai, então, particularizar o trabalho corporal nos músculos faciais, externos e internos, iniciando o seguinte caminho:

1. Os músculos da face – notadamente os que circundam a boca – devem permanecer perfeitamente relaxados. Se houver alguma contração na musculatura externa, será preciso parar o exercício e relaxar esses músculos.
2. Imprescindível abrir a garganta. Isto é possível com a respiração pela boca, que deve estar bem aberta (mas não escancarada),

pois estando aberta a boca, abre-se a garganta. O exercício condiciona a garganta a permanecer aberta mesmo quando a boca se fechar. Cuidado para que não ocorra nenhuma contração nos lábios ou nos músculos externos, porque isso fatalmente fecha a garganta.

3. Respirando tranquilamente pela boca, o praticante deve conceber um novo tubo na laringe e, por decisão da sua cabeça, capta uma porção do *ar nº 1* e a conduz ao *novo* tubo, onde permanece à disposição da fala. Este é o *ar nº 2*.

4. O *novo* tubo da laringe funciona como um pistão. Tem uma espécie de tampa na sua extremidade, junto ao palato, que se abre e solta um *drops* de ar, na porção exata para a emissão do fonema, fechando-se em seguida. E assim continua a funcionar, abrindo e fechando, como um pistão. O ar que ali está armazenado será suficiente para longas falas, sem necessidade de reposição.

5. O praticante se exercita no uso do *ar nº 2* emitindo sons que nascem das vogais e são impressos sobre o *filme das consoantes*, como veremos adiante, e isso demanda cuidado e controle também da musculatura interna.

6. Os músculos internos devem ser utilizados conscientemente pelo praticante, que os disciplinará em jogos de tensão e relaxamento. O anel na extremidade da laringe deve estar sempre bem relaxado; se for tensionado fecha a laringe e elimina o *ar nº 2*. O jogo muscular interno é responsável pela forma do som.

7. Inevitavelmente entra na boca o ar ambiente, o *nº 1*, que não deve ser respirado, pois elimina o *ar nº 2* e obriga o praticante a recomeçar o processo. Por outro lado, o *ar nº 1*, ambiente, poderá ser utilizado para reposição do *ar nº 2*, bastando que o praticante acione o seu mecanismo captador, também chamado *ladrão*, que funciona semelhante à língua de um réptil: estirando-se ao objeto (ar), o aprisiona e o deposita velozmente no *segundo tubo*.

8. Justifica-se a permanente busca de equilíbrio entre o *ar nº 1* e o *ar nº 2*, porque o primeiro é *vital* e estará sempre presente, ainda que propositalmente *esquecido*. A questão não é eliminar um tipo de ar (ou processo respiratório) para validar o outro, pois eles são complementares. Sem o *nº 1* não existirá o *nº 2*, mas

sem este o *nº 1* não se reverterá em instrumento de criação para o ator, pois lhe oferece muita ansiedade, neutralizando ou eliminando a possibilidade estética. Imprescindível àqueles que pretendam usar o *nº 2* como ferramenta expressiva o conhecimento perfeito do *nº 1* e do conceito de complementaridade que, estabelecendo relação entre um e outro, os ilumina e diferencia.

Não se pode alcançar os benefícios da técnica sem que se entendam as imagens e os conceitos como *realidade física*. O *segundo tubo* não faz parte do *hardware*, que é o nosso corpo *original*; no entanto ao ser concebido ele passa a existir no *corpo etéreo*, como um *software* que converteu em *programa* os códigos sonoros e suas matrizes, passando a responder pela forma estética da voz.

A respiração depende da condição física. Regiões tensas (joelhos, quadris, ombros, etc.) afetam a respiração, impossibilitando o trabalho com o *ar nº 2*, porque abre um cenário de ansiedade. Estando entretanto o corpo *molinho*, sem tensões desnecessárias, transformado em verdadeira caixa de ressonância, o praticante consegue controlar o *ar nº 2* e explorar esteticamente as suas possibilidades. Fará uso, então, de imagens que o auxiliam a resolver em seu próprio corpo um sistema criativo. Tornar essas imagens realidades palpáveis e objetivas é o desafio que se coloca ao praticante.

18. Função das vogais e das consoantes

> *Quem observar seu modo de falar viverá dentro de uma espiritualidade fluente durante a observação. Encontrar-se-á num processo sem repouso, no qual algo sempre se transmuta, ganha forma, se reestrutura. Quem participar conscientemente desse processo de transformação também virá pouco a pouco a reconhecer o próprio elemento em transformação. Trata-se do Logos atuante na vontade das consoantes e na alma das vogais. A pessoa perceberá que no corpo humano se apresentam configurações semelhantes, em parte solidificadas até o físico, em parte ainda em funções móveis. Em todo ele, a imagem do processo da fala salienta-se em linhas e formas. Tudo está em conformidade com o Logos. O Logos é o ser humano primordial, é o transformador de todas as transformações.*
>
> ALFRED BAUR[1]

Para fazer do corpo caixa de ressonância, o passo fundamental é a transferência do som do aparelho mastigatório para o fundo dos olhos – transferência que se executa por meio da vibração. Por isso, quando o praticante realiza o exercício respiratório com vibração deve se assegurar de que os ossos cranianos estão em *estado vibratório*. A vibração é que leva o som para o fundo dos olhos, substituindo num lapso de tempo a corrente de ar que o trouxe ainda embrião das cordas vocais.

[1]. Alfred Baur, op. cit, p. 165.

Caso o *estado vibratório* ocorra na câmara nasal, junto às laterais do nariz, é necessário tirar a vibração dessa área, transferindo-a para os ossos cranianos. A câmara nasal é o caminho mais fácil, visto que na vida cotidiana usamos a projeção, jogamos tudo para a frente, servimo-nos do ar vital, o *ar nº 1*, mantenedor do sistema do ego. A câmara nasal pertence à região *yin*, na qual o som se esvai e exige constante reposição e armazenamento de ar. É necessário, portanto, direcionar a vibração para *yang*, a parte dura, caracterizada pela coluna vertebral, uma vez que os corpos sólidos são condutores do som e propiciam perfeita emissão.

Na ressonância, a emissão se faz por trás da nuca; dali o som, já com a forma definida em fonemas, caminha por cima da cabeça e se propaga pelo ambiente. A voz de ressonância surge límpida, as palavras adquirem nitidez em qualquer volume, usando quantidades mínimas do *ar nº 2*.

Ao passar a vibração para a ressonância (caixa craniana), cessando a projeção (câmara nasal), já se deu a transferência do som do aparelho mastigatório para o fundo dos olhos. Sendo bem-sucedida a operação, o ator pode começar o trabalho com os fonemas, imprimindo as vogais sobre o filme das consoantes. Não deve jamais esquecer, todavia, que o trabalho de técnica corporal caminha junto com a técnica vocal. Corpo e voz formam unidade física e metafísica – unidade que se apoia no ar, na respiração, configurando possibilidades de representação do drama humano.

Além de estarem os músculos faciais relaxados, para a emissão na ressonância o corpo precisa estar posicionado no *L*, respiração tranquila e perfeito relaxamento ativo, que mantém o organismo sempre desperto e ligado, mas distante da ansiedade. A respiração é o suporte absoluto para o corpo, oxigenando-o e purificando-o a cada momento. Assim como o é para a voz.

As vogais têm som, as consoantes não. As vogais se movem, andam, saltam... As consoantes são estáticas, imóveis. Tais qualidades, destas e daquelas, devem estar muito claras para o praticante no momento de exercitar a voz com o *ar nº 2*.

Por ser sonora, a vogal recebe o ar e se move; a consoante, como não tem som, não recebe ar e permanece estática. Se por descuido o praticante põe ar na consoante, fazendo-a andar, é como se tivesse contraído um músculo: incide a ansiedade, perde o *ar nº 2* e precisa reiniciar o processo. Somente quando dominar a técnica poderá inserir algumas palavras desenhadas com o *ar nº 1*, para um determinado efeito ou uma determinada forma, sem perder o controle do *ar nº 2*. Assim mesmo, deve ter cuidado para não *mover* as consoantes com o *ar nº 1*, porque se isso acontecer a estrutura desmorona.

As consoantes, todavia, não são umas pobres *dependentes* das vogais, que em seu movimento sonoro as vai revelando: constituem a estrutura física da fala, formam a coluna em torno da qual passeiam as vogais, criando sons. Imóveis, as consoantes mantêm o equilíbrio da fala, mesmo em desenhos de grandes paixões.

Retomando as *anotações de classe* de César Augusto, nota-se a ênfase dada ao fato de as técnicas tradicionais levarem o ator ao treino da articulação com abundantes caretas, um mexer exagerado de boca e rosto... Ao contrário disso, a proposta de ressonância "consiste na articulação vertical entre língua, lábios e dentes atentos [portanto providos de tensão], mas músculos faciais absolutamente relaxados". Daí, conforme suas observações, surge "uma articulação muito mais interna", gerada da "própria posição muscular das consoantes" – referindo-se, na verdade, ao jogo muscular que ocorre no interior da boca para direcionar aquela vogal à consoante. De modo que os "fonemas resultantes dessa atividade muscular" são "consequências do jogo de forças da articulação interna", signo da expressão construída e não da ansiedade. Conclui o ator que a *coluna ativa* compõe-se das consoantes, enquanto o *corpo relaxado* produz as vogais – a interação de ambos, coluna ativa e corpo relaxado, é o princípio fundamental da ressonância.

A coluna das consoantes (ou coluna ativa) confunde-se com a coluna vertebral. Sentado, o ator deve repousar o corpo sobre os ísquios, mantendo a coluna reta; de pé, coluna a prumo e cabeça não muito erguida. Do púbis vem o comando para todos os movimentos físicos. Coluna reta e ombros para o chão. Se o ator esboça um movimento para a frente, enquanto fala, é um movimento desenhado e não verdadeiro[2]. Ou seja, está ereto mesmo que pareça se curvar para a frente enquanto fala. E, nesse movimento desenhado, tanto a coluna vertebral quanto a coluna de consoantes permaneceram retas, verticais, não se curvaram, não "andaram". Assim, enquanto as vogais andam e executam o movimento, as consoantes ficam estáticas, mantendo a expressão.

2. Quer dizer que ionizou o gesto num movimento que usa a contração para iniciar o desenho, seguida pelo relaxamento, que permanecerá atuante, sem perder o desenho.

A imagem das consoantes como coluna que dá eixo e sustentação à fala – a exemplo da coluna vertebral, que dá eixo e sustentação ao corpo – não é simples metáfora e sim uma realidade física. Ela tem parentesco com a ideia do *ponto cardial*, presente na quirofonética do Dr. Baur.

O *ponto cardial*[3] localiza-se entre as omoplatas, lugar mais sensível ao toque na região vertebral. "Para ali é analogamente transposta pela quirofonética a articulação dos fonemas do ponto cardial: L, N, D, T, R[4]". Geralmente designados *sons dentais*, esses fonemas de fato não ocorrem com o toque da língua nos dentes, mas "antes da arcada dentária superior, na borda alveolar superior", sítio onde "o palato duro alcança o ponto de inserção dos dentes[5]". Situa-se aí o *ponto cardial* do palato.

A impressão das vogais no filme das consoantes do *ponto cardial* ocorre com a ponta da língua se distanciando ainda mais dos dentes, indo para o eixo do corpo. Desse modo, o fluxo respiratório expirado para a articulação de fonemas do *ponto cardial* desenha uma coluna perfeita, que vai da 4ª vértebra torácica ao céu da boca. Diferente dos fonemas labiodentais V e F, cujo fluxo respiratório desenha leve curvatura e se articula com os dentes superiores tocando o lábio inferior; e dos labiais B, P, M, que são articulados com o lábio superior tocando o inferior, desenhando curva ainda mais acentuada em relação ao eixo. Por sua vez, os palatais G, K, C (duro), Q, NG, CH, J ficam no centro da coluna, com o fluxo atuando no contato da parte posterior da língua ao palato, no fundo do céu da boca.

O nosso *ponto cardial* está situado no fundo do céu da boca, porém não exatamente no ponto dos supostos *sons dentais*, e sim um pouco mais atrás, pertinho da região onde são processados os palatais. Nesse ponto se localiza a *bigorna*, que pode ser imaginada como minúscula concha acústica localizada bem sobre a garganta. O ar sobe pelo tubo nº 2 e leva a vogal à bigorna, onde é impressa sobre a consoante, dando forma ao fonema, que imediatamente é remetido ao fundo dos olhos.

O deslocamento do *ponto cardial* da técnica Antunes Filho perante aquela estabelecida pelo Dr. Baur justifica-se, visto que esta coloca três vogais, N, D e T, que realmente consistem em *sons dentais*, pois a língua estala na parte interna superior dos dentes para emiti-las; já as duas outras, L e R, soam com a língua tocando o céu da boca, bem mais atrás,

---

3. O ponto cardial, cf. Baur, na mitologia germânica, era o único ponto vulnerável do corpo de Siegfried, após banhar-se no sangue do dragão. Op. Cit., p. 81.
4. Idem, p. 81.
5. Idem, p. 80.

quase na região dos palatais. E veremos à frente que a sílaba-chave para a remessa de todo o som à ressonância é *LA*.

O fundamental para a emissão da consoante é o jogo muscular da boca e da face que a conduz à bigorna. Ali, dita consoante se casa com a vogal e adquire som. Pode-se constatar a posição da consoante ao emiti-la com o auxílio do som de uma vogal ou a seco, no estado vibratório da consoante, sem qualquer som. Elas ali estão e dali não saem, exceto se, por descuido, o ser falante as movimenta com o ar, caindo na projeção com todos os seus inconvenientes. As consoantes são como teclas de um instrumento de sopro: não recebem ar, funcionam pela ionização. Assim, para manter a ressonância é necessário *ionizar* e não *mover* as consoantes.

A natureza diferenciadora e complementar da vogal e da consoante é vista por Antunes em termos de polaridades – feminino e masculino, *yin* e *yang*. A consoante é o pai e a vogal a mãe; *ele ejacula e ela faz o resto*. Ele permanece imóvel, plantado na terra, e ela anda, corre, esvoaça em torno dele e depois, fecundada, dá à luz os fonemas, mas a função da consoante não se esgota aí.

Na projeção ela serve para direcionar a fala aos demais: é só comunicação. No sistema da ressonância (*Self*), serve para o ator "ter as intuições, as vibrações, o imaginário, a conexão com o Universo", assegura Antunes. Tecnicamente, cabe à consoante a importante função de delinear as formas. Equivale ao traço no desenho ou na pintura, que deve ser preciso e decidido.

"A decisão é importante", diz Antunes.

> Se você vê um pintor ou um desenhista trabalhando, nota a palpitação e a decisão do desenho. Não tem vacilação. O traço é fundamental. Vejo o sentimento de uma pintura através do traço. Dá para perceber como o punho estava e denuncia a sensibilidade do artista. Não interessa o tema e sim o modo como o artista se expressa pelo movimento do punho. É a palpitação da mão enquanto executa o traço. Decisão e precisão.

No desenho da fala, a consoante é o traço revelador da decisão e da precisão. Se falar com *boca mole*, o ator sai da ressonância, do *Self*, e cai na projeção, no ego. O personagem pode ser um tipo com voz frouxa, que engole as palavras em vez de emiti-las, porém o ator não. Ao desenhar esse tipo indeciso, ele deve falar aparentemente com *boca mole*, mas delineando bem as formas sonoras com as consoantes. Desse modo, embora dê a ideia e até convença como o tipo hesitante, frouxo, sua voz está apoiada na estrutura das consoantes e as palavras soam claramente.

Adverte o mestre Antunes: "O ator deve ter cuidado, porque, quanto mais doce e mais suspirado ele fala, mais necessária é a *decisão na consoante*. Caso contrário, ele pode cair no profano, sair do vaga-lume. Para não ficar com a mordedura mole deve dar mais atenção à articulação das consoantes. Não importa a cena ou o tom: a consoante é sempre decidida. Tem que preservar a consoante dura (*yang*) na frágil vogal (*yin*)".

A boca do ator é usina de elétrons. Cada fonema expressa a emoção humana em formas que se compõem por meio dos elétrons. A estrutura central do sistema é lenta, quase imóvel (por contraponto, o entorno é veloz) e se faz representar pela coluna de consoantes, que é o exterior da usina. No interior estão as vogais, que sobem da laringe, esvoaçam pela estrutura, abrem espaços sonoros na boca e dão vida aos fonemas. As vogais ligam o interior ao movimentado entorno e a matéria ao espírito. Na expressão do Dr. Baur, "o anímico *propriamente* dito manifesta-se nas vogais"[6].

"Quando se formam vogais, sobe dos pulmões uma coluna de ar. O ar atravessa a laringe, onde é levado a soar. Em seguida o som entra nas cavidades da boca e da garganta com certa frequência básica, e as paredes elásticas passam imediatamente a vibrar junto"[7]. Essa descrição do percurso do ar no impulso às vogais, feita pelo Dr. Baur, corrobora a premissa estabelecida pela técnica Antunes Filho de que as vogais residem em nichos, na laringe. Quando acionadas pelo ar, vibram nas cordas vocais e imediatamente passam à cavidade bucal, onde, com a participação da língua, dos dentes, do palato e dos lábios, dão origem aos fonemas que são arremessados à bigorna das consoantes, compondo as palavras, as frases, enfim, o discurso.

A diferença entre uma técnica e outra está nos conceitos de segunda laringe e de *ar nº 2*. A primeira técnica (Dr. Baur) observa o percurso do ar saído dos pulmões, subindo pela traqueia, laringe, garganta e cavidade bucal, *de onde projeta o som ao mundo exterior*. Na segunda, que é a técnica Antunes Filho, destinada ao teatro, não é o ar vital que impulsiona as vogais e sim o ar selecionado, armazenado no segundo tubo, que torna possível a expressão artística, fazendo andar as vogais, impulsionando-as até a bigorna das consoantes, onde adquirem forma

6. Idem, p. 145.
7. Idem, p. 134.

os fonemas, que são *transferidos pela vibração para o fundo dos olhos e dali para o mundo exterior.*

O segundo tubo tem na extremidade superior uma tampa, como de pistão, que deixa passar apenas o ar necessário à formação do fonema. A traqueia contém os nichos das vogais, que o *ar nº 2* impulsiona.

A imagem do segundo tubo é um conceito – ferramenta virtual e não concreta, porém de modo algum aleatória ou abstrata. Estará formado o segundo tubo no *corpo etéreo*, porém o ator deve encontrar meios de torná-lo uma *realidade física* e manejá-lo como o que de fato é: ferramenta para a criação artística.

Apresentam-se aí duas questões: primeira, como estabelecer mecanismo respiratório diferenciado para a formação inicial dos fonemas – mecanismo que não empurre o som da garganta para fora (projeção) e termine seu percurso no aparelho mastigatório, onde o som é conduzido por vibrações ao fundo dos olhos, para a ressonância? Segunda, como estabelecer planos diferenciados para vogais e consoantes, de modo que não permitam que consoantes sejam impulsionadas pelo ar e façam com que as vogais observem o melhor caminho (*li*) que as leve à sua expressão vital (*ch'i*)?

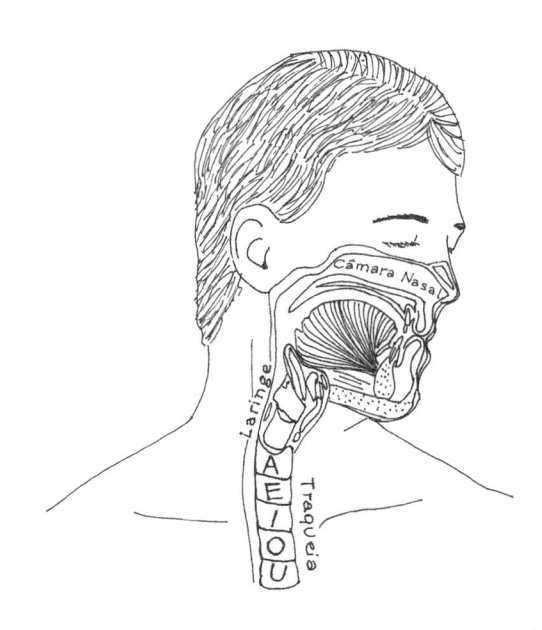

A primeira questão é respondida pelo mecanismo do segundo tubo, capaz de recolher um segmento do ar vital, em cubagem perfeita para não interferir nas cadeias nervosas e musculares, possibilitando que a emissão vocal se dê em duas etapas, uma processada até o aparelho mastigatório, local onde o ar *selecionado* mistura-se ao ar vital, mas sem empurrar os fonemas para fora; outra, a emissão pela ressonância, desde o fundo dos olhos.

A segunda questão, na verdade, apenas permite organizar o que é demonstrado pelo próprio aparelho fonético: as vogais têm som, por isso residem na traqueia e são facilmente impulsionadas pelo ar laringe acima, passando pelas cordas vocais e unindo-se às consoantes na bigorna, já no plano de formação dos fonemas.

Tendo voz na ressonância, o praticante pode iniciar seu treinamento com os fonemas, visando ao aprimoramento da articulação e da emissão.

Decisão e precisão devem ser os objetivos principais nessa fase. A vogal vem da laringe e encontra-se com a consoante num estalo da língua: *pa*. A sílaba (que é labial) deve soar no estalo, sem prolongamentos, seca. Depois, é repetida várias vezes, em pequenos intervalos, com diferentes intensidades, mas sempre com decisão *pa pa pa...*

"A consoante é o tambor usado nos rituais para alterar o estado de consciência", afirma Antunes. "A consoante é o foguista, o cara que coloca palha no fogo para que o vaga-lume esteja vibrante, funcionando bem". O estalo da língua no palato para pronunciar *La*, que é a sílaba condutora do som à ressonância, depende da maneira como você move os músculos faciais e da boca, o palato, os dentes, os lábios, para fazer vibrar a consoante. Você usa esse conjunto para dar o estalo, no entanto nele não entra ar, porque na consoante não entra ar. A vibração da consoante encontrará o ar na bigorna, quando se une à vogal, gerando o fonema.

O *estalo*, além de vibrar a consoante, é uma forma de bombear a quantidade precisa do ar, como explica a atriz Juliana Galdino: "Se você estala, já vem a quantidade de ar necessária para determinados sentimentos. Você está apoiado no vaga-lume. Então, o estalo, ao mesmo tempo que é estritamente mecânico, está suavizado pelo sentimento que o vaga-lume lhe propõe. O estalo é uma consequência... é como um molde daquilo que o vaga-lume está lhe pedindo em relação ao sentimento solicitado"[8].

O praticante começa a brincar com as vogais, acompanhando a formação de cada uma, mastigando-as, criando os fonemas e reconhecendo a vibração que os leva ao fundo dos olhos. Sente a diferença no

8. Juliana Galdino, Seminário do CPT.

18. Função das vogais e das consoantes

trabalho com cada vogal; sente as alterações quando a vogal é atirada à bigorna e fecundada pela consoante. Desse modo amplia suas possibilidades estéticas na elaboração da fala.

Em seguida, esse mesmo praticante cria frases sonoras, unindo vogais e consoantes, sem qualquer significado semântico. O que interessa é o som. Estabelece módulos, fonemas que se juntam em construções melódicas. "Quem dá a melodia é a vogal", diz Antunes. "É o ar que circula. E a consoante dá o ritmo. A consoante seria um instrumento de percussão e a vogal, um instrumento de sopro."

O *ar que circula* implica o movimento iniciado pelo *ar ambiente*, que invade a boca quando aberta e que é a fonte tanto para o *ar nº 1*, o *ar vital*, quanto para o *ar nº 2*, também denominado *ch'i*, depositado no tubo nº 2. Ou seja: parte do ar ambiente é inspirado e expirado normalmente; outra parte é depositada no tubo nº 2, de onde impulsiona as vogais à bigorna das consoantes. Devemos ao ator Lee Taylor um gráfico desse movimento do ar, registrado em suas anotações sobre o *Método da voz*[9]:

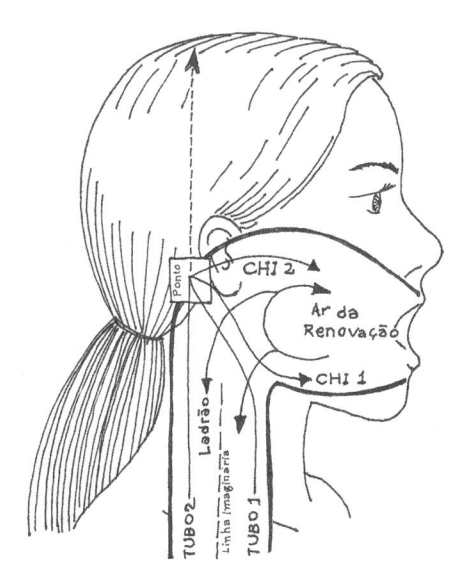

No lugar anotado *ponto* fica a *bigorna*, ou minúscula concha acústica, onde a vogal impulsionada pelo *ar nº 2* imprime fonemas sobre o filme das consoantes.

[9]. Por solicitação de Antunes Filho, dois atores que dominam sua técnica, Lee Taylor e César Augusto, foram consultores deste autor no período final da sistematização da técnica vocal. O primeiro cedeu-nos seu trabalho *Método da voz* e o segundo as anotações *Sobre o processo e o método de Antunes Filho*, onde registraram agudas e vivenciadas observações do processo. Além deste e de outro gráfico, fragmentos de ambas as anotações são utilizados, como citações, neste estudo.

E César Augusto esclarece que, após a estreia de *A pedra do reino* (2006), Antunes concluiu que para melhor entendimento do processo e para melhor resultado a imagem do *ch'i*, até então associada ao *ar nº 2*, ou o ar que sobe pelo tubo nº 2, deveria ser descrita como um movimento muscular vindo da coluna, "passando por cima do palato e saindo pelo lábio inferior", e, caso haja ar nesse ato, é um ar chamado *cinético*, ou seja, resultante do movimento muscular *ch'i*. Essa recente formulação (que não altera, mas dá novo sentido aos movimentos do ar descritos no gráfico de Lee Taylor) enseja outro modo de pesquisar e trabalhar com as consoantes, que não podem ser movidas pelo ar e que são determinadas "pela guilhotina em que se transformam os dentes, a língua e os lábios". Define-se assim a emissão da consoante apenas pela vibração produzida pelo jogo muscular. Ao passo que a vogal, movida pelo ar que vem do tubo nº 2, passa pelo palato e pela parte interna do lábio superior, movida já por um ar também produzido pelo jogo muscular da articulação, e é atirada à bigorna das consoantes, dando origem aos fonemas.

Sob esses estímulos, o praticante continua desvendando os mistérios da junção de vogais e consoantes. E só com muito treino e muita pesquisa conseguirá perceber e desvendar tais mistérios. Nota logo que o som produz imagens, desenhos (a *configuração do humano*). Percebe a seguir que em sua relação sensual a consoante faz a cobertura, mas assume o modo côncavo, enquanto a vogal esvoaça, esvoaça e por fim assume o modo convexo. São desenhos geométricos, como na música. Com o som de uma frase dá para fazer um sem-número de combinações geométricas.

Emitir fonemas observando o seu nascimento, a sua construção e a sua emissão é ótimo exercício de articulação e deve ser feito com frequência. O treino do aparelho fonético na construção dos módulos dá clareza à sílaba e torna audível a voz, sem forçar a intensidade do sopro nem elevar o volume, coisas que despojariam a naturalidade da fala. O ator não precisa de grande volume de ar para a construção sonora da fala, nem precisa gritar para ser ouvido – isto, se tiver a voz na ressonância.

Decompondo os módulos observa-se que a sílaba pode ser formada por diversos fonemas. É possível alongar uma vogal no meio da sílaba para expressar um sentimento ou uma reticência, dando à palavra sentido especial e maior plasticidade à oração. Ao alongar a vogal, ou inserir silêncios que fragmentam a emissão de uma só sílaba, torna-se perceptível a multiplicidade de fonemas que a compõem. Este é um exercício cujas regras devem ser articuladas com inteligência pelo praticante. Com ele o organismo da fala adquire agilidade, possibilitando que as palavras brotem da ação dramática e à ação dramática se incorporem. Mesmo que a frase seja desenhada para obter determinado efeito, soa naturalmente.

Os exercícios de tal ordem, elaborados a partir da combinação de fonemas e não com palavras, não com vocábulos, é o que no CPT foi denominado *fonemol*[10]. Para a sua expressão, no entanto, a imaginação do ator deve estar conectada à ideia motora do exercício, pois, caso contrário, não funcionará. O som, a combinação de fonemas na estruturação da frase não semântica, depende do impulso do ator dentro da situação imaginada. O sentido das palavras pode ser percebido na entonação. Embora o exercício inclua o treino do ator no uso da consoante como *traço*, como elemento de decisão na forma da sílaba, a entonação é determinada pelo vaga-lume, portanto sua construção melódica procede da imaginação e da intuição, não sendo comandada apenas pelo raciocínio.

Em exercício, o ator deve praticar o *fonemol* com muito rigor e por períodos razoáveis, diariamente. Se o propõe como pesquisa de personagem, usando o corpo em *performance*, melhor ainda. Estará assim provocando a imaginação e a intuição para pesquisar mais profundamente as possibilidades fonéticas e, ao mesmo tempo, explorar a relação íntima do gesto com a fala.

10. Nos primeiros tempos, o exercício era chamado *russo*, já que as combinações de vogais e consoantes resultavam em uma espécie de prosódia que lembrava o idioma russo.

19. A construção da fala

No teatro tradicional, procura-se dar ritmo na garganta. Isso não se faz. O ritmo quem dá é o pai. Não tem nada que ver com a garganta. Você pede para um ator dar uma inflexão, ele faz mil vezes do mesmo jeito. Porque com a garganta será sempre do mesmo jeito. É quase sempre com o mesmo ritmo que diz a frase, muda um pouco o tom, sai mais precipitado ou menos precipitado, mas, precipitando ou não, é sempre no mesmo ritmo. Aqui, com o L, não. Você muda o ritmo à vontade. O ar sai por drops. Então, para cada consoante, você usa o ar que quiser. Ou então faça sem ar... O ar que está na sua laringe você segura. Fazer isso na projeção não dá. Quando você fala uma sílaba, na projeção, já perde o ar.

Antunes Filho

A obra de arte é sempre uma construção que depende de estudos e do domínio do artista sobre a técnica que emprega. Àquele que se propõe a adotar o método Antunes Filho, buscando o domínio da sua técnica, cabe ter presente que nesse sistema nada é creditado ao acaso. Tudo deve ser construído minuciosamente, com vistas ao resultado final, onde – aí sim – entram o imponderável e o inefável.

A técnica, fundamentada na complementaridade e na ressonância, se compõe de módulos, implicando diferentes procedimentos que se somam. Os módulos são partes da mesma construção, estando cada um deles dependente dos demais. Assim, por exemplo, se o corpo está no sistema *L*, é porque o ator cumpriu várias etapas, fez muito exercício na busca do "relaxamento ativo", etc. E só com o corpo no sistema *L* pode iniciar a preparação vocal, mas para permanecer no *L* a respiração deve estar perfeita e a emoção sob controle, pois uma pulsão emocional pode interferir na respiração e desestruturar o *L*. Assim como a tensão indevida de um músculo prejudica a respiração e tira o intérprete da ressonância (*Self*), jogando-o na projeção (ego).

Todas essas coisas já foram ditas e discutidas em capítulos anteriores, mas aqui estamos em face de uma redundância necessária. A construção da fala é, *grosso modo*, o topo do processo de preparação do ator para começar a criação artística.

Os exercícios que virão à frente são ferramentas úteis ao trabalho da construção da fala, no entanto pouco ou nenhum valor terão se forem isolados do contexto que os gerou. Quando se faz exercícios com o objetivo de "tornar flexível a articulação", para citar um exemplo, a postura do praticante não pode ser a mesma que assumiria ao treinar a emissão do "r" nas velhas escolas de técnica vocal, usando frases do tipo "o rei de Roma ruma a Madri". A função é outra: não fica na superfície da articulação, vai aos seus fundamentos. A finalidade dos exercícios é descondicionar os músculos faciais, ou seja, eliminar as couraças culturais que os tornaram duros ou mecânicos e dar-lhes maleabilidade, de modo que propiciem diferentes gamas de entonações e ritmos. Isso só é viável entretanto se o ator realmente chegou à ressonância, com todas as implicações físicas, emocionais, intelectuais e espirituais, atingindo o *Self*. Se estiver na projeção, no ego, não conseguirá manejar essas ferramentas em benefício da sua arte.

O quadro elaborado por Lee Taylor, a partir das indicações do mestre, é útil ao bom entendimento das diferenças entre a ressonância e a projeção:

Ressonância	Projeção
• Sensações e sentimentos em trânsito	• Ansiedade e sentimentos fixos
• Humanidade	• Estereótipo
• Respiração plena	• Respiração alterada
• Sentimentos verdadeiros	• Sentimentos falsos
• Gestos "fingidos" (sem tensão)	• Gestos verdadeiros (tensos)
• Imaginação	• Pensamento fixo ou fantasia
• Controle	• Descontrole
• Ritmos variados	• Ritmo uniforme
• Polifônica	• Monofônica

Não basta alcançar o estado de ressonância, é preciso mantê-lo, porque qualquer deslize joga o ator no território da projeção. Esse perigo deve ser evitado a qualquer custo. A construção da fala exige que o intérprete atue recorrendo à sensibilidade e à *inteligência inata do organismo*, que operam na ressonância, nunca por meio da *garra* e dos músculos, qualidades inerentes à projeção.

Para manter a atuação na ressonância alguns cuidados são indispensáveis. A necessidade de controlar, medir e avaliar o ar utilizado, retendo a cubagem exata para responder às necessidades da fala, sem perturbar nervos e músculos, é um desses cuidados ao qual Antunes Filho dá ênfase. Isto porque a respiração e o controle do ar no aparelho fonador constituem as principais colunas de sustentação técnica da voz.

Corpo e voz devem levitar em cena, mas a experiência demonstrou à exaustão que isso não é possível com o ar que se usa no dia a dia. Em cena, o ar é *fingido* e usado com parcimônia para falar – sem prejuízo da respiração, porque o corpo precisa estar permanentemente oxigenado. Indispensável, portanto, que a respiração permaneça tranquila e eficiente durante toda a atuação.

"A maneira como você está fingindo expirar, para o outro, é que revela a sensibilidade, não o natural", diz Antunes. "Eu me baseio no natural para ver a cubagem e o movimento desse ar. Finjo e o vaga-lume vai dando ao outro as impressões. Tenho que pegar a cubagem de ar e o movimento fazendo um escorregador para as palavras. As palavras vão sobre o escorregador. Não posso ter como ponto de apoio da voz o músculo. Tenho que fingir a fala em cima do ar. Na verdade, quem fala é o ar. Então, nunca falo naturalisticamente: sigo o *ch'i*."

"Na projeção", prossegue Antunes, "jogo o ar em cima do outro. Aqui não: o ar finge que vai, mas não vai. O *ch'i* é que vai. No egossistema você fala e o ar vai todo embora. Aqui não, eu finjo o ar, tendo por modelo o ar naturalista. E o ar deixa de ser difuso. Como você usa o mínimo de ar, porque está fingindo, terá sempre uma reserva e não sai do vaga-lume. Não posso gastar todo o meu ar, porque se gastar endureço, não terei mais o estado de levitação necessário à projeção do vaga-lume. O ar que vai para fora na projeção vai todo embora. Esse outro ar, não: ele só encaminha. Pode até sair algum ar da minha boca, mas ele volta".

Reafirma: "Na verdade o ar está sempre aqui, rondando em torno da boca[1]. O *ch'i* é fazer o ar voltar. Assim, você direciona o ar para imprimir o sentimento na película, que está entre você e o outro, e voltar em seguida. Ele vai até a película e imprime para o outro, mas não vai até o outro".

A voz na projeção do peito só pode maltratar a garganta, afirma Antunes, acrescentando que ela provoca colapsos e destrói o *Self*-sistema, enquanto a voz na ressonância conduz o ator no *ch'i*, deixando-o ouvir o som da sua voz, vindo lá de fora, assim como a vibração que o conduz ao vaga-lume. O ator ouve o que fala, percebe o valor de cada palavra: a voz na ressonância soa para ele como *caixa de retorno*. "Na projeção, diz Antunes, "você nada ouve, separa-se do que é falado, há um corte entre você e a fala. Aqui não, você está sempre integrado às suas falas, tem plena consciência da estética da fala no ato, no processo."

Para ouvir a própria fala é preciso abrir de modo consciente e eficiente o caminho para a ressonância. As vibrações do início do exercício produzem a infraestrutura que lhe permitirá a percepção da ressonância.

Ao emitir uma vogal prolongada, como *aaaaaaaa*, o praticante perceberá que há um ponto específico para a vibração dessa vogal, arrancada do seu nicho da laringe pelo *ar nº 2*. Este ponto muda, no jogo muscular que direciona o som, quando muda a vogal. É importante ter noção dos pontos vibratórios para melhor utilizá-los quando for, por meio da vogal, acionar a consoante e lhe dar som. Conforme Antunes, "a vibração da voz vai ajudar a vibração do vaga-lume. Onde estão os sentimentos e as sensações? No fundo dos olhos. Então, o que você aquece com a voz? Os sentimentos e as sensações".

---

1. Conforme se nota no gráfico de Lee Taylor, p. 293.

19. A construção da fala

Juliana Galdino confirma essa ligação imediata da emissão sonora com a expressão dos sentimentos: "A partir do momento que você está conectado com o vaga-lume, usa a voz para aumentar a sua percepção – a voz cria um espaço onde você opera, ouve e vai criando, quase simultaneamente".

Não há diferença entre estar no *L* e estar na ressonância, até porque voz e corpo compõem a mesma unidade. A isto se soma o fato de que tanto para a formação da voz quanto para a formação do corpo a emoção é matéria-prima. Ao ator importa saber como usar seus instrumentos – corpo e voz – para revelar a emoção, sem se deixar aniquilar por ela. O que leva à questão do *afastamento*, estado imprescindível para o trabalho na ressonância.

Até aqui procuramos expor o ambiente estrutural e conceitual que possibilita ao ator se colocar na ressonância fisicamente e, em seguida, habilitar-se à construção da fala na mesma modalidade técnica. Examinamos e discutimos a relação entre diafragmas e respiração; observamos o aparelho fonador e sua utilização na técnica da ressonância em contraponto à projeção; definimos a função das vogais e das consoantes na construção sonora das palavras. Imprescindível que o praticante adquira razoável compreensão e assimilação de todas essas matérias antes de passar aos exercícios de articulação que se seguem, pois neste momento começa a trabalhar de fato com o *ar nº 2*, que impulsiona as vogais, e com o jogo muscular que faz vibrar as consoantes. Caso entenda esses exercícios como *receitas* ou *fórmulas*, atos *chapados*, isolados do contexto e com valores encerrados neles mesmos, só estará perdendo tempo.

Os exercícios são os seguintes:

1. A *flexibilização muscular*, ou *articulação externa*, tem por objetivo descondicionar, disciplinar e treinar a musculatura facial, deixando-a disponível para o trabalho com a voz. Constitui-se de um jogo de fonemas em que as vogais e as consoantes foram combinadas de modo que movimentassem todos os músculos do aparelho fonador, adequando-os à construção da fala na ressonância. Estas são as combinações fonéticas[2]:

2. Conforme tabela elaborada por Lee Taylor. Os exercícios que se seguem observam, igualmente, tabelas e quadros elaborados pelo ator.

BLAXI	BLÉXI	BLÊXI	BLIXI	BLÓXI	BLÔXI	BLUXI
IXCLA	IXCLÉ	IXCLÊ	IXCLI	IXCLÓ	IXCLÔ	IXCLU
DLAXI	DLÉXI	DLÊXI	DLIXI	DLÓXI	DLÔXI	DLUXI
IXFLA	IXFLÉ	IXFLÊ	IXFLI	IXFLÓ	IXFLÔ	IXFLU
GLAXI	GLÉXI	GLÊXI	GLIXI	GLÓXI	GLÔXI	GLUXI
IXJLA	IXJLÉ	IXJLÊ	IXJLI	IXJLÓ	IXJLÔ	IXJLU
MLAXI	MLÉXI	MLÊXI	MLIXI	MLÓXI	MLÔXI	MLUXI
IXNLA	IXNLÉ	IXNLÊ	IXNLI	IXNLÓ	IXNLÔ	IXNLU
PLAXI	PLÉXI	PLÊXI	PLIXI	PLÓXI	PLÔXI	PLUXI
IXQLA	IXQLÉ	IXQLÊ	IXQLI	IXQLÓ	IXQLÔ	IXQLU
RLAXI	RLÉXI	RLÊXI	RLIXI	RLÓXI	RLÔXI	RLUXI
IXSLA	IXSLÉ	IXSLÊ	IXSLI	IXSLÓ	IXSLÔ	IXSLU
TLAXI	TLÉXI	TLÊXI	TLIXI	TLÓXI	TLÔXI	TLUXI
IXVLA	IXVLÉ	IXVLÊ	IXVLI	IXVLÓ	IXVLÔ	IXVLU
XLAXI	XLÉXI	XLÊXI	XLIXI	XLÓXI	XLÔXI	XLUXI
IXZLA	IXZLÉ	IXZLÊ	IXZLI	IXZLÓ	IXZLÔ	IXZLU

Importante manter articulação firme e precisa, apoiada no maxilar. Todos os músculos são colocados em movimento de forma exagerada, para que sejam adestrados e se adaptem a essa articulação, que pede agilidade na língua, no diafragma e nos lábios. Para resultados efetivos, os dois fonemas precisam ser emitidos separadamente – **BLA** pausa **XI** –, sendo ambos pronunciados com a mesma intensidade.

O exercício, que deve ser realizado por longo período diariamente, começa pela articulação externa, passando depois, de modo menos exagerado, à articulação interna. Com ele, além de treinar os músculos faciais, o ator percebe de modo eficiente o ar e o movimento muscular necessários para a emissão dos fonemas.

2. O segundo exercício desta fase visa à ampliação da caixa de ressonância mediante a duplicação das vogais. Sua prática enseja ao ator percepção mais apurada do jogo entre vogais e consoantes, propiciando-lhe recursos para a construção da fala com clareza e plasticidade. Em dois quadros de duplicação, cada consoante do alfabeto (menos o h) é pronunciada junto a todas as vogais (incluindo as modalidades sonoras abertas e fechadas), com sufixos *S* e *R*; outro quadro traz cada consoante seguida da vogal *E* com o sufixo *EM*.

19. A construção da fala

Primeiro quadro:

BA AS	BÉ ÉS	BÊ ÊS	BI IS	BÓ ÓS	BÔ ÔS	BU US
CA AS	CÉ ÉS	CÊ ÊS	CI IS	CÓ ÓS	CÔ ÔS	CU US
DA AS	DÉ ÉS	DÊ ÊS	DI IS	DÓ ÓS	DÔ ÔS	DU US
FA AS	FÉ ÉS	FÊ ÊS	FI IS	FÓ ÓS	FÔ Ô	FU US
GA AS	GÉ ÉS	GÊ ÊS	GI IS	GÓ ÓS	GÔ ÔS	GU US
JÁ AS	JÉ ÉS	JÊ ÊS	JI IS	JÓ ÓS	JÔ ÔS	JU US
LA AS	LÉ ÉS	LÊ ÊS	LI IS	LÓ ÓS	LÔ ÔS	LU US
MA AS	MÉ ÉS	MÊ ÊS	MI IS	MÓ ÓS	MÔ ÔS	MU US
NA AS	NÉ ÉS	NÊ ÊS	NI IS	NÓ ÓS	NÔ ÔS	NU US
PA AS	PÉ ÉS	PÊ ÊS	PI IS	PÓ ÓS	PÔ ÔS	PU US
QA AS	QÉ ÉS	QÊ ÊS	QI IS	QÓ ÓS	QÔ ÔS	QU US
RA AS	RÉ ÉS	RÊ ÊS	RI IS	RÓ ÓS	RÔ ÔS	RU US
SA AS	SÉ ÉS	SÊ ÊS	SI IS	SÓ ÓS	SÔ ÔS	SU US
TA AS	TÉ ÉS	TÊ ÊS	TI IS	TÓ ÓS	TÔ ÔS	TU US
VA AS	VÉ ÉS	VÊ ÊS	VI IS	VÓ ÓS	VÔ ÔS	VU US
XA AS	XÉ ÉS	XÊ ÊS	XI IS	XÓ ÓS	XÔ ÔS	XU US
ZA AS	ZÉ ÉS	ZÊ ÊS	ZI IS	ZÓ ÓS	ZÔ ÔS	ZU US

Segundo quadro:

BA AR	BÉ ÉR	BÊ ÊR	BI IR	BÓ ÓR	BÔ ÔR	BU UR
CA AR	CÉ ÉR	CÊ ÊR	CI IR	CÓ ÓR	CÔ ÔR	CU UR
DA AR	DÉ ÉR	DÊ ÊR	DI IR	DÓ ÓR	DÔ ÔR	DU UR
FA AR	FÉ ÉR	FÊ ÊR	FI IR	FÓ ÓR	FÔ ÔR	FU UR
GA AR	GÉ ÉR	GÊ ÊR	GI IR	GÓ ÓR	GÔ ÔR	GU UR
JÁ AR	JÉ ÉR	JÊ ÊR	JI IR	JÓ ÓR	JÔ ÔR	JU UR
LA AR	LÉ ÉR	LÊ ÊR	LI IR	LÓ ÓR	LÔ ÔR	LU UR
MA AR	MÉ ÉR	MÊ ÊR	MI IR	MÓ ÓR	MÔ ÔR	MU UR
NA AR	NÉ ÉR	NÊ ÊR	NI IR	NÓ ÓR	NÔ ÔR	NU UR
PA AR	PÉ ÉR	PÊ ÊR	PI IR	PÓ ÓR	PÔ ÔR	PU UR
QA AR	QÉ ÉR	QÊ ÊR	QI IR	QÓ ÓR	QÔ ÔR	QU UR
RA AR	RÉ ÉR	RÊ ÊR	RI IR	RÓ ÓR	RÔ ÔR	RU UR
SA AR	SÉ ÉR	SÊ ÊR	SI IR	SÓ ÓR	SÔ ÔR	SU UR
TA AR	TÉ ÉR	TÊ ÊR	TI IR	TÓ ÓR	TÔ ÔR	TU UR
VA AR	VÉ ÉR	VÊ ÊR	VI IR	VÓ ÓR	VÔ ÔR	VU UR
XA AR	XÉ ÉR	XÊ ÊR	XI IR	XÓ ÓR	XÔ ÔR	XU UR
ZA AR	ZÉ ÉR	ZÊ ÊR	ZI IR	ZÓ ÓR	ZÔ ÔR	ZU UR

TERCEIRO QUADRO:

BE EM	CE EM	DE EM	FE EM	GE EM	JE EM	LE EM
ME EM	NE EM	PE EM	QE EM	RE EM	SE EM	TE EM
VE EM	XE EM	ZE EM				

3. *Fingir o ar*, ou o ar que *encaminha e volta*, como todas as imagens presentes nas explanações de Antunes Filho, não implica figuras retóricas ou licenças poéticas, mas realidades físicas. O ator deve, por todos os meios, buscar o efetivo controle do ar. Isto é fundamental, porque na ressonância o ar precisa ser aproveitado integralmente para a emissão dos fonemas, jamais escapar ou faltar. O terceiro exercício desta série visa justamente auxiliar o ator na aquisição desse controle.

O quadro a seguir contém combinações fonéticas que possibilitam diferentes entonações e ritmos, dependendo do uso que se faz do ar. O treinamento tem duas modalidades básicas: primeiro, emitir os fonemas num fluxo contínuo, em uma só respiração; depois, emiti-los em *staccato*, controlando a saída do ar a cada sílaba:

BLIMBLABLA	BLIMBLEBLA	BLIMBLIBLA	BLIMBLOBLA	BLIMBLUBLA
BLIMBLABLÉ	BLIMBLEBLÉ	BLIMBLIBLÉ	BLIMBLOBLÉ	BLIMBLUBLÉ
BLIMBLABLÊ	BLIMBLEBLÊ	BLIMBLIBLÊ	BLIMBLOBLÊ	BLIMBLUBLÊ
BLIMBLABLI	BLIMBLEBLI	BLIMBLIBLI	BLIMBLOBLI	BLIMBLUBLI
BLIMBLABLÓ	BLIMBLEBLÓ	BLIMBLIBLÓ	BLIMBLOBLÓ	BLIMBLUBLÓ
BLIMBLABLÔ	BLIMBLEBLÔ	BLIMBLIBLÔ	BLIMBLOBLÔ	BLIMBLUBLÔ
BLIMBLABLU	BLIMBLEBLU	BLIMBLIBLU	BLIMBLOBLU	BLIMBLUBLU
VRIPRAFRA	VRIPREFRA	VRIPRIFRA	VRIPROFRA	VRIPRUFRA
VRIPRAFRÉ	VRIPREFRÉ	VRIPRIFRÉ	VRIPROFRÉ	VRIPRUFRÉ
VRIPRAFRÊ	VRIPREFRÊ	VRIPRIFRÊ	VRIPROFRÊ	VRIPRUFRÊ
VRIPRAFRI	VRIPREFRI	VRIPRIFRI	VRIPROFRI	VRIPRUFRI
VRIPRAFRÓ	VRIPREFRÓ	VRIPRIFRÓ	VRIPROFRÓ	VRIPRUFRÓ
VRIPRAFRÔ	VRIPREFRÔ	VRIPRIFRÔ	VRIPROFRÔ	VRIPRUFRÔ
VRIPRAFRU	VRIPREFRU	VRIPRIFRU	VRIPROFRU	VRIPRUFRU

19. A construção da fala

Antunes Filho, em frente ao quadro negro, explica com a ajuda de gráficos a sua técnica vocal.
Foto: **Amílcar Claro**

PRIPRAPRA	PRIPREPRA	PRIPRIPRA	PRIPROPRA	PRIPRUPRA
PRIPRAPRÉ	PRIPREPRÉ	PRIPRIPRÉ	PRIPROPRÉ	PRIPRUPRÉ
PRIPRAPRÊ	PRIPREPRÊ	PRIPRIPRÊ	PRIPROPRÊ	PRIPRUPRÊ
PRIPRAPRI	PRIPREPRI	PRIPRIPRI	PRIPROPRI	PRIPRUPRI
PRIPRAPRÓ	PRIPREPRÓ	PRIPRIPRÓ	PRIPROPRÓ	PRIPRUPRÓ
PRIPRAPRÔ	PRIPREPRÔ	PRIPRIPRÔ	PRIPROPRÔ	PRIPRUPRÔ
PRIPRAPRU	PRIPREPRU	PRIPRIPRU	PRIPROPRU	PRIPRUPRU

4. Quando nos referimos aos fonemas do *ponto cardial*, conforme a quirofonética, observamos que dois deles – L e R – escapam à classificação de *sons dentais*, já que a emissão ocorre com a ponta da língua afastada da borda interna superior dos dentes, tocando o palato próximo ao ponto da *bigorna das consoantes*, onde se localiza a pequena concha acústica que possibilita enviar fonemas ao fundo dos olhos. Naquela passagem foi mencionado que, no método, *LA* é a sílaba-chave para a remessa de todo som à ressonância. E é disso, justamente, que trata o quarto exercício desta fase da técnica vocal: o trabalho com *LA*, a sílaba-padrão, que alcançando o *ponto de ressonância* abre o caminho do fundo dos olhos a todas as outras sílabas, a todos os fonemas e sons produzidos no aparelho fonético.

O exercício é muito simples, pois consiste apenas em trabalhar com a sílaba *LA*. Ela deve ser pronunciada no tom agudo, bem aberta, mas com precisão, clareza, rapidez, delicadeza e brilho. Na busca por alcançar tais qualidades reside a dificuldade da tarefa, exigindo muita atenção na emissão do ar, que vem da coluna e, na bigorna, imprime a vogal *a* sobre a consoante *l*. Logo o praticante perceberá que, na verdade, é o som que produz o movimento, não o contrário. Imprescindível manter lábios e língua ao mesmo tempo relaxados e ativos (ou ionizados), sem perder a agilidade. Colocando a emissão no agudo fica mais fácil localizar o *ponto de ressonância*. O tom agudo dá clareza e nitidez a cada fonema, mas a musculatura facial deve permanecer *limpa*, nenhum músculo externo pode se mexer desnecessariamente, porque isso possibilita a entrada de ar na boca e faz o praticante perder o ponto da ressonância. Ao perder o *ponto*, perde-se também a articulação.

5. Tendo já conseguido o domínio da respiração e do jogo muscular necessários à boa emissão sonora; tendo aberto o caminho para a ressonância com a sílaba *LA*, o praticante começa a inserir novas sílabas, mantendo a emissão na ressonância, objetivando a constituição do seu *fonemol*. Os fonemas devem ser pronunciados com extrema precisão e clareza e o exercício conduzido de modo absolutamente mecânico, com atenção ao ritmo e à regularidade da pronúncia e da articulação.

6. Depois de dominar a emissão mecânica das sílabas, sem sair da ressonância, o praticante vai trabalhar com o *ch'i 2* (ou *ar nº 2*), aprimorando o fluxo dos sons, a fluência dos fonemas. Pode então fazer desenhos sonoros, mas sem esquecer que os sentimentos nascem do próprio ato mecânico da emissão e não por ato racional do intérprete.

   Nesse momento, com o *ch'i* ligando as sílabas, dando sentimento e movimento contínuo à fala, o praticante já está fingindo o ar e também finge o falar rápido alternado com o lento, porém sempre pronunciando sílaba por sílaba com absoluta nitidez. Importante perceber, especialmente quando se finge o falar rápido, que a vogal corre na horizontal e a consoante fica na vertical – isso pela própria natureza de uma e de outra. A imagem que melhor define a junção de ambas para a formação de fonemas é a da máquina de costura. A manutenção da consoante na vertical é imprescindível para que o ator se mantenha também no eixo (lembrar sempre que a coluna das consoantes se espelha na coluna vertebral).

7. Obtendo o domínio do *ch'i 2*, o praticante pode exercitar também o *ch'i 1* (ou *ar nº 1*) para acrescentar efeitos ao desenho da voz ou para falar muito grave. Note-se que, na ressonância, o grave contém o agudo, e por meio deste é que melhor se alcança o estado de ressonância. Para desenhos com o grave, o *ar nº 1* é mais eficiente. Esse ar, como se sabe, vem do peito pelo tubo nº 1 e se presta à projeção. Então, para usá-lo sem cair na projeção, é preciso fazer do maxilar caixa de ressonância, assim o ar não será atirado para fora. Para a emissão do grave, o ar deve girar lentamente pela boca. Quanto mais lento for o movimento do ar na boca, mais grave será o som.

O ar é matéria-prima absoluta nesses exercícios e deve ser objeto de toda a atenção do praticante. Os vários aspectos físicos e conceituais da respiração e do uso do ar para a construção da fala, implícitos no método Antunes Filho, estão aqui presentes e devem atuar na organização da prática diária.

Importa ter presente, acima de tudo, o problema da renovação do ar, lembrando sempre das duas funções precípuas da respiração, neste caso: a oxigenação do organismo e a permanente disponibilidade de ar para a emissão vocal. A renovação do ar, conforme anotações de Lee Taylor, "consiste em girar o ar exterior dentro da boca, de fora para dentro e de baixo para cima, pegando este ar para ajudar a reabastecer os pulmões, sem encostá-lo na garganta durante a emissão". E conclui afirmando que esse ato "serve para renovar o ar e agilizar a articulação". Desse ar vital, de que se serve o ator para a renovação, é que o *ladrão* (aquela língua de réptil que sai do tubo nº 2 e rapidamente para lá volta) provê o ator com o *ar da expressão artística*, o ar do *ch'i*.

Tendo cumprido todos os passos desses exercícios, o ator já pode praticar o *fonemol*, unindo sílabas aleatórias, criando frases abstratas, não semânticas, mas vigorosas e cheias de significados. Deve começar então a exercitar a *tônica*, que é a ênfase dada a uma sílaba, às vezes a uma palavra, para conferir naturalidade, desenho e variações à fala em construção. E, uma vez dominada essa última fronteira, estará pronto para usar o *fonemol* como ferramenta para a construção do personagem.

20. A viagem I: programação e gênese

Todo aquele que é deveras um artista deseja criar em seu íntimo uma outra vida, mais profunda, mais interessante do que aquela que realmente o cerca.

Constantin Stanislavsky[1]

O caos é o destino do ator em sua viagem cotidiana pela cena. No método Antunes Filho esta afirmação se fundamenta na ideia de fazer uma nova realidade emergir do caos. Com sorte, realidade capaz de transformar a consciência do próprio intérprete e a de quem o vê, o espectador.

Terminada a viagem, quando o ator desembarca no proscênio e agradece os aplausos, aquela realidade volta ao caos. E lá permanecerá, no território da imaginação e da poesia, até que outra sessão do espetáculo (outra viagem) a traga de novo aos olhos, à inteligência e à sensibilidade da plateia, pois é através do corpo, da imaginação e do espírito do ator que o Teatro insere acontecimentos inefáveis na realidade objetiva das pessoas.

Por intermédio do ator são atualizados gestos míticos e ritos primais que habitam o inconsciente coletivo e tangenciam a consciência somente por meio ou dos sonhos ou das artes. Em razão da faculdade de trazer à cena realidades do plano onde a matéria pouco se diferencia do espírito, o teatro é sítio de manifestação do sagrado, é hierofania.

Falamos, é claro, de uma ação dramática apoiada no *Self* e não no ego do intérprete. Ação em que o ator flutua, permitindo ao vaga-lume

1. Constantin Stanislavsky, *A preparação do ator*, p. 71.

revelar o personagem. Ao império do ego pertence grande número de atores e atrizes que transitam nos palcos: com o pretexto de *interpretar*, levam à cena questões pessoais convertidas em músculos tensos; recorrem a estereótipos como representação de emoções e sentimentos. Podem até fazer a plateia gargalhar com piadas chulas, ou ficar impressionada com os esgares que resultam da tentativa de exibir a alma do personagem. Nestes casos e assemelhados, o que ocorre na cena é de natureza profana, não sagrada, não há hierofania.

Não se pode esquecer que a obra de arte é uma construção. A experiência de vida, as emoções sentidas, o conhecimento de mundo ajudam o ator na construção de novos universos, mas jamais devem ser levados diretamente à cena, em estado bruto.

Uma advertência de Kandinsky é oportuna: "Arte e natureza seguem caminhos diferentes e distantes entre si, mesmo quando os dois se propõem a um mesmo fim"[2]. Eis aqui a ideia precisa da coisa: o ator está criando e não vivendo na própria carne aquela situação; está fazendo arte, imitando a natureza, fingindo o drama e não se debatendo entre os conflitos ou se consumindo na voragem do personagem que representa. E para imitar a natureza, fingir com perfeição o ser enredado em conflitos dramáticos, segue caminho diferente daquele a que a natureza submete o seu personagem, porém com o objetivo de alcançar o mesmo efeito dramático. Desperta a piedade, a compaixão, o ódio, o desprezo, o riso, qualquer emoção no espectador, não raro com mais vigor do que um ser humano despertaria em igual situação, na vida real.

Mas ele apenas finge como o poeta que, no dizer de Pessoa, "é um fingidor". Todavia, para ser um grande poeta deve "fingir tão completamente", chegando "a fingir que é dor, a dor que deveras sente"[3]. O mesmo se passa com o comediante. E de maneira até mais acentuada, pois falando com um personagem de Tarkovsky o ator é a própria obra de arte[4]. Diferentemente do poeta, que revela suas visões de mundo no papel, ou do artista plástico, que o faz sobre um suporte qualquer como tela, papel, mármore, etc., o comediante revela sua visão de mundo através do próprio corpo, com os ossos, os músculos, os nervos, os olhos, a voz, e o faz em momento que não se repetirá jamais. Em si mesmo, é a obra de arte única!

Por isso Antunes dá ênfase ao verbo *fingir*, que é a chave do intérprete dramático. Para convencer o espectador de que é outro precisa

---

2. Vassily Kandinsky, *Punto y linea sobre el plano*, p. 104.
3. Fernando Pessoa, "Autopsicografia", em *Ficções do interlúdio*, p. 100.
4. Um pensamento dessa ordem é expresso por Alexander, personagem do filme *O sacrifício (Offret)*, de Andrei Tarkovsky, 1986.

fingir o gesto, fingir a expressão do rosto e do corpo, fingir a expressão vocal. E para bem fingir é necessário estar *afastado* do personagem, criando um espaço entre ele e a situação que representa, livrando-se de ser sufocado pela emoção. Esse espaço está representado no sistema L.

Verifique no gráfico do sistema L (p. 224) o quadrado em meio às linhas superiores, que indicam a ligação cósmica, e inferiores, que ligam o fundo dos olhos ao *kundalini*. Ao lado do mesmo estão duas linhas em arco, à esquerda, que se referem ao campo magnético, onde se estabelece a relação entre o emissor e o receptor. A interpretação dessas linhas é de capital importância para a percepção de todo o sistema.

A linha do *emissor* está fora da estrutura do L: o que o ator representa também está fora do seu corpo. As emoções estão fora, assim como as reações psíquicas do personagem. Será um erro buscar essas coisas *dentro de si mesmo*, porque elas não lhe pertencem, mas ao personagem. Dará sua contribuição interior, evidentemente. Tanto em termos intelectuais quanto espirituais. Conhecerá por meio do estudo e da reflexão todas as coisas que dizem respeito ao personagem, o ambiente em que vive, as emoções que o movimentam, as pessoas que o cercam. Das atitudes deduzirá o temperamento e assim por diante. E tudo isso irá do cérebro para o púbis. Tudo passará pelo *kundalini*, as referências racionais mais óbvias serão drenadas no caminho do neocórtex ao fundo dos olhos, onde se misturam promiscuamente com sensações animalescas (irracionais), vindas do sistema límbico, com a pulsação cardíaca...

Tudo opera dentro do ator, fornecendo munição ao vaga-lume para a expressão, que é construída fora. O ator finge o personagem na primeira linha curva; dali o personagem é percebido pelo outro (receptor), que tanto pode ser o ator (ou o personagem) com o qual contracena quanto o espectador.

Esse esquema vale para a expressão física, para o gesto e o movimento, como para a expressão da voz. Compõe o jogo. "Na projeção, atiro o ar em cima do outro. Aqui não: o ar finge que vai, mas não vai"... "Você direciona o ar para imprimir o sentimento na película, que está entre você e o outro, e voltar em seguida. Ele vai até a película e imprime para o outro, porém não vai até o outro." Também o gesto, a expressão facial, tudo passa pelo processo de elaboração interior e construção exterior. Nisso reside a essência do *afastamento* na técnica antuniana. É nesse sentido que deve ser lido o testemunho de Juliana Galdino de que "a voz cria um espaço onde você opera, ouve e vai criando, quase simultaneamente".

Depois de bem exercitar o corpo e a voz, seguindo a técnica Antunes Filho, o ator ou a atriz passa à criação do papel. Tratará corpo e voz como unidade. Tendo por base a respiração, tentará expressar a relação metafísica do personagem com o mundo. Porém, isso só pode ser feito após etapa absolutamente materialista, na qual se efetua cartesiana abordagem ao meio em que vive essa pessoa imaginada e a tudo o que diz respeito às condições da sua existência. O aprofundamento na realidade concreta do personagem possibilita ao ator o espaço ideal para o *afastamento*, podendo observar de fora e fingir a criatura, transcendendo questões materiais para revelar as espirituais colocadas pelo poeta.

Este capítulo pretende expor premissas do trabalho intelectual que antecede ao ato verdadeiramente criativo do ator e lhe possibilita o *afastamento* – condição fundamental para o trabalho, porque é afastado, observando de *fora*, que o comediante pode fingir o *dentro* de modo revelador.

A análise do texto não pode se converter em pretexto para que se interrompam os exercícios de corpo e de voz. Eles continuam até o ponto em que as informações sobre o tempo, a vida e a história do personagem forneçam subsídios para direcionar os exercícios à expressão de um pensamento, a uma forma estética. Há, portanto, um ponto de convergência entre a teoria e a prática, e será a partir desse momento que terá início a construção do personagem de modo orgânico, dentro de uma respiração. Todavia, mesmo durante e após a fase de construção (aqui denominada *performance*), os exercícios de corpo e voz devem prosseguir, abrindo os ensaios diários.

Da convergência teoria/prática trataremos à frente, pois o que interessa neste passo é indicar algumas regras para o estudo do texto, a fim de promover o encontro do ator com o personagem e, com isso, possibilitar o afastamento entre ambos.

As regras para o estudo do texto é onde o método Antunes Filho mais se evidencia tributário de Stanislavsky. Por isso, será útil fazer algumas considerações e sinalizar paralelos entre ambas as técnicas.

Grosso modo, o trabalho braçal implícito na análise, abarcando contexto histórico/sociológico, personalidade e caráter do personagem, vem de Stanislavsky. Contudo, Antunes propõe novas ferramentas para essa tarefa. Propõe, por exemplo, que a psicologia pessoal, que dá sustentação à técnica stanislavskiana, seja instrumento complementar da psicologia analítica, junguiana – isto porque é a psicologia analítica que fornece o chão para o seu processo criativo e fundamenta sua técnica para o ator.

O conjunto de conhecimentos que estrutura o método Antunes Filho não serve a macetes expressivos e clichês egoicos. Sua função é conduzir o intérprete ao *Self*, estado em que os elementos dramáticos compõem um organismo, remetendo a expressão ao universo das imanências, onde razão e instinto convivem e geram formas. Aqui o método Antunes Filho ganha considerável distância daquele que o inspirou.

Todavia, o olhar mais atento detecta nas exposições de Stanislavsky o vislumbre da coisa que denominamos *Self*. Uma realidade "mais profunda, mais interessante" do que a que nos cerca, como fala o mestre russo na citação que abre este capítulo.

Ao discorrer sobre o *superobjetivo* e a *linha direta de ação*, Stanislavsky coloca esses institutos da sua técnica como "aspiração e propósito vital inatos, arraigados em nosso ser, em nosso misterioso *Eu*". Refere-se, na sequência, ao "que há de mais desenvolvido na natureza do homem, e que misteriosamente o governa", para concluir afirmando que os acontecimentos da vida interior ou exterior adquirem importância "em função do elo misterioso, muitas vezes inconsciente", que promove a evolução do drama, ligando-se "a alguma ideia principal, às nossas aspirações inatas e a uma linha de ação direta que é o nosso espírito humano"[5]. E não estará ele tateando o que na técnica Antunes Filho é denominado *Self*-sistema quando fala do *superconsciente*? Vale a pena refletir sobre a questão, a partir deste trecho:

> Quando o ator já esgotou todas as vias e métodos de criatividade, chega a um limite além do qual a consciência humana não pode estender-se. Aí começa o reino do inconsciente, da intuição, que não é acessível ao cérebro, mas aos sentimentos; não ao pensamento, mas às emoções criadoras. A técnica bruta do ator não pode alcançá-lo. Só é acessível à sua natureza-artista. [...] Entretanto, a essência da arte e a fonte principal da criativi-

5. Constantin Stanislavsky, *A criação de um papel*, p. 92.

dade se ocultam nas profundezas da alma do homem. Aí, no centro do nosso ser espiritual, no reino da nossa inacessível supraconsciência, existem o nosso misterioso *Eu* e a própria inspiração. É esse o armazém do nosso material espiritual mais importante. É intangível, e *não está sujeito ao nosso consciente*.[6]

Às vezes Stanislavsky surpreende com menção aos hindus, indiretamente referindo-se ao pensamento filosófico e às místicas orientais. Quando fala, por exemplo, do *objetivo inconsciente*, "que logo se apodera do ator e o conduz, por intuição, ao alvo básico da peça", observa em nota colocada entre parênteses que "os hindus chamam a esses objetivos a mais alta espécie de superconsciência"[7].

Sua intuição lhe indicava o caminho, porém, na época, primeiras décadas do século XX, era ainda muito cedo para um intelectual de formação europeia, ocidental, como Stanislavsky, transformar essa via mística em ferramenta prospectiva do conhecimento. As ideias filosóficas e místicas orientais continuavam sendo vistas pelos ocidentais como matérias exóticas, embora em muitas áreas despontassem iniciativas que as tomavam por referência de um novo modo de entender o Universo e de nele situar o ser humano. Davam os primeiros passos a mecânica quântica – cujas descobertas no âmbito dos eventos que ocorrem a velocidade próxima à da luz iriam corroborar a validade das místicas orientais – e a psicologia junguiana, que abriria de vez o mundo dos arquétipos e do inconsciente coletivo.

Mesmo atraído pelo pensamento hinduísta, Stanislavsky estava confinado nos limites da física clássica, determinista, e da psicanálise freudiana. Quando fala em *inconsciente*, refere-se ao inconsciente pessoal e não ao coletivo. Acreditava que pela emoção o ator conseguiria, de alguma maneira, superar as barreiras e avançar por esse sonhado território de mistérios e transcendências. Segundo ele, não qualquer ator, "só os artistas de gênio são capazes [...] de absorver em si mesmos [...] a alma da peça e realizar a síntese deles próprios com o dramaturgo. Os atores de menor talento, que não trazem a marca do gênio, têm de se satisfazer com menos"[8].

Em suas reflexões, muitas vezes Stanislavsky emite conceitos que parecem se reproduzir no método Antunes Filho. "O corpo também precisa ser protegido contra a força arbitrária, contra a tensão muscu-

---

6. Idem, p. 94. Grifo nosso.
7. Idem, p. 66.
8. Idem, p. 90.

lar", diz ele. E justifica: "É esta uma das razões pelas quais a encarnação física do papel tem de ser refreada até a fase final, quando as facetas interiores do papel já estão aperfeiçoadas e suficientemente fortes para poderem controlar não apenas os olhos, a expressão facial e a voz, mas também o corpo"[9].

Acredita, portanto, que a ansiedade gerada pelas tensões musculares poderá ser *controlada* pelo ator. Ao passo que Antunes propõe a eliminação das tensões já no início dos exercícios, que, aliás, têm a função precípua de combater tensões. Se elas não forem combatidas, os exercícios estarão irremediavelmente perdidos.

Em outro passo, Stanislavsky se refere a um procedimento em que ator e personagem de certo modo se *afastam*: "... enquanto representava, eu sentia um prazer imenso em acompanhar a minha transformação. De fato era o meu próprio observador ao mesmo tempo em que outra parte de mim estava sendo uma criatura crítica, censuradora". E mais: "Dividi-me, por assim dizer, em duas personalidades. Uma permanecia ator, a outra era um observador". E conclui: "Por mais estranho que pareça, essa dualidade não só não impedia, mas até promovia meu trabalho criador. Estimulava-o e lhe dava ímpeto"[10].

Essas aproximações conceituais da técnica de Stanislavsky com a de Antunes Filho são necessariamente nebulosas e devem ser relativizadas, pois importam processos divergentes na resposta às mesmas necessidades.

Inquestionavelmente muitos dos conceitos stanislavskianos para a *criação do papel* podem e devem ser aplicados na técnica Antunes Filho. Todavia, é necessário muito cuidado com aqueles conceitos que dão ao *sentimento* o status de *conhecimento* e à *emoção* a condição de *ferramenta criativa*, porque no processo instaurado por Antunes no CPT não se permite o trabalho direto com a emoção, nem se permitem procedimentos que acabam *grudando* o personagem no ator.

Se não houver espaço para respiração, o ator sufoca, cai prisioneiro da ansiedade, eliminando a possibilidade de acesso ao *Self*-sistema. Assim mesmo, restam muitos conceitos e procedimentos stanislavskianos relativos à análise do texto e do personagem que devem ser utilizados, após as devidas adaptações ao novo sistema:

1. Objetivos pequenos e grandes.
2. Situação dada.

9. Idem, p. 115.
10. Constantin Stanislavsky, *A construção da personagem*, pp. 42/43.

3. Os planos de análise: a) Plano externo dos fatos (acontecimentos, enredo, forma); b) Plano da situação social (classe, nacionalidade, ambiente histórico); c) Plano literário (ideias, estilo); d) Plano psicológico (ação interior); e) Plano físico (objetivos e ações físicas, caracterização exterior).
4. Tempo *presente* da peça: vasculhar o passado do personagem (passado = raiz da qual nasceu o presente) e estabelecer perspectivas do seu futuro.
5. A função mágica do *se*.
6. Gênese.
7. Subtexto.
8. E *partitura*, que na técnica Antunes Filho virou *programação*.

Veremos na sequência que esses conceitos, já transformados em maior ou menor grau, estão presentes em nosso trabalho de análise.

A primeira leitura da peça, do ponto de vista de Stanislavsky, é um evento para o qual o ator deve se preparar muito bem. As impressões da primeira leitura, afirma ele, são indeléveis e ajudarão o intérprete a perseguir as emoções (presumivelmente *verdadeiras*) da história que a peça conta.

No método Antunes Filho em vez de reverência à primeira leitura há uma advertência: cuidado com as primeiras impressões! A leitura da peça não pode ser conduzida pela emoção que desperta no ator. Deve ser *leitura branca*, apenas para conhecer a história e ter o primeiro contato com a sua estrutura. O mesmo se passará com as leituras seguintes, sejam elas feitas individualmente, em silêncio, sejam feitas em grupo, cada qual lendo uma parte – mas, em ambos os casos, sem qualquer tentativa de interpretação.

Com as primeiras leituras pode-se chegar ao *plano literário*, como expressa Stanislavsky, onde se definem estilo, gênero e toda a configuração literária da obra. Quase simultaneamente colocam-se o *plano externo dos fatos* e o *plano da situação social*, pois é possível, com as informações literárias, apreciar o modo como se manifestam as coisas narradas e verificar a contextualização geopolítica dos fatos.

Evidentemente há diferenças notáveis entre o *cenário geopolítico*, por exemplo, de um drama do francês Victor Hugo e do seu contemporâneo brasileiro Gonçalves Dias, embora ambos sejam românticos e observem os mesmos princípios estéticos e narrativos. Existem dados básicos, como época, local e circunstâncias, que devem ser imediatamente descobertos e assimilados, pois indicam possíveis suportes e possíveis molduras para a ação dramática.

Ocorre muitas vezes que a época evocada na peça não é a mesma do autor; assim como não é o mesmo o país, não é o mesmo o continente humano com suas crenças e seus costumes. Caso, por exemplo, de *Boabdil*, drama em cinco atos de Gonçalves Dias, escrito no Rio de Janeiro, em 1850, narrando uma história que se passa na Idade Média, quando a cidade de Granada, na Espanha, estava sob domínio dos mouros. Qual o contexto geopolítico que interessa? O do Brasil na primeira metade do século XIX ou o da Espanha sob dominação moura na Idade Média? *Ambos* é a resposta correta. Mais importantes, no entanto, são a época e as situações vividas pelo poeta. Ao se deslocar no tempo e no espaço para um passado heroico, como era natural aos românticos, o poeta está falando na verdade do seu tempo e do seu espaço, dos valores morais, espirituais e sociais do seu contexto, do seu momento histórico.

Necessário, portanto, um levantamento exaustivo do tempo e da sociedade aos quais pertence o autor. Devem ser estudadas a economia e a política do país; o pensamento e o comportamento da sociedade. Imprescindível ler tudo desse autor, e também o que se escreveu a respeito dele, abrindo debates em grupo sobre essas questões todas. Isso ajudará a ampliar o conhecimento do *plano literário*, que não se refere apenas ao estilo, mas às ideias do poeta.

Esse conjunto de estudos tem suprema importância para se chegar ao principal objetivo do autor, onde se firma a premissa interpretativa e se coloca o pensamento que comanda todas as ações. O principal objetivo, todavia, deve ser alcançado devagar e à medida que o conhecimento da obra é aprofundado, não sem esforço intelectual.

Esforço que pode ser aplicado no exame das contradições presentes na trama, desde o início da obra. A toda afirmação corresponde uma negação, e vice-versa. Interessa não apenas o ponto de vista do dramaturgo, mas também os seus opostos. Na medida em que o ator formula questões dialéticas, estabelecendo o contraditório, a própria ação dramática é acionada e se movimenta. Assim, uma ideia mais clara do sentido da obra vai se construindo e se consolidando.

O principal objetivo se revela (ou no mínimo se insinua) nesse percurso, no entanto o ator deve duvidar sempre e, se for preciso, alterar ou substituir o objetivo, sem qualquer hesitação. Coisa possível enquanto a peça é examinada em seu todo, sem particularizar o estudo de personagens.

O aqui chamado *principal objetivo* equivale ao *superobjetivo* stanislavskiano e refere-se a uma espécie de projeto filosófico de vida do poeta. "Dostoievski foi impelido a escrever *Os Irmãos Karamazov* pela preocupação que lhe ocupou a vida inteira: *a procura de Deus*", fala Tórtsov (Stanislavsky) aos seus alunos. E prossegue: "Tolstoi passou a existência lutando pelo *aperfeiçoamento de si mesmo*. Anton Tchekhov combateu a *trivialidade* da vida burguesa e esse foi o *leitmotiv* da maior parte da sua produção literária"[11]. Conforme Stanislavsky, é importante estabelecer com segurança o *superobjetivo* do autor, pois "estes propósitos mais amplos, vitais, dos grandes escritores têm o poder de atrair todas as faculdades criadoras do ator"[12].

Evidencia-se dessa maneira, como já citado, a necessidade de conhecer outras obras do autor, assim como estudos que existam sobre ele, etc., para entender de modo amplo o seu pensamento, as suas preocupações, a sua ideologia, e estabelecer com segurança o *principal objetivo*, ou *superobjetivo*. Esse entendimento confere nitidez ao tema e à estrutura da peça sobre a qual se trabalha.

Tendo ideia bastante clara do tema e da estrutura, obtendo por intermédio de dados concretos o objetivo do autor, tem início o trabalho de dissecação da obra, incidindo no estudo minucioso sobre cada personagem. É nesse momento que o ator começa de fato a preparar o seu papel.

O principal objetivo deve não apenas *ser coerente* com a ideologia do poeta, mas traduzi-la em termos práticos na história que conta e na maneira de contar; o tema e os subtemas devem corresponder à mesma ideologia, assim como os grandes e pequenos objetivos, pois há um pensamento comandando todas as ações. Tal pensamento é a síntese da ideologia do poeta e o seu comando outorga unidade à ação dramática, revelando a peça como um organismo vivo, pulsante.

Uma vez compreendidos o texto e o contexto, o ator inicia o trabalho de análise do personagem que irá interpretar. Porém, jamais tratará o personagem isoladamente: é preciso analisá-lo na relação com o meio

11. Constantin Stanislavsky, *A preparação do ator*, p. 285.
12. Idem.

e com os outros personagens. E para isso o ator deve ter boa compreensão tanto do meio (e a busca do objetivo principal o conduz nesse sentido) quanto das figuras com as quais contracena.

O trabalho de equipe é importante porque propicia a unidade das ideias. O ator acompanha o levantamento que os colegas fazem dos seus papéis e, desse modo, fica em sintonia com os demais intérpretes, sem arbitrariedades.

Mas por que estudar o *outro* em profundidade? Para criar estratégias e armadilhas na materialização da ação dramática e também porque, do ponto de vista de Antunes, você só pode ampliar a consciência de si mesmo através do outro.

Tem aqui inestimável importância o estudo da retórica. As palavras do personagem são apenas indicações, sinalizações de determinados fatos e pensamentos. O ator deve seguir essas indicações, esses sinais, para deslindar os fundamentos do personagem. Fundamentos que se iluminam na relação com o "outro", na maneira como ele argumenta e contra-argumenta. Interessa igualmente detectar suas contradições, pois sem o atrito dos opostos não há movimento dramático.

Nesta fase o ator trabalha apenas com os *significados* (as palavras em si), não com os *significantes*, que serão matéria-prima na fase seguinte. O personagem é estudado a partir das *situações dadas*, não no abstrato. Suas relações com os demais e com o meio ambiente o revelarão ao ator, que, tendo chegado a um bom entendimento de tais relações, começa a desconstruí-lo intelectualmente.

Repete-se na análise do personagem o mesmo esquema usado para o estudo da peça. Em primeiro lugar, deve ser estabelecido o objetivo principal; em seguida, os objetivos grandes e pequenos; e assim vai-se construindo o *cronograma* e o *fluxograma* do personagem, fixando a sua programação nos limites do tempo cênico.

O objetivo principal é a meta do personagem. Para alcançá-la, ele recorre a objetivos secundários, somando um conjunto de dados que descrevem a sua trajetória, momento a momento. Esse conjunto de dados, gerado pela dinâmica do processo, corresponde ao fluxocronograma que o ator deve construir.

Cada cena, cada movimento e até cada gesto deve ter um objetivo. Às vezes a constelação de pequenos objetivos desenha curvas. Aparentemente a curva se afasta do objetivo principal, em razão das estratégias e armadilhas que o ator elabora para alcançar sua meta. O importante é que cada objetivo tenha sido fixado pelo ator em seu fluxocronograma, atendendo à lógica da ação dramática.

O ator deve trabalhar com a imaginação e evitar a todo custo a fantasia. Esta implica ideias que jamais se concretizarão no plano da realidade, já que não correspondem às condições reais do indivíduo nem do seu meio social. A fantasia é a fuga do real e não traz benefício à comunidade. Já a imaginação é instrumento capaz de transformar a realidade.

A imaginação é indispensável no momento em que se constrói o fluxocronograma do personagem. Ela permite ao ator invadir o universo poético do ser fictício e traduzi-lo em pequenos objetivos, em ações físicas reveladoras do seu caráter e do seu estado de espírito. Usando a imaginação, quando necessário o ator pode recorrer à potencialidade mágica do *se*, como ensinava Stanislavsky, tanto para colocar-se intelectualmente na situação do personagem (identificação) quanto para descobrir novas estratégias, enriquecendo a ação, sem se desviar dos objetivos.

Nesse processo constrói-se o fluxocronograma, que é a programação do personagem, cobrindo cada passo que ele dará em cena. Tudo deve ser detidamente avaliado pelo ator e espelhar a realidade efetivamente colocada pelo poeta, não por metáforas ou símbolos, mas pelo que concretamente diz a peça em questão. Nenhum dado constante do fluxocronograma pode surgir do nada, desvinculado do real – seja por ato arbitrário, seja pela fantasia do intérprete.

A programação constitui a plataforma de todo o processo de criação do papel e sua elaboração inclui a gênese do personagem, que é outro instrumento de inestimável valor para a materialização do mesmo em cena. Programação e gênese são institutos estreitamente ligados.

À medida que o ator fixa os objetivos do personagem, cena a cena, vai consolidando um ponto de vista sobre o mesmo e isso o leva a fazer indagações quanto às origens da criatura. Quando nasceu? Em que lugar? Na cidade, na aldeia, no campo, na praia? Como eram os pais? Como era a sociedade em que teve seus primeiros contatos com o mundo e cresceu? E, assim por diante, vai questionando as origens de manias, humores, frustrações e de quaisquer outras atitudes que caracterizem essa criatura. As respostas encontradas ajudam na seleção de objetivos pertinentes e reveladores.

20. A viagem I: programação e gênese

A gênese tem origem na atuação do personagem em busca de soluções aos seus problemas. Portanto, qualquer dado que surja e se incorpore deve se referir a coisas (situações, pensamentos, falas, propósitos, etc.) concretas, pertinentes à realidade objetiva analisada, e não aos devaneios e subjetivismos do intérprete.

A programação auxilia na elaboração da gênese e esta ajuda o desenvolvimento daquela. O intérprete deve cercar as possibilidades de ação e selecionar a que lhe parecer mais coerente com os objetivos principais do autor e do personagem. Ao eleger esta possibilidade, não pode ignorar as demais, pois se encontra no *campo das dez mil coisas*. A eleição é feita para facilitar o trabalho analítico, visando à composição do personagem por meio da programação orientada pela gênese. Logo que o ator entrar no corpo a corpo com a cena, recorrendo às improvisações (*performance*), mesmo mantendo aquela possibilidade de ação como leito natural do personagem, outras possibilidades naturalmente afluirão, conferindo ao trabalho mais densidade, mistério e brilho.

Tais qualidades não são frutos do acaso e sim do labor sobre o plano da realidade objetiva. Quanto mais o ator se aprofunda nos dados concretos do mundo e do dia a dia do personagem, mais possibilidade terá de transcender a realidade objetiva, mergulhar no caos e dele fazer emergir imagens reveladoras e/ou transformadoras.

Nas fronteiras da matéria com o espírito, a constituição da gênese estabelece os laços da teoria com a prática. Surge aqui um conceito que já se chamou *investigador* e, ao longo da pesquisa e sistematização do método, passou por metamorfoses, teve outras denominações e, por fim, foi encampado pelo *vaga-lume*. Recuperamos no entanto o *investigador*, apenas nesta fase de concepção intelectual do papel, dadas as suas virtudes no ato de afastar o ator do personagem. E também porque um dos aspectos que tem importância básica na constituição da gênese é o levantamento das diferenças entre ambos, tarefa que o *investigador* executa com propriedade.

No primeiro impulso, o processo leva à identificação ator/personagem, mas, ato contínuo, a prospecção induz às comparações e às diferenças. O ator se pergunta por que o personagem fez isso ou aquilo? O que o levou a fazer isso ou aquilo? Obtém as respostas e volta ao questionamento: nas mesmas condições como é que ele, ator, agiria? Desse modo, instituem-se as relações entre ambos a partir das diferenças.

Para assumir virtualmente as atitudes do personagem o ator não pode fantasiar as condições do outro nem as suas próprias. Para conhecer os seus limites e superar-se, precisa saber o máximo do outro e admitir como *sua* a realidade do personagem.

É evidente que a matéria-prima o ator vai buscar na sua experiência de vida. Pela experiência é que ele reconhece todas as ações executadas pelo personagem, desde o simples ato de tomar água até a relação sexual. O fato, na verdade, é que não existe *personagem*, o que existe é o ator em *novas condições*.

O ator busca identificar-se com o personagem para, em seguida, desidentificar-se, afastar-se do mesmo. Nesse jogo, enquanto faz a mediação, o *investigador* abre um espaço e afasta o ator do personagem. Tranquilamente pousado no sistema L, o intérprete observa pelos olhos do *investigador* tanto as ações do personagem quanto suas próprias reações a elas.

Esse desdobramento é o mesmo a que se refere Stanislavsky, quando diz que estava em ação cênica e se percebeu dividido em duas personalidades, "uma permanecia ator, a outra, era um observador". Ou seja, é um fenômeno comum no ofício do intérprete dramático. O problema é que isso pode levar a certa esquizofrenia, a confusões da *persona* com a pessoa. A técnica Antunes Filho elimina a possibilidade de esquizofrenia e confusão, canalizando o fenômeno ao plano dos instrumentos criativos. O *investigador* possibilita ao intérprete observar seus próprios sentimentos, suas reações, e a jogar com isso tudo. Pode, assim, completar a gênese e a programação, começando a *performance* com o trajeto que vai do significado ao significante e nela questionando os mecanismos de defesa do personagem.

Aqui acontece, por fim, a convergência da teoria com a prática, e o ator passa à *performance*, que é uma pesquisa dramática extremamente útil à efetiva construção do personagem. Até agora lidou com o pensamento, porém, adverte o mestre, "pensamento não é abstrato, é ação concreta".

21. A viagem II: *performance*

> *Na prática, há o afastamento. E o que é o afastamento senão você se afastar e permanecer afastado do* laser *que o vaga-lume projeta à sua frente, entre você e o interlocutor? E afastado você vai se amoldar àquilo. Não vai fazer o gesto, vai apenas se amoldar ao gesto, às atitudes e à fala daquilo que está moldado na sua frente. Na verdade, o ator está sempre recriando. Isso tudo pressupõe o ato de vontade e de aceitação da nova coisa. Você tem que aceitar e acreditar nessa nova coisa.*
>
> Antunes Filho

Neste momento o ator *joga fora* o que estudou sobre a peça e o personagem, bem como o fluxocronograma e até a gênese. O que interessa ao trabalho já está internalizado, passou a fazer parte da *inteligência inconsciente* do seu organismo. Os procedimentos de análise e de programação deixaram pronto o molde do personagem. Resta dar pulsação, calor e sensibilidade a ele, fazendo-o viver em cena.

Antunes adverte aos discípulos que "não se pode entrar em *estado de esquecimento* sem rigorosa preparação". E acrescenta: "Você não tem o que esquecer, já é esquecido. Oriente-se pelos impulsos do outro, da situação, e fique sensível a tudo. Sensível às recorrências daquilo que estudou. Se quiser lembrar, vai imediatamente para o outro sistema. É inevitável. Qualquer erro, você vai para o egossistema".

Há um ponto de transição entre a leitura horizontal (o trabalho intelectual sobre o texto) e a *performance*, que é a pesquisa do personagem através do corpo. Não há um limite exato entre as coisas. A *performance* pode ser antecipada no processo, como recurso para compreensão física e espiritual do personagem; por outro lado, alguns aspectos da programação têm continuidade mesmo depois de a *performance* ter começado para valer. Tais aspectos se referem ao aprofundamento no plano de *significado/significante* e nos mecanismos de defesa do personagem.

Os mecanismos de defesa devem ser procurados no próprio texto, ao se fazer o fluxocronograma. Eles aparecem horizontalmente e depois, no decorrer da *performance*, serão verticalizados. Constituem raciocínios lógicos do personagem perante seus conflitos. Às vezes, defende-se de coisas que apenas o incomodam ou afetam superficialmente; outras vezes, os mecanismos de defesa denunciam situações graves, quando há, por exemplo, ameaça de desestruturação física e psíquica do indivíduo.

O manual de 1987 sobre o método em progresso levantava a discussão em torno do *significado* e do *significante*, advertindo que no Centro de Pesquisa Teatral esses termos são deslocados "do sentido que lhes é dado em outras áreas, como semântica e linguística". Prossegue afirmando que o trabalho do ator deve ser feito sobre o *significante*, entendido como a "alma" do objeto, sua essência, seu universo de relações para chegar à síntese, que em última instância seriam as próprias palavras, os *significados*. Deixa claro que "as palavras (*significados*) são apenas o reflexo de um continente muito maior, ao qual denominamos *significante*"[1].

Desde a elaboração da gênese o ator se preocupa com o trajeto do *significado* ao *significante*, procurando de início o sentido de cada palavra, para mais tarde, já na *performance*, superar o entendimento da palavra como simples *significado* e penetrar o seu universo, a sua natureza, o próprio objeto, que é o *significante*.

Portanto, no decorrer da primeira fase do método Antunes Filho, destinada à prospecção intelectual, trabalha-se sobre o *significado*, sobre a palavra como registro semântico, horizontal, implicando a signifi-

1. *O ator do Centro de Pesquisa Teatral* SESC *Vila Nova*. As citações seguintes procedem dessa fonte.

cação. Nessa fase não há espaço para a busca verdadeira ao *significante*, mas o ator deve estar muito atento às palavras cujo sentido lhe escapa e procurar o dito sentido no dicionário, de modo que todas as frases sejam perfeitamente entendidas, linear e objetivamente. Isto porque não se pode avançar para a criação do papel com dúvidas quanto ao sentido dessa ou daquela palavra.

A leitura que se baseia apenas no *significado* não é coisa rara. Muita gente não consegue mesmo chegar ao *significante* e, assim, sua compreensão do que lê fica na superfície. Um leitor desse tipo jamais percebe a ramificação nervosa da obra, o substrato, a visão de mundo que o poeta propõe. Lendo Guimarães Rosa, por exemplo, entende-o com o relevo de um artigo jornalístico: plano e raso, embora informativo.

A leitura baseada no *significado*, todavia, é bastante útil para a elaboração do fluxocronograma e da gênese, uma vez que é despojada de subjetivismos e se harmoniza com a ideia da realidade concreta do personagem, que deve ser clara nessa fase. A redução de signos e de sentidos é necessária para a elaboração dos objetivos do personagem (dados concretos) e, em consequência, do fluxocronograma e da gênese.

De modo que o trabalho com o *significante* começa nos ensaios de situação, ou *performance*, assunto deste capítulo. Porém, não começa de pronto: nos primeiros ensaios – e pelo tempo que for necessário – o ator não fala o texto diretamente, mas o *fonemol*, a combinação de fonemas que lhe possibilita o ritmo da fala, isento de armadilhas semânticas, conforme o já exposto.

O ator fará improvisações, pesquisando o personagem, guiado pela sensibilidade e nos rastros que o fluxocronograma lhe imprimiu no subconsciente. Assim, libera o corpo para coisas do âmbito espiritual, dos valores morais e éticos que acodem no decorrer da *performance*. Ele se vincula fisicamente ao drama, à medida que trata de fato corpo e voz como unidade.

Graças ao *fonemol* o texto não fica sujeito a desgastes ou aos vícios interpretativos. O ator percebe fisicamente as linhas de força, os mecanismos de defesa, os humores e a afetividade do personagem e se apropria deles, sob comando do *investigador*, que já passou pela metamorfose e se tornou o vaga-lume. Desse modo, avança rapidamente para dentro do universo do *significante*.

Somente depois de conquistar e dominar o universo do *significante* é que abandona o *fonemol* e começa a dizer as palavras do texto. Não mecanicamente e sim como num exercício de atualização dos signos: dá nome ao objeto (*significante*) e se expressa com a palavra (*significado*). Por isso falará, em princípio, como a criança que começa a se relacionar com os objetos e só depois os nomeia, lidando com os fonemas como quem constrói algo.

Imprescindível deixar claro, neste ponto, que não se deve decorar o texto. Com o trabalho analítico e consequente elaboração do fluxo-cronograma e da gênese, as palavras vão se incorporando. Em seguida, com o uso do *fonemol* e o mergulho em busca do *significante*, o texto vai se fixando na memória, naturalmente e enriquecido, não de modo mecânico, como ocorre quando o ator se dá ao trabalho de decorá-lo. As palavras brotam espontâneas, sem qualquer recurso artificial... Nada de coisas como inflexões estudadas ou tentativas de imprimir nas benditas palavras ritmo e musicalidade artificiais, conforme códigos antigos da *arte do bem dizer*. Tais efeitos, se necessários, vêm junto com o desenho que, por fim, o ator realiza no próprio corpo, sob comando do vaga-lume, porém são efeitos gerados pelas contradições do personagem e não por convenções arcaicas sobre a representação das emoções. Antunes Filho é enfático no assunto: "O princípio básico no CPT é a transitoriedade. Se você entra em cena com o texto decorado e sabe toda a marcação, é um funcionário, não um artista!".

A apropriação das palavras pelo ator é um direito conquistado no decorrer do processo. Após o mergulho no universo do *significante* elas deixam de ser blocos compactos, duros, e adquirem flexibilidade expressiva e plasticidade.

Apoios básicos para o ator, visando à plena realização da *performance*, são os princípios da probabilidade, da incerteza e da complementaridade. O levantamento dos objetivos do personagem não fechou e sim abriu horizontes. Por isso mesmo os objetivos, grandes e pequenos, podem ser alterados na *performance*. Só o objetivo principal da obra, que diz respeito à ideologia do autor, deve ser preservado, alterando-se apenas no caso de a pesquisa chegar a páramos inimagináveis inicialmente. Os demais objetivos estão agora à mercê das probabilidades.

21. A viagem II: *performance*

Na mecânica quântica, o princípio da probabilidade afirma que "as leis da natureza determinam não a ocorrência de um evento, mas a probabilidade de um evento verificar-se"[2]. Os padrões de probabilidade, segundo Fritjof Capra, "não representam probabilidade de coisas, mas, sim, probabilidades de interconexão"[3]. Esta visão da natureza se reproduz no ator, que nunca deve preconceber o personagem nem determiná-lo, projetando-o como ser imutável, e sim trabalhar com probabilidades implícitas no permanente movimento desse personagem, nas interconexões dramáticas.

Com a *performance*, em improvisações, o ator executa esboços do personagem, examinando as possíveis características do andar, dos gestos, da fala, da respiração, etc. Caso detecte algum problema com o corpo ou dificuldade de expressar fisicamente esse ou aquele aspecto, deve recorrer aos exercícios – funâmbulo, loucura, cinema mudo, etc., conforme a natureza do problema encontrado – para habilitar-se corporalmente à narrativa, sem impor movimentos que não tenham surgido da lida direta com o personagem. Não o faz em termos de *representação* e sim colocando o corpo à disposição do vaga-lume; não pensando em definir desse ou daquele jeito tal cena, apenas mantendo o corpo em relaxamento ativo para que o vaga-lume possa operar a expressão. Tem perfeita noção do que é estar em cena, no campo das *dez mil coisas*, portanto das dez mil probabilidades de gesto, de movimento, de expressão, de signo. Assim, construindo seu papel mediante esses esboços, ao fluxo da *performance*, imprime no personagem o sentido da impermanência, da transitoriedade, do movimento interior, das sutis metamorfoses do tempo: em sua expressão está o passado, o efêmero presente e a indicação do futuro.

O princípio da incerteza, que se refere às interações imprevisíveis das partículas subatômicas, é para o ator instrumento de uso contínuo não só na *performance*, mas ao longo de todo o trabalho criativo. Concebendo sentimentos e sensações como elétrons que giram ao redor de si, permanecerá atento às alterações que ocorrerá nas relações com o outro ou no campo da ação dramática.

O personagem não se cristaliza (o que significaria sua morte), mantém-se vivo, pulsante, sujeito a qualquer estímulo que venha do interior (do mundo interior *do intérprete*) ou do entorno, das situações colocadas em cena, das reações do outro. Como ocorre na vida, um

2. Werner Heisenberg, "A descoberta de Planck e os problemas filosóficos da física atômica", in: *Problemas da física moderna*, p. 16.
3. Fritjof Capra, *O Tao da Física*, p. 58.

novo estímulo, entre os muitos a que o personagem está sujeito, pode alterar significativamente a ação.

O princípio da incerteza não se refere, evidentemente, à indecisão do ator quanto a que atitude tomar ou coisa que o valha. Não é isso. O princípio da incerteza só pode existir quando o ator se coloca como observador do objeto (personagem) e, ao observar, interfere no comportamento do objeto, não pelo raciocínio, e sim com a energia. A relação observador/objeto se dá em *estado quântico*, no campo de forças onde atuam os arquétipos do personagem e do ator, possibilitando ocorrências imprevisíveis.

O modelo que se reproduz aqui, na esfera da criação artística, procede de um conceito básico da mecânica quântica – o princípio da incerteza, assim definido por Niels Bohr: "Cada observação dos fenômenos atômicos exige uma ação recíproca não desprezível entre o objeto observado e o instrumento de medida [ou o observador]".[4] A incerteza não deve ser confundida com a dúvida, que é uma postura consciente do ator em face do personagem e do contexto dramático sobre o qual trabalha. Porém, sem confundir o princípio da incerteza, que rege sua ação, com a dúvida o ator estará sempre duvidando: quando tem certeza de alguma coisa, já cristalizou a coisa, matou-a.

O trabalho positivo com a dúvida observa dois modelos correspondentes a diferentes momentos da criação do papel. O primeiro caracteriza a fase de preparação intelectual, de onde resultam o fluxocronograma e a gênese: é aquela dúvida classificada por Unamuno "cartesiana, ou dúvida metódica", que se manifesta no âmbito do raciocínio. O segundo modelo dá vida à *performance*. Trata-se, neste caso, da dúvida agônica, na classificação de Miguel de Unamuno: "E o que é duvidar? *Dubitare* contém a mesma raiz, a do numeral *duo*, dois, que *duelam*, luta. A dúvida [...] agônica ou polêmica, que não a cartesiana ou dúvida metódica, a dúvida de vida – vida é luta –, não de caminho – método é caminho –, supõe a dualidade, o combate".[5]

Tem fundamental importância ao desenvolvimento do trabalho do ator o bom entendimento das diferenças entre a incerteza e a dúvida, conforme aqui se expõe. São instrumentos para a criação, mas apenas à proporção que forem aplicados com pertinência. Se houver confusão entre uma e outra coisa, não se chegará a lugar nenhum. Por outro lado, serão extremamente eficientes quando o ator conse-

4. Victor Weisskopf, *A revolução dos quanta*, p. 18.
5. Miguel de Unamuno, "La agonia del cristianismo", in *Antologia*, p. 331 (trad. do Autor).

guir dominar ambos os conceitos e lidar com os mesmos em termos da complementaridade.

Os procedimentos expostos no capítulo anterior e neste são aparentemente discrepantes. Naquele prevalecem o raciocínio, o cálculo, o intelecto; neste, o espírito, as questões éticas e morais. Não haverá discrepância entretanto se forem colocados em termos da complementaridade. Como foi dito, a plataforma do método é a complementaridade – terceiro princípio importado da mecânica quântica por Antunes Filho.

Os princípios da probabilidade e da incerteza propõem o indeterminismo como elemento fundamental da criação dramática; já a complementaridade os aceita e acomoda com preceitos deterministas, provocando a junção de linguagens opostas e, com isso, a possibilidade de novas linguagens estéticas. Reproduz-se assim, no método, o modelo proposto por Bohr da junção de "linguagens distintas, complementares, para traduzir os fenômenos luminosos"[6]. Em nosso caso, os *fenômenos luminosos* dificilmente interessariam aos físicos: prendem-se à atuação do ator, que desvela em cena uma realidade superior, metafísica.

São complementares, portanto, os dois estágios descritos, o do levantamento intelectual de dados e o da *performance*, que conduz o ator ao universo das imanências, porém em todos os aspectos o ator deve trabalhar sempre com a complementaridade.

Na fase presidida pelo raciocínio, a análise psicológica do personagem é baseada na psicologia pessoal, freudiana; já na fase de pesquisa profunda, com o vaga-lume, passam a vigorar conceitos e teses da psicologia analítica, junguiana. Uma coisa não anula a outra. Temos aí duas linguagens complementares e fundamentais à perfeita compreensão e expressão do personagem.

A complementaridade é aplicada o tempo todo no trabalho criativo, até porque a matéria-prima do movimento dramático é a manifestação permanente de opostos simétricos, representados pelo par arquetípico *yin/yang*.

O ator está em processo e com a *performance* o processo chega à plenitude. Usando a sensibilidade, a imaginação e recursos conquistados nos exercícios de preparação técnica, improvisando situações as-

6. Victor Weisskopf, *A revolução dos quanta*, p. 18.

semelhadas às do texto, o ator passa à criação do personagem, porém falando o *fonemol* e não as palavras do poeta. Mantém-se no *L*, em relaxamento ativo, deixando-se conduzir pelo vaga-lume, que é a metamorfose definitiva do investigador. Está no *Self*-sistema e, para assim permanecer, é imprescindível atuar na ressonância, penetrar o reino dos arquétipos, em perfeito estado *yin/yang*. Afastado do personagem, não se permite levar pela emoção.

Quando tudo isso se conjuga nas improvisações, estabelecendo perfeito fluxo, o personagem estará praticamente pronto. O ator pode, então, deixar de lado o *fonemol* e usar as palavras do poeta. Ele preparou o campo, o espaço, para que a palavra surja com vigor e brilho, vinda do universo do *significante* não como mero registro sonoro do texto, mas como revelação metafísica do objeto.

Evidentemente o ator precisa *desejar* essa revelação, trabalhar duramente até alcançá-la e trabalhar para mantê-la ao longo da temporada ou enquanto o espetáculo permanecer em cartaz. Ele não é entretanto um trabalhador braçal: está lidando com dados espirituais, portanto não é necessário empregar força física. Basta-lhe manter os ombros e braços soltos, relaxados; joelhos firmes, mas não duros, executando todos os movimentos aos estímulos *yin/yang*. Não é escravo e tem prazer no que executa. Por duro que seja, o trabalho é sempre prazeroso. Isso também é fundamental, pois se o trabalho não for prazeroso e se o ator executá-lo com sofrimento ou apenas para cumprir uma tarefa vai para o egossistema, sai da ressonância e cai na projeção.

Com a *performance* o ator começa a ajustar todas as coisas. Insistimos na necessidade de prosseguir com os exercícios de corpo e de voz paralelamente não só às pesquisas intelectuais, mas também à *performance*. Assim, mantendo-se no *L* e estando com o relaxamento ativo acionado, o vaga-lume desperto e o fundo dos olhos funcionando, tem meio caminho andado para a construção do personagem.

Ilumina-se a necessidade de o ator investir no autoconhecimento, colocar-se em processo de individuação. Nos primeiros passos da viagem deve detectar os dados que o identificam com o personagem. Isso, no entanto, não pode ser confundido com procedimentos stanislavskianos. Aqui a identificação em vez de fundir o ser fictício ao intérprete dá início ao afastamento. Permanece válido o antigo gráfico[7] sobre a defa-

7. V. Capítulo 5, p. 100.

sagem ator/personagem, onde consta que o ponto comum entre ambos é a vida. A partir desse ponto comum, à medida que o ator aprofunda a análise do personagem, perceberá que seu caminho se afasta daquele trilhado pelo outro, ainda que em muitos aspectos permaneça a identificação. Assim procedendo, notará que o estudo das diferenças entre ele e o outro amplia seu autoconhecimento, pois é através do outro que o sujeito *se sabe*, desdobra o conhecimento de si mesmo.

Na verdade tudo é um grande jogo, e para bem jogá-lo o ator precisa ter consciência de si mesmo, não pode fantasiar nem divagar sobre o abstrato. A identificação com o personagem dá origem ao seu oposto, a desidentificação. Isto graças ao levantamento das diferenças que possibilitam o afastamento e a própria constituição do personagem. Tal movimento permite ao intérprete detectar fatores psicológicos dele mesmo, pela semelhança, pelo contraste ou pelas óbvias diferenças. De qualquer modo, não pode colocar o personagem em questão sem se colocar a si mesmo em questão: o personagem é o ator em outras situações e circunstâncias. Justamente por isso, para que o personagem adquira vida em cena o ator precisa *anular-se*, tornar-se *anônimo*.

Ser o outro, permanecendo o mesmo; anular-se ou incidir no anonimato, embora controlando todas as ocorrências cênicas, são aspectos da técnica Antunes Filho que solicitam reflexão. Estamos no território onde tudo *é* e *não é*, simultaneamente. "Quando falo em anonimato, em se anular", esclarece o mestre, "quero dizer deixar o ego de lado, entrar noutra instância espiritual e verificar como podemos resolver essa cena, esse personagem. É um exercício maravilhoso, você ouvir e entender o outro".

Continuando o raciocínio sobre o tema, no Seminário do CPT Antunes trouxe à baila o universo de interconexões dentro do qual estamos (vida) e com o qual lidamos na criação cênica. É uma rede cuja totalidade nossa percepção jamais poderá alcançar. Conforme ele:

> Os fótons giram a 300 mil quilômetros por segundo em torno de você e neles estão a memória e o conhecimento. Tudo fora de você. Se tentar colocá-los dentro, fica preocupado e vêm as toxinas que o levam para o estado do ego. Você precisa ficar livre, com o corpo em repouso; fica morto e entra em cena morto. É o anonimato do seu ego. O seu ego desaparece, por isso não pode haver nenhuma informação dentro de você, nem mesmo o texto.

Qualquer coisa que tiver dentro trava o corpo, mexe com o tônus, com a respiração, com todo o sistema orgânico. Porque há uma rede, também, dentro de você.

E essa rede interior, vital, íntima, não pode se confundir com os dados externos do personagem a que você está dando alento em cena.

A questão do *dentro* e do *fora* é extremamente delicada e reclama muito discernimento por parte do ator. Numa redução absoluta, isso significa que o intérprete não pode *importar* para si mesmo sentimentos e sensações do personagem, pois se o fizer será sufocado: com o que *importar* vêm as travas e as tensões que o tiram do *Self* e estabelecem o domínio do ego. Justamente por isso ele trabalha com as informações que estão *fora*, observando-as com os olhos do investigador que virou vaga-lume. Quando *empresta* ao personagem seus sentimentos e suas sensações, na realidade não os tira de dentro de si, não os tira do coração ou das entranhas, mas da sensibilidade desses sentimentos e sensações, que são fótons girando a 300 mil quilômetros por segundo ao seu redor. Desse modo, trabalhando com as emoções que estão *fora*, preservando o *dentro*, com o corpo posicionado no *L* e o vaga-lume atuando no fundo dos olhos, o ator mantém-se afastado do personagem.

Em outro passo do Seminário do CPT, ainda se referindo ao *dentro* e *fora*, Antunes Filho discorre sobre o campo magnético que se estabelece, tornando a ação dramática de um ator visível ao outro ator (e ao espectador) como holograma:

> A gente trabalha com projeção do *laser* no campo magnético. Os atores estão sempre no campo eletromagnético que a própria ação estabelece entre eles. São projeções da sensibilidade. A percepção do vaga-lume está sempre no espaço entre os atores, que agem de acordo com o seu comando, e ao qual podemos chamar intuição ou sensação. Você não está amarrado a uma estaca e, dentro de você, nada o prende. Então, qual é a base? De onde é que sai essa força eletromagnética? Sai do fundo dos olhos! Você fica sensível ao que ocorre, rastreia todo o campo visual e não visual através do interlocutor! É fundamental. O interlocutor também lança o *laser* com o fundo dos olhos e, desse modo, se estabelece o campo onde você registra, imprime as suas sensações. E vê as sensações do outro através desse campo, também. É como se fossem gravuras que vão sendo impressas.

21. A viagem II: *performance*

E, quando você anda, o gesto e a expressão que vai fazer na verdade já estão lá na frente, então, precisa simplesmente se amoldar à forma que lá está. É um campo. Quando você faz um gesto, não é mais o seu ego ou a sua ansiedade que o faz: são moldes que o *laser* vai lançando nesse campo magnético. Você lê o rosto do outro muito bem, lê o outro inteiro através desse campo. Numa fração de segundo intui qual o gesto que deve fazer. O gesto não sai de dentro de você, sai de fora, porque quem o determinou foi o *laser*, foi a projeção do vaga-lume. Você deve estar sempre sintonizado com as ocorrências físicas e materiais da cena, assim, em um milésimo de fração de segundo, intui o que deve fazer, mas, quando você faz... na verdade é uma coisa que já está feita. E não de dentro. Dentro... é o ego que está fazendo. Você sabe o que tem que fazer, qual é o gesto certo, qual a expressão certa; você sabe a fala certa. Então, tem que se amoldar a essa projeção, simplesmente. Ou seja, amoldar-se à intuição.

Embora na exposição sobre o campo magnético (a própria cena) Antunes não fale de holograma, toda a mecânica da ação dramática assim concebida ilumina a influência do paradigma holográfico que ocupou a cabeça do mestre e de seus discípulos por longo tempo, durante a pesquisa do método, e fixou normas com vistas ao *campo unificado*, conforme a teoria de David Bohm.

No entender de Renée Weber, "tal campo unificado não é neutro nem destituído de valores, como requer a regra geral que impera na ciência contemporânea, mas uma energia inteligente e compassiva, manifestando-se num domínio ainda não nascido, onde a Física, a Ética e a Religião se fundem"[8].

Verificam-se, tanto nesses conceitos quanto em outros do paradigma holográfico, elementos filosóficos de capital importância para a técnica Antunes Filho. Na verdade a técnica conduz aos múltiplos aspectos da realidade numa visão holística.

O paradigma holográfico engloba todas as coisas do Universo. Ou, como afirma Ken Dychtwald, "cada aspecto do Universo é, em si, um todo, um ser completo, um sistema abrangente por si mesmo, por *direito inato*, contendo dentro de si um depósito completo de informações a seu próprio respeito"[9]. O que nos leva à imanência, que é a expressão perfeita do campo unificado. E outra coisa não se pretende ao se propor a Mente, ou o *Self*, como chão da realidade dramática.

8. Renée Weber, "Consciência de campo e ética de campo", in Wilber, Ken et alii, *O paradigma holográfico e outros paradoxos*, p. 44.
9. Ken Dychtwald, "Comentários sobre a teoria holográfica". Op. cit., p. 109.

A função da *performance* é possibilitar ao ator remeter para o universo das imanências todo o trabalho intelectual, realizado na fase anterior, a respeito do personagem e do seu contexto. Os exercícios de corpo e de voz; a literatura sobre místicas orientais, psicologia analítica, nova física, retórica, etc.; todas as informações estéticas, o acervo de imagens, as percepções e o conhecimento das artes; a vivência do ator... Tudo se plasma na *performance*, constituindo a matéria-prima da expressão artística. Nela, as coisas materiais e espirituais vão para o *campo unificado*, onde permanecem indiferenciadas e de onde emergem imagens, sons, sentimentos, emoções.

A exemplo do holograma que, se quebrado, "qualquer pedaço dele reconstituirá a imagem inteira"[10], também qualquer fragmento do trabalho do comediante, seja um gesto, um sussurro, uma expressão do olhar, contém toda a história do personagem, porque tem origem no *campo unificado*, no caos, na região do indiferenciado para onde o ator remeteu o conhecimento que obteve do e sobre o personagem.

Mesmo conseguindo dominar as áreas implícitas, o ator não deve se envaidecer dos seus conhecimentos e se posicionar como o detentor da Sabedoria. A humildade é qualidade fundamental do comediante, que deve trabalhar sempre com precariedades, tanto as suas quanto as do personagem. O trabalho do ator é solitário. Na solidão é que ele busca o entendimento do outro e começa a constituir-se para a cena. Isto é feito na *performance*, na quietude, na solidão, aprofundando o conhecimento.

"Você faz a gênese do personagem e constitui as cenas por intermédio de laboratórios", diz Antunes, reafirmando o que já foi exposto abundantemente, mas deve se registrar neste final de capítulo como necessária síntese.

> Você precisa levantar os dados sobre a família e tudo o que for necessário para fazer o personagem e sua programação. Depois, entra em cena sem nada disso na cabeça. Tudo se transforma em gás, em fótons que lhe circundam, produzindo a tendência eletromagnética das coisas, da lembrança, mas eu não me lembro mais de nada, eu entro pelas sensações. Não tenho que levar o texto comigo para a cena, o subtexto. É ridículo. O subtexto, se é que tem algum subtexto, deve ser como gás, a tendência dos sentimentos... Você pode ter quatro sensações em dez segundos, porém, se pensar, gasta 20 segundos só para pensar a frase.

10. Marilyn Ferguson, "A realidade mutável de Karl Pribram". Op. cit., p. 23.

Ora, não tem frases literárias, não tem escrituras dentro de você. Trabalhe apenas com sensações. Tudo aquilo que levantou para fazer a gênese do personagem, os inventários e também os anelos, os desejos, os dramas e as circunstâncias atuais do personagem, deixe tudo como tendência. Se pensar em cena: *vou fazer isso*, já interrompeu o fluxo. Devem ser sensações que passam e fluem. Assim como o programa de um personagem, aquele texto deve fluir em torno de você. Ele não vai ficar na sua cabeça, orientando-o verbalmente. Ele deve fluir, ele circunda a sua cabeça.

Devo amoldar-me às imagens físicas, do ponto de vista do corpo e também do ponto de vista da voz. E aí entram os desenhos da voz. Então, esse espaço de três metros de tablado é o espaço da intuição. Se opero na realidade imediata, é o *agora já*; mas na outra energia são dois minutos antes. Assim, você tem dois minutos para chegar à expressão. Há, portanto, um espaço grande [o afastamento] entre você e a expressão.

Quando está trabalhando sufocado, no entanto, com a voz e com as consoantes no palato, ou com a fiação interna, fazendo caretas, de trás para a frente, você está realmente fora do objetivo do ator. O objetivo do ator é só expressão, é ter a expressão. E a expressão dele, como tudo o que ele faz, é fruto da intuição. Quando o ator está sufocado, está simplesmente implodindo e não tem expressão. Você pode se sentir bem como num psicodrama, mas teatro não é psicodrama. O ator não deve fazer psicodrama quando está em cena. Ele tem de cuidar é da sua expressão.

Uma consideração final, nas palavras do mestre:

Você não vive para fazer teatro, você vive para viver a sua vida. O teatro é uma forma de você viver a sua vida. Eu não vou morrer teatro, vou morrer minha vida. Então, primeiro o homem, depois o teatro. Ou não. Eu acho que para quem é budista o teatro é uma forma de conhecimento extraordinária. É uma forma de individuação. O teatro, para mim, é a forma mais rica de individuação. Porque você lida com o seu *eu* e com o *eu* de todo mundo, de todos os seres, imaginários ou não. Você vive qualquer época, qualquer caráter, qualquer coisa. O teatro, na verdade, é um grande *playground*. Você se diverte aprendendo a ter consciência plena das coisas. Quando você se pensa, pensa todos os homens. Porque o seu vaga-lume está ligado a todos os vaga-lumes do mundo. Na verdade, é um vaga-lume só.

22. *Prêt-à-porter* ou a outra volta do parafuso

> Prêt-à-porter *é a busca de um novo tipo de teatro, um teatro da sensibilidade, no qual não existem mais certezas, estereótipos e macetes, mas onde cada um de seus criadores está ali com suas dúvidas, sua precariedade, com seus limites.*
>
> Antunes Filho[1]

Há um momento no evoluir da técnica Antunes Filho que se converteu em uma das mais discutidas e festejadas manifestações do teatro brasileiro contemporâneo: o *prêt-à-porter*. Sob o signo do "ser *e* não ser é a questão", Antunes transformou o exercício de naturalismo em "manifesto" permanente da escola teatral baseada em seu método para o ator.

Ao desembocar no *prêt-à-porter*, o velho exercício de naturalismo indicou este porto de chegada como o diferenciador de dois modelos estéticos: o naturalismo ainda praticado em nosso teatro, eco do século XIX, mantenedor da emoção e do sentimento como ferramentas expressivas; e o recém-nascido *falso naturalismo*, que permite ao ator desenvolver na cena grandes emoções, não se deixando contaminar por elas.

Há breve registro do exercício de naturalismo no manual escrito em 1987, *O ator do Centro de Pesquisa Teatral*, com a advertência de que esse naturalismo "não se refere ao movimento estético, mas ao nome adotado no CPT para um processo prático do método utilizado no desenvolvimento dos atores".

---

[1] "Criação no CPT", em Prêt-à-porter 12345, p.18.

Hierofania

Antunes e os atores discutem uma apresentação de prêt-à-porter
Arieta Corrêa, Leandro Paixão, Antunes Filho e Lee Taylor.
Foto: **Carlos Rennó**

Afirmam os redatores do manual que "o naturalismo não é arte"; porém, "para se chegar à arte, necessitamos do naturalismo", repetindo desse modo as pregações de Antunes Filho. A cada passo do trabalho, certamente estimulados pelo mestre, eles recorrem a Platão e a Aristóteles na tentativa de estabelecer respaldo histórico-filosófico à nova proposta de mimese. Ideia obscura, que se refere a uma prática em gestação e classifica o naturalismo como simples cópia do "que está presente e visível, o natural", ao passo que o "realismo é a seleção que o homem faz do natural".

Na sequência é descrito o desenvolvimento do exercício: dois ou mais atores escolhem uma situação do cotidiano. Feita a opção, têm uma semana para elaborar a cena. Devem, então, avaliar se a situação imaginada pode de fato ocorrer, assim como responder às dúvidas geradas por ela e dar forma à ação dos personagens, seja no plano individual ou na inter-relação dos mesmos. Exemplifica-se, no parágrafo seguinte, com uma situação hipotética, os passos necessários para a realização do exercício:

"Duas amigas se encontram após anos de separação", eis o tema colocado. "Uma delas está com problemas", continua a argumentação. E a cena vai sendo gerada a partir de questões como:

1. Aonde vão se encontrar?
2. Há quanto tempo estão separadas?
3. Qual é o nível da amizade?
4. Qual é o problema da amiga?
5. Como vão solucionar esse problema?

Há certamente uma infinidade de perguntas e respostas implícitas na situação. E com prazer os intérpretes buscavam mais perguntas para que o trabalho com o corpo e a voz, baseado na intuição e na sensibilidade, pudesse expressar respostas... e também novas dúvidas. O conceito estava colocado, mas não ia à frente, porque faltavam ferramentas para criar a expressão naturalista sem o uso direto da emoção.

O último parágrafo do capítulo, naquele manual, resume a dinâmica do exercício: "A realização da cena é entregue aos atores. Eles montam o cenário e não há um texto preconcebido, sendo a atuação movida pelas necessidades da situação. [...] O objetivo é colocar o ator no estado de observador dele mesmo e do personagem. Realizado o exercício, outros atores, que estavam assistindo, fazem a crítica do mesmo".

Antes da redação desse manual, mais precisamente durante a temporada de *A hora e vez de Augusto Matraga*, os atores/alunos apresentavam os exercícios no palco do Teatro sesc Anchieta, aos sábados à tarde, para todos os interessados que lá comparecessem, fossem ou não ligados ao cpt. Apresentada a cena, Antunes fazia a sua crítica e estimulava tanto atores do grupo quanto pessoas que lá estavam apenas assistindo a se manifestarem sobre a mesma, pensando sempre, é claro, numa estética naturalista, no sentido de a cena ser *um pedaço da vida*.

Não por acaso integrantes de grupos de teatro amador, ou em vias de se profissionalizar, frequentavam com muito interesse essas sessões: era um modelo para a descoberta, a reflexão e a compreensão da matéria dramática; entretanto, apesar do interesse despertado, os exercícios de naturalismo não apresentavam perspectivas de evolução. Havia certa fratura entre os meios interpretativos praticados no cpt, já num estádio avançado de elaboração, e a aridez daquele ato imitativo.

No processo do grupo, com a introdução da *melopeia* e da *bolha* pareceu perder sentido e propósito o *espontaneísmo* daquela concepção naturalista. As técnicas já desenvolvidas achavam-se respaldadas na ideologia aplicada aos treinos exaustivos do corpo e da voz, coisa que ainda não encontrara seus encaixes naturalistas.

Daí vem, por certo, o pouco relevo que mereceu o *exercício de naturalismo* naquele manual de 1987. Parece ter apenas o propósito de registrar que Antunes permanecia fiel ao pressuposto da *constituição realista*, embora sem vislumbrar meios para integrar efetivamente essa *constituição* no sistema dramático. E, na verdade, a atualização do *exercício de naturalismo* se daria bem mais tarde, quando novos elementos da técnica interpretativa se estendessem até ele.

No passo seguinte do processo, à época, o grupo mergulhou no exercício da *bolha*, que tanta importância teve para a criação de *Paraíso, zona norte*. Graças à *bolha* conquistou-se o estado de *flutuação*, distanciando o realismo e reivindicando para os acontecimentos cênicos a condição de *pronunciamentos metafísicos*.

Depois de *Paraíso, zona norte*, a *bolha* se desintegrou e surgiu a *performance*, um meio para pesquisa e criação do personagem. Na mesma altura, houve empenho na investigação da nova técnica vocal, baseada no exercício de *russo* (*fonemol*), que, com a *performance*, responderia pela estética de *Nova velha estória*.

Neste andar da carruagem, aparentemente o *exercício de naturalismo* fora descartado, mas as aparências enganam, diz a sabedoria popular, e com razão: sempre esteve presente no CPT a necessidade de encontrar meios técnicos para a constituição realista – meios compatíveis com o sistema desenvolvido. Às vezes o *exercício de naturalismo* vinha à baila e era praticado respondendo a necessidades específicas. Por fim, quando Antunes e os atores deram início à sistematização do método, o velho exercício ressurgiu vigoroso para sofrer sua mais importante metamorfose visando ao *falso naturalismo* e se transformando em *prêt-à-porter*.

Foi, portanto, a busca por um naturalismo *de referência*, útil à constituição realista da narrativa e do personagem, que conduziu Antunes ao *falso naturalismo*. Falso porque nele o ator se apoia na *sensibilidade da emoção* e não na própria emoção, como acontece na técnica naturalista tradicional. E falso naturalismo também porque na verdade é realismo, uma vez que foi elaborado por meio de sínteses.

O próprio caminho o determina: para chegar ao *falso naturalismo* o ator deve recorrer a procedimentos que o distanciem dos estereótipos e lhe propiciem fingir a expressão do personagem no plano metafísico. Uma questão técnica que se manifesta como princípio estético: ao dispensar estereótipos, o ator afasta-se da velha escola realista que deles é aliada.

Mantendo a técnica, buscou-se o aprimoramento do produto estético. Desde que tiveram início as jornadas de *prêt-à-porter*, no que diz respeito ao espírito que o produz e à técnica que o determina, o trabalho não sofreu alterações, já o modo de apresentar as obras à plateia mudou significativamente.

O exercício saía da sala de ensaio como um *manifesto* dessa escola teatral, para tornar pública a ideia de teatro desenvolvida no CPT, não apenas nas apresentações de *prêt-à-porter*, por sua manifestação cênica, mas também pelas exposições verbais dos intérpretes. Exposições que abordavam suas experiências desde o primeiro contato com a plateia, discorrendo sobre o processo criativo instaurado, e prosseguiam no debate com os espectadores sobre as três micropeças encenadas. Era, enfim, uma forma de solicitar ao espectador a sua participação na criação e/ou no registro da obra.

A apresentação acontecia em espaço comum, uma sala qualquer, sem iluminação cênica e com cenários improvisados pelos atores, que operavam também a sonoplastia usando equipamentos domésticos. A plateia, instalada à beira da cena, permitia contato quase físico entre espectadores e intérpretes. O formato da sessão, nos primeiros tempos, era o seguinte:

1. Um ator apresentava o trabalho falando da técnica e da ideologia do CPT na busca da *nova teatralidade*. Tecia considerações sobre as diferenças entre o que se iria ver e o teatro convencional e explicava a mecânica da apresentação.
2. A dupla de intérpretes da micropeça a ser apresentada sentava-se em cadeiras diante do público e cada qual expunha a gênese do seu personagem usando a primeira pessoa, como se fosse o próprio personagem.
3. Terminada a exposição das gêneses, os atores se levantavam, recolhiam as cadeiras, examinavam a cena e, sem alteração da luz ou qualquer outro efeito, começavam suas *performances*.

4. Um *ok* proferido por alguém de fora da cena marcava o final da peça. Sem fechamento de pano ou escurecimento os intérpretes abandonavam as características dos respectivos personagens, traziam novamente as cadeiras e sentavam-se diante do público para o debate.
5. Na sequência entravam os atores da segunda obra, observando o mesmo esquema, e por fim a última dupla, porque a jornada do *prêt-à-porter* sempre se realiza com repertório de três micropeças.

No *Prêt-à-porter 3* (2000) esse formato sofreu alterações que permaneceram em vigor nas edições seguintes. O texto do apresentador restringiu-se à explicação da mecânica do espetáculo; foi eliminada a exposição das gêneses e o debate passou a acontecer somente após a apresentação da terceira obra. Posteriormente, desapareceu o apresentador e nem sempre se fazia o debate. As jornadas passaram a se realizar num espaço mais *teatral*, permitindo algum efeito de luz e sonoplastia executada fora de cena. Tais alterações refletem a dinâmica do *prêt-à-porter*, iluminando a variante que o levou das origens, quando era exercício de classe, à condição de produto estético.

Todavia, o *prêt-à-porter* mantém sua condição de exercício de classe, por ser uma técnica, antes de ser forma estética. Os atores do CPT rotineiramente trabalham o *falso naturalismo*, criando cenas que são mostradas ao grupo e discutidas por todos. O procedimento se inclui entre outros tantos que caracterizam o método.

Antunes não interfere na criação das cenas, mas coordena a ação dos intérpretes e, se entende que este ou aquele exercício apresenta potencialidade dramatúrgica, faz a crítica estimulando os intérpretes a trabalhar melhor a ideia. Do conjunto de cenas selecionadas saem as três micropeças que compõem o repertório. Periodicamente se renovam as peças, por isso seguem-se ao nome *Prêt-à-porter* os números 1, 2, 3, etc.

Não se deve esquecer a função primeira do *prêt-à-porter*, que é sua condição de exercício de classe; assim como não se pode ignorar a forma estética em que resultou. Uma forma original e renovadora, o que explica estarem as jornadas de *prêt-à-porter* sempre atraindo público, lotando o espaço onde são apresentadas aos sábados, no SESC Consolação. O trabalho percorreu cidades, deixou marcas em artistas de vá-

22. *Prêt-à-porter* ou a outra volta do parafuso

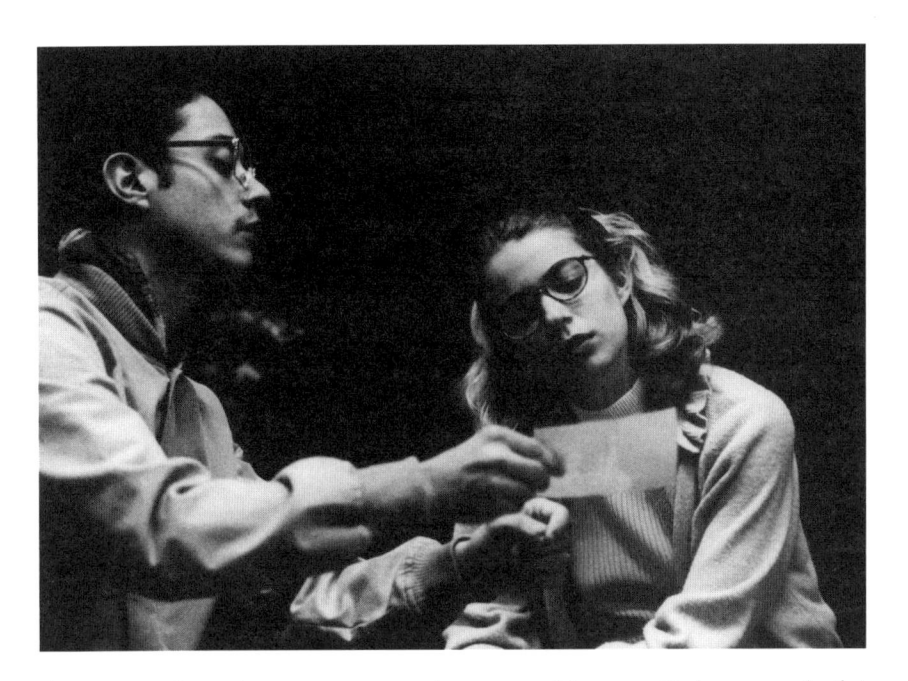

Leque de Inverno
Emerson Danesi e Silvia Lourenço.
Foto: **Emidio Luisi**

rias partes do país e causou entusiasmo em Havana, Cuba, quando foi apresentado no evento Mayo Teatral de 2004[2].

O que confere ao *prêt-à-porter* fascínio – não pelo que os diálogos dizem, mas pelo que a cena sugere – é a qualidade bem lograda por Antunes Filho na sua busca de uma técnica para o ator. A encenação revela a transcendência da realidade objetiva e consequente invasão ao território metafísico. Percurso dramático que rompe as fronteiras da lógica formal e lança o espectador, aprisionado nas redes do vir a ser, ao plano das imanências, onde realmente ocorre o drama dos personagens – que está permanentemente em processo.

A questão da forma faz lembrar a ideia de Antonin Artaud, segundo a qual a encenação e não o texto é que deve materializar e *atualizar* os velhos conflitos: "esses temas serão transportados diretamente para o teatro e materializados em movimentos, expressões e gestos antes de serem veiculados pelas palavras"[3].

O surpreendente, no entanto, é que *prêt-à-porter* conduz a um estado semelhante a esse, mas por meio de cenas onde duas pessoas falam de coisas simples do dia a dia, ou de suas preocupações, de suas alegrias e tristezas, na linguagem realista gerada pelo falso naturalismo e não por procedimentos como os imaginados por Artaud, expressos em termos de

[2]. Nessa ocasião, a Casa de las Américas homenageou Antunes Filho e o Grupo de Teatro Macunaíma com El Gallo de La Habana. Pela oitava vez em sua história foi outorgado El Gallo, prêmio instituído em 1966 para destacar o mérito de grupos, personalidades, publicações ou acontecimentos cênicos que representem avanços do teatro da América Latina e do Caribe.
[3]. Antonin Artaud, *O teatro e seu duplo*, p. 156.

um "encavalamento das imagens e dos movimentos", visando alcançar, "através de colisões de objetos, silêncios, gritos e ritmos, a criação de uma verdadeira linguagem física à base de signos e não mais de palavras"[4].

Fórmulas e preceitos antigos do teatro são superados no *prêt-à--porter*, e a criação dramática parece colocar em xeque a função da própria dramaturgia, trazendo de novo à lembrança manifestações artaudianas: "Renunciaremos à superstição teatral do texto e à ditadura do escritor"[5]. Tal postura torna o trabalho dramatúrgico do *prêt-à-porter* desconcertante, para quem o vê com as premissas e dogmas convencionais. Na verdade, a dramaturgia é consequência de um processo criativo que une duas entidades – autor e intérprete – em uma só.

Normalmente o autor, na sua solidão criativa, conta apenas com as palavras por ferramenta e meio de expressão; já o intérprete, igualmente na solidão criativa, pode escrever a partitura dramática a partir do *significante*, exteriorizando com o corpo, o gesto, o movimento e a expressão facial um universo impossível de ser verbalizado. O intérprete usa as palavras (*significados*) como meras indicações, fragmentos de ideias atirados sobre a superfície plana do ato representado, porém atua para lá dessa superfície, em meio a tensões dramáticas, das quais as palavras são simples reflexos, lançando-se aos abismos da alma do ser fictício que faz viver em cena.

Assim agindo, o ator supera a *representação*, atualiza mitos e materializa no palco uma nova realidade, porém o texto dramático praticamente deixou de existir, pelo menos do ponto de vista formal como é concebido tradicionalmente.

Lembra Marici Salomão que Antunes quis formar parcerias entre os atores, naturais criadores das micropeças, e os dramaturgos do Círculo de Dramaturgia do CPT para a elaboração de *prêt-à-porter*, porém não se lograva êxito. Porque "as cenas geralmente resultavam como se fossem camisas largas em corpos pequenos ou o contrário; havia sempre muitos ou poucos diálogos, sequências bem marcadas de começo, meio e fim". A experiência convenceu Antunes de que o "*prêt-à-porter* saía satisfatório [somente] quando elaborado e desenvolvido pelos próprios intérpretes"[6].

Depois Marici fala de *Leque de inverno*, peça do *Prêt-à-porter 2*, criada por Sílvia Lourenço e Emerson Danesi, enfatizando que "toda exposição física fazia parte da dramaturgia". E acrescenta:

---

4. Idem, p. 157.
5. Idem, p. 156.
6. Marici Salomão, "Para além da representação", in *Prêt-à-porter 12345*, p. 152. Dramaturga e jornalista, Marici Solomão foi coordenadora do Círculo de Dramaturgia do CPT entre 2000 e 2003.

Quando recebi o texto – parcas três páginas e meia de diálogos curtos –, não pude acreditar que toda a cena estivesse contida ali. Realmente, as rubricas pessoais de cada ator não estavam registradas; caso contrário, o texto duplicaria de tamanho. As rubricas, em *prêt-à-porter*, podem ser consideradas tão importantes quanto os diálogos distendidos nos vinte minutos de peça[7].

A questão das rubricas importa um novo problema. Elas não podem ser como as convencionais, cuja finalidade é esclarecer a ação dramática, indicar necessidades cenográficas, explicitar situações práticas e emocionais, etc. Seriam antes *subtextos*, como queria Stanislavsky, e não rubricas propriamente ditas. Todavia, na manifestação de *prêt-à--porter*, o que se vê em cena não são atitudes geradas por palavras ou ideias expressas no diálogo, mas a viagem dos personagens para dentro da própria vivência afetiva, matéria por demais sutil que ultrapassa os limites do *subtexto*, pois é um estado de espírito e independe da palavra ou de raciocínio analítico. Talvez pudesse ser descrita em palavras, mas na condição de poesia, que é parente muito próximo da música: o termo adequado para o movimento do intérprete é, realmente, *partitura*.

Dentre os ensaios literários e fotográficos reunidos no livro *Prêt-à--porter 12345*, há este assinado por Marici Salomão, que aborda a questão dramatúrgica, e há outro, escrito por Fernanda Pitta, que estabelece relações do falso naturalismo do CPT com o naturalismo procedente do romance do século XIX e o realismo que orientou a criação dramática ao longo do século XX, observando que,

> de certa forma, a dramaturgia dos *prêt-à-porter* traz ao palco uma figura que o realismo moderno relegara aos bastidores: o autor. Era a esse lugar que ele deveria restringir-se, permanecendo invisível e em silêncio. A personagem, abandonada por seu criador, estava condenada a ser unicamente ela mesma. Nos *prêt-à-porter* o autor volta, investido de seu duplo, o ator, e juntos constroem e explicitam a complexidade da personagem, já que essas cenas são escritas por e para os atores que devem representá-las[8].

Referindo-se às gêneses dos personagens, que inicialmente eram expostas pelos intérpretes antes do começo da representação, entende Fernanda Pitta que a *quarta parede* dos naturalistas é posta abaixo, de

[7]. Idem, p. 153.
[8]. Fernanda Pitta, "O falso naturalismo", in *Prêt-à-porter 12345*, p. 83.

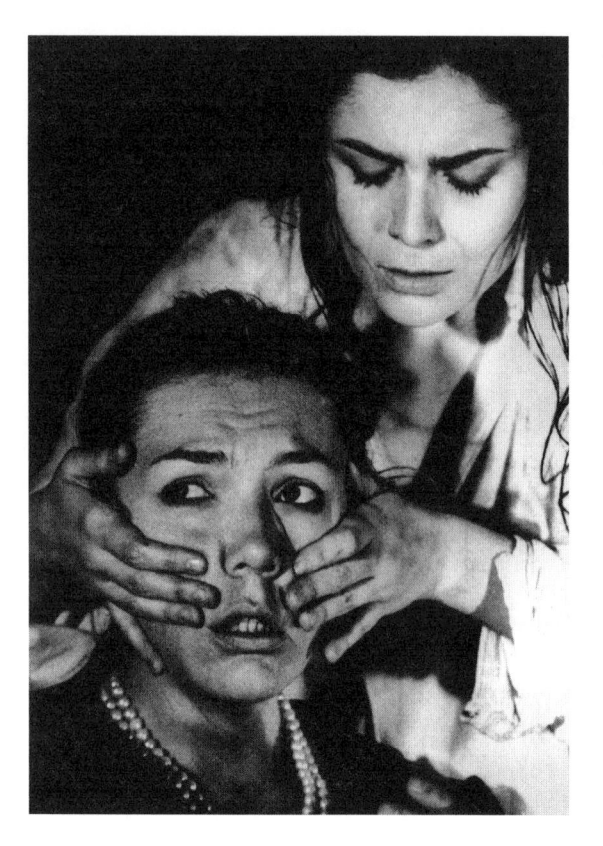

A mulher de olhos fechados
Arieta Corrêa e
Juliana Galdino
Foto: **Emidio Luisi**

9. Idem, pp. 86/87.

cara. Convém observar, no entanto, que após o abandono da exposição das gêneses a *quarta parede* não foi mais levantada, isto porque o jogo teatral permaneceu desvelado, seja pelo fato de os atores entrarem em cena como eles mesmos e só depois iniciarem a interpretação dos personagens; seja pelo fato de cenários e elementos cênicos serem improvisados para apoiar a ação e não para reproduzir ambientes; ou ainda pelo fato de alguém de fora da cena, estranho à ação, colocar fim na mesma com um OK que faz os intérpretes abandonarem as características dos personagens, voltando a ser eles mesmos.

A ação é marcada pelo afastamento não restrito à relação ator/personagem, mas também à relação palco/plateia. Fernanda Pitta afirma que "o espectador é colocado em uma encruzilhada, sem poder tomar nenhuma dessas falas da personagem como realista – elas são um limbo entre a vida (espectador) e o palco (personagem), são a marca da sua precariedade". E acrescenta: "Essa precariedade das personagens, entretanto, exige um ator consciente diante da inconsciência delas. A essa consciência o método de Antunes dá o nome de 'afastamento'"[9].

O *prêt-à-porter* propõe nova dramaturgia, pois não se trata da criação do texto por meio de *workshops* sobre um tema ou obra, como foi, por exemplo, o *Macunaíma*, baseado na obra de Mário de Andrade, ou a *Nova velha estória*, inspirado na fábula do Chapeuzinho Vermelho; também não é *criação coletiva* nem processo *colaborativo*. Todos esses modos reclamam a presença do *dramaturgista*.

Nada disso ocorre no *prêt-à-porter*. Nele, os autores são os atores e a dramaturgia se constrói com elementos da imaginação de cada um dos intérpretes e da relação de um com o outro. Se um dos intérpretes muda, mudará a dramaturgia e, ainda que se continue trabalhando o mesmo tema, a história fatalmente será outra. A escritura se faz em cena e não sobre o papel. Sobre o papel ficará, quando muito, o diálogo e a programação de cada personagem. Por outro lado, a obra até poderá ser transposta para o papel e interpretada por outros atores, mas aí já não será *prêt-à-porter*.

"O *prêt-à-porter* é um não espetáculo que é espetáculo", diz Antunes, tentando definir o trabalho. "Uma improvisação que não é improvisação, um esboço descartável na sua aparência", prossegue ele, ponderando por fim tratar-se de "uma reflexão sobre o fazer teatral". Enfatiza os meses de trabalho e a prática de exercícios diários para se chegar a esse resultado e chama o *prêt-à-porter* de *proposta básica*: "É e não é – é apenas uma probabilidade de ser não sendo. O *prêt-à-porter* é uma virtualidade"[10].

Tal virtualidade se manifesta nos limites dos acontecimentos, mostrando e ocultando o personagem e suas contradições. Esta é, de fato, a substância estética do método Antunes Filho, e o *prêt-à-porter* a expõe à luz do entendimento, porém do entendimento filtrado pela sensibilidade, não puramente intelectual.

Neste ponto, retornamos do produto estético para a condição de ferramenta a serviço de uma técnica e ao seu uso como procedimento aplicado à formação e ao aprimoramento do ator.

Como foi dito, o *exercício de naturalismo* teve as prerrogativas ampliadas ao ser inserido no sistema. A regra básica para a sua realização permaneceu: dois atores ou atrizes (não mais do que dois) elegem o tema vinculado a fatos do cotidiano e têm uma semana para criar a cena. Não constroem seus personagens com a simples ideia de *parecer natural*: utilizam os instrumentos técnicos do método, a começar pela gênese e pela programação, desenvolvendo situações em improvisação, ou seja, em *performance*.

Começa aqui a outra volta do parafuso que ajusta os *exercícios de naturalismo* à ideologia do método. Já não se trata de proposta baseada na experiência de vida e na memória dos intérpretes, como pedem velhas técnicas; trata-se de criar a impressão de naturalidade construindo a imagem, arquitetando a cena em todos os aspectos e com riqueza de detalhes, no que diz respeito à ação psicológica e emocional dos personagens, sem que interesse tanto a reconstituição material do seu ambiente. Resulta o falso naturalismo, em cuja esteira tudo *é* e *não é*, ao mesmo tempo.

10. Antunes Filho, "Ser e não ser, eis a solução", artigo do folheto de apresentação do *Prêt-à-porter 1*, reproduzido em *Prêt-à-porter 12345*, p. 173.

O exercício *blues* foi instrumento criado com o propósito de fazer ponte entre o conceito e a execução do *prêt-à-porter*. Pela ordem e conveniência, no treino diário do ator o *blues* vem depois da *loucura*. Esta altera a consciência do intérprete e aquele o traz de volta à realidade objetiva, porém de consciência alterada.

O contraponto do *blues* à *loucura* é um meio de elevar o personagem do plano terra a terra para esferas inefáveis, domínio do espírito, território do vaga-lume... Paradoxalmente, sem tirar os pés do chão! Desse modo, o *blues* transporta para dentro do exercício de naturalismo os benefícios dos demais procedimentos do sistema, incidindo na forma estética que Antunes classificou de "falso naturalismo".

O *prêt-à-porter* tem a mesma função do exercício de naturalismo, porém à luz de nova filosofia e em novo contexto. O objetivo continua sendo a constituição realista da cena e do personagem, mas por obra da intuição e da sensibilidade do ator e não por recursos externos ou por "receitas" que se traduzem em clichês, carimbos, estereótipos.

A criação das cenas implica o vínculo do intérprete com o vaga-lume. Depende da preparação que recorre à *caminhada* e ao *funâmbulo*, que deixam o corpo *massinha*, pronto para ser moldado. Depende de todos os exercícios de corpo e de voz, discutidos nos capítulos anteriores, e da busca incessante do ator pelo autoconhecimento.

Os procedimentos para a elaboração de *prêt-à-porter* são os seguintes:

1. A dupla de intérpretes seleciona um tema e o desenvolve.
2. Constrói a história de acordo com os procedimentos descritos no Capítulo 20, que trata da Programação e da Gênese.
3. Passa em seguida à *performance*, onde cada intérprete observa rigorosamente as premissas da técnica interpretativa: mantendo o corpo no *L*, em relaxamento ativo, joga as ações físicas e vocais para a ressonância. Deixa-se levar segundo a programação estabelecida, guiado não pelo comando do cérebro e sim pela intuição e sensibilidade, cuja síntese é o vaga-lume. E assim finge a realidade, cria a ilusão de um pedaço da vida.

Para elaborar as situações, os intérpretes lançam mão da nova oratória, procurando o aprofundamento pela argumentação e contra-argumentação rigorosa, longe de qualquer lugar-comum.

Em face disso, o *prêt-à-porter* é de fato o laboratório onde o ator faz as experiências, de acordo com as prescrições do método, e avalia as próprias possibilidades expressivas. Neste sentido, é o corolário dos procedimentos técnicos e marca o momento em que os mesmos conquistam o plano da criação. Sua prática não é um dado a mais, que pode ser ou não ser utilizado por quem se exercita na técnica Antunes Filho: constitui o espaço fundamental do processo. Nele se reúnem organicamente os procedimentos corporais, vocais, intelectuais e espirituais, habilitando o intérprete à criação.

O ator, quando se entrega à Grande Mãe, construindo a ação à luz do *falso naturalismo*, produz a dualidade: simultaneamente deixa-se levar pelo vaga-lume (intuição, sensibilidade) e controla todas as ocorrências. Nesse deixar-se levar, prepara o campo magnético para a atuação, identifica a expressão do outro (o personagem) e dela se apropria, desenhando-a em si mesmo com o recurso do Leonardo. No processo, técnica e criação afirmam-se como unidade indissociável. Daí o fluxo natural do exercício para o produto estético – fluxo do qual resultaram as jornadas de *prêt-à-porter*.

Neste ponto fecha-se o ciclo de especulações sobre as possíveis influências do pensamento estético de Tadeusz Kantor sobre a poética de Antunes Filho[11]. Se não influências, no sentido de um paradigma, ou de um modelo inspirador, seguramente confluências entre uma e outra ideologia do espetáculo teatral, em termos de um ato de criação permanente, como ambos o conceituam.

O *prêt-à-porter*, por sua história e pela sua natureza estética, reitera a ideia de que a manifestação cênica é sempre "antes de tudo uma descoberta do *novo* e do *impossível*, é uma revolução", como entendia Kantor, pois "existe *totalmente* no tempo e no espaço". Não estabelece hierarquias com a fragmentação do drama em compartimentos estanques – texto, cenografia, iluminação, figurino, som, gesto, movimento –, pelo

Um minuto de silêncio
Gabriela Flores e
Silvia Lourenço.
Foto: **Paquito**

11. V. Capítulo 12, p. 215 e seguintes.

contrário: faz que todos os componentes técnicos e estéticos surjam numa unidade que foi construída pelo ator e que o engloba, também.

No *prêt-à-porter* não existe a separação, repudiada por Kantor, entre trabalho/resultado, ensaio/espetáculo, sala de ensaio/cena: é um permanente ato de criação, desde o momento em que os dois intérpretes se unem, escolhem um tema e se entregam à Grande Mãe, deixando-se manipular pelas varetas que ela maneja desde o *kundalini*, e também permitem a ação do vaga-lume e do Leonardo, dão novo sentido à ideia da supermarionete proposta por Gordon Craig e criticada por Kantor. Um sentido que corre paralelo à hipótese lançada por Kantor de que esse manequim, a supermarionete, deve se tornar um modelo para o ator vivo. Graças às profundas investigações de Antunes Filho, esse hipotético modelo passou a ser uma vibrante realidade, transformando o ato teatral não em produto (mercadoria), mas em hierofania.

23. Epílogo. A estrada sem fim

Em 1998 foi realizada a mostra CPT *Aberto*, no espaço de convivência do SESC Consolação. O objetivo era tornar públicas as atividades desenvolvidas no Centro de Pesquisa Teatral, que incluíam prospecções cenográficas, de *design* sonoro e de iluminação cênica, além do método para o ator, até certo ponto já sistematizado e exposto na primeira jornada de *Prêt-à-porter*.

Aos que acompanhavam os trabalhos do CPT e o notável esforço de Antunes Filho por manter acesa a chama, parecia haver um objetivo oculto superando o declarado. Era um balanço *efetivo* das atividades, mas também um balanço *afetivo* do mestre em face daquele momento da sua vida. Contraposta à luminosa realidade do que se mostrava no CPT *Aberto* parecia existir uma área nebulosa envolvendo a figura de Antunes Filho, que se movia com dificuldade por causa de um problema na coluna, porém sempre impulsionado pela paixão ao projeto da sua vida, o CPT.

A mostra, conforme esse hipotético *objetivo oculto*, teria sido a maneira que ele encontrou para a superação de dois fatos que marcaram o coletivo nos últimos anos. Primeiro, a saída de Luis Melo, logo após a temporada de *Gilgamesh*. Segundo, a saída também de J. C. Serroni, que abria o Espaço Cenográfico, logo após *Drácula e outros vampiros*. Ambas as retiradas tiveram repercussões escandalosas e descabidas em setores do meio teatral e na imprensa.

A saída do ator e do cenógrafo, depois de doze anos de estreita colaboração com Antunes – Luis Melo como principal intérprete do Grupo, experimentador de técnicas e procedimentos criados no processo; Serroni como coordenador do Núcleo de Cenografia, cuja ação já produzia efeitos admiráveis no teatro em geral, graças aos muitos cenógrafos que ali se iniciaram na arte –, era saudada por muitos como um *basta* ao suposto autoritarismo do encenador. Para outros, a coisa era vista apenas como um pitoresco golpe que os artistas davam em Antunes, o que lhe fazia cócegas, embora essa interpretação do fato estivesse muito longe da verdade. O mundo é cheio de bobagens e mesquinharias.

Antunes teve muita dificuldade, verdadeiramente, em aceitar a separação desses amigos e brilhantes colaboradores. Desde *A hora e vez de Augusto Matraga*, Luis Melo tornou-se o principal interlocutor de Antunes na pesquisa do método. Do *desequilíbrio* à *bolha*, do *banco aéreo* à *performance*, vivenciou todas as ideias, levando-as ao limite. Seu papel no CPT/Grupo de Teatro Macunaíma, portanto, ultrapassou as sempre elogiadas interpretações, estendeu-se aos procedimentos pensados por Antunes na pesquisa do método. De fato muitos atores e atrizes participaram ativamente da mesma pesquisa, oferecendo imensas contribuições, mas Luis Melo deu a Antunes, ao longo de 12 anos, o sentido da continuidade, sem temer o erro na busca do acerto.

A decisão do ator em aceitar contrato com a Rede Globo de Televisão, para atuar em telenovelas, podia surpreender, uma vez que havia recusado vários outros convites. Lembro da coletiva de imprensa na Cidade do México (Festival Cervantino, 1990), onde, respondendo a um repórter por que preferia ficar no CPT a aceitar salários muito maiores na televisão, Luis Melo disse: "Se eu vivesse em Moscou, no início do século, queria estar no Teatro de Arte, aprendendo com Stanislavsky; como vivo em São Paulo, neste fim de século, só posso estar no CPT, aprendendo com Antunes Filho". Sem dúvida era sincera a afirmação. Isso não impede, porém, que alguns anos depois tivesse vontade de experimentar outros espaços, viver novas experiências profissionais.

Algo semelhante se passava com J. C. Serroni. Jamais negou a importância que teve o trabalho no CPT à consolidação da sua carreira e, mais ainda, para o desenvolvimento de novos modos de conceber a cenografia no Brasil, colocando o cenógrafo inteiramente vinculado ao processo dos atores e demais criadores cênicos. Era isso o que ele buscava desde a sua primeira visita à Quadrienal de Praga, em 1985.

E isso foi viabilizado pelo convite que lhe fez Antunes Filho para criar e coordenar um Núcleo de Cenografia no CPT. Nos onze anos em que atuou no Centro de Pesquisa Teatral, Serroni teve a oportunidade de revisar conceitos cenográficos, pesquisar modos de execução, experimentar materiais, exercitar formas pedagógicas, estabelecendo finalmente a sua didática. Sentia entretanto que o fato de atuar dentro de um grupo, por mais liberdade que tivesse nas pesquisas e criações, tornava-o limitado a esse mesmo grupo. Queria fundar um espaço para a discussão permanente e aberta da cenografia, onde pudesse atuar em diferentes frentes, conduzir novos cenógrafos ao ofício, orientando-lhes a formação, interferindo de modo muito mais vigoroso no panorama da cenografia brasileira.

Pouco depois, juntando-se a outros profissionais de teatro de Curitiba, sua cidade, Luis Melo fundou o ACT – Ateliê de Criação Teatral, onde passou a desenvolver um trabalho de pesquisa da arte do ator inspirado no CPT. Como ele diz – e Serroni não nega –, tanto o ACT quanto o Espaço Cenográfico são extensões do Centro de Pesquisa Teatral de Antunes Filho. São frutos do trabalho a que todos se entregaram com paixão e, ainda que mudando formas e geografias, continuaram se entregando. Não houve ruptura ideológica – esta conclusão, todavia, é posterior ao CPT *Aberto*. Todos voltariam a ser amigos e a se respeitar como profissionais, mas depois! Até então estavam em ruptura.

Com a saída de Luis Melo, Antunes parece ter sentido faltar-lhe o chão sob os pés. Era o ator em que apostava para chegar a uma definição do método. Sacudiu-se. Dispensou quase todo o elenco de *Gilgamesh* e no Cepetezinho – o curso de atores mantido pelo CPT como iniciação, mas não permanência – foi buscar a maior parte do elenco de *Drácula e outros vampiros*. Abriu mão de avanços anteriores, que possibilitava aos intérpretes a autoria de grande parte das *marcas*, e voltou a ser aquele encenador capaz de admirável criação coreográfica na movimentação dos corpos em cena. Basicamente com esses atores novos, aos quais se somaram na sequência outros, também oriundos do Cepetezinho, foi que deu início à sistematização do método. E no *CPT Aberto* o indício revelador do aguardado método foi o *Prêt-à-porter 1*.

A saída de J. C. Serroni obrigou-o da mesma forma a adotar nova estratégia para manter em atividade o Núcleo de Cenografia. Assumiu ele mesmo a coordenação dos trabalhos, estabelecendo longa programação de palestras e oficinas, ministradas por nomes ilustres da cenografia brasileira, abriu inscrição para nova turma de Cenografia e o CPT investiu de maneira decisiva na concretização do projeto, vinculando ao curso do Núcleo oficinas de iluminação cênica, coordenadas por Davi de Brito, e de *design* sonoro, coordenadas por Raul Teixeira. Tais atividades normalmente estariam ligadas às pesquisas de repertório, mas nesse momento ganharam sentido essencialmente formativo, em concordância com o que se passava no núcleo de interpretação, onde atores e atrizes se viam absolutamente envolvidos na sistematização do método, sob a batuta de Antunes. E, entre as longas horas de exercício do *funâmbulo*, do *primeiro passo* e de outros procedimentos corporais, criavam o falso naturalismo, ou o *prêt-à-porter*.

O que se via no CPT *Aberto*, portanto, eram produtos dessas atividades intensas e dinâmicas, desenvolvidas ao longo de dois anos, que restabeleciam no Centro de Pesquisa Teatral o projeto de formação e criação, observando porém novos paradigmas. Sem qualquer dúvida, o andamento das coisas seria um tanto diverso se Luis Melo e J. C. Serroni tivessem permanecido no grupo. O *andamento diferente* não implicou, entretanto, outro resultado, pois o projeto básico de Antunes não foi alterado, ele apenas teve que readaptá-lo à nova realidade. E o conseguiu.

Há que se registrar também que Antunes Filho conseguiu nesse período, no plano pessoal, outra importante realização. Submetido a um tratamento de RPG (reeducação postural global), teve sua agilidade física recuperada, o que o habilitou completamente ao retorno de suas atividades normais. A partir disso, seu trabalho se desdobrou até culminar na sistematização de seu método e em sua consequente aplicação à nova fase do repertório, que começava pela tragédia grega, seu velho sonho.

Várias vezes Antunes tentou levar *Medeia* à cena. O tema da Mãe Terra lhe é muito caro. E a narrativa de Eurípedes sobre as peripécias da princesa da Cólquida, que se apaixonou pelo aventureiro Jasão, revelou a Antunes a verdadeira identidade de Gaia, a Mãe de todos os seres, aquela que nasceu do caos.

Concluída a primeira fase da sistematização do método, entendeu que os atores já estavam preparados tecnicamente para interpretar a tragédia grega. Sentia-se, no entanto, pouco seguro para colocar em cena, recorrendo à visão mítica, esse proverbial ensinamento sobre os males que o homem impõe ao Planeta, destruindo-lhe a Natureza. Deixou novamente o projeto *Medeia* para mais tarde e se voltou para *As troianas*, que adaptou e deu novo título: *Fragmentos troianos*.

De certo modo, a opção por essa tragédia de Eurípedes reatava o fio temático da última fase, onde foi abordada a sinergia do Mal. Na cena, construída à imagem de um campo de concentração nazista, Hécuba vê as últimas mulheres da sua família serem partilhadas, na condição de escravas, entre os gregos. Ela mesma, a matriarca, seguirá para a Grécia como escrava de Ulisses.

A cenografia de Jacqueline Castro Ozelo, Joana Pedrassolli Salles e Cibele Álvares Gardin[1] inclui elementos emblemáticos dos campos de concentração levantados na Segunda Guerra Mundial. Não apenas os arames farpados, simetricamente estirados, mas também a montanha de sapatos fechando um dos lados da cena evoca a cruel repressão que desemboca no assassinato em massa. Os figurinos, criados pelas jovens cenógrafas, foram inspirados em uniformes militares nazistas. Isso remete ao pensamento que o encenador expôs no *Drácula e outros vampiros*, onde a figura de Drácula se confundia com a de Hitler e o vampirismo era apontado como *qualidade* dos tiranos sanguinários. Remete, portanto, à sinergia do Mal.

O próprio Antunes reconheceu não ter realizado tragédia, e sim *drama grego*. Apesar das inapeláveis beleza e força expressiva, faltava aos *Fragmentos troianos*[2] o traço da decisão divina. O sofrimento das mulheres que perderam pais, filhos, irmãos em uma guerra insana não é simbólico, não pertence à natureza das coisas que transcendem e sim à realidade humana que caminha junto com a história da humanidade: a falta de limites na luta pelo poder. É um sentimento grandioso e psicologicamente exemplar, mas não transcende ao plano superior, metafísico. Por isso mesmo drama e não tragédia.

Contudo e apesar de tudo, mesmo residindo na periferia do trágico, de algum modo os *Fragmentos troianos* constituíram tentativa bem-sucedida no salto à tragédia. Na carreira do encenador, pode-se dizer que os *Fragmentos troianos* foram a escada que o levou à plena tragédia.

---

1. Integrantes do novo Núcleo de Cenografia do CPT. Na sequência, Jacqueline Castro Ozelo coordenou o Núcleo de Cenografia no projeto *Medeia*.

2. A estreia do espetáculo aconteceu no 11º Festival Internacional de Teatro de Istambul, na Turquia, em maio de 1999. Estreou em São Paulo a 17 de novembro do mesmo ano, no Teatro SESC Anchieta, com o seguinte elenco: Adriano Albuquerque, Donizeti Mazonas, Emerson Danesi (Taltíbio), Erondine Magalhães, Gabriela Flores (Hécuba), Gilda Nomacce, Juliana Galdino, Kleber Caetano, Luiz Päetow (Soldados), Mônica Lebrão Sendra, Patrícia Dinely (Cassandra), Raquel Rocha, Sabrina Greve (Andrômaca), Simone Martins (Coro), Suzan Damasceno.

Hierofania

Em *Medeia* de Eurípedes, na visão de Antunes, os homens são joguetes dos deuses e por suas próprias ações se perdem na grande guerra cósmica, que não se sabe onde começa nem onde termina. No centro da questão colocada pelo poema trágico não está apenas o destino de Medeia, mas também o dos seus filhos. E ao decidir assassiná-los, Medeia dá sentido às hecatombes naturais, aos cataclismos, aos tsunamis, porque ela é Gaia, é Gea, é a Mãe Terra. Essa é a leitura que Antunes faz da tragédia.

Tragédia que nasce viçosa no tablado e evidencia absoluto domínio do gênero pelo encenador, que entra junto e explicita a metáfora de modo concreto: a ação começa com um desfile de homens levando às costas motosserras e troncos de árvores derrubadas. Eles cruzam o espaço entre duas portas com cortinas, nas quais são estampados incêndios florestais. O cenário de Hideki Matsuka é de comovente simplicidade: além das cortinas com a evocação dos incêndios, cria em exíguo trecho do espaço cênico minúsculo jardim japonês, com plantas, terra, uma torneira que jorra água o tempo todo e um miniaparador com velas acesas em sacrifício. Terra, ar, água e fogo. Os símbolos são muito claros. E ao surgir Medeia a encenação ganha relevo especial. Ali está a mulher absolutamente transtornada pelo sentimento de Justiça. Enquanto aos olhos dos seus contemporâneos é feiticeira ressentida, no plano superior aparece como a Mãe Terra, que não hesita em sacrificar os próprios filhos.

Depois da primeira temporada[3], Antunes alterou alguns aspectos da *mise-en-scène* e reestreou o espetáculo com o título *Medeia 2*. As alterações mais importantes dizem respeito à eliminação das imagens retóricas, como "homens levando às costas motosserras e troncos de árvores derrubadas", assim como os símbolos inseridos pela cenografia de Hideki Matsuka. Essas referências ao permanente ataque dos homens à Mãe Terra foram eliminadas em benefício da narrativa trágica dos intérpretes. Sem elas, a metáfora resplandece na própria atuação dos atores.

Não há como ignorar a condição de Mãe Terra da personagem e, por isso mesmo, não causa estranheza que Medeia, por fim, vá embora no carro do deus Sol. O drama da mulher traída ou desprezada é, na verdade, mero pretexto para se falar de coisas diversas e maiores que hoje presidem o pensamento ecológico. Isto tudo foi perfeitamente contemplado na encenação do CPT/Grupo de Teatro Macunaíma.

3. Medeia estreou no SESC Belenzinho, a 26/7/2001, com o seguinte elenco: Adriana Patias, Arieta Corrêa, Arthur Secco, Daniele do Rosário, Emerson Danesi (Mensageiro), Fabiana Carlucci, Gilda Nomacce, João Petry, Juliana Galdino (Medeia), Karina Grecu, Kleber Caetano (Jasão/Creonte/Egeu/Pedagogo), Lazara Seugling (Babá), Loreta Lobato, Madison Shindler, Marcos Rabello, Regina Parra, Ricardo Kakimoto, Rodrigo Fuentes, Simone Iliescu, Suzan Damasceno, Suzan Damasceno (Ama), Suzan Damasceno (Cortejo)., Verônica Macfarlin (Coro), Walter Bahia Filho (Soldados de Egeu e de Creonte).

Antunes Filho conseguiu, finalmente, realizar a tragédia como sempre sonhou: com atores física, vocal e intelectualmente preparados, habilitados para o gênero. A emissão vocal na ressonância (jamais na *projeção*) torna a palavra límpida. Ainda que as vozes alcancem altos volumes, não constituem *gritaria*: observam uma partitura, como na arte do canto. Os gestos e demais movimentos, desenhados pelos intérpretes, entram na mesma partitura, dependem da mesma respiração, se harmonizam com todo o resto, integram o pensamento poético que a tudo rege.

As duas tragédias encenadas não deixam dúvidas de que definitivamente há um método orientando a atuação, tornando atores iniciantes, provenientes de escolas de teatro ou de grupos amadores, profissionais que dominam novas técnicas e desenvolvem a consciência artística. As técnicas em questão, por sua vez, constituem um novo sistema que permite ao CPT se consolidar como escola da arte do ator, ou do comediante.

Paralelamente a esse sistema (em permanente construção, pois o constante recomeçar é uma das suas forças) outras atividades amadureciam no CPT, tanto nas áreas técnicas quanto nas criativas. Impulsionados pelas experiências do *Prêt-à-porter*, por exemplo, os estudos visando à criação dramatúrgica ganharam novo alento e, como resultado, instalou-se o Círculo de Dramaturgia.

Em razão dessa nova realidade, Antunes desviou-se da rota e, antes de realizar outra tragédia, que iria compor uma notável trilogia, reuniu-se à geração de autores que despontava no Círculo de Dramaturgia e encenou obra de um deles, Paulo Santoro.

"Encontros semanais por meses e por anos. Custou, mas aí está a primeira mostra de dramaturgos do CPT/SESC"[4], escreveu Antunes nas páginas de apresentação do primeiro volume do Círculo de Dramaturgia, onde são compiladas obras de autores que o integram. O artigo na *orelha* do livro diz que o Círculo "foi criado em 1999" e que, "desde o início, seus integrantes foram escolhidos por meio de processos de seleção abertos ao público".

Registram-se, dessa maneira, o momento da sua criação e o meio de admitir alunos, mas isso serve apenas para localizar o fato. Porque na realidade o início, fruto de vontade antiga, deu-se a partir da criação do *prêt-à-porter*. A dramaturgia era posta em questão a toda hora e a

4. Círculo de dramaturgia – coordenação Antunes Filho, p. 9.

Medeia
Juliana Galdino
Foto: **Paquito**

cada tentativa de dois atores ou atrizes desenvolverem seu exercício de *prêt-à-porter*. Por isso, no mesmo artigo de orelha consta que, "embora o Círculo de Dramaturgia tenha um processo independente, os autores são incentivados a acompanhar ensaios e a participar de outras atividades de pesquisa com os atores do CPT".

A integração de áreas leva a novas linguagens, além de implicar, de imediato, o diálogo entre as linguagens, a experimentação conjunta, o reconhecimento mútuo. Referenciais novos e novos paradigmas surgem nesse processo integrador. Por isso, no CPT, o conhecimento entre as áreas é estimulado, as *especialidades* não se fecham em si mesmas, mas abrem-se ao conhecimento e ao aprendizado.

Percebendo amadurecido o processo do Círculo de Dramaturgia, Antunes decide dirigir uma das obras ali produzidas, dando uma pausa no mergulho aos abismos da tragédia. E assim nasceu o projeto *O canto de Gregório*.

O belo texto de Paulo Santoro fala de um homem, Gregório, que, perdido nos labirintos da lógica formal, se bate inutilmente em busca do conhecimento de si mesmo. Em seu discurso interferem Sócrates, Jesus, Buda, enquanto ele segue pelo atoleiro mental dos princípios e dos conceitos até o ponto-limite do absurdo. Cego pelo clarão da lua, deixa o dedo indicador apertar o gatilho, indo o projétil se alojar no peito de um cidadão, o que o leva à barra dos tribunais.

O sarcasmo do enredo, extremamente crítico ao *pragmatismo positivista* da nossa sociedade, possibilitou a Antunes não apenas celebrar o surgimento de um autor como levar os atores do CPT a uma vertente dramática quase oposta à tragédia, aproximando-se da bufonaria, por intermédio do absurdo. Esses atores e atrizes em *O canto de Gregório*[5] revelam absoluto domínio da cena, criando tipos que fogem totalmente ao realismo, sem perder verossimilhança de humanidade. Isto a despeito da estrutura simbólica do enredo, que torna os personagens algo como alegorias.

O canto de Gregório marca o reencontro de Antunes com J. C. Serroni, que se encarregou de criar o espaço teatral na sala de ensaios do CPT, com minimalista "disposição cenográfica". Recupera, desse jeito, a intenção manifestada por Antunes, em *Medeia*, de questionar o palco italiano, mantendo a contradição palco/plateia, mas com a cena reduzida a longo e estreito corredor, sendo a plateia o fechamento de um dos lados. Há absoluto despojamento no espaço aberto ao jogo dos atores, exceto por alguns elementos cênicos de apoio. Esse *espaço teatral*, que privilegia o ator, permaneceu montado na sala de ensaios, servindo a partir daí às jornadas de *prêt-à-porter*.

Algum tempo depois abrigou também a montagem de outro texto produzido no Círculo de Dramaturgia: *O céu cinco minutos antes da tempestade*, de Sílvia Gomez. Desta vez Antunes entregou a direção a um dos atores-discípulos, Eric Lenate, que realizou um trabalho de excelente nível estético, atestando, também neste aspecto, a alta qualidade do aprendizado no CPT. O bom resultado estimulou Antunes a abrir possibilidade para que outros atores do CPT se voltassem para a direção de espetáculos. Será esse mais um desdobramento do Centro de Pesquisa Teatral: a formação de novos encenadores. Pelo menos é o que se percebe na movimentação atual dos núcleos.

Após a estreia de *Gregório*, Antunes voltou aos abismos da tragédia com *Antígona*. Paralelamente, criou um exercício de teatro-dança, *Foi Carmen,* que à primeira vista surpreende por fugir do desenvolvimento estético da sua obra.

O desejo de homenagear Kazuo Ohno, no momento em que o mestre do butô se encaminhava para o topo de um século, foi o que motivou

5. Estreou no Espaço CPT/SESC (sala de ensaios), a 10/7/2004, com o seguinte elenco: Arieta Corrêa (Gregório), Carlos Morelli, César Augusto, Daniel Tavares, Emerson Danesi, Geraldo Mário, Haroldo José, Juliana Galdino, Kaio Pezzutti, Marcelo Szpektor, Rodrigo Fregnan, Vimerson Cavanilas.

Hierofania

O canto de Gregório
Arieta Corrêa e elenco.
Foto: **Emidio Luisi**

Antunes a essa incursão pelo teatro-dança. Sua ideia era levar o espetáculo a Yokohama, onde vive o grande artista, e, com a poesia cênica, render-lhe homenagem.

O tema reata a emoção que Antunes sentiu em Nancy, nos idos de 1980, quando conheceu Kazuo Ohno e pela primeira vez o viu dançar – justo a obra-prima *Admirando La Argentina*. Era um desenho de memória que Kazuo Ohno, já passados os 70 anos de idade, fazia da dançarina argentina Antonia Mercê, conhecida como La Argentina, que o empolgou na juventude. Logo Antunes encontrou o paralelo brasileiro para Antonia Mercê, não em uma dançarina, mas em uma cantora: Carmen Miranda. Melhor dizendo, também dançarina, pois Carmen Miranda foi muitas coisas além de cantora, entre elas dançarina, estilista e atriz. Nascida em Portugal, veio para o Brasil aos 18 meses de idade para se tornar o ícone, o emblema máximo da mulher brasileira no imaginário popular, com seus turbantes cheios de frutas e flores, suas plataformas, seus colares e balangandãs.

Antunes não se ateve ao estereótipo, como se lê no programa de mão do espetáculo, quando da sua estreia em São Paulo: "Uma obra poética concebida pelo Grupo de Teatro Macunaíma, não sobre Carmen Miranda, mas sobre o imaginário popular a respeito dela"[6]. E acrescenta:

6. Artigo de apresentação de *Foi Carmen*, programa de mão, CPT/SESC, 2008.

Essa Carmen será sempre a do significado arquetípico – do herói, que sai de sua terra, atravessando fronteiras, além-mar, para *vencer* em outras terras. O herói que reaparece, com seu olhar, seu gesto, sua dança, seu canto arcaico, sua vestimenta própria para a celebração, manifestando e revivendo o mito de uma essência quase esquecida, rememorado no rito de hoje.

Procurou o arquétipo retornando às origens culturais, às relações primeiras do ser no mundo, à ancestralidade e ao que transborda da realidade imediata. Nesses planos de observação encontrou o material para compor o retrato metafísico. Ao lançar mão desses recursos teóricos e poéticos, Antunes está não apenas sendo coerente com seu pensamento estético, mas com o pensamento que levou à criação do butô, que propunha a recomposição da cultura nipônica como meio de resistência à invasão do Ocidente, que lhe corrompia tradições e costumes, após a II Guerra. É necessário que o ser humano tenha consciência de si, do seu corpo e de tudo o que conforma a sua experiência terrena, sem ignorar os primeiros registros, que vêm dos ancestrais. Este é um ponto de convergência importante entre o pensamento estético de Antunes e o dos mestres de butô.

Deste modo, não é citação inconsequente que temos aqui, nem laços aleatórios ou superficiais entre as figuras de Antonia Mercê e Carmen Miranda, e sim uma reflexão profunda sobre a vida e a maneira de viver em diferentes culturas.

Também coerente foi o convite que Antunes fez à dançarina Emilie Sugai para realizar a personagem *a que foi Carmen*, junto aos intérpretes do CPT. Brasileira, descendente de japoneses, Emilie por mais de uma década integrou o Grupo Olho do Tamanduá, criado por Takao Kusuno. Foi um destaque no último espetáculo de Takao, *Quimera – o anjo vai voando*, realizado em homenagem à sua recentemente falecida esposa, Felícia Ogawa. Takao trabalhou no Japão com Hijikata e com Kazuo Ohno, antes de vir ao Brasil. Aqui, coreografando e dirigindo nomes importantes como Ismael Ivo, Renée Gumiel, Denilto Gomes, marcou presença e influenciou a dança moderna brasileira. Ele e Felícia, amigos de Kazuo Ohno, foram parceiros de Antunes Filho para viabilizar as vindas do mestre japonês ao Brasil. Ao convidar Emilie Sugai, herdeira espiritual de Takao, para atuar junto a artistas do CPT, Antunes colocava em cena toda essa saga que nasce lá no extremo Oriente e traz no seu estímulo principal Hijikata e Kazuo Ohno.

Um fio de enredo, todo fragmentado, conduz a narrativa de *Foi Carmen*. Começa com a Menina às voltas com a contagem de passos e com o microfone no pedestal, evocando programas de auditório das rádios nos anos 1930 – passos que a levam ao microfone e microfone que a leva ao mundo como cantora. Uma visão fantasmagórica tem o Malandro nas ruas do Rio de Janeiro, quando *a que foi Carmen* se apresenta executando estranha dança, com o rosto coberto por véus negros, deixando à sua passagem objetos como sapatos-plataforma carnavalescos, correntes e bijuterias várias. Esses movimentos são pontuados pela Passista, que irradia força e redimensiona a cena. Nisso se restringe o enredo, mas as imagens e a trilha sonora, com grandes sucessos na voz de Carmen Miranda, provocam a memória afetiva dos espectadores.

Depois de algumas apresentações no Rio de Janeiro e no Festival de Curitiba, *Foi Carmen* chegou ao Japão, sendo apresentado em palco erguido à margem da baía de Yokohama, que propicia um pano de fundo maravilhoso. Estreou e teve três apresentações nas tardes muito frias de março de 2005. A um dos espetáculos esteve presente o homenageado, Kazuo Ohno, muito fraco, combalido, em sua cadeira de rodas. Depois da apresentação, recebeu o abraço emocionado de Antunes. Este, segundo confessou mais tarde, procurou um sítio deserto e ali chorou e gritou pela dor que lhe causava a situação física precária do amigo.

Talvez por entender o espetáculo como gesto íntimo, de homenagem, destituído de interesse fora desse contexto, só três anos depois Antunes o estreou em São Paulo[7], cumprindo temporada discreta, com apresentações apenas às terças e quartas-feiras, mesmo assim com grande sucesso de público, o que possibilitou ao espetáculo inesperada sobrevida, incluindo visitas a festivais internacionais.

Voltando este olhar retrospectivo ao início de abril de 2005, quando o grupo retornou do Japão, vamos encontrar todas as áreas do CPT em febril atividade para a estreia de *Antígona*, terceira tragédia grega encenada por Antunes Filho.

Em *Fragmentos troianos* aproximou-se da tragédia cautelosamente, tangenciando a estrutura trágica, mas ainda no território do drama; em *Medeia* atingiu a essência trágica e, por fim, em *Antígona*, criou uma espécie de metatragédia, estabelecendo vínculos entre a peça de Sófocles e *As bacantes*, de Eurípedes. Usando de absoluta liberdade, Antunes

7. *Foi Carmen* teve sua estreia oficial em Yokohama, no Espaço do BankART 1929, a 25 de março de 2005, com o seguinte elenco: Arieta Corrêa (Passista), Emilie Sugai (A que foi Carmen), Juliana Galdino (Malandro), Lee Taylor (Malandro), no Teatro SESC Anchieta, Patrícia de Carvalho (Passista), Paula Arruda (Menina).

coloca em cena dois coros: o dos velhos tebanos e o das bacantes, que acompanha Dioniso na sua invasão anual a Tebas.

A incidência dos dois coros conduz ao *teatro dentro do teatro*, ou metateatro, porém radicaliza o termo cunhado por Lionel Abel e assume a tragédia como expressão da totalidade. Isto porque a aplicação do metateatro não se dá como simples recurso narrativo, mas instrumento para a busca de lampejos da totalidade, recorrendo à noção cíclica da História e da atualização ritualística do ato mítico. A adaptação mostra Antígona inflada de *hubris*[8] (do mesmo modo que Abel a descrevia), a caminho de assumir a condição divina, tornando-se demônio como seu pai, Édipo, a quem amparou na queda trágica. Isto se contrapõe ao drama (ação) de Creonte, que, com arrogância humana e não *hubris*, se mantém preso às conveniências de estadista: ele é incapaz da queda trágica.

O tebano Dioniso surge acompanhado pelas bacantes e atua como encenador que em vez da originalidade persegue a competência do gesto atualizador. Ele *dirige* a peça sobre Antígona, estabelece o rito cuja função é *religar* o atual com o ancestral, o humano com o Divino. Dessa maneira se consuma o ato teatral comandado por Dioniso dentro de outro ato teatral, como rito de passagem.

Anteriormente há uma referência à anual invasão de Dioniso a Tebas. Isso é como uma anedota ou um mote usado por Antunes, no sentido de que, segundo a sua imaginação, Dioniso volta a Tebas todos os anos para encenar o drama da Morte, representado por Antígona. Ela foi enterrada viva por ter oferecido funeral e libações ao irmão morto. Ao ser *dirigida* por Dioniso, a peça vira rito de passagem. A heroína corre sobre um fio, no limite da Vida e da Morte, e afirma a continuidade da vida na morte. Quando expõe à sua irmã Ismene as razões da atitude assumida, oferecendo sepultura a Polinices, mesmo ao custo da própria vida, Antígona é muito clara: "Repousarei ao lado dele, amada por quem tanto amei e santo é o meu delito, pois terei de amar aos mortos muito, muito tempo mais que aos vivos".

Na magnífica representação vertical de um cemitério, com gavetas e nichos onde repousam os restos mortais dos heróis de todas as tragédias gregas conhecidas, o cenário de J. C. Serroni não é uma alusão arqueológica, mas o indutor da ideia de que a tragédia transforma em metafísico o espaço físico. O ambiente da ação é ao mesmo tempo a ágora de Tebas, no plano da realidade histórica, e uma espécie de pátio de Hades, a região dos mortos, no plano metafísico.

8. Conforme Lionel Abel, *hubris* "é a principal falta trágica, é a insolência", mas em meio à sua própria ambiguidade, *hubris* implica "a presunção a uma certa espécie de divindade que poderá ou não ser concedida" (*Metateatro*, p.18).

Foi Carmen
Emilie Sugai
Foto: **Emidio Luisi**

9. Antígona estreou no Teatro SESC Anchieta, a 20/5/2005, com o seguinte elenco: Adriani Suto (Hemon), Arieta Corrêa (Ismene), Carlos Morelli (Dionisio/Tirésias), César Augusto (Coro de anciãos), Emerson Danesi, Geraldo Mario (Sombra de Creonte), Haroldo José (Mensageiro), Juliana Galdino (Antígona), Juliana Maria Souza, Kaio Pezzutti, Lazara Seugling, Marcelo Szpektor, Marília Simões, Paula Arruda (Tamboreiro/Menino), Rodrigo Fregnan (Creonte), Sandra Luz (Coro de bacantes), Simone Feliciano, Vimerson Cavanillas.

Entra em cena o coro das bacantes, que não existe no original de Sófocles, e convive com o coro de anciãos solicitado pelo mesmo original. Não interagem, já que pertencem a diferentes realidades: as bacantes estão no plano daquele que narra a história, Dioniso; o dos anciãos faz parte da história narrada. O ponto de vista da narrativa é o do mito, pois Dioniso, à medida que conta a história dos mortais, refere-se à passagem de Antígona para a condição divina. Porém nada está separado de modo absoluto, e, assim como as representações metafísicas invadem a realidade física, esta também invade aquelas.

Creonte está na gaveta funerária que o coro dos anciãos remove da estrutura e traz para o centro da cena, como de início fez com os caixões de Antígona e de Ismene. Quando o caixão é colocado de pé, Creonte "revive" para, mais uma vez, representar a história do seu sacrilégio fundamental: o de deixar um morto insepulto e sepultar uma criatura viva.

Em sua última entrada, Antígona é conduzida em cadeira de rodas. Com os braços imobilizados, impossibilitada de movimentos, revela-se mais forte, é pura energia, e roga ao deus dos mortos que a leve aos seus domínios. Revela o pesar da despedida dos vivos e da própria vida, ao mesmo tempo em que junta na mesma expressão a alegria por ver, no fim da passagem, a sua transformação divina. Também o fato de estar na cadeira de rodas tem fundamento arcaico: nos relevos e desenhos tumulares da antiga Grécia a figura do morto ali sepultado aparece sempre sentada, muitas vezes sobre um cavalo (cadeira de rodas) que a conduzirá na jornada às profundezas do Hades, enquanto as demais figuras, representando as pessoas que ficam na Terra, viventes, são vistas de pé.

Assim, a proposta cênica apresentada por Antunes Filho para a *Antígona*, de Sófocles[9], respeita a poética impregnada de religiosidade do grande trágico e atualiza o gesto mítico, buscando os fundamentos da própria tragédia.

Antígona marca o fechamento de um ciclo, fim do mergulho iniciado pelos *Fragmentos troianos*. Consumou-se o sonho de montar tra-

Epílogo. A estrada sem fim

Foi Carmen
Paula Arruda, Patrícia Carvalho, Emilie Sugai e Lee Taylor
Foto: **Emidio Luisi**

gédias gregas, revelando não só a visão de Antunes para esse gênero como também comprovando as virtudes das técnicas desenvolvidas no CPT para a narrativa trágica. Do mesmo modo, *Gregório* e *Foi Carmen*, construídos no mesmo período, atestaram os benefícios dessas técnicas para diferentes gêneros e estilos. As montagens seguintes mostram Antunes *se revisitando*, em *A pedra do reino* e *Senhora dos afogados*, e depois dando um passo em direção a novas formas narrativas, com *A falecida vapt-vupt*. Quem sabe aqui esteja se abrindo novo ciclo.

O romance de Ariano Suassuna, que teve a montagem abortada em meados dos anos 1980, volta neste momento e provoca reminiscências do início do processo. Passeiam pela cena de *A pedra do reino* figuras agrupadas, composições creditadas ao *faz de conta* e ao *vir a ser*, que reportam ao universo mágico de *Macunaíma*. Estamos novamente envolvidos com o imaginário popular, prenhe de mitos e de lendas, porém ao contrário da obra de Mário de Andrade, que faz de Macunaíma um arquétipo do povo brasileiro, sem definição regional, o romance de Ariano refere-se a período específico, marcado pela Revolução de 1930, e a região determinada, o Estado da Paraíba. O próprio autor se esconde na pele do personagem Dom Pedro Diniz Ferreira-Quaderna. A obra recupera o sertão de encantamentos, com tesouros enterrados, reis destronados, princesas degoladas e ciganos bandoleiros. Nessa paisagem banhada de sol e castigada por longas estiagens, secas inclementes, o *faz de conta* e o *vir a ser* são formas de resistir.

Ao contrário de Macunaíma, que com a liberdade da fábula viaja pelos sítios mais longínquos da imaginação, Quaderna, o anti-herói de A *pedra do reino*, permanece na sua cidadezinha, Itaperoá, em cuja cadeia está confinado. E da sua reclusão consegue ver, espalhada pela paisagem, para além das poucas e letárgicas ruas de Itaperoá, a tripla face do Sertão, constituída de Paraíso, Purgatório e Inferno. Nas suas lembranças o mito e a realidade se confundem e praticamente se determinam.

A adaptação de Antunes Filho prende-se ao relato de Quaderna. Mostra-o na cela da cadeia, onde narra suas poucas aventuras e muitas desventuras ao povo que presumivelmente o observa enquanto aguarda as decisões da Justiça.

Diferente da primeira tentativa de montagem, quando a questão dos mitos como passagens para o inconsciente coletivo era primordial, o que se ressalta agora é a própria fábula de Quaderna. Nos seus relatos estão contidos os mitos, assim como na linguagem cênica do CPT/Grupo de Teatro Macunaíma encontram-se rastros do inconsciente coletivo, já que a lida com os arquétipos tornou o pensamento arcaico sua principal ferramenta.

Evidentemente, nas duas décadas que separam a primeira tentativa e a concretização do projeto, ocorreram grandes progressos no sistema do CPT, incidindo no âmbito estético (ideológico), assim a atual montagem não pode reproduzir o que teria sido aquela, com toda a certeza, mas propicia ao espectador mais atento, ou ao estudioso da obra de Antunes Filho, a visão de um sistema consolidado e não em formação, como estava nos anos 1980, quando da primeira tentativa.

Os grupos de figuras que entram, sempre nas antunianas formações características, são apenas escritura cênica, caligrafia ou recursos gráfi-

Epílogo. A estrada sem fim

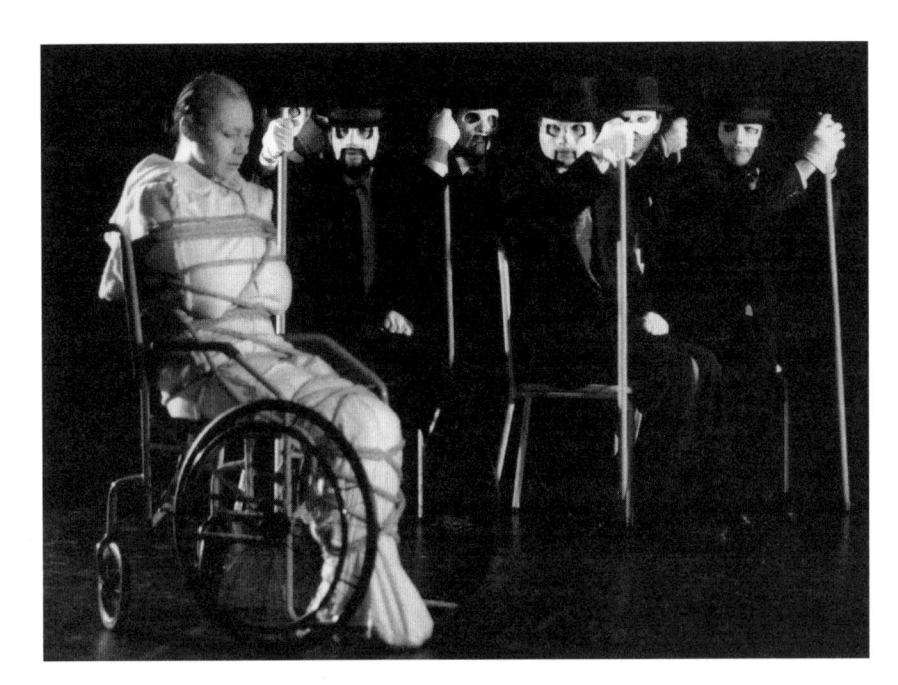

Antígona
Juliana Galdino e coro.
Foto: **Emidio Luisi**

cos dos quais o encenador se utiliza para a construção plástica. Os atores se apropriam dos temas míticos e os desenvolvem de modo muito natural, dando-lhes conotação de coisa sacramentada no processo: o irracional está presente em cena com a mesma legitimidade com que se apresentam os fatos cotidianos. Este era um dos objetivos do método – objetivo plenamente alcançado.

O espetáculo é todo contaminado pela transbordante imaginação nordestina, não só no que o texto contém em palavras, mas no que ele possui de sugestão mágica, de festa popular, como bumbas e marujadas. A história de Quaderna, interpretado por outro jovem grande ator revelado pelo CPT, Lee Taylor, espalha pela cena o humor festivo do nordestino, para quem a peleja da vida não tira o brilho do *brinquedo* popular. Tudo isso coloca em *A pedra do reino*[10] a memória estética do *Macunaíma*, porém em manifestação atualizada, com novos recursos técnicos levando a uma linguagem madura e comprometida com o momento histórico. E no mesmo movimento, de olhar para o passado com a visão de hoje, Antunes volta a Nelson Rodrigues. Primeiro com *Senhora dos afogados*, depois com nova encenação de *A falecida*, a cujo título acrescentou *vapt-vupt*.

10. *A pedra do reino* estreou no Teatro SESC Anchieta, a 21/7/2006, com o seguinte elenco: Angélica di Paula, Chantal Cidonio, Cláudio Cabral, Diogo Jaime, Eric Lenate, Erick Gallani, Geraldo Mário, Kokimoto Rocha, Leandro Paixão, Lee Taylor (Quaderna), Luiz Felipe Pena, Marcelo Villas Boas (Corregedor), Marcos de Andrade, Nara Chaib Mendes, Osvaldo Gazotti, Patrícia Carvalho, Pedro Abhull, Rhode Mark, Rodrigo Audi, Simone Iliescu, Vanessa Bruno.

Saindo da intensa luz sertaneja que ilumina *A pedra do reino*, Antunes Filho conduziu o espectador à casa dos Drummond, em *Senhora dos afogados*, onde "um farol remoto cria a obsessão da sombra e da luz" e onde "há também um personagem invisível: o mar próximo e profético"[11].

Esse personagem invisível, na verdade, bate às costas brasileiras, lá pelo Nordeste, fazendo contraponto ao sertão. Quando nega a luz dessas praias, o poeta está propondo outro plano de observação do ato humano: o plano dos arquétipos. Desse modo Antunes sempre leu a obra de Nelson Rodrigues, e o faz novamente. Ao conduzir o espectador à casa dos Drummond, volta a lançá-lo na atmosfera onírica, como acontecia em *Nelson Rodrigues, o eterno retorno*.

O embate de dona Eduarda, Moema e Misael não é maniqueísta, trata-se da busca de cada um pela salvação. E cada um deles vai sendo tragado pelas próprias paixões e destruído pelos próprios atos. O espetáculo evoca as célebres abordagens de Antunes à obra de Nelson Rodrigues, porém em forma apurada de memória. Agora os personagens deixam de *vagar pelo vazio*, como no *Eterno retorno*, ou *flutuar*, como no *Paraíso, zona norte*, para vagar pelo tempo incerto da memória e flutuar sobre os próprios desastres.

Parece não haver possibilidade de salvação nem para personagens nem para espectadores em Nelson Rodrigues. Esta é a atmosfera com que *Senhora dos afogados*[12] envolve a plateia. Com imagens requintadas, a encenação parece se desprender das palavras e realizar o drama na ação, na beleza do movimento coletivo, entretanto o texto está todo lá, emitido em gritos e sussurros, cantos e silêncios, pela límpida voz dos intérpretes. Em seu relato, no *4º Diário de bordo do* CPT, Valentina Lattuada lembra a advertência sempre repetida por Antunes, no sentido de que o ator ou a atriz deve "sair do psicologismo, do finito, do cotidiano e transcender", partir para "uma experiência espiritual em que não se pensa, se é, se sente", e afirma que "por isso a técnica é o único meio que permite valorizar o texto: esculpindo cada sílaba, se dá vida às personagens e se deixa a arte acontecer por si". E vai mais longe: "Cada sílaba é tão densa quanto as personagens, [tão] absoluta quanto elas, é vital para assim deixar seus verdadeiros sentimentos aparecerem"[13].

A linguagem que Antunes buscou por décadas apresenta-se agora como forma poética consolidada, inerente à constituição técnica do ator.

---

11. Nelson Rodrigues, *Teatro completo, vol 2: Peças míticas*, p. 259.

12. *Senhora dos afogados* estreou no Teatro SESC Anchieta a 21 de março de 2008, com o seguinte elenco: Ana Carina Linares, Ana Carolina Lima, Angélica di Paula, César Augusto, Cláudio Cabral, Eric Lenate, Erick Gallani, Fred Mesquita, Geraldo Mário, Leandro Paixão, Lee Taylor, Luiz Felipe Pena, Marcelo Villas Boas, Marcos de Andrade, Nara Chaib Mendes, Osvaldo Gazotti, Pedro Abhull, Rhode Mark, Rodrigo Audi e Valentina Lattuada.

13. Programa de mão de *Senhora dos afogados*, São Paulo: SESC, 2008.

Epílogo. A estrada sem fim

Não há traço de simbolismos ou signos de referência ao pensamento arcaico: é o próprio pensamento arcaico que se manifesta através dos atores. No 1º *Diário de bordo do* CPT, César Augusto lembra Antunes proclamando que para "fazer Nelson é preciso render-se à vida", e vem "daí a possibilidade de se entrar num campo bem arcaico do homem, Tânatos e Eros"[14].

O fato de ter desenvolvido meios que possibilitam a atuação cênica vinculada aos arquétipos permite a Antunes relaxar um pouco. Já não se levanta em armas contra a classificação de comédia de costumes à obra rodriguiana. Não se levanta em termos, é claro. Afirma César Augusto, no mesmo *Diário de bordo*, que "uma das primeiras questões com a qual pode deparar quem se predispõe a montar uma peça de Nelson Rodrigues é esta: saber entender a diferença entre o universo prosaico e o universo poético. O primeiro ligado aos aspectos jornalísticos, à comédia de costumes e ao lado *farsesco* do autor; o segundo, por sua

A pedra do reino
Lee Taylor, Leandro Paixão, Chantal Cidônio, Erick Gallani, Vanessa Bruno, Nara Chaib, Marcos de Andrade, Pedro Abhull, Rhode Mark e Angélica Di Paula.
Foto: **Emidio Luisi**

14. Idem.

vez, ligado ao universo poético, relacionado obviamente à sua poética teatral". Cita Antunes dizendo que "tem o aspecto cotidiano, frasístico, prosaico, de costumes, o anedótico", porém "isso é aparência, por debaixo há outras camadas", ou seja, "há a comédia de costumes, mas abaixo fervem os mitos".

O movimento, na verdade, é de Antunes indo ao encontro de outros pontos de vista, não para aceitá-los, simplesmente, e sim para deles fazer pontes para novo entendimento da obra. Nesse momento, ele admite a classificação *comédia de costumes* para *A falecida*, restrita no entanto a alguns dos elementos que constituem a peça, não em toda a sua constituição. A obra tem os dois lados: é uma comédia de costumes, mas com conteúdos que superam essas referências e trazem à cena novas visões de mundo, além da irracionalidade nas atitudes cotidianas e profundas reflexões sobre a condição humana. Vislumbra nova fronteira estética, onde o denso ambiente dos arquétipos contém um plano de comunicação de massa, praticamente invadindo o universo pop.

Visões paradoxais insinuavam possibilidades estéticas inéditas, e era preciso investigar essas possibilidades. E foi assim que nasceu o projeto de executar rápida montagem de *A falecida* – tão rápida que se acrescentou ao nome da peça a expressão *vapt-vupt*: coisa feita na hora e velozmente.

A terceira montagem de *A falecida* realizada por Antunes Filho marca novo patamar da sua linguagem. A primeira, feita com alunos da EAD, em 1965, resolvia-se com mínimos elementos, ficando a caixa cênica aberta, despojada de rotundas, com apenas um praticável, algumas cadeiras e jornais. O drama e os surtos de Zulmira eram analisados e interpretados à luz de dogmas freudianos; os conflitos levados às últimas consequências pelo elenco tornavam densa, profundamente dramática, toda a encenação. Foram, desse modo, neutralizados os traços de comédia de costumes.

A segunda tentativa foi sua inclusão em *Nelson Rodrigues, o eterno retorno* (1981). Nessa época Antunes começava a trabalhar com a psicologia analítica, junguiana, e não conseguiu resolver a peça do ponto de vista do inconsciente coletivo, por isso a retirou do espetáculo. Retornaria a ela, no entanto, alguns anos depois, tendo já avançado bastante as pesquisas de técnicas para o ator. Juntou *A falecida* a outra peça de Nelson Rodrigues, igualmente classificada "comédia de costumes", *Os sete gatinhos*, e com as duas realizou *Paraíso, zona norte*.

O cenário da segunda montagem de *A falecida*, lembrando um espaço público, como estação de metrô, foi construído segundo a ideia do *simbolismo do centro*, tendo um alçapão (boca dos infernos) por onde entravam e saíam personagens como se flutuassem. Era a manifestação do plano dos arquétipos, tendo cada gesto, cada entonação vocal, o sentido de ruptura com a realidade objetiva, a busca de um horizonte metafísico. Percepções do inconsciente coletivo impregnavam toda a ação dramática, diluindo qualquer vestígio da comédia de costumes.

Ao longo do processo do CPT, *Paraíso, zona norte* marcou a radicalização da linguagem e deu início à depuração da mesma linguagem, paralelamente à pesquisa e à experimentação de novos meios interpretativos, sempre à luz da psicologia analítica, ideias filosóficas orientais e mecânica quântica. A estabilização da linguagem investigada tornou-se perceptível nesse trajeto, à medida que atores e atrizes conquistavam e se apropriavam dos meios adequados.

Senhora dos Afogados
Valentina Lattuada e Angélica Di Paula.
Foto: **Emidio Luisi**

Terminada a sistematização do método, a problemática da lida com arquétipos e inconsciente coletivo estava completamente integrada às técnicas do ator, dando-lhe o encaminhamento estético. A abordagem metafísica passa a ser condição normal para o ator ou a atriz que trabalhe na ressonância, com o corpo no *L* e sob comando do vaga-lume. Assim, não há mais necessidade de recorrer a signos exteriores para remeter a trama ao âmbito do pensamento arcaico, porque é ele quem aciona e comanda toda a atuação. Fato comprovado rigorosamente nas montagens de *A pedra do reino* e da *Senhora dos afogados*. Embora a elaboração desses espetáculos revisitasse os primeiros tempos do processo, a configuração mítica foi inteiramente dada pelos intérpretes, utili-

Hierofania

A falecida vapt vupt
Bruna Anauate, Tatiana Lenna, Erick Gallani, Angélica Colombo, Andrell Lopes e Ruber Gonçalves.
Foto: **Fred Mesquita**

zando apenas os procedimentos e as técnicas do método. A ação produz ambiente peculiar, formado por camadas, permeado de mistérios e de estímulos espirituais, no qual se dá todo o desenvolvimento dramático.

O conjunto de montagens realizadas no período posterior à sistematização, desde as tragédias e incluindo as jornadas de *Prêt-à-porter*, atesta de um para outro trabalho o perfeito domínio do método pelos intérpretes. Causa surpresa, inclusive, a rapidez com que atores e atrizes recentemente admitidos no CPT adquirem a técnica. Nos vários espetáculos surgem caras novas, todas em perfeita sintonia com os mais antigos, dominando a técnica que caracteriza o grupo e lhe possibilita a sofisticada estética. A terceira montagem de *A falecida* não deixou qualquer dúvida a respeito.

Tendo externado e estabilizado a natureza metafísica do seu teatro, Antunes Filho começa a se sentir livre para buscar novos horizontes estéticos. A primeira experimentação nesse sentido, ainda presa a estruturas conhecidas, foi *O canto de Gregório*. A segunda, já reivindicando *licença poética* radical, deu-se com *Foi Carmen*. Depois do olhar retrospectivo com *A pedra do reino* e *Senhora dos afogados*, lançou-se à aventura de dar nova interpretação à obra rodriguiana, reconhecendo como legítima a classificação de *comédia de costumes*, com *A falecida*.

O *modelo* que Antunes indicou à atriz Bruna Anauate para a composição de Zulmira foi a popular cômica Dercy Gonçalves. Sem dúvida aqui entra uma aplicação prática do velho exercício *cinema mudo*, que não leva à imitação pura e simples do *modelo*, mas à sua re-leitura. O conselho de Antunes à jovem atriz, no que respeita ao modelo, não se referia à imitação, evidentemente, e sim à apropriação de um aspecto da realidade, como faziam os artistas pop.

"Fora está o mundo; está lá. O olhar da arte pop penetra nesse mundo", falou Roy Lichtenstein, há meio século[15]. A frase serviu de mote a Simon Wilson para abrir seu ensaio sobre a arte pop, começando o discurso quanto à distinção dos vários tipos de *realidade* que incidem sobre diferentes visões do *realismo*.

A arte pop, afirma Simon, está enraizada no ambiente urbano do século xx, contemplando "aspectos especiais, que por suas associações e nível cultural pareciam à primeira vista incompatíveis como temas para a arte". São anúncios e embalagens, rótulos, revistas ilustradas, histórias em quadrinhos, o mundo do espetáculo, etc., produtos de consumo passaram a ser modelos para o artista, como frutas e flores foram modelos para os pintores de natureza morta. "O resultado era um tipo de arte que combinava o abstrato e o figurativo de modo absolutamente novo; era realismo, mas executado à luz e pleno conhecimento de tudo que tinha acontecido na arte moderna", conclui Simon.

A arte pop, na verdade, esteve muitas vezes presente na obra de Antunes Filho, sempre em termos de citação ou referência. Como, por exemplo, a garrafa de Coca-Cola que aparecia em cena de *A megera domada* (1965), contrastando com cenários e figurinos de época, ou mesmo Antígona indo para a sepultura em cadeira de rodas. Desta vez, porém, Antunes tomou conceitos e estratégias da arte pop para alcançar outra visão da realidade, partindo de um texto de Nelson Rodrigues.

Estabeleceu como ambiente para a encenação um bar, com seus frequentadores que o tempo todo permanecem nas mesas conversando, jogando ou apenas tomando cerveja; o garçom indo e vindo portando

15. Cf. Simon Wilson em *A arte pop*, p. 4.

bandejas, garrafas e outros objetos do ofício. Em meio a isso tudo e ante a absoluta indiferença dos frequentadores se desenrola o drama de Zulmira.

As realidades sobrepostas no cenário criam atritos que se desdobram em imagens e significâncias surpreendentes. Os traços da comédia de costumes podem, nesse ambiente, ser realçados sem que o espetáculo se feche nos contornos rasos dos costumes. Pelo contrário, tornam ainda mais patética essa mulher que na morte busca o triunfo aos olhos da vizinhança. Tuninho, o marido, assim como seus amigos, têm ampliado o vazio de suas existências.

Desse modo, a sobreposição de realidades gerou uma outra realidade, como a que caracteriza a arte pop, que envolve os personagens e os eleva a um plano dramático de grande beleza. Os elementos de comédia de costumes são, portanto, meios de descrever o modo de vida dos personagens, dentro de um contexto, porém, que tem por base os arquétipos e o pensamento arcaico.

A peça estreou no Recife, dentro de um evento promovido pela Prefeitura da cidade em homenagem aos 80 anos de Antunes Filho[16]. E naquele ambiente especial, de cais de porto, a peça ganhou brilho. Poderia ser levada em espaços públicos, como mercados e botecos, sem perder esse brilho – aliás, ganhando mais brilho, dada a sua estrutura aberta.

Ao comentar a montagem de *A hora e vez de Augusto Matraga* observei que "seu método só poderia estar completo quando facultasse meios para o ator manter o curso narrativo recorrendo à própria imaginação e lançando mão de recursos expressivos próprios". Notamos, ao longo da constituição do repertório, a importância que mereceu a pesquisa de técnicas para o ator, algumas vezes tornando-se a própria técnica linguagem do espetáculo, como a *bolha* no *Paraíso, zona norte* e o *fonemol* em *Nova velha estória*.

Concluída a sistematização, o processo entrou em fase de depuração e consolidação, o que também foi possível acompanhar no repertório, a partir dos *Fragmentos troianos*. Nessa fase percebeu-se gradativo domínio dos atores sobre o curso narrativo, trabalhando com seus próprios meios, conquistados graças ao exercício do método, que lhes possibilita ativar a imaginação e encontrar recursos expressivos pessoais.

16. *A falecida vapt-vupt* estreou no Armazém 14, no Recife, a 27/3/2009, com o seguinte elenco: Adriano Bolshi, Alfredo Borba, Andrell Lopes, Angélica Colombo, Bruna Anauate, Eloísa Costa, Emerson Danesi, Erick Gallani, Fred Mesquita, Geraldo Mário, Hilda Tores, Jamysson Marques, João Paulo, Kaio Pezzutti, Lee Taylor, Manoel Carlos, Marco Biglia, Marcos de Andrade, Marilia Simões, Michelle Boesche, Raul Teixeira., Rodrigo Audi, Rogério Costa, Tatiana Lena, Ygor Fiori.

Essa fase culmina com *A falecida vapt-vupt*, onde atores novos e pouco experientes, mas muito bem preparados pelos procedimentos técnicos e intelectuais do método, revelam ótimo domínio da cena e admirável repertório expressivo, a despeito do pequeno tempo de ensaios. O mestre alcançou o seu objetivo principal, inegavelmente.

Antunes nunca se deixou abater por desânimos ou desilusões. Seu espírito criador permanece ativo, desperto, propondo novas linguagens, dotando de técnicas e conhecimentos as novas gerações. A estreia de *A falecida vapt-vupt* evidenciou a vitória do método para o ator desenvolvido no CPT ao longo de quase três décadas. E evidenciou também que agora Antunes tem atores preparados para invadir territórios novos do teatro, alargando suas perspectivas e atualizando sempre o próprio fazer teatral.

Anexo. Diário de bordo do CPT

Valentina Lattuada

**Conversando sobre o Método. Capítulo 12.
Abertura: corpo e espírito.**

Ultimamente nas reuniões do CPT de sábado estamos conversando sobre o Método do Antunes a partir do texto escrito por Sebastião Milaré. Re-ler *Hierofania* nos permite repercorrer o processo de criação do trabalho do ator no CPT, rever a terminologia, atualizar e completar esse método *work in progress*. Usamos, como pretexto, esse texto pontualmente compilado por Milaré para viajar em novos *lidos* de pesquisa ou para retomar noções já bem exploradas no passado, mas sempre vivas em nosso trabalho.

O *Capítulo 12. Abertura: corpo e espírito*, incentivou a discussão sobre Estereótipo e Respiração. Segundo Antunes, começar a construção da personagem a partir de um estereótipo significa "escolher o *Quem*". Ele explica que a caricatura é objetiva, é a atitude crítica da construção, ela "delimita o todo", pois o contexto da atuação é levantado racionalmente.

Digamos que o estereótipo é o *apoio*, proporciona o afastamento necessário, o primeiro e fundamental passo para um ator. Em seguida o ator alcança uma dimensão mais profunda através da respiração, que é o veículo para a humanização. Assim o nosso Pinocchio, de gestos e atitudes bem focados, sintetizados, ganha vida e verdade, por conta de uma respiração orgânica e sinceramente reagente aos estímulos que recebe.

"O ator estereotipado é um homem morto em movimento; o ator dramático, genuíno, é um homem vivo em processo", define Antunes, e continua provocando: "Nunca na vida você respira duas vezes do mesmo jeito". Pois cada estímulo terá uma resposta respiratória específica num *continuum* de músculo, movimento – respiração, interno-externo, em que os *neurônios dramáticos* são os principais captadores e elaboradores desse estímulo.

Neurônios dramáticos são a imagem criada por Antunes para explicar o estado espiritual, físico e moral do ator, capaz de treinar a sua sensibilidade, se entregar a ela e deixar a vida e a arte acontecerem através de si, onde arte e vida estão ligados a um fio de ar. "O Ator é ar." Os neurônios estão sempre ligados sensíveis, receptivos, porém frágeis, por isso precisam de um corpo *limpo*, uma alma entregue, *afastamento*, cultura e técnica para trabalharem tranquilamente.

Brincando de dar nome ao invisível, ou melhor, aos invisíveis, Antunes chega a criar uma conexão com o *Discurso sobre a Originalidade*, que vem nos ocupando há um tempo. Essa ligação é feita com o conceito de raiz, raiz invisível.

Como fazer o *novo*? Qual é o método para sair da "novidade", do *souvenir* cultural, e saber fazer o *novo*? O *novo* tem raiz, a *originalidade* (origem) tem raiz. "O novo tem húmus do inconsciente e do subconsciente", enquanto a *novidade* e a *criatividade*, na terminologia antuniana, permanecem na superfície, no estereótipo, não no humano.

Precisamos fazer arte que tenha ligação com a alma do homem, com nossa alma. Como? A resposta permanece em aberto, mas tem uma indicação, uma metáfora. Imaginemos uma árvore: terra, raízes, tronco, ramos, folhas, oxigênio. As raízes dessa árvore se esticam ao infinito, sempre mais sutis, até virarem fibrilas, perfume, na terra e além da terra, até chegar ao *vazio absoluto*. Esse *vazio* é o lugar da espiritualidade, a origem impalpável. Não está só nas raízes no entanto, está além das folhas também, que se perdem no ar e confundem sua matéria com as fibrilas do ar do inconsciente (esse inconsciente de que falamos contém e supera todos os conceitos formados nos séculos de psico-socio-filosofia). Tudo sai do nada e chega ao nada. O trabalho artístico novo é aquele que deixa aberta essa passagem da raiz às fibrilas, das fibrilas ao inconsciente, do nada ao nada. A árvore é a linha de força, a escolha artística é o canal para essa magia acontecer. Enfim, delimitar o território para o mistério acontecer. "O *novo* tem vestígios de coisas espirituais. A *novidade* é oca, sem poesia, sem revelações do mistério", diz Antunes.

Assim, percebemos a importância do processo no trabalho do artista. "O bom artista é aquele que sabe criar um bom processo, porque quem tem ideias é o processo." O ator está sempre de passagem, ele não consolida, está em trânsito, em atitude deleuziana, podemos dizer, mas para isso precisa de método e precisa dizer: "Eu vou brincar".

Para alcançar a raiz do sentimento o ator tem que flutuar na e com a respiração, porque esta é que dá o tempo certo da brincadeira, do jogo. O estímulo leva a outro estímulo, ele modifica a respiração, não a razão. Por isso são fundamentais o *relaxamento ativo*, o *vaga-lume* ligado e o contato constante com a *Grande Mãe*.

Conversando sobre o Método. Capítulos 13 e 14. Do esqueleto à alma, *Yin* e *Yang*, Ego e *Self*.

As conversas de sábado continuam e Antunes segue elaborando e aprofundando as ideias que a revisitação ao Método proporcionam, porque, se o artista está sempre em processo, "o Mestre não é aquele que ensina, mas aquele que de repente aprende" (Guimarães Rosa) e "o Sábio é aquele que sabe explicar a mesma coisa em quinhentos modos diferentes".

Estamos dizendo que o *novo* vai à raiz e está constantemente em processo e que o exercício do ator o leva a entender que a essência do homem é o próprio homem, e é ali que ele tem que almejar chegar com sua prática e sensibilidade. O *novo* olha para trás, para a frente e para dentro.

O "dentro" do ator tem que estar fora dele, para que ele não se perca em seu próprio sentimento, em sua ansiedade, e se torne assim incapaz de "expressar". O ator que busca a raiz é antifundamentalista, é um *humanitarista*, pois está na arte com amor desinteressado e enfrenta, na sua criação, um processo de verticalização.

O que Antunes quer dizer quando diz que "o meu está fora de mim", que não devo fazer "eu dentro", mas "eu fora"? O que ele quer dizer quando diz que "o meu olho é o mundo, o mundo é meu olho"?

Em primeiro lugar, temos que entender o que ele entende por *Campo eletromagnético do ator* (CEA), noção introduzida junto com a de *neurônios dramáticos*.

O CEA é o espaço em volta do ator, por ele emanado, projetado, porém que existe antes dele e depois dele, porque é o campo da espiritualidade, da expressão e da sensibilidade. Podemos simplificar dizendo que é o espaço do *elemento do ator*: o Ar.

A arte não está dentro de mim, está no *campo eletromagnético* ao meu redor e por mim emanado. Se eu consigo o afastamento mantendo o sistema *L* no lugar e ligado, o vaga-lume ligado, o plexo solar aceso, em apoio do sistema *L*, os olhos no lugar (não jogados para a frente de um jeito que apagariam o vaga-lume) e os músculos ionizados, prontos para agir (língua, diafragma, etc.), tenho a possibilidade de deixar o "Mundo ser o meu olho".

A programação do ator está fora dele, está no *campo eletromagnético*, no ar. O sentimento (que é uma sensação prolongada) e o pensamento estão no ar. Os músculos sob controle, sensíveis, me permitem essa recepção.

A cena é, assim, uma flutuação eletromagnética. O ator é impregnado da programação, racional, técnica, mas depois flutua, é levado, enquanto as informações permanecem no CEA.

Antunes explica que "não sou eu que respondo ao estímulo, é meu corpo que responde, fluente no campo eletromagnético", e continua interligando filosofia e técnica: "Os meus sonhos e minhas lembranças estão todos no *ar*, no CEA, fora de mim, na minha frente".

O ator, o artista, tem que ter uma programação muito específica e precisa, uma série de estações onde ele sabe que tem que passar na expressão de sua arte, e é esse *fora* que sugere quais são essas estações, num contínuo jogo *outside-in*, *inside-out*. O ar, rico de carga EM, faz o corpo, e o corpo, que é também Mente (no sentido amplo, que vai bem além do sentido do cérebro), capta todos os sonhos e a poesia que pulsam no *vazio*, fora do próprio corpo. O que "resta" ao ator, artista, fazer são as conexões entre esses sonhos.

"O artista é aquele que surpreende Deus mostrando-Lhe coisas que nem Ele se lembrava de ter criado" e é aquele que cria relações e conexões em tudo o que vê. A vida, a arte, o mundo, "o todo não é a soma das partes, mas a soma das relações entre as partes".

Falando em conexões, entra-se inevitavelmente no *Discurso sobre a desconstrução*. Para desconstruir algo devemos ter um amplo conhecimento de todas as partes, do todo e do processo. A desconstrução não deve destruir, e sim avançar no conhecimento, avançar na análise. Análise e síntese são requisitos básicos para o trabalho de qualquer "criador".

Para ser um criador e continuar o fluxo da construção-desconstrução de todos os criadores na história da humanidade, deve-se ter uma *ideologia*, mas Antunes ensina como também a própria ideologia "acontece", é uma "tendência orgânica", ela *está*. A ideologia não tem nome, tem um fluxo orgânico que no CPT se manifesta na tentativa de "ficar no invisível". É possível ficar no invisível? É possível ser um sistema EM? É possível visitar, tangenciar sem ir? Flutuar? Como ser algo, alguém em cena, sem impor? Criar sem matar nosso próprio filhote com o nosso ego, ansiedade, ignorância, falta de técnica, de sensibilidade?

Vamos então por partes para tentar explicar melhor na prática.

Eu ator, quando entro em cena não tenho sentimentos, sou uma folha em branco, simplesmente começo a respirar. A respiração me leva ao sentimento, eu tenho basicamente o *sentimento ambiente*, como o nomeou Antunes.

Começo pelo *vazio*, transito pelo estereótipo, daí entra a respiração e assim alcanço o sentimento. Obviamente isso é possível se eu tenho o domínio absoluto do ritmo respiratório e a sensibilidade treinada constantemente. Esse trânsito acontece se eu tenho a atitude do *Homo Ludens*, aquele que entra em cena para o *prazer*, onde o prazer é sempre *a priori* e é a respiração adequada que dá o prazer. No meu jogo eu estimulo a respiração através de uma imagem que acho fora de mim, no ar. O ar, assim, é ao mesmo tempo imagem e sentimento. Pois o sentimento não existe, não é um sólido, ele só existe no ar, ou seja, na respiração, e a minha respiração é algo externo a mim, ela *está* e passa por mim. Eu estou em processo e brinco com essas respirações-imagens que acho no ar.

Eu não sinto o personagem, empresto meu corpo a ele. Como disse antes, eu tenho uma programação, depois uma respiração e logo após já não penso mais nem em uma nem em outra, porque há um impulso maior, que é o prazer. Assim, até a noção de empréstimo parece pequena, porque eu não sinto: "Eu *sou*, eu *estou*".

Se eu sou a personagem, eu sou o resto dos homens, porque todos temos o mesmo inconsciente, o mesmo todo, o mesmo tudo. Somos diferentes no caráter, na programação, mas os sentimentos são iguais para todos, e eu, como ator, entrego isso ao jogo, guiado pelo prazer.

Senhora dos Afogados
Ana Carina Linares,
Geraldo Mário, Eric Lenate
e Valentina Lattuada.
Foto: **Emidio Luisi**

Como antecipei anteriormente, Antunes explica que a diferença entre emoção, sensação e sentimento está na durabilidade. A cadeia é: percepção sensorial – sensação – emoção – sentimento. Todas essas noções são iguais na base, porém suas densidades são diferentes, e a emoção se torna um sentimento quando "permanece".

Antunes explica que não existe sentimento puro, fora a ansiedade (que é assassina de qualquer forma de arte e representação). A ansiedade é pura, por isso nossa luta contra ela é tão difícil.

Ele diz que o sentimento é uma sensação "prolongada e vacilante", por isso a importância do vacilar, trepidar, flutuar com a respiração. O sentimento segue as frequências da respiração. É vacilante de acordo com a respiração, e o *afastamento*, tão importante para o ator, começa justamente nesse jogo muscular.

O músculo vai para o *Yin*, recolhe, para depois expandir. No *Yin* se inspira, o olhar se recolhe, vai em busca da sensação, e na volta, no *Yang*, se expira, levando à tona a sensação que no *Yin* tocou. Antunes, com suas imagens poéticas, diz que "quando inspiro eu vou ao eixo, à minha mãe. E quando volto, na expiração, eu conto o que vi lá. A respiração me vacila, me faz vacilar. Inspiro categórico e expiro vacilante".

Ou seja, com qualquer estímulo, externo ou interno, eu trago o ar e quando expiro mostro a reação a esse estímulo. A cada expiração é possível alcançar um estado alterado de consciência, ajudado e educado pela arte. O movimento do músculo *ionizado* não interfere na respiração. Tudo está continuamente em movimento e o que me conduz é a respiração, é a "gasolina". A respiração cria em mim uma sensação, não a explicação. O programado tem que ser esquecido e é a respiração que reativa a programação.

Continuando nesta tentativa de explicar a ideologia, podemos usar também o conceito antuniano de *Ritual-Suicídio*. No *Ritual-Suicídio* da arte eu me doo inteiramente aos outros; a única vaidade possível, salutar, positiva, é *a posteriori*, é estimulante. Mas antes só pode existir a entrega total, o voo, o suicídio, o caminho do *Self* e não o do Ego. O *Self* é transcendência.

"A vocação se dá de maneira concreta, se dá mediante exercício de gosto, de prazer das coisas, se educa." O ator-suicida se doa pra todos e se doa todo, mas para entender esse conceito de maneira correta e saudável temos que ter uma leve transvaloração. Antunes mostra como na verdade não tem que ser um dom o nosso, porque, segundo ele, um dom é só uma parte, não é o todo, leva a uma escravização do outro, a uma capitalização do outro.

Tem que ser uma renúncia, *in toto*. "Não dou uma parte, porém o todo, dou-me todo. O meu há de ser um suicídio, uma entrega." Isso se aproxima do que entendemos por *Ideologia do Invisível*, a ideologia do ator "múltiplo no palco", o ator do *Self*, pois o Ego é uno, radical, cego e obviamente egoísta, antiartístico. E o principal transmissor desse invisível é o vaga-lume, que contém o conteúdo e o não conteúdo, e está sempre em movimento.

São Paulo, setembro-dezembro de 2008.

Fontes e bibliografia

Fontes

Artigos de periódicos do Brasil e do Exterior. Créditos às publicações são consignados em notas de rodapé.

Coletiva de Imprensa realizada em Monterrey, México, no decorrer do Festival Cervantino. Participaram da mesa do Grupo de Teatro Macunaíma: Antunes Filho, Flavia Pucci, J. C. Serroni, Luis Melo, Sebastião Milaré, Walter Portella. Gravações em fitas cassete executadas por Raul Teixeira.

Depoimentos exclusivos: Walter Portella (22/1/1991); Arciso Andreone (28/1/1991); Danilo Santos de Miranda (1991); Antunes Filho (28/5/98, entrevista reproduzida na revista *SetePalcos*, nº 3, da Cena Lusófona, Coimbra). Entrevistas e gravações em fitas cassete realizadas pelo autor.

Depoimentos exclusivos de atores do CPT sobre o Método: Daniela Nefussi e Tiago Francisco (22/10/1997); Daniela Nefussi, Gabriela Flores, Sabrina Greve, Sílvia Lourenço, Emerson Danesi, Gabriel (11/2/1998). Entrevistas e gravações em fitas cassete realizadas pelo autor.

Espaço para discussão teatral. Texto datilografado. Documento que "consubstancia as conclusões do Grupo de Trabalho [do SESC Serviço Social do Comércio] formado pela Ordem de Serviço nº 07/82, de 31 de março de 1982". Dos estudos resultaram o acolhimento do Grupo de Teatro Macunaíma e a criação do Centro de Pesquisa Teatral no SESC Vila Nova, em 1982. Cópia fornecida pelo Gerente-Geral do SESC São Paulo, Danilo Santos de Miranda.

O ator do Centro de Pesquisa Teatral SESC Vila Nova. Texto datilografado, 64 páginas. Consta da capa: Segundo depoimentos prestados por Antunes Filho de 10 de agosto a 31 de outubro de 1987. Esboços realizados por Marlene Fortuna, Walter Portella, Luis Mello, Regina Remencius, Jefferson Primo, Vivian

Vineyard, coligidos por Maria Cristina de Godoy Carneiro. Datado a 16 de novembro de 1987. Cópia fornecida pelo ator Marcos Azevedo.

O preparo técnico do ator. Texto datilografado, 20 páginas, elaborado pelos integrantes do Centro de Pesquisa Teatral à época da montagem de *Romeu e Julieta*. 1984. Cópia fornecida pelo ator Marco Antônio Pâmio.

O teatro segundo Antunes Filho. Documentário em seis capítulos, STV. Ideia de Raul Teixeira, roteiro e entrevistas por Sebastião Milaré, direção de Amílcar Claro. Entrevistados: Antunes Filho, Cacá Carvalho, Danilo Santos de Miranda, Emerson Danesi, Eva Wilma, Geraldo Mário, J. C. Serroni, Juliana Galdino, Laura Cardoso, Lígia Cortez, Luis Mello, Marlene Fortuna, Osmar Rodrigues Cruz, Raul Cortez, Raul Teixeira, Rita Martins, Walter Portella. Nota: As consultas para o presente trabalho foram realizadas a partir das gravações originais das entrevistas, material não editado.

Seminário no CPT. Gravações em CD de quatro encontros de Antunes com os atores do Centro de Pesquisa Teatral, no período de 16 de fevereiro a 13 de março de 2001, com o objetivo de discutir o método em fase final de sistematização. Participaram dos encontros, além do próprio Antunes: Adriana Patias, Arieta Corrêa, Daniel, Donizeti Mazonas, Emerson Danesi, Gabriela Flores, Juliana Galdino, Kleber, Marcos Suchara, Regina Parra, Sabrina Greve, Sílvia Lourenço, Susan Damasceno. Gravações realizadas por Raul Teixeira.

Bibliografia

ABEL, Lionel. *Metateatro: uma visão nova da forma dramática* (Metatheatre – A New View of Dramatic Form). Trad. Bárbara Heliodora. Rio de Janeiro: Zahar Editores, 1968.

AMADO, Jorge. *Os velhos marinheiros*. São Paulo: Martins, 1970.

ANDRADE, Mário de. *Macunaíma*. São Paulo: Círculo do Livro, 1982.

ANÔNIMO. *A epopeia de Gilgamesh*. Trad. Carlos Daud de Oliveira. São Paulo: Martins Fontes, 1992.

ANTUNES FILHO. *Gilgamesh* (adaptação teatral). Preparação e revisão de Beth Accioly. Mairiporã: Veredas, 1995.

ARISTÓTELES. *Ética a Nicômaco*. Trad. Pietro Nasstti. São Paulo: Editora Martin Claret, 2002.

_____. *Poética*. Trad. não creditada na edição. *Organon*. Trad. Pinharanda Gomes; *Ética a Nicômaco*. Trad. não creditada na edição. São Paulo: Nova Cultural (Os Pensadores), 1996.

ARTAUD, Antonin. *O teatro e seu duplo* (Le Théâtre et Son Double). Trad. Teixeira Coelho. São Paulo: Max Limonad, 1984.

BACHELARD, Gaston. *O novo espírito científico; A poética do espaço* (Le Nouvel Esprit Scientifique; La Poétique de l'Espace). Trad. Remberto Francisco Kuhnen, Antônio da Costa Leal, Lídia do Valle Santos Leal. São Paulo: Nova Cultural (Os Pensadores), 1988.

_____. *La poetica de la ensoñacion* (La Poétique de la Reverie). Trad. Ida Vitale. México: Fondo de Cultura Económica, 1982.

_____. *El aire y los sueños: ensayo sobre la imaginación del movimiento* (L'Air et les Songes, Essai Sur l'Imagination du Mouvement). Trad. Ernestina de Champourcin. México: Fondo de Cultura Económica, 1986 (4ª reimpressão).

BAIGENT, Michael; LEIGH, Richard; LINCOLN, Henry. *O Santo Graal e a linhagem sagrada* (The Holy Blood and the Holy Grail). Trad. Nadir Ferrari. Rio de Janeiro: Nova Fronteira, 1993.

BARBA, Eugenio. *Más allá de las islas flotantes*. Trad. Toni Cots. Buenos Aires: Firpo & Dobal, 1987.

BARNETT, L. *El Universo y el Doctor Einstein* (The Universe and Dr. Einstein). Trad. Carlos Imaz. México: Fondo de Cultura Económica, 1986 (11ª reimpressão).

BARTHES, Roland. *Fragmentos de um discurso amoroso* (Fragments d'un Discours Amoureux). Trad. Hortência dos Santos. Rio de Janeiro: Francisco Alves, 1990.

BAUR, Alfred. *O sentido da palavra: no princípio era o Verbo: fundamentos da quirofonética* (Lautlehre und Logoswirken – Grundlagen der Chirophonetik). Trad. Bruno Callegaro, Helena de Milharcic, Sérgio G. Corrêa e Liselotte Sobotta. São Paulo: Antroposófica, 1992.

BENTIVOGLIO, Leonetta. *O teatro de Pina Bausch* (Il Teatro di Pina Bausch). Trad. Maria José Casal-Ribeiro. Lisboa: Acarte/Fundação Calouste Gulbenkian, 1994.

BENTLEY, Eric. *O dramaturgo como pensador* (The Playwright as Thinker). Trad. Ana Zelma Campos. Rio de Janeiro: Civilização Brasileira, 1991.

BERG, Jan Hendrik van den. *Psicologia profunda* (Dieptepsychologie). Trad. André Oliehoek e H. van Leeuween. São Paulo: Mestre Jou, 1980.

BESSE, Guy; CAVEING, Maurice. *Politzer, princípios fundamentais de filosofia.* Trad. João Cunha Andrade. São Paulo: Hemus, s/d.

BÉZIERS, Maire-Madeleine; PIRET, Suzanne. *A coordenação motora: aspecto mecânico da organização psicomotora do homem* (La Coordination Motrice – Aspect Mécanique de l'Organization Psychomotrice de l'Home). Trad. Ângela Santos. São Paulo: Summus Editorial, 1992.

BORN, Max; AUGER, Pierre; SCHRÖDINGER, Erwin; HEISENBERG, Werner. *Problemas da física moderna* (Discussione Sulla Física Moderna). Trad. Gita K. Guinsburg. São Paulo: Perspectiva, 1990.

BRAUN, Edward. *El director y la escena: del naturalismo a Grotowski* (The Director and the Stage). Trad. Fernando de Toro, Miguel Angel Giella, José Leandro Urbina. Buenos Aires: Galerna, 1986.

BRECHT, Bertolt. *Estudos sobre teatro* (Schriften zum Theater). Trad. Fiama Pais Brandão. Rio de Janeiro: Nova Fronteira, 1978.

_____. *Teatro dialético*. Seleção e introdução de Luiz Carlos Maciel. Rio de Janeiro: Civilização Brasileira, 1967.

Brook, Peter. *O ponto de mudança* (The Shifting Point). Trad. Antônio Mercado e Elena Gaidano. Rio de Janeiro: Civilização Brasileira, 1994.

BULFINCH, Thomas. *Mitologia geral: a idade da fábula* (Mythology: The Age of Fable). Trad. Raul L. R. Moreira e Magda Veloso. Belo Horizonte: Itatiaia, 1962.

CALVET, Louis-Jean. *Roland Barthes uma biografia* (Roland Barthes). Trad. Maria Angela V. da Costa. São Paulo: Siciliano, 1993.

CAMPBELL, Joseph. *As máscaras de Deus – mitologia oriental* (The Masks of God – Oriental Mythology). Trad. Carmen Fisher. São Paulo: Palas Athena, 1994.

CAMPIGNION, Philippe. *Respir-Ações* (Respir-Actions Les Chaînes Musculaires et Articulaires G.D.S.). Trad. Lucia Campello Hahn. São Paulo: Summus, 1998.

CAPRA, Fritjof. *O Tao da Física: um paralelo entre a física moderna e o misticismo oriental* (The Tao of Physics – An Exploration of the Parallels Between Modern Physics and Eastern Mysticism). Trad. José Fernandes Dias. São Paulo: Cultrix, 1989.

_____. *O ponto de mutação: a ciência, a sociedade e a cultura emergente* (The Turning Point). Trad. Álvaro Cabral. São Paulo: Cultrix, 1996.

CARRIÈRE, Jean-Claude. *O Mahabharata* (Le Mahabharata). Trad. Noêmia Arantes. São Paulo: Brasiliense, 1994 (4ª edição).

CARSE, James P. *Juegos finitos y juegos infinitos* (Finite and Infinite Games). Trad. Manuel Sánchez Villanueva. Malaga: Editorial Sirio, 1989.

CLINE, Barbara Lovett. *Los creadores de la nueva física: los físicos y la teoría cuántica* (The Questioners, Physicists and the Quantum Theory). Trad. Juan Almela. México: Fondo de Cultura Económica, 1989.

DAVIES, P. C. W. *El espacio y el tiempo en el universo contemporáneo* (Space and Time in the Modern Universe). Trad. Roberto Heller. México: Fondo de Cultura Económica, 1986.

DIDEROT, Denis. "Paradoxo sobre o comediante" (Paradoxe sur le Comédien). Trad. Jacó Guinsburg. *Diderot/textos escolhidos*. São Paulo: Abril Cultural (Os Pensadores), 1979.

DÜRCKHEIM, Karlfried Graf von. *O culto japonês da tranquilidade* (Japan Und Die Kultur der Stille). Trad. Yolanda Toledo. São Paulo: Cultrix, 1979.

DUVIGNAUD, Jean. *Sociologia do comediante* (L'Acteur – Esquisse d'une Sociologie du Comédien). Trad. Hesíodo Facó. Rio de Janeiro: Zahar Editores, 1972.

EDINGER, Edward F. *O encontro com o Self* (Encounter With the Self – A Jungian Commentary on William Blake's Ilustrations of the Book of Job). Trad. Maria Sílvia Mourão Netto. São Paulo: Cultrix, 1995.

ELIADE, Mircea. *Mito do eterno retorno: cosmo e história* (The Myth of the Eternal Return or, Cosmos and History). Trad. José A. Ceschin. São Paulo: Mercuryo, 1992.

_____. *Imágenes y símbolos: ensayos sobre el simbolismo mágico-religioso* (Images et Symboles). Trad. Carmen Castro. Madri: Taurus, 1974.

_____. *Iniciaciones místicas* (Birth and Rebirth). Trad. José Matías Díaz. Madri: Taurus, 1975.

_____. *Mito e realidade* (Myth and Reality). Trad. Pola Civelli. São Paulo: Perspectiva, 1972.

ENGELS, Friedrich. *A origem da família, da propriedade privada e do Estado*. Trad. Leandro Konder. Rio de Janeiro: Vitória, 1964.

ESSLIN, Martin. *Brecht: dos males, o menor* (Brecht: a Choice of Evils). Trad. Bárbara Heliodora. Rio de Janeiro: Zahar, 1979.

FAST, Julius. *El lenguaje del cuerpo* (Body Language). Trad. Valentina Bastos. México: Kairós, 1988.

FERNANDES, Ricardo Muniz (org.). *Prêt-à-porter 12345*. São Paulo: SESC São Paulo, 2004.

FORDHAM, Frieda. *Introdução à psicologia de Jung* (An Introduction Jung's Psychology). Trad. Artur Parreira. São Paulo: Verbo : Ed. da Universidade de São Paulo, 1978.

FRANKFORT, H. y H. A.; WILSON, J. A.; JACOBSEN, T. *El pensamiento prefilosófico – I: Egipto y Mesopotamia* (The Intellectual Adventure of Ancient Man). Trad. Eli de Gortari. México: Fondo de Cultura Económica, 1980 (5ª reimpressão).

FRANKFORT, H. y H. A.; IRWIN, W. A. *El pensamiento prefilosófico – II: los hebreos* (The Intellectual Adventure of Ancient Man). Trad. Eli de Gortari. México: Fondo de Cultura Económica, 1986 (4ª reimpressão).

FRANZ, Marie-Louise von. *Advinhação e sincronicidade: a psicologia da probabilidade significativa* (On Divination and Synchronicity – The Psychology of Meaningful Chance). Trad. Álvaro Cabral. São Paulo: Cultrix, 1991.

Franz, Marie-Louise von. *Alquimia: introdução ao simbolismo e à psicologia* (Alchemy – An Introduction to the Symbolism and the Psychology). Trad. Álvaro Cabral. São Paulo: Cultrix, 1996.

_____ (em conversa com Fraser Boa). *O caminho dos sonhos* (The Way of the Dream). Trad. Roberto Gambini. São Paulo: Cultrix, 1993.

_____. e HILLMAN, James. *A tipologia de Jung* – contendo "A função inferior", por von Franz, e "A função do sentimento", por Hillman (Jung's Typology). Trad. Ana Cândida Pellegrini Marcelo, Wilma Raspanti Pellegrini, Lucia Rosenberg, Gustavo Barcellos. São Paulo: Cultrix, 1990.

Freud, Sigmund. *Los textos fundamentales del psicoanálisis* (The Essentials of Psycho-Analysis), org. Anna Freud. Trad. Luis Lópes Ballesteros, Ramón Rey, Gustavo Dessal. Barcelona: Altaya, 1993.

Galizia, Luiz Roberto. *Os processos criativos de Robert Wilson: trabalhos de arte total para o teatro americano contemporâneo* (Robert Wilson's Creative Processes: Whole Works of Art for the Contemporary American Theatre). Trad. Luiz Roberto Brant de Carvalho Galizia e Carlos Eugênio Marcondes de Moura. São Paulo: Perspectiva, 1986.

George, David. *Grupo Macunaíma: carnavalização e mito*. São Paulo: Perspectiva: Editora da Universidade de São Paulo, 1990.

Gleick, James. *Caos: a construção de uma nova ciência* (Chaos: Making a New Science). Trad. José Carlos Fernandes e Luís Carvalho Rodrigues. Lisboa: Gradiva, 1994.

Gonçalves, Ricardo M., org. *Textos budistas e zen-budistas*. Seleção, tradução, introdução e notas do Prof. Dr. Ricardo M. Gonçalves. São Paulo: Editora Cultrix, 1976.

Grotowski, Jerzy. *Em busca de um teatro pobre* (Towards a Poor Theatre). Trad. Aldomar Conrado. Rio de Janeiro: Civilização Brasileira, 1987 (3ª edição).

Hall, James A. *A experiência junguiana: análise e individuação* (The Jungian Experience). Trad. Adail Ubirajara Sobral, Maria Stela Gonçalves. São Paulo: Cultrix, 1992.

Havemann, Robert. *Dialética sem dogma* (Dialektik Ohne Dogma?). Trad. Fausto Guimarães. Rio de Janeiro: Zahar, 1967.

Hawking, Stephen. *Buracos negros e universos bebês e outros ensaios* (Black Holes and Baby Universes and Other Essays). Trad. Isabel Araújo. Lisboa: Asa, 1995.

Herrigel, Eugen. *A arte cavalheiresca do arqueiro zen* (Zen in der Kunst des Bogenschiessens). Trad. J. C. Ismael. São Paulo: Pensamento, s/d.

_____. *O caminho zen* (Der Zen-Weg). Trad. Yolanda Steidel de Toledo e Zilda Hutchinson Schild. São Paulo: Pensamento, 1993.

I Ching: o livro das mutações. Introdução e comentários de Richard Wilhelm. Prefácio de C. G. Jung. Trad. Alayde Mutzenbecher e Gustavo Alberto Corrêa Pinto. São Paulo: Pensamento, 1994.

Jordan, René. *Marlon Brando* (Marlon Brando). Trad. Elisabeth Solé Alves Correa. Rio de Janeiro: Artenova, 1974.

JULLIEN, François. *Tratado da eficácia* (Traité de l'Efficacité). Trad. Paulo Neves. São Paulo: Editora 34, 1998.

JUNG, Carl Gustav, concepção e organização. *O homem e seus símbolos* (The Man and His Symbols). Trad. Maria Lúcia Pinho. Rio de Janeiro: Nova Fronteira, 1996 (14ª impressão).

_____. *Memórias, sonhos, reflexões*, compilação e prefácio de Aniela Jaffé (Memories, Dreams, Reflection). Trad. Dora Ferreira da Silva. Rio de Janeiro: Nova Fronteira, 1990.

_____. *Psicologia do inconsciente* (Zwei Schriften über Analytische Psychologie: Über die Psychologie des Unbewusten). Trad. Maria Luiza Appy. Petrópolis: Vozes, 1987.

_____. *Aion – estudos sobre o simbolismo do si mesmo* (Aion – Beiträge zur Symbolik des Selbst). Trad. Pe. Dom Mateus Ramalho Rocha. Petrópolis: Vozes, 1982.

_____. *Arquetipos e inconsciente colectivo* (Von Den Wurzeln Des Bewusstseins). Trad. Miguel Murmis. Buenos Aires: Paidós, 1970.

_____. *Ab-reação, análise dos sonhos, transferência* (Praxis der Psychotherapie, Spezielle Probleme der Psychotherapie). Trad. Maria Luiza Appy. Petrópolis: Vozes, 1987.

_____. e WILHELM, Richard. *El secreto de la flor de oro* (Das Geheimnis der Goldenen Blüte). Trad. Roberto Pope. Buenos Aires: Paidós, 1972.

KANDINSKY, Vassily. *Punto y linea sobre el plano.* (Título original e tradutor não declarados). México: Premiá Editora de Libros, 1988 (2ª edição).

KANTOR, Tadeusz. *Il teatro della morte* ("Le Théâtre de la Mort", material compilado e apresentado por Denis Bablet). Tradução italiana de Maria Grazia Gregori e Luigi Sponzilli. Milão: Ubulibre/Edicizioni Il Formichiere, 1979.

KAPLEAU, Philip. *Os três pilares do zen* (Three Pillars of Zen – Teaching, Practice and Enlightenment). Trad. Abadia de Nossa Senhora das Graças. Belo Horizonte: Itatiaia, 1978.

KELEMAN, Stanley. *Anatomia emocional: a estrutura da experiência* (Emotional Anatomy – The Structure of Experience). Trad. Myrtes Suplicy Vieira. São Paulo: Summus Editorial, 1992.

KOESTLER, Arthur. *Jano: uma sinopse* (Janus – A Summing Up). Trad. Nestor Deola e Ayako Deola. São Paulo: Melhoramentos, 1981.

KOTT, Jan. *Shakespeare nosso contemporâneo* (Shakespeare Our Contemporary). Trad. Paulo Neves. São Paulo: Cosac & Naify, 2003.

LAO-TSÉ. *Tao te King – o livro do sentido e da vida*. Trad. Norberto de Paula Lima. São Paulo: Hemus, s/d.

LARSEN, Stephen. *Imaginação mítica: a busca de significado através da mitologia pessoal* (The Mythic Imagination). Trad. Waltensir Dutra. Rio de Janeiro: Campus, 1991.

LEMERT, Charles. *Pós-modernismo não é o que você pensa* (Postmodermism Is Not What You Think). Trad. Adail Ubirajara Sobral. São Paulo: Edições Loyola, 2000.

MACHADO, Antonio. *Poesias completas*. México, D.F.: Espasa-Calpe Mexicana S. A., 1990.

MAGALDI, Sábato. *Nelson Rodrigues: dramaturgia e encenações*. São Paulo: Perspectiva Ed. da Universidade de São Paulo, 1987.

MAGALHÃES, General Couto de. *O selvagem*. Belo Horizonte: Ed. Itatiaia, São Paulo: Ed. da Universidade de São Paulo, 1975 (edição comemorativa do centenário da 1ª edição, cujo fac-símile vem em apêndice).

MCNALLY, Raymond T.; FLORESCU, Radu. *Em busca de Drácula e outros vampiros* (In Search of Dracula – The History of Dracula and Vampires). Trad. Luiz Carlos Lisboa. São Paulo: Mercuryo, 1995.

MÉNARD, René. *Mitologia greco-romana* (Le Mythologie dans l'Art Ancien et Moderne). Trad. Aldo Della Nina. São Paulo: Opus Editora, 1991. (3 volumes)

MEYERHOLD, Vsévolod F. *O teatro de Meyerhold*. Seleção, organização, tradução e apresentação de Aldomar Conrado. Rio de Janeiro: Civilização Brasileira, 1969.

_____. *Teoria teatral*. Trad. Agustín Barreno. Madri: Fundamentos, 1971.

MICHALSKI, Yan. *O teatro sob pressão: uma frente de resistência*. Rio de Janeiro: Jorge Zahar Ed., 1985.

MILARÉ, Sebastião. *Antunes Filho e a dimensão utópica*. São Paulo: Perspectiva, 1994.

_____. *A batalha da quimera: Renato Vianna e o modernismo cênico brasileiro*. Inédito.

MORENO, José Alberto. *Medicina energética – o confronto com a medicina oficial*. Belo Horizonte: Editora Hipocrática Hahnemanniana, 2005.

MUELLER, Fernand-Lucien. *História da Psicologia* (Histoire de la Psychologie de l'Antiquité à nos Jours). Trad. Lólio Lourenço de Oliveira, Maria Aparecida Blandy, J. B. Damasco Penna. São Paulo: Editora Nacional Editora da USP, 1968.

NIETZSCHE, Friedrich. *A origem da tragédia, proveniente do espírito da música* (Die Geburt der Tragödie aus dem Geiste der Musik). Trad. Erwin Theodor. São Paulo: Cupolo, 1948.

PERCHERON, Maurice. *O Buda e o budismo* (Le Bouddha et le Bouddhisme). Trad. Ruy Flores Lopes. Rio de Janeiro: Agir, 1968.

PESSOA, Fernando. *Ficções do interlúdio*. São Paulo: Companhia das Letras, 1998.

PLATÃO. *A República*. Trad. Leonel Vallandro. Rio de Janeiro: Edições de Ouro, s/d.

PLUTARCO. *Vidas paralelas*. Trad. Gilson César Cardoso. São Paulo: Editora Paumape, 1992. (5 volumes).

PROENÇA, M. Cavalcanti. *Roteiro de Macunaíma*. Rio de Janeiro: Civilização Brasileira, 1969.

RANK, Otto. *El mito del nacimiento del heroe* (The Myth of the Birth of the Hero). Trad. Eduardo A. Loedel. Buenos Aires: Editorial Paidós, 1961.

REDGRAVE, Michael. *Los medios expresivos del actor* (The Actor's Ways and Means). Trad. Julio Galer. Buenos Aires: Leviatan, 1956.

Renaut, Mary. *O gênio de Alexandre* (The Nature of Alexander). Trad. Oscar Mendes. Rio de Janeiro: Nova Fronteira, 1976.

Ripellino, A. M. *Maiakóvski e o teatro de vanguarda* (Majakovsky e il Teatro Russo d'Avanguardia). Trad. Sebastião Uchoa Leite. São Paulo: Perspectiva, 1971.

Rizzo, Eraldo Pêra. *Ator e estranhamento: Brecht e Stanislavsky segundo Kusnet*. São Paulo: Editora SENAC, 2001.

Robertson, Robin. *Guia prático de psicologia junguiana* (Beginner's Guide To Jungian Psychology). Trad. Maria Sílvia Mourão Netto. São Paulo: Cultrix, 1995.

Rodrigues, Nelson. *Teatro quase completo*. Rio de Janeiro: Tempo Brasileiro, 1965. (4 volumes).

_____. *Teatro completo*, organização: Sábato Magaldi. Rio de Janeiro: Nova Fronteira, 1981/1990. (4 volumes).

Rosenfeld, Anatol. *Teatro alemão – 1ª parte: esboço histórico*. São Paulo: Brasiliense, 1968.

_____. *Teatro moderno*. São Paulo: Perspectiva, 1977.

Rouanet, Sérgio Paulo. *Teoria crítica e psicanálise*. Rio de Janeiro: Tempo Brasileiro; Fortaleza: Edições Universidade Federal do Ceará, 1983.

Roubine, Jean-Jacques. *A arte do ator* (L'Art du Comédien). Trad. Yan Michalski e Rosyane Trotta. Rio de Janeiro: Jorge Zahar Editor, 1987.

Ryngaert, Jean-Pierre. *Introdução à análise do teatro* (Introduction à l'Analyse du Théâtre). Trad. Carlos Porto. Porto: Edições ASA, 1992.

Sharp, Daryl. *Léxico Junguiano – Dicionário de termos e conceitos* (C. G. Jung Lexicon – A Primer of Terms & Concepts). Trad. Raul Milanez. São Paulo: Cultrix, 1993.

Silva, Paulo Maurício; Fontinha, Sebastião Rodrigues. *O homem: seu corpo sua história, sua ética*. São Paulo: Editora Nacional, s/d.

Sitchin, Zecharia. *A escada para o céu* (The Stairway to Heaven). Trad. Evelyn Massaro. São Paulo: Editora Nova Cultural, s/d.

Souriau, Etienne. *As duzentas mil situações dramáticas* (Les Deux Cents Milles Situations Dramatiques). Trad. Maria Lúcia Pereira e Antônio Edson Cadengue. São Paulo: Ática, 1993.

Spalding, Tassilo Orpheu. *Dicionário de mitologia*. São Paulo: Cultrix, s/d.

Stanislavsky, Constantin. *Minha vida na arte* (My Life in Art). Trad. Esther Mesquita. São Paulo: Ed. Anhembi, 1956.

_____. *A preparação do ator* (An Actor Prepares). Trad. Pontes de Paula Lima. Rio de Janeiro: Civilização Brasileira, 1996 (13ª edição).

_____. *A construção da personagem* (Building a Character). Trad. Pontes de Paula Lima. Rio de Janeiro: Civilização Brasileira, 1994 (7ª edição).

_____. *A criação de um papel* (Creating a Role). Trad. Pontes de Paula Lima. Rio de Janeiro: Civilização Brasileira, 1995 (5ª edição).

Suassuna, Ariano. *A pedra do reino*. São Paulo, Círculo do Livro, s/d.

Suzuki, Daisetz Teitaro. *A doutrina zen da não mente* (The Zen Doctrine of No Mind). Org. Christmas Humphreys. Trad. Elza Bebianno. São Paulo: Pensamento, 1989.

_____. *Mística: cristã e budista* (Misticism: Christian and Buddhist). Trad. David Jardim. Belo Horizonte: Itatiaia, 1976.

Talbot, Michael. *O universo holográfico* (The Holographic Universe). Trad. Maria de Fátima S. M. Marques. São Paulo: Best Seller/Círculo do Livro, s/d.

Tanahashi, Kazuaki, org. *Escritos do mestre Dögen: a lua numa gota de orvalho* (Moon in a Dewdrop). Trad. Sônia Régis. São Paulo: Siciliano, s/d.

Thomas, Raymond. *Zen Do: introduccion a la via del zen*. Barcelona: Ediciones Teorema, 1984.

Tolmacheva, Galina. *Creadores del teatro moderno: los grandes directores de los siglos XIX y XX*. Buenos Aires: Centurión, 1946.

Tzu, Sun. *A arte da guerra*. Trad. Sueli Barros Cassal. Porto Alegre: L&PM, 2000.

Unamuno, Miguel de. *Antologia*. México, D.F., Fondo de Cultura Económica, 1982.

Vários. *Bíblia sagrada*. Traduzida da vulgata e anotada pelo Pe. Matos Soares. São Paulo: Edições Paulinas, 1966. (22ª edição).

Vários. *Pré-socráticos – seleção de textos e supervisão*: Prof. José Cavalcante de Souza. São Paulo: Nova Cultural (Os Pensadores), 1996.

Vazquez Pereira, Jesus (coordenador de publicação). *Teatro sesc Anchieta*. São Paulo: Serviço Social do Comércio – sesc, 1989.

Vicens, Frances. *Arte abstrata e arte figurativa*. Madri: Salvat, 1979.

Vico, Giambattista. *Princípios de uma ciência nova: acerca da natureza comum das nações* (Principi di Una Scienza Nuova – Dintorno alla Comune Natura delle Nazioni). Trad. Antônio Lázaro de Almeida Prado. Em: "Bruno/Vico". São Paulo: Nova Cultural (Os Pensadores), 1988.

Wagner, Fernando. *Teoria e técnica teatral* (Teoria y Técnica Teatral). Trad. Manuel Pereira de Carvalho. Coimbra: Livraria Almedina, 1978.

Watts, Alan. *Tao, o curso do rio* (Tao: The Watercourse Way). Trad. Terezinha Santos. São Paulo: Pensamento: 1997.

_____. *Las dos manos de dios* (The Two Hands of God). Trad. Darryl Clark e Carletto Carbó. Barcelona: Kairós, 1990.

Weber, Felix. *A dança do cosmos: do átomo grego às travessuras dos quarks* (Der Kosmos Tanzt – Vom Atom Der Griechen Zum Spiel Der Quarks). Trad. Zilda Hutchinson Schild. São Paulo: Pensamento, 1990.

Weisskopf, Victor. *A revolução dos quanta* (La Révolution des Quanta). Trad. Maria Margarida S. V. Correia. Lisboa: Terramar, 1990.

Wilber, Ken et alii. *O paradigma holográfico e outros paradoxos: uma investigação nas fronteiras da ciência* (The Holographic Paradigm and Other Paradoxes: Exploring the Leading Edge of Science). Trad. Maria de Lourdes Eichenberger e Newton Roberval Eichenberger. São Paulo: Cultrix, 1991.

Wilson, Simon. *A arte pop* (Pop). Trad. Maria Luiza Ferguson Marques. Barcelona: Editorial Labor, 1975.

Wing-tsit, Chan; CONGER, George P.; TAKAKUSU, Junjiro; SUZUKI, Daisetz Teitaro; SAKAMAKI, Shunzo. *Filosofía del Oriente* (Philosophy East and West). Trad. Jorge Hernández Campos, Jorge Portilla. México: Fondo de Cultura Económica, 1987 (4ª reimpressão).

Sobre o autor

Sebastião Milaré é jornalista, crítico e pesquisador de teatro. Desde 1994 é curador de teatro do Centro Cultural São Paulo. Por 20 anos foi crítico teatral na revista *artes:* e nas últimas décadas tem publicado ensaios em periódicos do Brasil e do exterior. Criou e edita desde 2000 a revista teatral eletrônica www.antaprofana.com.br. É autor dos livros *Antunes Filho e a dimensão utópica* (Ed. Perspectiva, 1994) e *Batalha da quimera* (Ed. Funarte, 2009). Participou de várias obras coletivas, com destaque para *Estrategias postmodernas y postcoloniales em el teatro latinoamericano*, organizada por Alfonso de Toro (Madrid: Iberoamericana / Frankfurt: Vervuert Verlag, 2004). É autor das peças *A trupe futurista conta o bumba-meu-boi modernista* (1992, dir. Gilberto Gawronski) e *A solidão proclamada* (1998, dir. e coreografia Sandro Borelli); e dramaturgo de *A flor e o concreto* (São Paulo, 2000) e *Quem come quem* (Coimbra, 2001, dir.Stephan Stroux). É roteirista das séries *O teatro segundo Antunes Filho* (STV/TV Cultura, 2001) e *Teatro e circunstância* (SESCTV, 2009), dirigidas por Amílcar Claro.

Fontes: Sabon LT Std e Clarendon LT Std / Papel: Alta alvura 90g/m²
Data: 08/2010 / Tiragem: 3.000
Impressão: Leograf